QUENTE, PLANO e LOTADO

THOMAS L. FRIEDMAN

QUENTE, PLANO e LOTADO

OS DESAFIOS E OPORTUNIDADES DE UM NOVO MUNDO

Tradução
Paulo Afonso
Cristina Cavalcanti

Agradece-se a gentil permissão para reimprimir o seguinte material:
Trechos traduzidos de *Three Cups of Tea* by Greg Mortenson and David Oliver Relin, copyright © 2006 por Greg Mortenson e David Oliver Relin. Utilizados com permissão de Viking Penguin, uma divisão de Penguin Group (USA) Inc.
Gráficos reproduzidos com permissão de Foreign Policy, www.ForeignPolicy.com, #154, maio/junho 2006. Copyright © 2006 pelo Carnegie Endowment for International Peace.

EDITORA OBJETIVA LTDA.
Rua Cosme Velho, 103
Rio de Janeiro — RJ — CEP: 22241-090
Tel.: (21) 2199-7824 — Fax: (21) 2199-7825
www.objetiva.com.br

Título original
Hot, Flat, and Crowded

Capa
Andrea Villela

Imagem de capa
© Anna Peisl/Corbis/Latinstock

Revisão
Tamara Sender
Ana Kronemberger
Ana Julia Cury
Joana Milli

Editoração eletrônica
Abreu's System Ltda.

CIP-BRASIL. CATALOGAÇÃO-NA-FONTE
SINDICATO NACIONAL DOS EDITORES DE LIVROS, RJ

F946q

Friedman, Thomas L.

Quente, plano e lotado : os desafios e oportunidades de um novo mundo / Thomas L. Friedman ; tradução Paulo Afonso. - Rio de Janeiro : Objetiva, 2010.

623p. ISBN 978-85-7302-979-6
Tradução de: *Hot, flat and crowded*

1. Economia. 2. Política enérgica. 3. Negócios. 4. Recursos energéticos. 5. Desenvolvimento sustentável. 6. Tecnologia ambiental. 7. BRICs. I. Título.

09-3410. CDD: 330
CDU: 330

Para Ann,
mais uma vez

Sumário

Primeira Parte

Quando o mercado e a mãe natureza chegam a um beco sem saída

UM

Por que o Citibank, os bancos da Islândia e os bancos de gelo da Antártida se derreteram todos ao mesmo tempo

No dia 15 de junho de 2005, quando a economia global estava a todo vapor, o jornal satírico *The Onion* (A cebola) publicou a seguinte história sobre os trabalhadores chineses e as coisas que eles fabricam para os americanos. Embora falsa, como muitas veiculadas pelo *The Onion*, a história evidencia algumas verdades essenciais:

> FENGHUA, CHINA — Chen Hsien, empregado da Ningbo Artefatos de Plástico Ltda., que fabrica equipamentos domésticos leves para os mercados ocidentais, expressou na segunda-feira seu espanto com a "absurda quantidade de [porcarias] que os americanos compram".
>
> "Muitas vezes, quando recebemos uma encomenda de, digamos, *salad shooters*,* eu digo a mim mesmo: 'Não é possível que alguém compre uma coisa dessas'", disse Chen durante seu intervalo de almoço em um pátio a céu aberto.
>
> "Um mês depois, nós recebemos uma encomenda do mesmo produto, mas em uma quantidade três vezes maior. Como alguém pode precisar de uma [porcaria] inútil como essa?"

* "Atiradores de salada", ou seja, raladores de vegetais. (N. da E.)

Chen, de 23 anos, trabalha como operador de termomodeladoras na fábrica desde a sua abertura, em 1996. Ele disse que frequentemente faz essas perguntas a si mesmo durante sua semana de trabalho, que passa de sessenta horas e lhe rende o equivalente a 21 dólares.

"Eu ouvi dizer que os americanos podem comprar o que quiserem, e acredito nisso, considerando as coisas que tenho fabricado para eles", disse Chen. "Também ouvi dizer que, quando eles não querem mais uma mercadoria, eles simplesmente a jogam fora. Que desperdício horrível."

Entre os produtos que Chen ajuda a fabricar estão dispensadores de sacolas plásticas, microondas para omeletes, lupas que brilham no escuro, cestas de arquivo com motivos natalinos, estojos para lentes de contato em forma de bichos, e ganchos com adesivo para colar em paredes.

"Às vezes um item produzido pela fábrica não se parece com nada que eu já tenha visto", diz Chen. "Uma vez nós fizemos uma coisa parecida com uma concha de sopa, mas com furos no fundo e um cabo que se dobrava em noventa graus. O chefe de equipe nos disse que era um suporte de latas de refrigerantes para ser usado em automóveis. Se você tem a sorte de possuir um carro, relaxe e aproveite a viagem. O refrigerante pode ficar para mais tarde."

Chen acrescentou: "Um suporte para latas não é uma coisa necessária."

Chen também se mostrou perplexo com as dezenas de milhares de extratores de núcleo de abacaxi, viseiras de plástico, paliteiros e brinquedos de cachorro que ele ajudou a fabricar.

"Por que essa procura por tantos apetrechos de cozinha?", pergunta Chen. "Eu posso entender a necessidade de termos uma boa panela *wok*, uma panela para arroz, uma chaleira, uma chapa elétrica, alguns utensílios, um bom jogo de porcelana, um bule de chá com coador e talvez uma garrafa térmica. Mas e essas coisas adicionais — onde os americanos guardam isso? Quantas vezes você já usou uma forma para massa de *tacos*?..." Chen acrescentou que muitos dos itens quebram depois de apenas algumas utilizações.

"Nenhum deles é feito para durar muito tempo", disse Chen. "Provavelmente, é para que os americanos logo comprem mais..."

A sátira do *The Onion* retrata de modo caricatural o funcionamento do motor que tem impulsionado a economia do planeta durante as duas últimas décadas: o relacionamento íntimo entre os consumidores americanos e os produtores e poupadores chineses. Em sua estrutura, a máquina de crescimento sino-americana funcionava da seguinte forma: nós, nos Estados Unidos, construíamos mais e mais lojas para vender mais e mais coisas feitas em mais e mais fábricas chinesas, alimentadas por mais e mais carvão. Todas essas vendas produziam mais e mais dólares, que a China usava para comprar mais e mais Letras do Tesouro Americano, o que permitia ao Federal Reserve e aos bancos de Wall Street oferecer mais e mais crédito fácil para mais e mais consumidores e negócios, de modo que mais e mais americanos pudessem comprar mais e mais casas. Todas essas vendas elevaram os preços das casas cada vez mais, o que fez com que mais e mais americanos sentissem que tinham mais e mais dinheiro para comprar mais e mais coisas produzidas por mais e mais fábricas chinesas, alimentadas por mais e mais carvão, o que proporcionava à China mais e mais dólares para comprar mais e mais Letras do Tesouro Americano, que retornavam aos Estados Unidos para criar mais e mais crédito, permitindo que mais e mais pessoas pudessem construir mais e mais lojas e comprar mais e mais casas...

Este relacionamento, tão importante para inflar a bolha de crédito pós-Guerra Fria, era tão íntimo que quando os americanos subitamente pararam de comprar e construir, no outono de 2008, centenas de fábricas chinesas interromperam as atividades e todos os moradores de algumas cidades se viram desempregados. Consideremos a colônia artística chinesa de Dafen, ao norte de Hong Kong. Cerca de nove mil pessoas formadas pelos institutos de arte de Dafen fizeram da colônia o maior centro mundial de produção de arte massificada e imitações de obras-primas — as pinturas a óleo que são vistas em quartos de motel e casas de preço acessível dos Estados Unidos. Cerca de 60% das pinturas a óleo baratas do mundo são produzidas dentro dos 4 quilômetros quadrados de Dafen. "Uma cópia razoável dos 'Girassóis', de Van Gogh, custa 51 dólares", informou o jornal eletrônico alemão *Spiegel Online* (23 de agosto de 2006). "Compre cem e o preço cai para 33 dólares [...] As cem pinturas, com a garantia de terem sido produzidas por artistas formados nos institutos de arte, são entregues em três semanas." Não é nenhuma surpresa que Dafen tenha sido devastada pelo estouro da bolha de crédito americana. "Casas particulares e hotéis costumavam ser os maiores destinatários dos trabalhos produzidos em Dafen", disse Zhou Xiaohong, vice-diretor da Associação de Artes Industriais de Dafen, em entrevista ao jornal *Sunday Morning Post* de Hong Kong (14 de dezembro de 2008). "Quanto mais casas são construídas nos Estados Unidos, mais paredes precisam de nossas pinturas." E nós, nos Estados Unidos, realmente construímos muitas paredes para acolher as pinturas chinesas. Excesso de consumo, excesso de construções, excesso de empréstimos tomados e concedidos — tudo isso se tornou a norma na bolha de crédito americana pós-Guerra Fria. Um dos meus exemplos favoritos provém de Minneapolis, minha cidade natal. Na primavera de 2009, eu me encontrava lá, conversando sobre o problema do consumo descontrolado com meu amigo de infância Ken Greer. Ele me disse: "Eu quero lhe mostrar uma coisa." Fomos de carro até um pequeno centro comercial próximo à rua Shady Oak e à autoestrada Crosstown. "O.k., olhe isso", disse Ken enquanto parávamos em frente à entrada. Era difícil não notar o "isso". De cada lado da entrada havia um Café Caribou, a versão do Starbucks em Minnesota. Para que um shopping tão pequeno precisaria de dois Cafés Caribou? Entramos no que estava à direita da entrada. Pedi meu *latte* com leite desnatado e perguntei à atendente: "Me explique uma coisa. Você tem um Café Caribou e há outro Café Caribou ali adiante. Posso ver daqui. Por que há dois Cafés Caribou a menos de 50 metros um do outro?" Bem, explicou ela, o motivo era muito simples: "Havia filas aqui, todas as manhãs, por isso precisávamos de outra loja."

"Entendi", disse a mim mesmo. Como as pessoas tinham de esperar na fila um pouco mais de manhã, na hora de maior movimento, os donos do Café Caribou não podiam simplesmente acrescentar mais uma máquina de café e contratar dois atendentes. Tinham de construir outro café no outro lado da entrada do shopping, uma cópia perfeita do primeiro. Mas por que não? O dinheiro estava barato e os recursos, disponíveis. Por que não ter duas lojas de café idênticas em um pequeno centro comercial? Com todo respeito a Dafen e ao Café Caribou, espero que nunca mais retornemos à época em que os americanos tomavam mais e mais dinheiro emprestado para comprar mais e mais bugigangas com mais e mais crédito, que alimentava mais e mais fábricas chinesas ou mais e mais cafés movidos a mais e mais energia proveniente do carvão. É claro que não sou contra o comércio mundial e o crescimento econômico, mas nosso crescimento precisa ser mais equilibrado — econômica e ecologicamente. Não podemos ser apenas consumidores e os chineses, produtores. E nenhum de nós pode permitir que as mercadorias produzidas e consumidas sejam fabricadas ou utilizadas de formas prejudiciais ao meio ambiente, como acontecia antes. Essa maneira de melhorar o padrão de vida é simplesmente insustentável — economicamente insustentável e ecologicamente insustentável.

Por isso mesmo, a Grande Recessão iniciada em 2008 não foi a recessão-padrão, conhecida por nossos avós. Não foi apenas uma desaceleração drástica, da qual poderemos nos recuperar, voltando alegremente aos nossos velhos hábitos — com um pouco menos de alavancagem, riscos um pouco menores e um pouco mais de fiscalização. Não, esta Grande Recessão foi algo muito mais importante. Foi um ataque cardíaco brando, para nos servir de alerta.

Felizmente, não foi fatal. Mas não podemos ignorar o aviso: temos crescido de um modo que não é saudável para os mercados, para o planeta, para nossos bancos, para nossas florestas, para nosso comércio varejista, para nossos rios. A Grande Recessão foi o momento em que o Mercado e a Mãe Natureza se reuniram e disseram para as maiores economias do mundo, a começar pelos Estados Unidos e pela China: "Isso não pode continuar. Agora basta."

De fato. Nosso modo de criar riquezas injetou tantas toxinas no mundo financeiro e no mundo natural que, em 2008/9, estas abalaram as próprias fundações de nossos mercados e ecossistemas. Embora possa parecer, superficialmente, que uma coisa não tem relação com a outra, tanto a desestabilização do Mercado quanto a da Mãe Natureza têm as mesmas raízes. Eis por que tanto o banco de investimentos Bear Stearns quanto os ursos-polares enfrentaram a extinção ao mesmo tempo.* Eis por que o Citibank, os bancos da Islândia e os bancos de gelo da Antártida derreteram todos ao mesmo tempo. A mesma negligência solapou todos eles. Estou falando sobre uma ampla quebra no nível de responsabilidade individual e institucional por parte de atores-chave, tanto no mundo natural quando no mundo financeiro — além de um profundo mergulho na desonestidade contábil, que permitiu a indivíduos, bancos e firmas de investimento ocultarem ou subestimarem os riscos, privatizarem os lucros e socializarem os prejuízos, sem que o público, em geral, soubesse o que estava acontecendo. É claro que nem todo crescimento verificado nos Estados Unidos ou em outros lugares foi fraudulento — longe disso. Aumentamos a produtividade e criamos novas empresas, como a Amazon.com e a Google, novos produtos, como o iPod e o iPhone, e novos serviços, como a publicidade on-line e o software livre, que, coletivamente, tornaram a vida das pessoas melhor, mais fácil, mais divertida e mais produtiva. Mas, pelo menos nos Estados Unidos, uma parte considerável de nosso crescimento econômico não foi inventada; foi tirada dos cofrinhos das crianças e das reservas da Mãe Natureza. Portanto, enquanto sociedade, acabamos vivendo além de nossas posses coletivas.

Tudo isso, um dia, terminou. Ou como diz meu amigo Rob Watson, consultor ambiental da EcoTech International: "Se você pular do último andar de um prédio de oitenta andares, pode achar que está voando durante 79 andares. O problema é a parada súbita, lá embaixo."

A Grande Recessão foi nossa parada súbita. A questão é: podemos aprender com ela? Como disse o economista Paul Romer: "Desperdiçar uma crise é uma coisa terrível."** Eu acho que podemos aprender com

---

* *Bear*, em inglês, significa "urso". (N. do T.)

** Paródia de um lema de comercial de televisão clássico nos Estados Unidos, do United Negro College Fund, uma entidade filantrópica: "Desperdiçar uma mente é uma coisa terrível." (N. da E.)

esta crise e devemos aprender com esta crise. O propósito deste livro é oferecer um caminho para isso.

Esta é uma edição revista. A edição em capa dura deste livro foi publicada nos Estados Unidos, pela primeira vez, em setembro de 2008. Nela, argumentei que os Estados Unidos tinham um problema e o mundo tinha um problema. Os Estados Unidos, afirmei, tinham "saído dos trilhos" após o final da Guerra Fria e, particularmente, depois do 11 de setembro. Voltamo-nos para dentro de nós mesmos e começamos a exportar nossos medos, em vez de nossas esperanças. E parecíamos determinados a adiar o combate aos grandes problemas que enfraqueciam nossa sociedade — desde a educação até o Sistema Previdenciário, passando pelo sistema de saúde, pelo deficit orçamentário, pela imigração e pela energia. Argumentei que precisávamos voltar a construir o país em casa — e acredito que foi este sentimento, partilhado por uma grande maioria de americanos, que impulsionou Barack Obama até a presidência do país.

Mas o mundo também tinha um problema, argumentei. Estava se tornando quente (aquecimento global), plano (a ascensão de classes médias com alto padrão de consumo em todo o mundo) e lotado (a caminho de acrescentar cerca de um bilhão de pessoas ao planeta a cada 13 anos). Minha tese, naquela ocasião, que continua sendo minha tese agora, era que os Estados Unidos podem entrar novamente nos trilhos liderando o desenvolvimento de tecnologias e soluções políticas para enfrentar os grandes problemas mundiais — os problemas energéticos e ambientais decorrentes de um planeta que está se tornando quente, plano e lotado.

O que mudou? Por que estou revisando o livro? Em primeiro lugar, os problemas do planeta se tornaram mais graves. Como escrevi acima, o sistema de crescimento que adotamos desestabilizou tanto o Mercado quanto a Mãe Natureza, até um patamar que já não pode ser evitado ou ignorado. A colisão entre graves problemas financeiros e ecológicos — que tornou "grande" a Grande Recessão — permitiu que eu enxergasse uma coisa escondida, porém óbvia: os problemas que desestabilizavam tanto o Mercado quanto a Mãe Natureza estavam enraizados no mesmo tipo de contabilidade fraudulenta, subestimação dos riscos, privatização dos lucros e socialização dos prejuízos.

Portanto, revisei os três primeiros capítulos, de modo a explicar como o Mercado e a Mãe Natureza chegaram ao mesmo tempo a um beco sem saída. Depois, retomei a narrativa do livro original. O restante da primeira metade focaliza o impacto que nosso comportamento descuidado tem tido sobre um planeta que já está se tornando quente, plano e lotado. A segunda metade explica como podemos utilizar esta crise para revigorar e reorganizar os Estados Unidos, cuja liderança — tecnológica, financeira, ética e ecológica — terá importância vital para que todo o planeta enfrente os desafios únicos que se apresentam agora.

Se tivesse de resumir o que significa para nós este momento desafiador, eu colocaria as coisas da seguinte forma: nossos pais pertenciam à Grande Geração,* que construiu para nós, nos Estados Unidos, um mundo de liberdade, abundância e oportunidade em um grau jamais alcançado por nenhuma outra geração na história. Minha geração (nasci em 1953), cujos integrantes são conhecidos como *baby boomers*, transformou-se na "Geração Gafanhoto", um termo inspirado pelo escritor Kurt Andersen, que, em um ensaio dedicado à nossa era de excessos, publicado na revista *Time* (26 de março de 2009), argumentou que minha geração soltou seu "gafanhoto interior" e devorou avidamente os recursos e o mundo natural que nos foram legados — deixando para nossos filhos imensos deficits financeiros e ecológicos. Não podemos nos dar ao luxo de continuar gafanhotos por mais tempo. Assim sendo, nossos filhos terão de constituir a "Regeração", reunindo a vontade, a energia, a determinação e a capacidade de inovação necessárias para regerar, renovar e reinventar os Estados Unidos, mostrando ao mundo que existe um novo modelo para a elevação dos padrões de vida e para a interação com a natureza — um modelo realmente sustentável, renovável, saudável, seguro e justo, que criará mais oportunidades para mais pessoas em mais lugares do que nunca.

A revolução verde já não diz respeito somente a baleias. Nem aos "filhos de nossos filhos", uma geração tão distante que torna difícil uma

* Grande Geração — *Greatest Generation*, em inglês, é uma expressão cunhada pelo jornalista Tom Brokaw para descrever a geração de americanos que cresceu durante a Grande Depressão e lutou na Segunda Guerra Mundial. (N. do T.)

mobilização em seu favor. A revolução verde diz respeito a nós. Diz respeito ao mundo que nós e nossos filhos habitaremos pelo resto de nossas vidas. Trata-se de discutir se conseguiremos encontrar um meio de produzir riquezas — pois todos querem viver melhor — sem criar resíduos tóxicos no mundo financeiro, ou no mundo natural, que acabem nos esmagando. Trata-se de um projeto urgente, pois o modo de vida em que embarcamos nos últimos anos não pode ser transferido para outra geração sem consequências catastróficas. É um trabalho formidável, um grande desafio — que nossos filhos não fizeram por merecer, mas do qual não podem escapar. Como em outros momentos históricos igualmente importantes, muitos fatores convergiram para produzi-lo. Vou focalizar três deles: o sistemático encobrimento e subestimação dos verdadeiros custos e riscos do que fazemos; a disseminada aplicação dos piores valores aos negócios e à ecologia, legitimados pelas siglas ETD/VTD — façamos o que quisermos agora, pois "eu terei desaparecido" ou "você terá desaparecido" quando chegar a hora de pagar a conta; e a privatização dos lucros com socialização dos prejuízos.

Subestimando o risco

O derretimento ocorrido no mercado foi deflagrado pelas hipotecas *subprime** (de risco), que permitiram a pessoas de baixa renda, com histórico de crédito maculado ou inexistente, adquirir residências. No auge da loucura, segundo me informou um corretor de hipotecas de Los Angeles, as hipotecas estavam sendo concedidas pelos bancos e por agências hipotecárias a qualquer um que "estivesse respirando". Pessoas com rendimentos entre 15 mil e 20 mil dólares, sem histórico de crédito, ou mesmo sem emprego fixo nem documento de cidadania, estavam recebendo financiamentos hipotecários para a aquisição de casas de 300 mil a 400 mil dólares — sem efetuar nenhum pagamento inicial. É estarrecedor o volume de recursos que nós e outras pessoas esbanjamos nessas hipote-

* Literalmente, abaixo do superior. (N.da E.)

cas "de risco", como se estas fossem Letras do Tesouro Americano e não instrumentos financeiros de risco elevadíssimo. Como isto aconteceu?

Segundo Peter J. Wallison, perito em política financeira e codiretor do projeto para política financeira do *think tank* American Enterprise Institute (Instituto Empresarial Americano), havia, em setembro de 2008, cerca de 25 milhões de hipotecas de risco pendentes, com um principal não pago superior a 4,5 trilhões de dólares. Hipotecas de risco, explicou Wallison, são hipotecas concedidas a pessoas com crédito maculado e classificação baixa pelos critérios utilizados para avaliar a qualidade de crédito. Outras hipotecas de risco — conhecidas como *nonprime mortgages* ou empréstimos Alt-A — "são hipotecas a juros variáveis, com um pequeno ou nenhum pagamento de entrada, concedidas a pessoas que não precisaram declarar a renda, ou esta não foi verificada", acrescentou ele. Essas operações eram também conhecidas como "empréstimos mentirosos", pois permitiam que o tomador encobrisse sua fragilidade financeira e ainda assim obtivesse um empréstimo — sem entrada, ou pagando uma entrada mínima. As amortizações só seriam devidas mais tarde, em um ano ou dois. Em outras palavras, o termo "empréstimo de risco" se referia à qualidade do tomador — cujo risco de inadimplência era conhecido desde o primeiro dia. "Empréstimos Alt-A" se referiam à qualidade do próprio empréstimo: o tomador poderia ter um histórico bom ou ruim, mas os empréstimos eram arriscados em si mesmos, pois eram concedidos sem nenhuma entrada, ou sem nenhum histórico de crédito; ou seriam cobrados com juros muito mais elevados no futuro. Assim, por conta de uma ou mais dessas possibilidades, havia sempre uma boa chance de que o comprador não pudesse arcar com os pagamentos. Mas, como os preços das moradias estavam subindo, quem tivesse obtido um empréstimo Alt-A poderia passar a casa adiante quando tivesse de começar a pagá-lo, como fizeram muitos especuladores. Ganhariam então mais do que o valor original da hipoteca. Os corretores não se constrangiam ao dizer às pessoas: "Sem problema: compre agora e, se não puder pagar as prestações da hipoteca, basta vender a casa. Os preços só aumentam. A casa vai valer mais amanhã do que vale hoje — com certeza." Entretanto, quando os preços das moradias começaram a baixar e as prestações das hipotecas foram cobradas, muitos tomadores de empréstimos se afogaram em dívidas. O valor das hipotecas subiu e o preço das casas caiu, de modo que eles não tiveram como escapar.

É impressionante quantas pessoas caíram nessa armadilha. Em 2009, segundo Wallison, os 25 milhões de hipotecas de risco e empréstimos Alt-A existentes constituíam 45% de todas as hipotecas familiares dos Estados Unidos.

Em uma época não muito distante, nossos pais juntavam dinheiro durante muito tempo, e com sacrifício, até reunir o equivalente a 10% ou 20% do valor de sua casa, que utilizavam como pagamento inicial de uma hipoteca junto a um banco ou instituição de crédito. Este banco ou instituição de crédito conservava a hipoteca em seu poder durante o tempo de sua duração. Emprestador e tomador estavam amarrados. Havia uma sensação de mútua responsabilidade. Mas no novo sistema as coisas funcionavam assim: bancos e corretores de hipotecas concediam as hipotecas de risco, que eram imediatamente vendidas a grandes grupos financeiros, como o Citibank e o Merrill Lynch. Ou a agências patrocinadas pelo governo, como a Fannie Mae (Associação Nacional de Hipotecas) e a Freddie Mac (Sociedade Federal de Empréstimos Hipotecários para Residências), cuja função é trabalhar com bancos e corretores de hipotecas primárias, de modo a assegurar que estes disponham de recursos para emprestar a quem estiver comprando uma moradia, a juros acessíveis. Bancos e gestores de recursos obtiveram grandes lucros transformando milhares dessas hipotecas em títulos de dívida — conhecidos como *mortgage-backed securities*, valores mobiliários lastreados em hipotecas —, que venderam a compradores no mundo inteiro, da mesma forma que vendiam outros tipos de títulos. Parecia fazer sentido pegar um grupo de hipotecas com um fluxo de caixa estabelecido, e agrupá-las em um único título de dívida que juntava todos os pagamentos mensais das hipotecas, e então utilizar esse fluxo de caixa para pagar ao comprador os juros e o principal do título. E pronto — estava criado um valor mobiliário lastreado em ativos. Gerentes de fundos em todo o mundo compraram esses títulos. E por que não comprariam? Esses títulos pagavam juros maiores que a média das letras do Tesouro, o que engordava os balanços dos bancos ou dos fundos que os possuíam; e pareciam tão seguros quanto quaisquer AAA *corporate bonds* (títulos de dívida corporativos de primeira linha). Afinal de contas, as agências classificadoras de risco lhes davam boas avaliações e os americanos — pelo menos os da geração de nossos pais — tinham uma longa tradição de pagar suas hipotecas.

"Isso era verdade quando todas as hipotecas eram concedidas mediante o pagamento de uma entrada a pessoas que tinham empregos, no prazo de trinta anos e a juros fixos", diz Wallison. "Mesmo nas piores épocas, o percentual de hipotecas executadas não passava de 4%." A expansão das hipotecas de risco foi algo inteiramente novo, acrescentou ele. Essas hipotecas sempre existiram, mas constituíam uma pequena parte do total das hipotecas. Havia uma boa razão para isso: são muito arriscadas. Algumas projeções para as execuções de hipotecas, durante a crise atual, estão em torno de 30%. Mas como embarcamos nessa loucura? Um fator determinante, diz Wallison, foi a política do governo americano de fomentar a aquisição da casa própria, encorajando agências semigovernamentais com acesso ilimitado a reservas de capital barato, como a Fannie Mae e a Freddie Mac, a tornar as hipotecas acessíveis a um número cada vez maior de pessoas, mediante "normas flexíveis de avaliação e quantificação de risco".

"A Fannie e a Freddie foram as fomentadoras", observou Wallison. Primeiramente, estimularam o desenvolvimento de um mercado de hipotecas de risco e de empréstimos Alt-A em Wall Street, comprando enormes quantidades de tranches AAA em diferentes bancos de investimento, e custodiando os títulos. Então, no final de 2004, começaram a comprar grandes quantidades de hipotecas podres, que elas mesmas transformavam em títulos, competindo com Wall Street. "A guerra entre Wall Street, de um lado, e Fannie e Freddie, de outro", disse Wallison, "fez com que o preço das hipotecas podres diminuísse, aumentando a bolha imobiliária, e enchendo-a com quantidades sem precedente de hipotecas de baixa qualidade [...] Esta é a história de como uma política governamental bem-intencionada causou um declínio substancial na qualidade das hipotecas americanas e, em última análise, acarretou a crise que vivemos hoje".

A propósito, o que são *tranches* AAA? Isto é importante. Imagine que você tem uma pilha de pratos na cuba de sua pia, e que cada um desses pratos representa um grupo de hipotecas de diferentes qualidades reunidas em um único título, que é colocado no mercado. Os piores pratos — os BBB e os CCC — estão no fundo da cuba e pagam os juros maiores, por serem os de maior risco. Os melhores — os AAA —, que agrupam os tomadores de empréstimos mais confiáveis, estão no topo da pilha. Então você começa a encher a cuba com água: a Grande Recessão de 2008/9. As *tranches* mais arriscadas de apólices com garantia hipotecária logo ficam sob a água. As melhores, as *tranches* AAA, normalmente permanecem acima da água. Nem ficam molhadas. Mas esta Grande Recessão não foi normal. Hoje, muitas das *tranches* AAA estão também sob a água e já não valem nada, ou valem apenas uma fração do que valiam anteriormente.

O frenesi pelas hipotecas de risco foi estimulado por mais do que um governo americano que queria promover a aquisição ou a construção da casa própria. Foi também estimulado pela política de crédito fácil e juros baixos — muito baixos, por muito tempo —, sancionada pelo Federal Reserve durante a presidência de Alan Greenspan, no início dos anos 2000. Esse crédito fácil, por sua vez, foi possibilitado pelos dólares que inundavam a economia global, provenientes de países que são grandes poupadores, principalmente os Tigres Asiáticos, os exportadores de petróleo do Oriente Médio e a China. Muitos economistas acreditam agora que foi essa enorme quantidade de poupanças asiáticas e petrodólares do Oriente Médio — administrados por fundos soberanos nesses diferentes países e reinvestidos nos Estados Unidos — que reduziu as taxas de juros das letras do Tesouro Americano, encorajando os bancos de investimento e os magos das finanças a inventarem "inovações" para produzir retornos maiores. Isto os levou a colocar no mercado um número cada vez maior de hipotecas de risco e, em volta deles, sempre mais emaranhados e exóticos derivativos e produtos de seguro.

Eu gosto do modo como Sherle R. Schwenninger, diretor do Programa de Crescimento Econômico da New America Foundation, resumiu a situação. Escrevendo no jornal semanal *The Nation* (23 de dezembro de 2008), ele observou: "As raízes desta economia mundial desequilibrada são a enorme quantidade de poupança gerada pela China, Japão e, mais recentemente, os países petroleiros do Golfo Pérsico. Essa fartura de poupança global, como Ben Bernanke, presidente do Federal Reserve, define a situação, contribuiu para inflar uma sucessão de bolhas de ativos nos Estados Unidos, culminando com a expansão do crédito fácil e o rápido aumento dos preços dos imóveis — que se seguiram ao colapso da bolha de ações das empresas de alta tecnologia." Essas bolhas imobiliárias e creditícias, por sua vez, observa Schwenninger, "contribuíram para inflacionar o consumo permitindo que os proprietários de imóveis contraíssem mais dívidas; o endividamento familiar, como percentagem de renda disponível, passou de 90%, no final dos anos 1990, para 133% em 2007".

Colocando as coisas em termos simples, os bancos e os fundos soberanos que administram a poupança da sra. Tanaka, no Japão, do sr. Zhou, na China, e do sr. Abdullah, no Kuwait, investiram esses recursos em Wall Street, onde alguns dos melhores economistas americanos engendravam produtos financeiros capazes de lhes proporcionar um retorno melhor — sem grandes riscos, ou pelo menos foi o lhes disseram. Com todo esse dinheiro em busca de melhor retorno, era inevitável que as instituições financeiras pressionassem Washington no sentido de obter uma "flexibilidade" cada vez maior para imaginar ferramentas de investimento capazes de proporcionar rendimentos cada vez mais altos. E Washington concordou. Com o final da Guerra Fria e o aumento da globalização, presidentes pró-mercado (Ronald Reagan, George H.W. Bush, Bill Clinton e George W. Bush), juntamente com congressistas e senadores cujas mãos haviam sido molhadas por donativos de campanha oriundos de Wall Street, reduziram a regulamentação bancária que limitava os riscos. Algumas normas estavam em vigor desde a Grande Depressão.

Assim, cada vez mais dinheiro fluiu para um sistema financeiro cada vez menos regulado; e os bancos assumiram riscos cada vez maiores — não somente nas hipotecas de risco, mas em todos os tipos de operação — em cada vez mais lugares, usando instrumentos cada vez mais exóticos e alavancagem cada vez maior, realizando transações cada vez menos transparentes, entendidas por um número cada vez menor de pessoas.

Consideremos um exemplo: derivativos. Em dezembro de 2000, instigado pela indústria de serviços financeiros, o Congresso americano votou, e o então presidente Clinton sancionou, legislação que praticamente isentava os derivativos de fiscalização. Os derivativos são instrumentos financeiros que "derivam" seu valor do preço de ações, títulos, serviços ou bens realmente existentes. "Normalmente, o interessado recebe dinheiro em troca de um acordo para comprar ou vender algum bem ou serviço em uma data futura especificada", segundo o site Wisegeek.com. Portanto, um banco ou uma seguradora podia ganhar dinheiro com a venda de derivativos que caucionavam contra inadimplência títulos com lastro hipotecário. Esses derivativos são conhecidos como *credit-default swaps* (CDS, ou derivativos de crédito). O garoto-propaganda desta novidade acabou sendo o American International Group, o gigante dos seguros.

Gretchen Morgenson e Don Van Natta Jr. relataram as desventuras do AIG nas arriscadas transações financeiras globais em uma matéria publicada no *New York Times* (31 de maio de 2009): "Depois que a legislação de 2000 foi aprovada, os negócios com derivativos estouraram, contribuindo para que os maiores operadores obtivessem enormes lucros. O valor nominal das transações efetuadas no mercado, atualmente, é de 600 trilhões de dólares; há uma década era de 88 trilhões. O JPMorgan, o maior distribuidor de derivativos transacionados diretamente, gerou 5 bilhões de dólares com eles em 2008, segundo a *Reuters*, transformando os derivativos em um de seus negócios mais lucrativos. Entre as empresas que se expandiram rapidamente, estava o AIG. Afastando-se de sua atividade principal — fazer seguros de vida e imobiliário —, o AIG redigiu um tipo de contrato conhecido como CDS, que protegia de inadimplência os proprietários de títulos com lastro em hipotecas. Quando milhões de tomadores de empréstimos hipotecários *subprime* deixaram de pagar as hipotecas, o AIG se viu na obrigação de proporcionar uma garantia em dinheiro aos clientes que tinham comprado seus seguros — um dinheiro que não possuía."

O AIG subestimou completamente, e em alguns casos ocultou, os riscos que estava correndo. Como era dono de uma operação de poupança e empréstimo, suas operações bancárias eram fiscalizadas em nível federal. Também vendia seguros, portanto suas operações na área eram regulamentadas pelas comissões de seguros que existem em cada estado. Mas seus negócios de derivativos aconteciam no âmbito de um *hedge fund* (fundo de derivativo) que havia criado em seu escritório de Londres — o AIG Financial Products, ou AIGFP, que fazia parte da enorme floresta de fundos de derivativos e grupos de *private equity* (investidores em empresas de capital fechado) não regulamentados que cresceu nas duas últimas décadas, e que hoje responde por cerca 50% do crédito global, eclipsando o setor bancário tradicional. Não existe uma instituição global responsável pela regulamentação desse setor. Embora o AIGFP respondesse por apenas 1% da receita total do mastodonte de seguros, os riscos que assumiu literalmente derrubaram a casa quando as coisas começaram a correr mal. E, como esse universo não é transparente nem regulamentado, poucas pessoas, dentro ou fora da AIG, tinham noção de quão grandes eram os riscos assumidos.

"Antes da crise", observaram Morgenson e Van Natta, "poucos participantes do mercado conheciam o grau de comprometimento da AIG. Algumas transações com derivativos são realizadas em bolsa, onde o valor e a natureza dos contratos são revelados, mas muitas não são. Os *credit-default swaps* são negociados em particular. Isto mantinha encoberto o risco dessas operações, deixando os reguladores desinformados sobre o grau de má administração e risco no mercado".

Como empresas globais tão sofisticadas puderam ser tão tresloucadas, assumindo tanto risco? Eu apontaria dois motivos. Para começar, seus magos de finanças elaboraram modelos que lhes disseram que aquilo não era arriscado. Em uma reportagem especial sobre esses nerds, conhecidos como *quants*, que construíram os modelos matemáticos subjacentes aos títulos lastreados em hipoteca, a revista *Newsweek* (8 de junho de 2009) recordou a máxima de Warren Buffett: "Cuidado com *geeks* que aparecem com fórmulas."* A *Newsweek* contou então a história do supertecnocrata David X. Li "que, quando trabalhava no JPMorgan, criou a função de cópula gaussiana, uma fórmula para determinar a correlação entre as taxas de inadimplência de diferentes títulos". Em teoria, se um título com lastro de hipoteca ficasse inadimplente, o modelo oferecia aos banqueiros uma estimativa de quantos outros também ficariam inadimplentes. "A aparente genialidade da cópula gaussiana é sua abstração", comentou a *Newsweek*. "Em vez de se basear na imensa quantidade de dados utilizada para calcular as probabilidades de inadimplência de um [pacote de hipotecas de risco e títulos de securitização lastreados em carteira de títulos de dívida], Li parecia ter descoberto uma lei de correlação. Ou seja, os dados não eram necessários; a correlação simplesmente estava lá. Armados com ela, os *quants* conseguiam cotar os pacotes muito mais rapidamente, e os *traders* podiam vendê-los em tempo recorde. A função de cópula gaussiana deu um impulso extraordinário ao mercado de títulos de securitização lastreados em carteira de títulos de dívida, os CDOs.** O volume global de negócios de CDO passou de 157 bilhões de dólares, em 2004, para 520 bilhões em 2006. Quando outros bancos entraram no jogo, as margens de lucro, antes imensas, começaram a encolher. Para obter o mesmo tipo de retorno, os bancos tiveram de reunir cada vez mais empréstimos em uma CDO, construindo, na prática, bombas maiores." Nem é preciso dizer que as previsões benignas de Li sobre a correlação entre títulos inadimplentes logo se revelaram erradas na crise, quando as hipotecas de risco e seus títulos começaram a cair como fileiras de dominó. Segundo a *Newsweek*, "Li estava a caminho de um Prêmio Nobel quando o mundo explodiu".

O segundo motivo que levou as empresas a subestimar o risco foi mais simples. É algo que ocorre em toda bolha econômica: pessoas aparentemente inteligentes acabam se mostrando tolas — em grande número. Compram a ideia de que nada pode dar errado. Neste caso, a ideia foi

---

* Em inglês, "Beware of geeks bearing formulas", um trocadilho em cima da frase "Beware of Greeks bearing gifts" — cuidado com os presentes de grego, da Eneida do poeta romano Virgílio, que se referia ao cavalo de Troia. (N. da E.)

** De *collateralized debt obligation*. (N. da E.)

a de que os preços imobiliários jamais iriam baixar. Como Michael Lewis revelou em um artigo na revista *Vanity Fair* (agosto de 2009), o AIGFP foi usado por bancos de investimento de Wall Street para garantir pilhas de empréstimos para a IBM e a GE. Então, no início dos anos 2000, o AIGFP começou a garantir "pilhas mais bagunçadas": títulos garantidos por dívidas de cartões de crédito, empréstimos a estudantes, financiamentos de automóvel e hipotecas de primeira linha — qualquer coisa que gerasse um fluxo de caixa. Como observou Lewis, estes empréstimos eram de natureza tão diferente, e destinados a tomadores tão diferentes, que a lógica habitual de risco se aplicava: não poderiam desandar todos ao mesmo tempo. No início, havia poucas hipotecas de risco nessas pilhas. Mas isto mudou depois de 2004. "De junho de 2004 a junho de 2007", escreveu Lewis, "Wall Street subscreveu 1,6 trilhão de dólares em novos empréstimos hipotecários de risco e outro 1,2 trilhão dos chamados empréstimos Alt-A". Tal expansão foi tornada possível, em parte, porque o AIGFP estava pronto para segurar muitas dessas pilhas de empréstimos — e ganhou bilhões de dólares fazendo isso.

Por que não? Os pacotes de empréstimos pareciam tão diferentes que nada de errado poderia acontecer em escala muito grande. Assim sendo, o AIG empanturrou-se com eles, sem notar que as pilhas de empréstimos ao consumidor que estava segurando estavam mudando, diz Lewis. Depois de 2005, o percentual das hipotecas de risco nas pilhas de empréstimos ao consumidor que o AGIFP garantia passou de 2% para 95% — sem que o AGIFP dispusesse, nem de longe, do capital necessário para cobri-los, caso houvesse inadimplência generalizada. Mas não havia problema. Os funcionários do AIGFP acreditavam que os preços dos imóveis, mesmo se caíssem, não cairiam em toda parte de uma vez, precipitando uma inadimplência maciça e exigindo que o gigante securitário tivesse de pagar em dinheiro, e de uma só vez, os títulos garantidos pelas hipotecas de risco. Lewis cita Joe Cassano, que presidia o AIGFP na época. No verão de 2007, quando a crise das hipotecas de risco dava seus primeiros passos, ele disse: "Dentro dos limites da razão, é difícil imaginarmos um cenário em que possamos perder um dólar que seja nessas transações."

Poucos meses mais tarde, os preços dos imóveis no país começaram a cair como fileiras de dominó e as apostas do AIGFP estavam levando a empresa à falência. Isso, senhoras e senhores, é o que chamamos de subestimar enormemente os riscos.

ETD/VTD

É muito mais fácil subestimar risco quando pegamos rapidamente nosso lucro e passamos o empréstimo ruim para outros. Todo o capital global que fluiu para Wall Street em busca de retornos mais altos, no início dos anos 2000, chegou não só em uma época de afrouxamento do crédito — e de um afrouxamento das regulamentações tradicionais nos Estados Unidos — como também em uma época de afrouxamento da ética. Na verdade, foi pior do que isso. A Grande Recessão foi causada, em parte, por uma ampla quebra de ética por atores-chave da economia — banqueiros, agências classificadoras de risco, corretores de seguros e consumidores. Podemos ter todas as regulamentações do mundo, mas quando a cobiça faz com que um grande número de pessoas perca qualquer capacidade de pensar a longo prazo e qualquer senso de *accountability* (compromisso com prestação de contas e transparência no comportamento), as regulamentações não nos ajudam. Não foi o comportamento ilegal que causou a Grande Recessão. Foi tudo que se fez a olho nu, o comportamento de pessoas que deviam ter se tocado, mas que suspenderam suas crenças e valores e normas e ceticismo, para se juntar à festa. Sim, eles tinham "princípios". Infelizmente, a bolha de crédito que desestabilizou a economia global se construiu sobre aqueles "princípios" conhecidos no mundo das finanças como ETD/VTD — "eu terei desaparecido" ou "você terá desaparecido" quando as coisas degringolarem.

Eis como tudo funcionou: o corretor de seguros que vendeu uma hipoteca a uma família e a repassou para uma instituição financeira como a Fannie Mae ou o Citibank sabia que já teria "desaparecido" se e quando a família que fizera a hipoteca ficasse inadimplente. Já não seria mais o dono da hipoteca — ela estaria em poder da Fannie, da Freddie ou de qualquer outro banco de investimentos. Portanto, não haveria nenhum risco para ele, pessoalmente, naquele negócio de alto risco. A mesma coisa ele dizia aos clientes. Não haveria problema se não pudessem pagar as prestações porque "vocês já terão desaparecido" — pois os preços dos imóveis iriam subir sempre. Eles poderiam repassar a casa por mais do que haviam pagado; ou poderiam, simplesmente, ir embora. As agências classificadoras de risco, cuja remuneração e rendimentos dependiam de quantos títulos de hipotecas de risco avaliavam, tinham grande interesse em conferir a essas hipotecas uma boa classificação, para que fossem vendidas com mais facilidade. Assim, mais bancos e firmas de títulos iriam querer utilizar os seus serviços. Caso os títulos dessem prejuízo, diziam os classificadores, ETD — "eu terei desaparecido". Os bancos de investimento tinham um grande incentivo para agrupar um número cada vez maior de hipotecas em títulos, que vendiam no mundo inteiro, pois as remunerações eram altíssimas; e, contanto que não tivessem muitos deles em seus próprios balanços, quem se importaria se dessem prejuízo? ETD — "eu terei desaparecido".

Colocando as coisas de outra forma, todo o sistema dependia de indivíduos que se beneficiavam dos riscos que eles mesmos originavam, transferindo esses riscos para outros indivíduos sem ter de arcar com nenhuma responsabilidade. Assim sendo, pessoas que jamais deveriam fazer hipotecas faziam hipotecas, pessoas que jamais deveriam conceder hipotecas concediam hipotecas, pessoas que jamais poderiam reuni-las em títulos as reuniam em títulos, pessoas que jamais deveriam classificar esses títulos como de primeira linha classificavam esses títulos como de primeira linha, pessoas que jamais deveriam vendê-los os vendiam a fundos de pensão e outras instituições financeiras. E firmas que jamais deveriam fazer seguros para esses títulos, como o AIG, faziam seguros para eles, sem ter reservas suficientes para cobrir uma inadimplência generalizada. Todos presumiam que poderiam lucrar a curto prazo sem ter de se preocupar com o que aconteceria a longo prazo, depois que tivessem passado o título adiante.

Ao revelar seu próprio plano para regular os mercados após o colapso de 2008/9, o presidente Obama definiu bem a situação, quando afirmou que Wall Street desenvolveu uma "cultura da irresponsabilidade" em que uma pessoa transferia os riscos para outra, até que o perigoso produto financeiro acabava sendo comprado por alguém que não entendia os riscos nem como o título ou derivativo na verdade funcionava. "Enquanto isso", prosseguiu o presidente, "a remuneração recebida pelos executivos — desvinculada do desempenho a longo prazo, ou mesmo da realidade — recompensava a negligência, em vez da responsabilidade".

Privatizando os lucros e socializando os prejuízos

Se os verdadeiros riscos envolvidos nas hipotecas de risco ou nos seguros sem cobertura fossem acrescentados aos seus preços, esses produtos nunca teriam sido classificados do jeito que foram. Os investidores haveriam sido muito mais cautelosos e teriam exigido rendimentos muito mais altos antes de comprá-los. Isto forçaria os corretores de hipotecas a serem mais cuidadosos no momento de decidir a quem conceder as hipotecas; e os bancos teriam sido muito mais cuidadosos no momento de escolher quais delas juntar. Mas o dinheiro era bom demais, e a tentação de subestimar os riscos e privatizar os lucros era grande demais para todos os envolvidos. Raro era o banqueiro que conseguia resistir à vontade de entrar na festa. Como Charles Prince, antigo diretor-presidente do Citigroup, disse ao *Financial Times*, no dia 7 de julho de 2007, apenas algumas semanas antes que os mercados de crédito começassem a afundar, "enquanto a música está tocando, você tem de dançar". Acionistas, membros de conselhos e analistas de mercado diziam às empresas financeiras e aos seus patrões: por que você não é tão agressivo quanto o outro cara? Por que você não está reunindo hipotecas e CDOs em títulos? Por que você não está obtendo lucros enormes? Todos os incentivos concedidos aos executivos os levavam a correr mais risco. E eram grandes incentivos. Em dezembro de 2007, com os mercados de crédito já bastante abalados, Lloyd Blankfein, diretor-presidente do Goldman Sachs Group, recebeu um bônus de 67,9 milhões de dólares, o maior já concedido a um executivo de uma firma de Wall

Street. Mas e se as coisas, mais tarde, corressem mal para a empresa do executivo? Sem problema. Os contratos dos diretores-presidentes, redigidos durante os sete anos de vacas gordas, garantiam que o pior que lhes poderia acontecer era ganhar de presente um paraquedas de ouro. No dia 1º de novembro de 2007, Stan O'Neal, diretor-presidente do Merrill Lynch, se demitiu e recebeu um paraquedas de ouro no valor de 161 milhões de dólares, embora os investimentos de sua firma em hipotecas de risco acabassem acarretando um prejuízo de 2 bilhões de dólares.

Algumas de nossas maiores instituições financeiras se desviaram de seu propósito original — capitalizar a inovação e financiar o processo de "destruição criadora", em que novas tecnologias que melhoram as vidas das pessoas substituem as antigas, segundo Jagdish Bhagwati, economista da Universidade de Columbia. Em vez disso, acrescenta ele, muitos bancos se envolveram em novidades financeiras exóticas e incompreensíveis, que acabaram se tornando "criações destruidoras".

Somente quando todo o edifício desmoronou, em setembro de 2008 — com o colapso do Lehman Brothers, que forçou o Congresso americano a criar um fundo de emergência para o Tesouro no valor de 700 bilhões de dólares, de modo a impedir que o sistema financeiro se desintegrasse —, as pessoas entenderam o que havia acontecido: ETD — "eles tinham desaparecido", os banqueiros que acumularam aqueles riscos e privatizaram os lucros, mas NAEA — "nós ainda estávamos aqui". Tínhamos permitido que os investidores e executivos de Wall Street subestimassem os riscos, privatizassem os lucros e depois forçassem os contribuintes a tirá-los da enrascada quando os prejuízos ameaçavam um colapso no sistema.

Por que Nós, o Povo,* fomos deixados de calças na mão? Porque a economia dependia disso. Empresas financeiras que desempenhavam um papel crucial haviam se tornado grandes demais para que pudessem quebrar; se as tivéssemos deixado quebrar, quebraríamos todos junto com elas. Você e eu iríamos aos caixas automáticos para retirar

* "We the People" é o começo do preâmbulo da Constituição americana. (N. da E.)

dinheiro dos nossos bancos e não haveria nada para ser retirado. Isto realmente aconteceu, durante algum tempo, com os clientes do mais antigo fundo de investimentos dos Estados Unidos, o Reserve Primary. Com capital de 64,8 bilhões de dólares, o fundo detinha em portfólio 785 milhões em *commercial paper* (títulos de crédito) de curto prazo, emitidos pelo Lehman Brothers. Quando o Lehman pediu falência, em setembro de 2008, o Reserve Primary não conseguiu ressarcir seus clientes plenamente— um dólar para cada dólar que tinham em depósito — e teve de fechar as portas por algum tempo. "Quando o balanço de uma empresa não contabiliza os verdadeiros custos e riscos de suas atividades, e quando esta empresa é grande demais para quebrar, ela acaba privatizando os lucros e socializando os prejuízos", disse-me Nandan Nilekani, fundador da Infosys, uma firma indiana de tecnologia. Foi exatamente isso o que ocorreu. Graças aos seus enormes prejuízos no mercado de derivativos, o AIG recebeu mais de 170 bilhões de dólares para se manter, dinheiro tirado dos contribuintes de uma forma ou de outra.

Infelizmente, nós, americanos, não estávamos sozinhos na crença de que podíamos voar. Outros países rapidamente nos copiaram. Era inevitável. Em um mundo plano, onde a conectividade está se tornando mais ampla e mais rápida a cada dia, e onde a manada eletrônica de capital pode se mover para qualquer lugar a qualquer momento em busca de melhor remuneração, muita gente queria entrar no jogo. Não importava que você fosse pequeno; qualquer um podia abrir um cassino global em sua garagem. Perguntem à Islândia.

Os bancos da Islândia e o derretimento do gelo

A Islândia se transformou em um fundo de derivativos com geleiras. Juntamente com os maiores bancos do país, nos quais tinha uma grande participação, o governo islandês percebeu os lucros fenomenais que poderiam ser obtidos com fundos de investimento, e decidiu tirar uma fatia do bolo. Então, desregulou radicalmente sua economia, de modo a atrair enormes somas de capital estrangeiro. Por um curto espaço de tempo, a Islândia, com seus 300 mil habitantes e economia tradicional, tornou-se um grande e selvagem banco *offshore*. Michael Lewis, na revista *Vanity Fair* (abril de 2009), descreve com grande emoção o que aconteceu:

> Um país inteiro sem nenhuma experiência com altas finanças, passada ou presente, mirou-se no exemplo de Wall Street e disse: "Podemos fazer isso." Durante um breve momento pareceu mesmo que podia. Em 2003, os ativos dos três maiores bancos da Islândia totalizavam apenas alguns bilhões de dólares, cerca de 100% do produto interno bruto. Durante os três anos e meio seguintes, os ativos subiram para mais de 140 bilhões de dólares — tão superiores ao PIB da Islândia que nem fazia sentido calcular o percentual que representavam. Foi, como um economista me explicou, "a mais rápida expansão de um sistema bancário já vista na história da humanidade [...] De 2003 a 2007, enquanto o mercado acionário dos Estados Unidos dobrava, o mercado de ações islandês aumentou em nove vezes. O preço dos imóveis em Reykjavík triplicou. Em 2006, a família média islandesa estava três vezes mais rica do que em 2003, e praticamente toda essa nova riqueza estava de alguma forma atrelada à nova indústria bancária".

Toda a economia do país ficou distorcida. Estudantes se afastavam das carreiras tradicionais, na indústria pesqueira ou na engenharia, para estudar a arte de ganhar dinheiro com dinheiro. Em outubro de 2008, as leis da gravidade finalmente se impuseram e três novos bancos islandeses de envergadura mundial acabaram quebrando. Segundo Lewis, "os 300 mil habitantes islandeses acabaram descobrindo que tinham algum tipo de responsabilidade pelos prejuízos bancários — que chegam a cerca de 330 mil dólares para cada homem, mulher e criança da Islândia".

Como a pequena Islândia se expôs tanto? Basicamente porque umas poucas pessoas em posições-chave das finanças beberam do mesmo Kool-Aid* que bebiam os banqueiros de Londres e de Wall Street. Adotaram o mesmo modelo de alavancagem excessiva e tomada de risco nada-pode-dar-errado, e o enxertaram em seu pequeno país. É como diz o velho ditado: se você está em um jogo de pôquer e não sabe quem é o otário, o otário provavelmente é você. No caso, provavelmente, foi a Islândia. Ou, como Lewis observa, citando uma análise do Danske Bank, a Islândia tanto criou como se energizou por "essa incrível teia de compadrice: banqueiros compravam coisas uns dos outros a preços inflacionados, contraindo empréstimos de dezenas de bilhões de dólares, que reemprestavam aos membros da pequena tribo islandesa — os quais, na época, as utilizaram para adquirir uma pilha bagunçada de ativos estrangeiros. 'Como qualquer garoto novo na turma', diz Theo Phanos, dos Trafalgar Funds, em Londres, 'eles se tornaram alvo de muitas pessoas, que lhes venderam os ativos de pior qualidade — linhas aéreas de segunda categoria, varejistas de baixa qualidade. Eles participaram das piores [*leveraged buyouts*]'".**

Mas, ao longo do caminho, a pequena e ingênua Islândia também arrebatou e arruinou um monte de ingênuos. Um dos meios pelos quais os bancos islandeses conseguiram importar tanto capital foi criar contas de poupança on-line. Uma delas, a Icesave.com, tinha taxas de juros tão altas que atraiu poupadores do mundo inteiro — só da Grã--Bretanha foram 300 mil. E não apenas indivíduos foram envolvidos. Quando os bancos islandeses entraram em colapso, o *Daily Telegraph*, de Londres (14 de outubro de 2008), relatou que, segundo uma análise oficial realizada pelo governo, mais de cem municípios ingleses, além de universidades, hospitais e instituições de caridade tinham depósitos bloqueados em bancos islandeses, totalizando mais de 1,1 bilhão de dólares. Isto incluía, segundo o *Telegraph*, "mais de 1/4 — 116 — das 411 áreas administrativas da Inglaterra e do País de Gales, que haviam aplicado 858 milhões de libras em bancos islandeses. Entre elas, algumas das mais im-

* Referência à marca do refresco de concentrado em pó utilizado no suicídio coletivo de uma seita religiosa na Guiana, em 1978. (N. da E.)
** Grandes aquisições feitas com recursos financiados. (N. da E.)

portantes, como o Kent County Council, com 50 milhões de libras, o Nottingham City Council, com 42 milhões e o Norfolk County Council, com 32,5 milhões". Somente a Universidade de Cambridge tinha cerca de 20 milhões de dólares depositados na Islândia, ao passo que 15 unidades das forças policiais britânicas — de lugares como Kent, Surrey, Sussex e Lancashire — tinham aproximadamente 170 milhões de dólares congelados na Islândia. Sim, até mesmo os *bobbies* estavam investindo na Islândia! E há informações de que a Transport for London, que administra os famosos serviços de ônibus e metrô de Londres, tinha cerca de 60 milhões de dólares depositados na Kaupthing Singer & Friedlander, uma subsidiária britânica do falido banco Kaupthing, da Islândia.

A novela islandesa terminou da mesma forma que a americana — e pelas mesmas razões: os banqueiros deixaram de perceber o que poderia dar errado e quanto perderiam se os mercados se voltassem contra eles. Depois de subestimar drasticamente o risco do que estavam fazendo e depois de privatizar os lucros, os maiores bancos da Islândia socializaram os prejuízos. O governo e os contribuintes islandeses tiveram de nacionalizar os três maiores bancos. Para mantê-los em operação, após as perdas imensas que ameaçavam derrubar todo o sistema financeiro do país, o governo da Islândia obteve um empréstimo de 2,1 bilhões de dólares do Fundo Monetário Internacional e outro, de 2,5 bilhões, de um consórcio de países nórdicos. Segundo a CNN.com (20 de novembro de 2008), "foi a primeira vez que o FMI canalizou dinheiro para um país da Europa Ocidental em 25 anos". Os contribuintes islandeses ainda terão de pagar o empréstimo durante um longo tempo.

O que é mais espantoso, porém, é como a mesma contabilidade fraudulenta que derrubou os bancos islandeses também derrubou um dos maiores bancos de gelo da Antártida — e no mesmo ano. Enquanto a economia islandesa estava se derretendo, a plataforma de gelo Wilkins, a oeste da península antártica, um grande banco de gelo que se mantivera estável durante a maior parte do último século, começou a se desintegrar. Segundo a *Reuters* (19 de janeiro de 2009), a Wilkins — "uma plataforma de gelo achatada que se ergue do mar a uma altura de 20 metros ao largo da península antártica" — outrora cobria cerca de 15 mil quilômetros quadrados. Mas ao longo dos últimos 15 anos perdeu 1/3 de sua área em decorrência do aquecimento global. "Pesquisadores acreditam que a plataforma era mantida no lugar por uma ponte de gelo que a ligava ao continente antártico passando pela ilha Charcot. Mas esta ilha de 329 quilômetros quadrados perdeu dois grandes pedaços em 2008, e se despedaçou completamente no dia 5 de abril de 2009", acrescentou a *Reuters* em uma reportagem posterior (30 de abril de 2009). Ficando à deriva, a plataforma Wilkins começou a se desintegrar no oceano. A reportagem prossegue:

> Icebergs com a forma e o tamanho de shopping centers já coalham o mar em torno da plataforma, enquanto esta se desintegra. Mais nove plataformas encolheram ou se desintegraram ao redor da península antártica nos últimos cinquenta anos, às vezes de forma abrupta, com a Larsen A, em 1995, ou a Larsen B, em 2002. Essa tendência é de modo geral atribuída às mudanças climáticas causadas por gases oriundos da queima de combustíveis fósseis, que aprisionam calor. "Esta plataforma de gelo e mais nove plataformas que tiveram um destino similar são uma consequência do aquecimento", diz David Vaugham, do British Antarctic Survey. No total, cerca de 65 mil quilômetros quadrados já foram perdidos, mudando os mapas da Antártica. Sedimentos recolhidos no oceano indicam que algumas das plataformas vinham se mantendo no lugar há pelo menos 10 mil anos [...] Temperaturas na península antártica se elevaram em aproximadamente 3ºC (5,4 fahrenheit) desde 1950, a elevação mais rápida observada no hemisfério sul.

Mesmo derretimento, mesmos empreendimentos arriscados. Enquanto banqueiros do Citibank e da Islândia se envolviam em práticas financeiras extravagantes, que não refletiam os verdadeiros riscos de prejuízos ou inadimplência generalizada, empresas petrolíferas, mineradoras de carvão, indústrias automobilísticas e empresas de energia elétrica vendiam energia, mobilidade, iluminação, aquecimento e refrigeração

— com base em hidrocarbonetos — a preços que não expressam os verdadeiros custos para o planeta de todas as mudanças climáticas provocadas pelas moléculas de dióxido de carbono que estamos liberando na atmosfera. E cada um de nós que usufruiu dessa energia barata e poluidora também privatizou os lucros. Os prejuízos, no entanto — o impacto a longo prazo de todo esse carbono acumulado na atmosfera —, nós socializamos. Debitamos tudo nos cartões de crédito Visa dos nossos filhos, para que eles, os filhos deles e os filhos dos filhos deles paguem a conta em um futuro distante, pois o carbono permanecerá na atmosfera por milhares de anos, afetando o clima da Terra. Talvez nós já tenhamos desaparecido, mas nossos filhos e os filhos deles estarão aqui. Esta é a única casa que temos e, como os ambientalistas gostam de dizer, a Mãe Natureza não faz empréstimos de emergência. Portanto, é melhor encontrarmos um modelo de desenvolvimento melhor.

"Nós criamos um modo de elevar os padrões de vida que não temos possibilidade de legar aos nossos filhos", diz Joseph Romm, o físico e climatologista que escreve o blog Climateprogress.org. "Temos enriquecido por meio do esgotamento de nossas reservas naturais — água, hidrocarbonetos, florestas, rios, peixes e terra arável —, e não pela geração de recursos renováveis. Estamos nos beneficiando deste surto de riqueza que criamos com nosso comportamento voraz. Mas tudo vai desmoronar, a menos que digamos: 'Isto é um esquema de pirâmide Ponzi. Nós não geramos uma riqueza verdadeira, e estamos destruindo um clima habitável...' A riqueza verdadeira é uma coisa que podemos passar adiante, de um modo que outros possam desfrutar dela."

O índice Dow Jones da Mãe Natureza

O súbito desaparecimento de uma plataforma de gelo que existia há milhares de anos deveria despertar nossa atenção. Mas diversos outros sinais, menos dramáticos, indicam que nossos arriscados empreendimentos estão devastando tanto o mundo natural quanto o mundo financeiro. Sabemos muito bem como medir os custos de um imprudente comportamento econômico. Quando o mercado chega a um beco sem saída, isso é demonstrado em números vermelhos pelo índice Dow Jones, que caiu drasticamente durante a Grande Recessão. Mas ninguém ainda formulou um Dow Jones que nos diga com um simples número como está a Mãe Natureza. Se isto existisse, entretanto, seria correto dizer que, nos últimos anos, o índice da Mãe Natureza alcançou índices baixíssimos em termos científicos.

Se fizermos uma amostragem das pesquisas sobre o clima e a biodiversidade realizadas em 2008 e 2009, ficaremos impressionados com a insistência de alguns cientistas em alertar que as mudanças climáticas e a perda da biodiversidade estão ocorrendo em uma escala maior e mais rápida do que a prevista por eles há apenas alguns anos. Muitas das principais estimativas sobre a velocidade e a dimensão das mudanças climáticas, efetuadas em 2007 pelo Painel Intergovernamental sobre Mudanças Climáticas, patrocinado pelas Nações Unidas, infelizmente já estão desatualizadas. Vou discutir isso em maiores detalhes mais adiante, mas eis alguns exemplos:

Consideremos o Programa Conjunto sobre a Ciência e Política de Mudanças Globais, desenvolvido pelo Massachusetts Institute of Technology (MIT). Em 2009, o programa discretamente atualizou seu Modelo Integrado de Sistemas Globais, que estuda mudanças climáticas ocorridas desde 1861, e tenta prever as que ocorrerão até 2100. As previsões revistas indicam que se nós continuarmos realizando nossos empreendimentos do modo costumeiro, em termos de emissões de dióxido de carbono, as temperaturas médias da superfície terrestre, por volta de 2100, atingirão patamares muito acima de qualquer temperatura que os seres humanos jamais conheceram.

Ou consideremos a Avaliação Ecossistêmica do Milênio, efetuada pelas Nações Unidas em 2005 — uma análise científica abrangente, revista por 1.300 estudiosos, que "avaliou as consequências das mudanças ecossistêmicas no bem-estar humano". O relatório concluiu que a capacidade do ecossistema terrestre para absorver os impactos que provocamos está diminuindo rapidamente: "No cerne desta avaliação está um duro alerta. A atividade humana está exigindo tanto das funções naturais da Terra que a capacidade dos ecossistemas do planeta para sustentar as futuras gerações já não é uma coisa dada como certa." A avaliação relacionou os muitos "serviços", ou benefícios, que os seres humanos recebem da natureza — desde as florestas, que sustentam as bacias hidrográficas, previnem o assoreamento, proporcionam madeira e filtram o ar que respiramos, até os oceanos, que oferecem hábitats para os peixes que nos servem de alimento, e os recifes de coral, que mantêm saudáveis esses oceanos e seus habitantes. A Administração Nacional dos Oceanos e da Atmosfera calcula que pode haver milhões de espécies de organismos ainda não descobertas vivendo nos recifes. Segundo o relatório, "muitos medicamentos estão sendo desenvolvidos a partir de animais e plantas que vivem nos recifes de coral, com possíveis aplicações na cura do câncer, artrite, infecções bacteriológicas humanas, viroses e outras doenças". Mas a maioria dos países não atribui valor a esses serviços, que também são subvalorizados e, por conseguinte, explorados de forma predatória — com os lucros sendo privatizados e os prejuízos, socializados. Isso tem se acentuado nos últimos cinquenta anos. O relatório da avaliação observou que 60% dos ecossistemas do mundo estão hoje degradados; mais terras foram convertidas para a agricultura desde 1945 do que durante os séculos XVIII e XIX juntos; e que entre 10% e 30% dos mamíferos, aves e espécies anfíbias da terra estão atualmente ameaçados de extinção. Mais de um bilhão de pessoas sofre hoje com a escassez de água; o desmatamento nos trópicos destrói uma área do tamanho da Grécia todos os anos — mais de 10 milhões de hectares; e mais da metade dos bancos pesqueiros do mundo sofrem de sobrepesca ou estão no limite da sobrepesca.

Não é de espantar que o Relatório Planeta Vivo de 2008, publicado pelo Fundo Mundial para a Natureza, concluiu que já estamos operando 25% acima da capacidade do planeta para sustentar a vida. E isto antes de acrescentarmos outro bilhão de pessoas, o que ocorrerá no início da década de 2020. "O mundo, no momento, está lutando contra as consequências da supervalorização de seu patrimônio financeiro, mas uma crise fundamental nos espreita à frente — uma quebra do crédito ecológico, provocada pela depreciação do patrimônio ambiental que é a base de toda a vida e de toda a prosperidade", diz James Leape, diretor-geral da área internacional do FMN no prefácio do relatório. "Nós sustentamos nosso atual estilo de vida e nossa prosperidade econômica, em grande parte, gastando — e muitas vezes dilapidando — o capital ecológico de outras partes do mundo."

De fato, quando colocamos lado a lado o que está ocorrendo com o Mercado e o que está ocorrendo com a Mãe Natureza, o paralelo é assustador. Em ambas as áreas, coisas que costumavam ocorrer uma vez a cada século — violentíssimas tempestades, ondas de calor ou crises financeiras globais — estão acontecendo com frequência cada vez maior, com virulência cada vez maior, e os custos dos reparos vão ficando cada vez maiores. Em ambas as áreas, indústrias que se beneficiaram da subestimação dos riscos — fossem *swaps* de crédito ou emissões de carbono — discretamente pressionaram as autoridades para que afrouxassem a regulamentação, de modo que continuassem a obter enormes lucros às custas do bem-estar da população. Em ambas as áreas, empresas e lobistas financiaram e distribuíram "pesquisas" que turvaram as águas e confundiram o público a respeito dos perigos que se avolumavam em decorrência da generalizada subestimação dos riscos. Num certo ponto, houve uma convergência até de terminologia: começamos a falar de "empréstimos predatórios" e "tsunamis financeiros" e "tempestades financeiras perfeitas" e "derretimento de mercados". E por fim, do mesmo jeito que uns poucos e perspicazes estudiosos financeiros nos alertavam de que o mercado poderia sofrer um enorme derretimento — muito pior do que os modelos previam — se continuássemos a inflar a bolha de crédito, uns poucos cientistas perspicazes nos alertavam de que o mesmo aconteceria com o mundo natural se continuássemos a inflar a bolha de carbono.

"O AIG e outras empresas semelhantes fracassaram porque descontaram para zero o risco pequeno, muito remoto, de inadimplência simultânea em seus portfólios de seguros", observa Reid Detchon, vice-presidente para energia e clima da Fundação das Nações Unidas. "O risco, de fato, era provavelmente menor que 1%, talvez muito menor — mas ocorreu mesmo assim. Nós estamos agindo como o AIG em nossa abordagem às mudanças climáticas. Pesamos os riscos e os benefícios de agir presumindo que as mudanças climáticas irão ocorrer de forma previsível, à medida que a temperatura se eleva. Ao fazer isso, estamos descontando para zero dois riscos: o risco de um aumento muito maior na temperatura do que o previsto até agora; e o risco de uma resposta não linear do sistema climático em algum momento futuro." Uma resposta não linear significa uma mudança radical — um súbito ressecamento da Amazônia, por exemplo, devido a uma cadeia de ocorrências previsíveis e imprevisíveis no sistema climático. "Mas estes riscos — ao contrário do caso do AIG — não são pequenos nem remotos", acrescenta Detchon. "O risco de um aumento catastrófico na temperatura está mais próximo de 50% do que de 5%, se continuarmos a realizar nossos empreendimentos do modo costumeiro. Os riscos de uma resposta não linear são simplesmente imprevisíveis — mas sabemos que o planeta já passou por mudanças bruscas no passado."

É por todas essas razões que temos de levar muito a sério o ataque cardíaco de aviso de nosso planeta. Já não existe um "normal" para onde possamos retornar. Essa dieta "normal" de alto consumo de energia e de recursos naturais foi o que nos trouxe até aqui. A Mãe Natureza e o Mercado chegaram a um beco sem saída porque o nosso normal se tornou excessivo e insustentável.

O australiano Paul Gilding, ex-presidente do Greenpeace, hoje um proeminente consultor ambiental para empresas, colocou as coisas da seguinte forma: "Estamos exigindo demais de um sistema que já está operando acima de sua capacidade. Não importa o quão maravilhoso ele seja, as leis da física e da biologia ainda se aplicam." E essas leis nos dizem que, enquanto espécie, não podemos continuar a trilhar o mesmo caminho de crescimento em que estamos. Precisamos de um novo normal — algo que seja mais sustentável e saudável para o Mercado e para a Mãe Natureza. O problema, segundo ele, é que é muito difícil conseguir que seres humanos percebam a amplitude das mudanças e das inovações que se fazem necessárias, e se disponham a empreendê-las sem provocar uma crise ainda maior do que a que já temos. "A história demonstra que não aceitamos mudanças em grande escala com facilidade, sobretudo quando as mudanças desafiam nossas crenças", observa Gilding. "Geralmente é preciso uma crise para vencer nossas resistências. O desafio da sustentabilidade, em especial no que se refere a mudanças climáticas, tem características que tornam nossas resistências mais profundas e obstinadas. É um enorme desafio sistêmico que afeta todas as pessoas em todos os países, pois requer uma mudança radical em cada aspecto de nossas vidas e de nossa sociedade. E também questiona muitas crenças fundamentais sobre desenvolvimento e economia de mercado, ameaçando alguns interesses muito poderosos. Tudo isso aprofunda nossas resistências. Assim sendo, infelizmente, a crise terá de se tornar muito mais ampla e evidente antes que possamos articular uma resposta. O problema é também incomum, no sentido de que os efeitos surgem muito depois das causas. O aquecimento global de hoje, por exemplo, é causado por emissões de CO_2 ocorridas décadas atrás. Assim, quando a crise for grande o suficiente para forçar uma mudança, já terá adquirido um impulso enorme e irrefreável. Será muito mais danosa, portanto, pois seus efeitos vão continuar se tornando piores mesmo depois de agirmos sobre as causas."

Eis porque é duplamente urgente que nossos líderes e Nós, o Povo, prestemos atenção ao ataque cardíaco que nos serviu de alerta, procurando desenvolver um modo sustentável de criar riqueza em harmonia com o mundo natural. E temos de começar agora, enquanto ainda é possível fazer isso de forma razoavelmente ordenada. Se esperarmos por um Pearl Harbor climático, que torne a escala do problema óbvia para todos, será tarde demais. Os danos e os desequilíbrios, provavelmente, já serão irreversíveis. "O problema não é apenas ambiental", argumenta Gilding. "A resposta que dermos agora decidirá o futuro da civilização humana. Nós somos as pessoas que podem salvar o mundo. Não há mais ninguém. Não há outra época. Somos nós e é agora."

DOIS

Ignorância à vontade

Tecnologia alemã. Criatividade suíça. Nada americano.

— Mensagem publicitária usada pela Daimler, na África do Sul, para promover o carro compacto Smart Forfour.

Como chegamos a esta situação?

A resposta envolve mais do que simplesmente um cálculo errado dos riscos e a subversão da ética. Falando como americano, eu diria que chegamos aqui como resultado de um período de excessos, degradação e falta de objetivos por parte da geração nascida no pós-guerra, que alcançou seu ponto mais baixo durante o período da história americana compreendido entre 9 de novembro e 11 de Setembro.

No dia 9 de novembro de 1989, caiu o Muro de Berlim, o que simbolizou o colapso da União Soviética, o único concorrente real dos Estados Unidos em termos militares e ideológicos. Os anos seguintes foram tão esquizofrênicos quanto qualquer outro na história americana. Constituíram um período de grandes inovações no campo dos computadores pessoais, fibras óticas e comunicação em rede, quando os Estados Unidos produziram muitas das ferramentas que tornaram o mundo plano, como cheguei a descrever mais tarde. Entretanto, o fato de que também perdemos o nosso principal concorrente geopolítico nesse período nos tornou complacentes, um tanto gordos, um tanto ignorantes, e um tanto preguiçosos. Os acontecimentos do dia 11 de Setembro de 2001 provocaram mais um ataque de esquizofrenia americana. De um lado, por algum tempo, fizeram com que nos uníssemos enquanto nação; de outro, desconectaram-nos do mundo e de alguns de nossos instintos básicos enquanto nação. O 11 de Setembro nos tirou do normal, obrigou-nos a exportar mais temores que esperanças, a construir muros em vez de janelas e a destinar enormes quantidades de dinheiro e energia para a segurança doméstica, em vez de empregá-las na construção do país dentro de casa.

No cômputo geral, desconfio que o período de 9/11 a 11/9 será lembrado tanto como uma época de triunfo da engenhosidade americana quanto como um período de crise para a alma americana. Éramos uma potência sem rival no mundo. Entretanto, de muitas formas, perdemos o foco e saímos dos trilhos; abusamos do crédito e das emissões de carbono; e perdemos contato com alguns dos valores básicos que fizeram com que nosso país se tornasse rico, poderoso, respeitado, conceituado — uma inspiração para os outros países. É como se uma amiga nossa tivesse engordado muito, ao longo dos anos, e disséssemos para nós mesmos: "Puxa, ela realmente ficou acomodada." Assim eram os Estados Unidos ao final da Guerra Fria. Muitas bugigangas novas e muitas casas grandes, mas realmente tínhamos ficado acomodados...

Kurt Andersen descreveu esse período com muita propriedade em seu ensaio na revista *Time*:

> No início dos anos 1980, quando Ronald Reagan se tornou presidente e o valor dos títulos disparou em Wall Street, começamos a jogar (e a vencer!) e a pensar de modo mágico, como se tivéssemos decidido comemorar o Mardi Gras* e o Natal durante o ano inteiro, porque são muito divertidos. E passamos a viver à larga, tanto literal quanto figurativamente. Do início até o fim do grande boom, o tamanho médio das casas novas americanas cresceu em 50%. E o americano médio engordou cerca de meio quilo por ano. Portanto, um adulto de qualquer idade é pelo menos 10 quilos mais pesado do que alguém da mesma idade da-

* Nome do carnaval comemorado em Nova Orleans, nos Estados Unidos. (N. da E.)

> quela época. No final dos anos 1970, 15% dos americanos eram obesos; hoje em dia, a proporção é de 1/3 [...] O autocontrole passou a ser considerado como uma coisa estranha e desnecessária. E daí se, desde a virada do século, a economia americana cresceu mais devagar que a economia global? As coisas no Wal-Mart e outros mercados estavam superbaratas! Até mesmo o 11 de setembro, que tinha supostamente "mudado tudo", e o fiasco iraquiano que dele resultou foram encarados como simples acidentes de percurso. Mesmo que, lá no fundo, todos soubessem que a espiral de alavancagem, os gastos excessivos e os preços das ações e dos imóveis fossem insustentáveis, ninguém queria ser um desmancha-prazeres.

Nossos pais, que Deus os abençoe, formaram a Grande Geração. Lutaram e se sacrificaram para que os americanos, homens e mulheres, pudessem viver livres da tirania proveniente do exterior — derrotando o fascismo na Segunda Guerra Mundial, e o comunismo, na Guerra Fria; e para que os americanos de qualquer cor, sexo e religião pudessem viver em liberdade dentro de casa, graças aos movimentos pelos direitos civis e pelos direitos das mulheres. Calejados pelas privações impostas pela Grande Depressão e inspirados pelo heroísmo exigido para derrotar simultaneamente a Alemanha e o Japão em uma guerra mundial, eles formavam realmente uma turma especial. Como me disse John Dernbach, meu amigo e ambientalista da Escola de Direito da Universidade de Widener: "Quando os pais da minha mãe morreram, o único filho deles, meu tio Jim — que pilotou um B-17 que foi derrubado sobre a Alemanha, na primavera de 1945, e viveu para contar a história — mandou gravar a seguinte declaração na lápide: 'Eles deram o hoje deles pelo nosso amanhã.' Meus avós maternos eram pessoas humildes, eles conheceram em primeira mão a guerra, a pobreza e o desemprego. Mas essa inscrição no túmulo deles diz tudo sobre os valores que nós parecemos ter perdido."

De fato, os integrantes da Grande Geração, embora não desdenhassem a riqueza que criaram, tendiam a evitar excessos. Acreditavam em trabalho duro, economizavam para dar entrada numa casa e pagar uma hipoteca. Elevavam seus padrões de vida segundo esses valores e criavam seus filhos da mesma forma. Comiam o que caçavam, isto é, viviam de acordo com suas posses.

Isso, com certeza, descreve meus pais e muitas outras pessoas do nosso bairro, em Minneapolis. A geração de nossos pais tinha de ser a Grande Geração "porque as ameaças que enfrentavam eram reais, avassaladoras, imediatas e inevitáveis: a Grande Depressão, os nazistas e os comunistas com armas nucleares", diz Michael Mandelbaum, especialista em política externa da Universidade Johns Hopkins. "Aquela geração estava preparada para lutar na Guerra da Coreia e para se mobilizar na Guerra Fria exatamente porque tinha passado pela Depressão e pela Segunda Guerra Mundial. Os integrantes daquela geração sabiam até que ponto as coisas podiam ficar ruins."

Mas seus filhos, os *baby boomers*, pegaram aquela liberdade e fizeram de tudo com ela, presidindo a uma era de impressionante inovação tecnológica e financeira, mas também de incríveis excessos. Acabamos nos transformando na "Geração Gafanhoto" — soltamos nosso gafanhoto interior e devoramos nossa riqueza nacional, assim como nossos recursos naturais, em quantidades assombrosas e em curto espaço de tempo, legando para a próxima geração um enorme deficit econômico e ecológico. Como explicou Kurt Andersen: "O gafanhoto é a personificação da atitude perdulária e hedonista dos *baby boomers* em relação à vida econômica." Claro, tivemos nossos momentos heroicos na década de 1960, com os protestos contra a guerra e o movimento pelos direitos civis. Foram grandes iniciativas que contaram com a participação tanto dos *baby boomers* quanto da Grande Geração. Após o 11 de Setembro, no entanto, deflagramos campanhas quixotescas para levar a democracia ao Afeganistão e ao Iraque, cujos custos têm sido imensos e os resultados, duvidosos. Mas a maior parte de nossa vida adulta, *enquanto geração*, não foi dedicada a grandes metas nacionais, como levar um homem à Lua ou expandir a liberdade, mas a preocupações mais pessoais e ao consumo. Todos eram encorajados a poupar menos, a se endividar mais e a viver acima de suas posses, fossem pobres — assediados com ofertas de hipotecas *subprime* —, ou ricos, assediados com ofertas de jatos executivos. A globalização das finanças, que permitiu aos americanos usarem as poupanças dos chineses, e as "inovações" nos serviços financeiros induziram muitas pessoas a viverem acima de suas posses, sem nenhuma noção dos riscos envolvidos. Os melhores cérebros do MIT foram engendrar derivativos em Wall Street, em vez de projetar automóveis em Detroit ou foguetes na NASA. Ficar rico com uma IPO *dot-com** ou com a rápida revenda de uma residência — ganhar dinheiro com dinheiro, em vez de criar novos produtos e serviços, tornou-se a ordem do dia para muitos americanos. Como Jeffrey Immelt, diretor-presidente da General Electric, observou em uma palestra intitulada *Renovação Americana* (26 de junho de 2009), ministrada ao Clube de Economia de Detroit: "Durante minha carreira, os Estados Unidos atravessaram um período de tanto crescimento econômico que se tornou fácil encará-lo como favas contadas. Prosperamos com a produtividade da era da informação. Mas começamos a nos esquecer dos fundamentos, e perdemos de vista os requisitos de uma economia moderna bem-sucedida. Muitos compraram a ideia de que os Estados Unidos poderiam deixar de ser uma poderosa usina de exportação tecnológica para se transformar em uma economia baseada em serviços e consumo — e ainda continuar prosperando."

De fato, após a Guerra Fria, surgiu a sensação de que, de certa forma, tínhamos o "direito" a viver com largueza — tão prodigamente quanto quiséssemos, sem levar em conta as consequências disso para o mundo financeiro ou o mundo real. O mundo era nosso maná — e nós o devoramos.

Todas essas tendências realmente se intensificaram depois da Guerra Fria, quando perdemos nosso maior concorrente. Tínhamos de ser sérios enquanto estávamos enfrentando um inimigo como a União Soviética, equipado com armas nucleares e com uma ideologia que competia holisticamente com nosso sistema de livre mercado. Toda

* De *Initial Public Offering*, ou seja, abertura de capital (venda das primeiras ações em bolsa) de uma nova empresa na área de internet, muito comum nos anos 1990. (N. da E.)

empresa, universidade ou jornal que se preze precisa de um concorrente. O *New York Times* é melhor por causa do *Washington Post* e do *Wall Street Journal*. O que seria de Harvard sem Yale? Da Microsoft sem a Apple? Concorrentes nos mantêm em forma. Mas com o desaparecimento da Ameaça Vermelha, perdemos nosso maior competidor e, com ele, alguma coisa de nossa garra e motivação. Tornamo-nos complacentes e preguiçosos, como observou Fareed Zakaria, autor de *O Mundo Pós-Americano*.

Ao mesmo tempo, a eleição de Ronald Reagan, em 1980, deu início a uma era em que dissemos a nós mesmos que não teríamos mais de nos sacrificar em busca de uma vida melhor. O reaganismo, que coincidiu com a lenta erosão de nosso inimigo mortal, deu início a um período de nossa história em que dirigentes públicos, em número crescente, denegriam o papel do governo e ofereciam banalidades inócuas como rota para a prosperidade. O mercado estava sempre certo. O governo estava sempre errado. O mercado era a solução. O governo era o problema. Qualquer proposta política que envolvesse pedir ao povo americano que fizesse algo difícil — poupar mais, pagar impostos maiores, dirigir carros mais econômicos, estudar com mais afinco — caía em uma rubrica: "fora de cogitação." A era dos sacrifícios terminara. Reagindo à Guerra do Vietnã, ao fracasso da Grande Sociedade* em eliminar a pobreza, ao cinismo de Watergate, à hiperinflação e à inexpressividade geopolítica do governo de Jimmy Carter, Reagan argumentou que o excesso de regulamentação e impostos ameaçava o estilo de vida americano, e que o potencial econômico americano tinha de ser destravado. Havia muita coisa na política econômica de Ronald Reagan — e na de Margaret Thatcher — que fazia sentido quando foi apresentada. Nosso país, assim como outros do Ocidente, de fato precisava liberar mais talento, energia e iniciativa, que estavam trancados em nossas economias devido ao excesso de regulamentação de alguns setores do mercado e ao fato de algumas indústrias pertencerem ao governo. Esse afrouxamento

* *The Great Society*, em inglês; conjunto de reformas sociais instituídas em 1964 nos Estados Unidos pelo presidente Lyndon Johnson. (N. do T.)

que a revolução protagonizada por Reagan e Thatcher inspirou em todo o mundo realmente resultou em maior criação de riquezas, embora de forma desigual, assim como inovação tecnológica e colaboração global. Não vamos esquecer que muitas dezenas de milhões de pessoas na Índia e na China, para citar somente estes países, escaparam da pobreza em decorrência da desregulamentação de seus mercados financeiros, de sua aproximação com a economia de mercado e do levantamento das restrições ao comércio com o exterior. Como observou Niall Ferguson, historiador da Universidade de Harvard, em uma entrevista à revista *Barron's* (1º de junho de 2009): "A desregulamentação não pode ser totalmente ruim, pois muitas coisas boas aconteceram no mundo depois de 1980."

Mas todas as coisas boas têm limites, e nós ultrapassamos alguns deles. A revolução de Reagan arremessou os Estados Unidos para o outro extremo — o que levou não apenas ao que acabou sendo uma imprudente desregulamentação do setor financeiro, mas também para uma cultura de alavancagem e riscos excessivos, tanto em nível corporativo quanto em nível individual. A prudência fiscal que nossos pais aprenderam com a Grande Depressão deu lugar a uma mentalidade de apostador e à consagração do "fique rico depressa". Paul Krugman, meu colega do *New York Times* laureado com o Nobel, afirmou em sua coluna (29 de maio de 2009):

> Fundamentalmente, as mudanças legislativas introduzidas pela era Reagan acabaram com as restrições ao crédito hipotecário — restrições que limitavam a possibilidade de que famílias adquirissem imóveis sem efetuar um vultoso pagamento inicial. Estas restrições foram estabelecidas na década de 1930, por intermédio de líderes políticos que acabavam de atravessar um terrível período de crise financeira e tentavam impedir a ocorrência de outra. Mas, por volta de 1980, as lembranças da Depressão haviam esmaecido. O Governo, declarou Reagan, é o problema, não a solução; a mágica do mercado tem de ser desencadeada. Assim, as regras preventivas foram descartadas. Juntamente com o afrouxamento de outras for-

> mas de crédito ao consumidor, isto produziu uma mudança radical no comportamento dos americanos. Nem sempre fomos um país com elevado índice de endividamento e baixo nível de poupança; nos anos 1970, os americanos economizavam quase 10% de seus rendimentos, ligeiramente mais que na década de 1960. Foi só depois da desregulamentação introduzida por Reagan que a frugalidade gradualmente desapareceu do modo de vida americano, culminando com o índice de poupança quase nulo que imperava às vésperas da grande crise. O endividamento hipotecário constituía apenas 60% da renda quando Reagan assumiu a presidência, quase o mesmo que durante o governo Kennedy. Em 2007, havia subido para 119%.

Na verdade, a era Reagan durou tempo demais para o nosso próprio bem. Reagan, no entanto, pelo menos elevou alguns impostos, quando as consequências de seus atos para o balanço do governo se tornaram inevitáveis, e estava disposto a tolerar uma recessão para acabar com a inflação. Como observou Joshua Green, em uma resenha sobre biografias de Reagan, na revista *Washington Monthly* (janeiro/fevereiro 2003): "Um ano depois de seu maciço corte de impostos, Reagan concordou em promover um aumento de impostos para reduzir o deficit fiscal, que recuperava 1/3 da redução do ano anterior. (Em uma estranha atitude de autoilusão, Reagan, que nunca se conformou com este episódio de apostasia ideológica, persuadiu a si mesmo de que o aumento de 100 bilhões de dólares nos impostos ao longo de três anos — o maior desde a Segunda Guerra Mundial — foi na verdade uma 'reforma de impostos' que tapava os buracos do corte anterior e, portanto, não significava um aumento de impostos.) Diante dos deficits que se avolumavam, Reagan elevou os impostos novamente em 1983, impondo uma taxação sobre o preço da gasolina; e fez isso de novo em 1984, desta vez com um aumento de 50 bilhões de dólares ao longo de três anos, principalmente por meio do fechamento de brechas fiscais para pessoas jurídicas." George Bush, pai, também elevou os impostos, assim como Bill Clinton, para impedir que o orçamento federal fugisse ao controle. Clinton também foi beneficiado pelos "dividendos da paz" acarretados pela redução com os gastos da defesa após o final da Guerra Fria.

George W. Bush, no entanto, levou o reaganismo ao seu extremo lógico — e foi mais além. Fortalecido por maiorias na Câmara e no Senado, e pela temporária autoridade que lhe foi conferida na esteira do 11 de setembro, ele diminuiu os impostos de forma radical e os manteve baixos; e em vez de colher os dividendos da manutenção da paz, empreendeu duas guerras extremamente dispendiosas, que se recusou a custear com novos impostos. Cobriu a diferença conseguindo que os chineses nos emprestassem suas poupanças. Foi a primeira vez que os Estados Unidos cortaram impostos durante uma guerra, uma medida de absoluta irresponsabilidade fiscal. Durante a presidência de George W. Bush, o índice de poupança nos Estados Unidos caiu a quase zero, e o débito dos consumidores disparou de 8 trilhões para 14 trilhões de dólares. Na prática, sob George W. Bush, o tradicional Partido Republicano desapareceu no início do século XXI. Os Estados Unidos deixaram de ter um partido dedicado à responsabilidade fiscal. Tínhamos um governo que, fundamentalmente, baniu as recessões. Em seu livro *The Price of Loyalty* (O preço da lealdade), Ron Suskind relata a história de como Paul O'Neill, secretário do Tesouro, estava tentando convencer o vice-presidente Dick Cheney de que o país não poderia se dar ao luxo de sancionar um novo corte de impostos, e que os crescentes deficits orçamentários poderiam solapar a economia. Cheney lhe cortou a palavra, dizendo: "Sabe, Paul, Reagan provou que os deficits não têm importância." Os deficits não têm importância enquanto a economia estiver crescendo rápido o suficiente para absorvê-los e para mantê-los relativamente baixos; mas, quando não está, viver ano após ano acima de nossas posses tem bastante importância.

Enquanto a imagem da Guerra Fria esmaecia cada vez mais em nossos espelhos retrovisores, uma atitude de "ignorância à vontade" dominou nossa elite política, um estado de espírito que sanciona bate-bocas mesquinhos entre políticos republicanos e democratas, contanto que se possa protelar — indefinidamente — o socorro ao nosso sistema de saúde e à nossa periclitante infraestrutura, protelar a transformação de nosso sistema energético, protelar a reforma das leis de imigração, protelar a recuperação do sistema previdenciário e do Medicare* ou protelar uma abordagem abrangente dos excessos que praticamos contra o meio ambiente — tanto quanto desejarmos. As divisões partidárias praticamente garantiram que não poderíamos solucionar nenhum desses problemas que nos afetavam há muitas gerações, e a lassitude pós-Guerra Fria nos dizia que não precisávamos nos importar com isso. Acrescente-se a isso uma campanha presidencial permanente, um noticiário de TVs a cabo que encorajava respostas táticas de ambas as facções a qualquer coisa que o outro lado dissesse e, mais recentemente, uma blogosfera capaz de acender, instantaneamente, fogueiras de paixão e indignação — às vezes falsas, às vezes reais — e de deixar os políticos enlouquecidos, e tínhamos a receita para ações e pensamentos mesquinhos. Tornou-se suicídio político, para qualquer político, defender o que qualquer pessoa responsável no país sabia que necessitávamos: impostos mais altos, gastos menores e uma redução dos direitos adquiridos. "Os Estados Unidos e seus líderes políticos, depois de duas décadas sem se reunirem para solucionar grandes problemas, parecem ter perdido a fé em sua capacidade de fazer isso", observou Gerald Seib, colunista do *Wall Street Journal*. "Um sistema político que espera o fracasso não tenta com muito afinco produzir nada diferente."

A atitude subjacente a tantas grandes questões se tornou: vamos tratar disso quando quisermos, isso nunca irá nos atingir porque somos os Estados Unidos e não temos concorrentes.

O 11 de Setembro

E então veio o 11 de Setembro. O que ocorreu depois desse dia poderia ter sido nosso despertador. O país estava pronto para ser con-

* Medicare — Sistema de seguros de saúde gerido pelo governo americano, destinado a pessoas de idade igual ou maior que 65 anos, ou que atendam a outros critérios específicos, como nível de rendimentos. (N. do T.)

vocado para um grande projeto de reconstrução nacional. Estávamos dispostos a ser uma nova Grande Geração. Estávamos dispostos a pagar uma "taxa patriótica" sobre a gasolina — que poderia ser a horta da vitória* de nossa geração, capaz de nos tornar independentes das pessoas que nos atacaram. Mas, quando a trombeta soou, só o que ouvimos foi: "Vão fazer compras."

Os ataques terroristas de 11 de Setembro de 2001 acabaram apenas encorajando nossa perda de foco, desviando uma enorme quantidade de energia, dinheiro e atenção para a guerra contra a Al Qaeda e para a instalação de equipamentos de segurança em todos os aeroportos, estações de trem e prédios federais — e não para a reconstrução de nosso sistema aéreo e ferroviário, e de nossa infraestrutura governamental. Eu fui apanhado nesta insegurança pós-11 de Setembro tanto quanto qualquer outra pessoa. Portanto, compreendo e me sinto solidário com aqueles que eram responsáveis pela segurança nacional — após um ataque de surpresa contra nosso centro financeiro e contra nosso quartel-general militar —, quando insistiram em que erguêssemos mais muros e aumentássemos nossas barreiras. Tínhamos mesmo de reagir, tínhamos de reforçar a vigilância em nossas fronteiras, tínhamos de aprimorar nossos serviços de inteligência, tínhamos de retaliar, tínhamos inimigos reais, que queriam destruir nosso país. Mas também precisávamos reconstruir nosso país. Tudo se resumia a uma questão de encontrar o verdadeiro equilíbrio, e perdemos o equilíbrio após o 11 de Setembro. Nós não somos, e com certeza jamais devemos ser, os "Estados Unidos do Combate ao Terrorismo". Não me levem a mal, eu ficaria feliz em passar por todos os detectores de metal que os peritos acharem necessários sempre que tomo um avião em Washington, D.C., se soubesse que do outro lado dos detectores está um projeto digno da capacidade inovadora e inspiradora do Estados Unidos da América. Não nos esqueçamos nunca: *eles* são as pessoas que celebram o 11 de Setembro. *Nós* somos

* Hortas da vitória (*victory gardens*, em inglês) eram hortas domésticas plantadas pelos cidadãos americanos, durante a Primeira e a Segunda Guerra Mundial, para amenizar a escassez de alimentos. (N. do T.)

as pessoas que celebramos o 4 de Julho. Este é o meu feriado nacional, não o 11 de Setembro. Eu choro por todos os que morreram nesse dia. Temos de honrá-los, aprender com a perda deles e impedir que o fato se repita. Mas não devemos jamais permitir que aquele dia terrível nos defina — sobretudo agora.

Entretanto, justamente quando precisávamos investir em nossa pátria para criar os novos Estados Unidos do 12 de setembro, investimos demais em segurança nacional, olhando para trás, em direção ao 11 de Setembro. Construímos uma cerca mais alta em torno de uma infraestrutura decadente — e as rachaduras começaram a aparecer. Fiquei particularmente preocupado com o súbito desmoronamento da ponte na estrada interestadual 35W, em Minnesota, meu estado natal, por se tratar de uma ponte que eu atravessara centenas de vezes, durante a minha juventude. Mas isto foi apenas a ponta do iceberg.

Em dezembro de 2008, visitei Hong Kong. Certo dia, fui até Kau Sai Chau, uma ilha no litoral da cidade, onde fui parar no alto de uma colina com vista do mar do sul da China e falei com minha esposa em Maryland, sem nenhuma interferência, usando o telefone celular de um amigo chinês. Poucas horas mais tarde, decolei do aeroporto ultramoderno de Hong Kong, depois sair do centro da cidade em um reluzente trem de alta velocidade — que dispunha de conexão sem fio, tão boa que pude surfar na web em meu laptop durante todo o caminho. Aterrissar no aeroporto Kennedy, um dia depois, foi como sair do desenho dos Jetsons e entrar no dos Flintstones. O feio saguão de desembarque era apertado e o uso de um simples carrinho de bagagem custava três dólares. No dia seguinte, fui até a Penn Station, em Manhattan, onde as escadas rolantes que levam às plataformas são tão estreitas que parecem ter sido projetadas antes da invenção de malas. As plataformas imundas, aparentemente, não passam por uma limpeza desde o governo Nixon. Embarquei no Acela, a pobre imitação americana de um trem-bala, para ir de Nova York a Washington. Durante o caminho, tentei usar meu telefone celular para fazer uma entrevista com uma pessoa em Washington, D.C.; a ligação caiu três vezes no espaço de 15 minutos. Tudo o que pude pensar foi: se somos tão inteligentes e poderosos, por que outras pessoas estão vivendo tão melhor do que nós? Talvez porque já não somos tão inteligentes quanto antes. Warren Buffett, em seu famoso gracejo, disse que "só quando a maré baixa, a gente descobre quem estava nadando nu". As bolhas de crédito são como a maré. Podem cobrir um monte de porcarias. No caso americano, o consumo excessivo e os empregos criados pelas bolhas de crédito e de habitação mascararam, além de nossas fraquezas na produção industrial e em outros fundamentos econômicos, uma coisa ainda pior: o quanto ficamos para trás no ensino básico, e o quanto isto está nos custando — segundo um estudo realizado pela firma de consultoria McKinsey & Co., intitulado "Impacto Econômico das Lacunas Educacionais das Escolas Americanas" (abril de 2009).

Nos anos 1950 e 1960, observou o relatório McKinsey, os Estados Unidos estiveram à frente do mundo em termos de ensino básico. Também estivemos à frente em termos econômicos. Nas décadas de 1970 e 1980, ainda tínhamos alguma vantagem educacional, ainda que menor, até o final do ensino fundamental. E continuamos a liderar o mundo economicamente, embora outras grandes economias, como a China, estivessem se aproximando. Atualmente, ficamos para trás tanto na quantidade de alunos que completam o ensino médio, quanto em sua qualidade. Consequências a seguir. Por exemplo, no Programa Internacional de Avaliação de Estudantes, efetuado em 2006, que mediu o conhecimento aplicado e a capacidade para resolver problemas de estudantes com 15 anos de idade em trinta países industrializados, os Estados Unidos ficaram na 25ª posição em matemática e na 24ª em ciências. Isto colocou nossos jovens, em média, no mesmo nível dos alunos de Portugal e da Eslováquia, "e não no nível dos estudantes de países que concorrem conosco de forma relevante no setor de serviços e na obtenção de empregos valorizados, como o Canadá, os Países Baixos, a Coreia e a Austrália", constatou o estudo da McKinsey. Na verdade, nossos alunos do quinto ano podem ser comparados em testes desse tipo com os estudantes de, digamos, Cingapura. Mas nossos alunos do ensino médio ficam bem atrás. Isto significa que "quanto mais as crianças americanas permanecem nas escolas, pior o seu desempenho, comparadas às crianças de outros países", afirmou o relatório da McKinsey. Talvez então seja bom que as crianças americanas só fiquem nas escolas seis horas e meia por dia, ou 32,5 horas por semana. "Em comparação", segundo a revista *The Economist* (13 de junho de 2009), "a semana escolar é de 37 horas em Luxemburgo, 44 na Bélgica, 53 na Dinamarca e 60 na Suécia. Além disso, as crianças americanas fazem apenas uma hora de trabalhos de casa por dia, um número que deixa perplexos os japoneses e os chineses".

Existem milhões de crianças que estudam em modernas escolas de subúrbios americanos e "não se dão conta de como estão atrasadas", declarou Matt Miller, um dos peritos da McKinsey. "Elas estão sendo preparadas para empregos que pagam 12 dólares por hora — e não 40 ou 50 dólares por hora."

E muitos dos que tinham a capacidade intelectual de que necessitamos foram desviados para a engenharia financeira. Como Jeffrey Immelt explicou em sua palestra de 26 de junho: "Você sabe que alguma coisa está errada quando um corretor de hipotecas está faturando 5 milhões de dólares por ano, enquanto um químico com ph.D. recebe 100 mil. A média dos salários semanais tem caído desde 1980, o que significa que temos sido incapazes de proporcionar um padrão de vida ascendente para a maioria [...] Em 2000, os Estados Unidos tiveram um superávit na balança comercial de produtos de alta tecnologia. Em 2007, tivemos um deficit de 50 bilhões de dólares na balança comercial destes mesmos produtos. Também perdemos nossa liderança em muitos setores industriais em expansão, e corremos o risco de perder outras novas oportunidades." Vivek Wadhwa é um dos principais pesquisadores do Programa de Estudos do Trabalho & Vida Profissional da Escola de Direito de Harvard, e diretor residente da Universidade de Duke. É também empresário e fundou duas firmas. Em um ensaio publicado pela revista *BusinessWeek* (14 de novembro de 2008), ele observou que "quando entrei na Faculdade Pratt de Engenharia, na Universidade de Duke, em agosto de 2005, mais de 1/3 dos formandos em engenharia administrativa que estavam deixando a escola me disseram que tinham arranjado empregos na área financeira. Da turma de 2007, 22% foram para as finanças". Felizmente, observou ele, o derretimento dos mercados em 2008/9 modificou esses números em favor da verdadeira engenharia. Mas o mal já estava feito.

Vamos nos lembrar: um dólar é um dólar é um dólar. Um dólar obtido de um fundo de derivativos vale a mesma coisa que um dólar obtido na indústria, um dólar obtido com o recebimento de uma propina, um dólar obtido com a venda de serviços ou um dólar obtido com uma invenção. As pessoas estão sempre direcionando sua imaginação e sua energia empresarial para onde estão as melhores oportunidades, ou, falando sem reticência, para onde se possa ganhar mais dinheiro de modo mais fácil. Da década de 1980 até a Grande Recessão, criamos uma economia na qual um número crescente de pessoas ganhou dinheiro de modo fácil. Era mais fácil repassar um imóvel do que poupar dinheiro para comprar um imóvel maior, e era muito mais fácil ganhar dinheiro repassando títulos do que investindo em novos produtos e serviços que os próprios títulos, originalmente, haviam sido criados para financiar.

O verdadeiro motivo da Grande Recessão

Quando se soma tudo isso, começamos a perceber que a Grande Recessão não foi apenas o produto de trapaças financeiras, hipotecas de risco e transgressões éticas — fatores importantíssimos, é verdade. Mas existe uma causa mais profunda: a ruptura de uma certa conexão entre qualidade educacional, trabalho duro e prosperidade. Nós nos tornamos uma nação *subprime*, que achava que poderia enriquecer simplesmente fazendo empréstimos — que acenava com o sonho americano sem entrada e com carência de dois anos. Já não precisávamos melhorar nosso ensino público, nem aumentar maciçamente nossos financiamentos à pesquisa básica de modo a impulsionar novas indústrias — isto em uma época em que o mundo estava se tornando plano, com a tecnologia permitindo que cada vez mais pessoas competissem, estabelecessem conexões e colaborassem conosco. Não, o banco da esquina, ou on-line, tomaria dinheiro emprestado na China e o reemprestaria a nós — com uma avaliação de crédito tão minuciosa quanto o controle efetuado pelos funcionários do aeroporto, quando comparam nossa passagem com a carteira de identidade, para verificar se o nome confere.

Enquanto a geração de nossos pais alcançou o sonho americano alavancada por seu próprio trabalho e instrução, a Geração Gafanhoto tentou assegurá-lo mediante alavancagem financeira — tomando cada vez mais dinheiro emprestado e fazendo apostas cada vez maiores com ele. Vimos bancos de investimento obtendo incríveis retornos, nos bons tempos, fazendo alavancagens na proporção de trinta por um; vimos indivíduos adquirindo residências de valor desproporcional aos seus rendimentos. Quando contratamos uma hipoteca para uma casa de 400 mil dólares sobre uma renda de 25 mil dólares, estamos fazendo uma alavancagem tão tresloucada quanto as efetuadas pelo Merrill Lynch.

No verão de 2009, em Aspen, Colorado, compareci a uma palestra proferida por Michelle Rhee, reitora das escolas públicas do Distrito de Colúmbia. Pouco antes do início da palestra, um homem que se apresentou como Todd Martin me sussurrou que o assunto a ser abordado por Rhee — o declínio do ensino básico nas grandes cidades americanas e a necessidade de reformas — era o verdadeiro motivo da Grande Recessão. Respondi que isto condizia com minha opinião e pedi a ele que me enviasse seus pensamentos sobre o assunto, o que ele fez. Creio que vai direto ao ponto.

"O fracasso educacional é a maior causa para o declínio da competitividade global do trabalhador americano, principalmente nos escalões médios e baixos", argumenta Martin, ex-executivo da PepsiCo e da Kraft Europe, e hoje um investidor internacional baseado em Dallas. Essa perda de competitividade enfraqueceu a produtividade do trabalhador americano, exatamente quando a tecnologia trouxe a competição internacional para perto de casa. Assim, durante uma década, o trabalhador americano manteve seu padrão de vida fazendo empréstimos e consumindo muito acima de seus rendimentos. Quando a Grande Recessão estourou as bolhas de créditos e de ativos que possibilitavam o consumo desproporcional, muitos americanos ficaram, além de endividados como nunca, sem emprego e sem condições de competir em termos globais. Eis o motivo, segundo Martin:

> "Estados Unidos S.A." é a soma de todos os nossos negócios e de todos os nossos trabalhadores. Cada trabalhador é como uma empresa, vendendo seus serviços para outra empresa. Os Estados Unidos S.A. fazem uma declaração do resultado do exercício e um balanço financeiro. Há muita preocupação, ultimamente, com o balanço — dívidas, ativos, depreciação, execuções, patrimônio líquido, capital inicial etc. Mas a declaração do resultado do exercício alimenta o balanço, e aí residem os problemas dos Estados Unidos S.A. A prosperidade dos trabalhadores e das empresas é determinada pelo que produzimos vezes o quanto podemos obter pelo que produzimos, menos os custos de produção. Atualmente, isto envolve uma comparação com os concorrentes globais. Ao longo das três últimas décadas, presenciamos — e encorajamos — a queda do comunismo, o advento de novas economias gigantes e, dentro delas, o aparecimento de centenas de milhões de trabalhadores cada vez mais competentes, que se sentem muito felizes em produzir o que as classes médias e baixas americanas produzem, por uma fração do preço. A tecnologia — a internet, a comunicação por fibras óticas, hardwares, softwares, sistemas de distribuição — não se limitou a aumentar enormemente a competição global enfrentada pelo trabalhador americano; também forçou os empregadores americanos a transferir unidades de produção para o exterior. Se não minimizarem os custos, seus concorrentes o farão, e eles serão alijados do negócio. Isso corroeu os salários e os empregos dos trabalhadores americanos; sobretudo daqueles cuja capacidade está supervalorizada em relação à concorrência global. Trata-se de um enorme problema para a economia dos Estados Unidos, pois esses mesmos trabalhadores consomem 70% do Produto Nacional Bruto. Se encontrarem dificuldade para manter sua competitividade, seus empregos e o crescimento de seus salários diante da concorrência cada vez mais acirrada — e eles estão encontrando —, toda a economia dos Estados Unidos S.A. terá dificuldade para crescer.

> O problema só pode ser "curado" se o declínio na competitividade do trabalhador for revertido, ou seja, se tivermos muitos empregos que paguem 40 dólares ou mais por hora, em comparação com as alternativas globais. Isto requer uma reviravolta na produtividade das escolas americanas. Temos de nos aperfeiçoar mais depressa do que a China e outros países estão se aperfeiçoando, direcionando nossa economia para a produção de mercadorias, serviços e empregos que não possam ser produzidos a custos mais baixos no exterior. Este aperfeiçoamento, provavelmente, irá requerer uma combinação de economia de conhecimento, produtos de conhecimento, empregos de conhecimento e trabalhadores de conhecimento — formados por um sistema educacional imensamente melhor. Tecnologia e inovações deverão estar na raiz de todos os negócios. É claro que melhorar de forma espetacular a capacidade dos trabalhadores americanos vai exigir décadas de esforço concentrado liderado desde o topo, assim como a melhoria do sistema educacional em todos os níveis.

A geração de nossos pais hipotecou seu futuro para que nossa geração pudesse estudar. E nossa geração, em muitos casos, hipotecou o futuro para comprar casas que não tínhamos condição de comprar e bens de que não necessitávamos. Nossos pais diziam que o estudo universitário é a chave para o sonho americano. Muitos de nossa geração diziam que obter uma hipoteca de risco a custos baixos — com dinheiro emprestado da China — era a chave para o sonho americano.

Portanto, o maior perigo que os Estados Unidos enfrentam hoje não é tanto uma queda brusca em sua importância como país — e sim a erosão gradual, mas real, das forças e recursos de sua sociedade. Lentamente, iremos estancar a imigração, que é nossa fonte de novos talentos; lentamente, iremos abandonar nosso compromisso com o livre comércio; lentamente, permitiremos a redução do orçamento para a pesquisa científica; lentamente, deixaremos que nossas escolas públicas mergulhem na mediocridade; e, lentamente, permitiremos que uma geração bem-educada dê lugar a uma geração sem as qualificações necessárias para prosperar no mundo de hoje. O perigo, diz Fareed Zakaria, da

Newsweek, "é que a lentidão do processo nos levará a ser complacentes com ele, e até que nos recusemos a reconhecê-lo". As coisas irão prosseguindo, prosseguindo, até que um dia nós iremos olhar em volta e descobrir que, como país, realmente ficamos para trás.

A energia enquanto metáfora

Não consigo pensar em melhor exemplo da falta de capacidade dos Estados Unidos para enfrentar um grande desafio do que o modo como lidamos com nossas crises de energia ao longo dos últimos 35 anos. É uma história triste, mas reveladora. Na esteira do embargo petrolífero promovido pelos árabes em 1973-1974, os europeus e os japoneses responderam com o aumento das taxas sobre a gasolina. O Japão, especificamente, envidou grandes esforços no sentido de aumentar a eficiência energética. A França investiu pesadamente na energia nuclear, como projeto estatal; o resultado foi que a França, atualmente, obtém 78% de sua eletricidade de usinas nucleares. A maior parte do lixo atômico é reprocessada e transformada em energia novamente. Até mesmo o Brasil, um país em desenvolvimento, lançou um programa nacional para produzir etanol a partir da cana-de-açúcar, de modo a se tornar menos dependente do petróleo importado. Hoje em dia, com sua produção petrolífera doméstica e sua indústria de etanol, o Brasil já não precisa importar petróleo.

A resposta inicial americana foi significativa. Com o incentivo dos presidentes Gerald Ford e Jimmy Carter, os Estados Unidos implementaram normas mais rigorosas de economia de combustível para os carros e caminhões americanos. Em 1975, o Congresso sancionou a Lei de Política Energética e Conservação (CAFE, na sigla em inglês), que estabeleceu normas de economia de combustível a serem adotadas pela indústria automobilística. Essas normas exigiam a gradual duplicação da eficiência dos veículos de passageiros — para quase 12 quilômetros por litro — em um período de dez anos.

Sem nenhuma surpresa, tudo funcionou. Entre 1975 e 1985, a quilometragem dos veículos de passageiros subiu de cerca de 6 quilômetros por litro para quase 12 quilômetros, enquanto a quilometragem para os caminhões leves subiu de quase 5 quilômetros por litro para pouco mais de 8 quilômetros — o que, de meados dos anos 1980 até meados dos 1990, gerou um excesso global na oferta de combustível. Isto não só enfraqueceu a Opep, como também ajudou a desmantelar a União Soviética, na época o segundo maior produtor mundial de petróleo.

O que aconteceu em seguida? Mantivemos nossos objetivos de longo prazo? Não. Depois que a meta de 12 quilômetros por litro foi alcançada, em 1985, o presidente Reagan — em vez de continuar estimulando a economia de combustível, de modo a diminuir nossa dependência do petróleo importado — reduziu a meta para 11 quilômetros por litro, no ano seguinte. Além disso, fez cortes nos orçamentos da maioria dos programas de energia alternativa criados no governo Carter, afetando especialmente o Instituto de Pesquisa de Energia Solar e seus quatro centros regionais, que estavam começando a decolar. A Casa Branca de Reagan e o Congresso, então com maioria democrata, uniram-se para extinguir os incentivos fiscais destinados a empresas de energia solar e eólica. Muitas destas empresas e respectivas tecnologias, originalmente financiadas pelos contribuintes americanos, acabaram sendo compradas por firmas do Japão e de países da Europa — o que ajudou a impulsionar as indústrias de energia renovável destes países. Reagan chegou a mandar que fossem retirados do telhado da Casa Branca os painéis solares que Carter instalou.

Esses painéis foram doados a uma universidade do Maine, que mais tarde os vendeu em um leilão on-line a aficionados por relíquias históricas. A reportagem da agência de notícias Associated Press sobre o leilão (28 de outubro de 2004) informou: "Os 32 painéis foram instalados na mansão presidencial na época em que o país ainda cambaleava sob os efeitos do embargo petrolífero árabe. Depois de instituir uma campanha nacional para a conservação de energia, o presidente Jimmy Carter mandou instalar os painéis, em 1979, para que servissem de exemplo ao país, segundo informou a Associação Histórica da Casa Branca. Os painéis de aquecimento por meio de energia solar foram instalados no telhado da Ala Oeste. Mas foram removidos em 1986, durante a presidência de Ronald Reagan, depois que a crise de energia foi superada e as preocupações com a dependência do petróleo estrangeiro diminuíram."

Aparentemente, ao reduzir a economia de combustível, Reagan pensou que estaria dando um impulso às então debilitadas indústrias automobilísticas e petrolíferas americanas. Resultado: rapidamente voltamos a depender do petróleo importado. Assim como desempenhou um papel preponderante no desmantelamento da União Soviética, a administração Reagan teve um papel preponderante no aumento de nossa atual dependência da Arábia Saudita.

A administração Reagan foi também um divisor de águas no que se refere ao meio ambiente. Nós nos esquecemos, porque aconteceu há muito tempo, de que houve uma época em que democratas e republicanos se uniram em torno da política ambiental. Foi um republicano, Richard Nixon, quem sancionou as primeiras leis ambientais dos Estados Unidos, dirigidas aos problemas da época — poluição atmosférica e das águas, lixo tóxico. Mas Reagan mudou isso. Além de ser contra qualquer interferência do governo, de modo geral, Reagan era particularmente contra a regulamentação da política ambiental. Ele e seu ministro do Interior, James Watt, transformaram as leis ambientais em uma questão mais partidária e polarizadora do que jamais havia sido. Desde então, as coisas permanecem na mesma. Com uma notável exceção: foi a equipe do secretário de Estado George P. Shultz que, entusiasticamente, negociou o Protocolo de Montreal sobre Substâncias que Empobrecem a Camada de Ozônio — o histórico acordo internacional destinado a proteger a camada de ozônio estratosférico, que protege o planeta da nociva radiação ultravioleta-B.

Em 1989, a administração de Bush, o pai, fez ao menos uma coisa boa: restabeleceu o patamar de 1985 — 12 quilômetros por litro. Além disso, introduziu melhorias significativas nas normas de construção de prédios e fabricação de aparelhos, estabeleceu uma redução de impostos proporcional ao uso de energia renovável e elevou o Instituto de Pesquisa de Energia Solar à categoria de instituição nacional, assim como o Laboratório Nacional de Energia Renovável. Mas tão logo libertou o

Kuwait das tropas de Saddam Hussein, e os preços do petróleo voltaram a cair, Bush não tomou nenhuma outra medida estratégica que pusesse fim à dependência americana do petróleo do Oriente Médio.

Com a chegada de Clinton ao poder, sua administração pensou em elevar as metas de economia de combustível — apenas para caminhões leves. Para garantir que isto não ocorresse, o Congresso, instado pela bancada de Michigan — totalmente subserviente às três grandes montadoras de automóveis e ao Sindicato dos Trabalhadores da Indústria Automotiva — literalmente vendou e amordaçou o governo em todos os assuntos que envolvessem economia de combustível. De modo específico, inseriu uma emenda no orçamento do Departamento dos Transportes, a vigorar no período fiscal de 1996 a 2001, que proibia, expressamente, o uso de verbas orçamentárias em qualquer resolução do Departamento Nacional de Segurança nas Estradas com vistas a aumentar o rigor das normas de economia de combustível para carros e caminhões americanos — paralisando assim o processo. O Congresso, efetivamente, impediu o Departamento de tomar qualquer medida que diminuísse o consumo de combustível dos carros americanos!

A medida impossibilitou qualquer melhoria na eficiência dos veículos até o ano de 2003, quando a administração de Bush, o filho, elevou ligeiramente as metas de economia de combustível para caminhões leves. Em 2003, até mesmo a China ultrapassou os Estados Unidos, em relação à economia de combustível, anunciando normas "para que, em 2005, os carros, camionetes e veículos utilitário-esportivos* consigam percorrer um quilômetro a mais, por litro, do que a média exigida nos Estados Unidos, e cerca de 2 quilômetros a mais em 2008" (*The New York Times*, 18 de novembro de 2003). Somente no final de 2007 — 32 anos após o Congresso ter determinado que a quilometragem fosse aumentada para 12 por litro de gasolina —, os Estados Unidos voltaram a se mexer. Aumentaram, então, as metas para 15 quilômetros por litro — mais ou menos os padrões da Europa e do Japão —, a serem concretizadas por volta de 2020. Ainda faltam 11 anos.

---

* Conhecidos como SUV, pela sigla de língua inglesa, no Brasil. (N. da E.)

Um dos resultados dessa insensatez, segundo um estudo da Pew Foundation, foi que "os carros e caminhões comuns dos Estados Unidos, vendidos no final dos anos 1990, percorriam um quilômetro a menos, por litro de gasolina, do que 10 anos antes". Esses fatos afetaram diretamente nosso consumo de petróleo — e nossa política externa. Segundo Amory Lovins, físico experimental que dirige o Rocky Mountain Institute, se os Estados Unidos tivessem continuado a economizar combustível durante os anos 1990, na mesma medida em que o fizeram durante o período de 1976 a 1985, em grande parte graças ao aumento da quilometragem por litro de combustível, o país não teria precisado de petróleo do Golfo Pérsico a partir de 1985. "Quando Reagan recuou a meta estabelecida pelo CAFE", diz Lovins, "desperdiçou uma quantidade de petróleo equivalente à que se acredita existir sob a Reserva Nacional da Fauna do Ártico".

Enquanto isso, o acidente na usina nuclear de Three Mile Island acabou com qualquer esperança de expandirmos nossa indústria nuclear. Foi quando Detroit lançou com sucesso seus veículos SUV, pressionando para que o governo os classificasse como caminhões leves, de modo que não tivessem de se submeter ao padrão de 12 quilômetros por litro estabelecido para os automóveis, permanecendo no padrão de quase 9 quilômetros firmado para os caminhões leves. Tornamo-nos, assim, ainda mais dependentes do petróleo. Quando perguntei a Rick Wagoner, o último diretor-presidente da General Motors antes que esta decretasse falência, por que sua empresa não fabricava carros mais econômicos, ele me deu a resposta-padrão: a GM nunca fora bem-sucedida em dizer aos americanos que tipos de automóveis deveriam comprar. "Fabricamos o que o mercado deseja. Se as pessoas querem SUVs e Hummers,* você tem de dar isso a elas." (A Toyota sempre teve o cuidado de lembrar que nunca falava sobre "o mercado", mas sobre muitos mercados, procurando construir alguma coisa para cada um deles. Como integrante deste segmento do mercado que procura uma

* Hummer — Veículo todo-terreno inspirado no "Humvee" de uso militar, fabricado pela General Motors. É um voraz consumidor de combustível. (N. do T.)

boa quilometragem por litro de gasolina e não deseja perder muito tempo com a manutenção do veículo, eu gosto disso. Se a GM tivesse feito o mesmo, poderia ter notado que meu segmento do mercado estava se tornado maior a cada ano.)

Mas os executivos de Detroit nunca nos diziam que uma das razões mais fortes para a preferência dos consumidores pelos SUV e Hummer era que a indústria petrolífera, sistematicamente, pressionava o Congresso a vetar aumentos de impostos sobre a gasolina, que teriam forjado uma demanda por veículos diferentes. Os governos europeus elevaram bastante os impostos sobre a gasolina e sobre o tamanho dos motores — e continuaram a fazer isso. E adivinhem? Os europeus passaram a procurar carros cada vez menores. Os Estados Unidos não quiseram taxar a gasolina e os motores de forma mais rigorosa; portanto, os consumidores americanos continuaram a procurar carros cada vez maiores. As empresas petrolíferas e os grandes fabricantes de automóveis, no intuito de aumentar o lucro, usaram seus lobbies em Washington para moldar o mercado, levando as pessoas a preferirem carros que consumiam mais combustível e proporcionavam lucros maiores. E nosso Congresso nunca impediu isso. Esteve a serviço dessas empresas durante mais de duas décadas.

Estes foram os anos devorados pelos gafanhotos, sacrificados por uma aliança bipartidária de interesses particulares — os democratas defendendo as montadoras de automóveis e seus sindicatos, e os republicanos, as empresas petrolíferas. Enquanto isso, os representantes dos verdadeiros interesses nacionais foram marginalizados e ridicularizados, como sendo parte da esdrúxula periferia ecológica. É a política da "ignorância à vontade". Quando a população está mobilizada, como esteve após 1973, enfrentando filas para encher os tanques de gasolina, pode sobrepujar os lobbies das montadoras e das empresas petrolíferas. Mas basta que se distraia por um minuto — apenas um minuto —, e os lobistas retornam às antecâmaras do Congresso, distribuindo doações de interesse político e dando as cartas conforme suas necessidades, não as do país. O que era bom para a General Motors nem sempre era bom para os Estados Unidos. Mas poucos democratas ou republicanos, nos altos escalões, estavam preparados para conduzir o país por um caminho diferente, no tocante à energia. No final, depois de protegerem a General Motors durante muitos anos contra as pressões para aumentar a eficiência energética de seus veículos, os políticos protegeram a empresa até que esta falisse.

Comparemos isto com o que fez um pequeno país, a Dinamarca, após 1973. "Nós decidimos que teríamos de nos tornar menos dependentes do petróleo", Connie Hedegaard, ministra do Clima e Energia, explicou para mim. "Fizemos um grande debate sobre a energia nuclear, mas, em 1985, decidimos não investir nela. Em vez disso, resolvemos aumentar a eficiência energética e utilizar energia renovável. Decidimos utilizar os impostos, de modo que a energia ficou relativamente cara. Assim, as pessoas tiveram de economizar energia — e tornaram suas casas mais eficientes em termos de aproveitamento energético [...] Foi tudo resultado de nossa vontade política."

Em 2008, a gasolina *premium* custava, na Dinamarca, cerca de US$ 2,40 o litro. Além disso, nos anos 1990, o país instituiu um imposto sobre a emissão de gás carbônico, de modo a incentivar a eficiência energética, embora tivesse acabado de descobrir petróleo ao largo de sua costa. "O imposto sobre o CO_2 vem discriminado na conta de luz", diz a ministra. Essas medidas, evidentemente, devem ter destruído a economia dinamarquesa, não é mesmo? Pensem de novo. "Desde 1981, nossa economia cresceu 70%, enquanto nosso consumo de energia foi mantido no mesmo nível durante todos esses anos", diz ela. Na Dinamarca, a taxa de desemprego é pouco menor que 2%. E a ênfase dada pelo país às energias solar e eólica, que já fornecem 16% de seu consumo total de energia, gerou toda uma nova indústria de exportação.

"Isso teve um impacto positivo na criação de emprego", diz Hedegaard. "Por exemplo, a indústria eólica não existia até os anos 1970. Hoje, um terço de todas as turbinas terrestres eólicas do mundo vem da Dinamarca. A indústria acordou e percebeu que a tecnologia era de nosso interesse. Fazer o primeiro movimento é sempre uma vantagem, quando se sabe que o mundo ainda não se mexeu." Dois dos mais criativos fabricantes de enzimas que convertem biomassa em combustível

— Danisco e Novozymes — são dinamarqueses. "Em 1973, 99% de nossa energia provinha do Oriente Médio", diz a ministra. "Hoje, o percentual é zero." Eu sei: a Dinamarca é um país pequeno e é muito mais fácil promover mudanças lá do que em uma economia gigantesca como a nossa. Entretanto, é difícil olhar para a Dinamarca e não enxergar a estrada que não trilhamos.

O governo de George W. Bush foi o exemplo mais perfeito da abdicação de qualquer tentativa séria de enfrentar o esbanjamento de energia dos Estados Unidos. Bush filho chegou ao poder determinado a não pedir ao povo americano que fizesse qualquer sacrifício, principalmente em relação ao consumo de energia. No dia 7 de maio de 2001, Ari Fleischer, então porta-voz da Casa Branca, ouviu a seguinte pergunta em seu encontro diário com a imprensa: "Considerando a quantidade de energia que os americanos consomem *per capita* — muito mais que em qualquer outro país do mundo — o presidente acredita que precisaremos modificar nosso estilo de vida, para podermos fazer frente ao problema energético?"

Fleischer respondeu: "Definitivamente não. O presidente acredita que este é o modo de vida americano, e o objetivo dos políticos deve ser proteger este modo de vida. O modo de vida americano é abençoado."

Ele acrescentou que, claro, o presidente encorajava o uso eficiente da energia e sua conservação; mas reiterou que o presidente acreditava "que o uso que os americanos fazem da energia é um reflexo do poder de nossa economia — do modo de vida apreciado pelo povo americano". E que isto não mudaria.

Robert Hormats, vice-presidente da Goldman Sachs (International), em seu livro *The Price of Liberty* (O preço da liberdade) — sobre os custos das guerras enfrentadas pelos Estados Unidos desde 1776 — observa que George Washington, em seu discurso de despedida, alertou sobre "o ato egoísta de atirar sobre as gerações futuras o fardo que nós mesmos temos de carregar". Mas isto é exatamente o que nós, da Geração Gafanhoto, estamos fazendo.

Certa vez, um soldado americano perguntou a Donald Rumsfeld, secretário de defesa de George W. Bush, por que ele e seus camaradas estavam sendo enviados ao Iraque sem equipamento adequado. Rumsfeld respondeu: "Você vai para a guerra com o Exército que tem, não com o Exército que você quer ou gostaria de ter." A resposta poderia ser aplicada a todo o país. Estávamos nos comportando como se pensássemos que poderíamos marchar rumo ao futuro com o governo que tínhamos, não com o que queríamos ou precisaríamos ter.

Caros concidadãos americanos: não somos quem pensamos que somos. Nosso sistema político parece incapaz de produzir respostas de longo alcance para grandes problemas ou grandes oportunidades. Somos nós que precisamos de uma democracia que funcione melhor — mais até do que os iraquianos e os afegãos. Somos nós que precisamos construir o país. É o nosso sistema político que não está funcionando. Acredito que a força motriz que impulsionou Barack Obama até a presidência foi a intuição — não declarada, mas amplamente partilhada por muitos americanos — de que saímos dos trilhos como país; e de que, para reentrar nos trilhos, precisávamos de um presidente que pudesse extrair o melhor de nós. Havia uma noção bastante difundida de que não poderíamos caminhar rumo ao futuro com o governo que tínhamos. Isso porque, como disse o poeta francês Paul Valéry em sua frase famosa: "O problema hoje é que o futuro já não é o que costumava ser." Estamos ingressando em uma época muito mais perigosa do que parece e, ao mesmo tempo, muito mais rica em oportunidades do que parece. Para prosperar nesta época, os Estados Unidos terão de estar no melhor de sua forma. E para estarmos no melhor de nossa forma, teremos de reconstruir nosso próprio país.

Quando penso em nossa situação, lembro-me do filme *O Leopardo*, baseado no romance homônimo de Giuseppe Tomasi di Lampedusa. A história é ambientada na Itália do século XIX, época de enormes distúrbios sociais, políticos e econômicos. O personagem principal é o príncipe siciliano, Don Fabrizio de Salina (interpretado no filme por Burt Lancaster). Don Fabrizio percebe que ele e sua família terão de se adaptar, se quiserem que a Casa de Salina mantenha sua liderança nos novos tempos, quando forças sociais populares desafiam o poder das elites tradicionais. O príncipe de Salina, no entanto, é amargo e inflexível: "Nós fomos os leopardos, os leões; os que tomarão nossos lugares serão chacais e cordeiros." O conselho mais sábio que recebe provém de seu sobrinho Tancredi (interpretado por Alain Delon), que se casa com a filha rica de um lojista, pertencente à endinheirada classe média. Ele adverte o tio: "Se quisermos que as coisas permaneçam como estão, as coisas terão de mudar."

É o caso dos Estados Unidos. Infelizmente não somos o povo que esperávamos ser. Somos o povo que teremos de superar. Estamos consumindo demais, poupando muito pouco, estudando de forma negligente e não investindo o suficiente. E teremos de superar nossas instituições políticas. Enquanto nosso sistema político, o Congresso e o Senado se mostrarem incapazes de oferecer respostas adequadas aos grandes problemas nacionais, enquanto nossos políticos se comportarem como Papai Noel, distribuindo presentes, e não como Abraham Lincoln, que sabia fazer os apelos difíceis, a grandeza que os Estados Unidos são capazes de atingir não será alcançada nesta geração.

Não tenham dúvidas. A época na qual estamos ingressando sofrerá enormes mudanças sociais, políticas e econômicas — determinadas em parte pelo Mercado, em parte pela Mãe Natureza. Se quisermos que as coisas permaneçam como estão — isto é, se quisermos manter nossa liderança tecnológica, econômica e moral, assim como um planeta habitável, rico em flora e fauna, leopardos e leões, e comunidades que possam se desenvolver de modo sustentável —, as coisas terão de mudar por aqui, e rapidamente.

TRÊS

A Regeração

No verão de 2009, fiz o discurso de formatura no Grinnell College, em Iowa. Pensei longa e intensamente a respeito do que diria. Afinal de contas, o que se pode dizer a rapazes e moças que estão para entrar no mercado de trabalho em meio à Grande Recessão?

Comecei com a descrição de uma foto que tinha visto há pouco tempo: "Minha esposa é integrante do conselho consultivo da Seed Foundation, em Washington, D.C.", expliquei. "A fundação dirige uma escola preparatória cuja finalidade é ajudar afro-americanos e membros de outras minorias desfavorecidas dos bairros mais pobres de Washington a obter um ensino de qualidade que lhes permita ingressar em uma faculdade. É uma instituição maravilhosa. Outro dia, o presidente Barack Obama e a primeira-dama Michelle Obama fizeram uma visita à escola, onde se encontraram com alunos e professores. Dias depois, vi as fotos que foram tiradas da visita. Uma delas realmente se fixou em minha mente. Era um retrato de Michelle Obama vista de costas. Estava cumprimentando algumas garotas, provavelmente do sétimo grau. Tudo o que se vê na foto são as costas da primeira-dama — e dois finos braços negros abraçados em seu tronco, apertando-a com força. Era uma das alunas da Seed, que obviamente fizera aquilo de forma espontânea. Eu pensei comigo mesmo: 'Puxa, que coisa incrível deve ser para uma menina afro-americana ter como modelo uma primeira-dama como Michelle Obama, formada em Princeton e na Escola de Direito de Harvard. Quem poderá saber o que o exemplo dela irá inspirar em tantas outras garotas afro-americanas?' Mas aqueles braços esguios abraçando a primeira-dama me disseram: 'É muito mais do que você jamais poderá saber.'"

Estou narrando esta história que contei aos formandos porque é fácil olhar em volta, nos Estados Unidos, e dizer: "Que época horrível para se formar." De fato, é uma época econômica horrível. Mas é um incrível momento político. A eleição de Barack Obama como presidente foi um desses raros momentos em que os Estados Unidos lembram a si mesmos, e ao mundo, que às vezes podem ser absurdamente radicais — radicais o bastante para apostar em um jovem senador de Illinois afro-americano, filho de pai muçulmano, criado por mãe solteira no Havaí, para nos tirar da Grande Recessão. Ainda é cedo demais para prever como será o governo do presidente Obama. Mas não é cedo demais para dizer que esta eleição, por si só, é extremamente importante. Ela representa a extraordinária capacidade de os Estados Unidos se renovarem. Ela demonstra que nosso país ainda tem capacidade para mudar de rumo, começar de novo — para se reinventar em um grau que a maioria dos outros países pode apenas sonhar.

É por isso que tenho esperanças de que, embora nossos pais tenham constituído a Grande Geração e nós a Geração Gafanhoto, nós e nossos filhos podemos formar, em conjunto, a "Regeração". Ouvi este termo pela primeira vez conversando com Michael Dell, fundador da Dell.* Foi cunhado por um dos especialistas de marketing da empresa, que utilizou o conceito em anúncios da Dell para se referir a pessoas de todas as idades que partilham um interesse comum em recursos renováveis, reciclagem e outros meios de sustentação do ambiente natural da Terra.

Mas vou levar o conceito um passo adiante. Para mim, a tarefa da Regeração é nada menos que consertar o Mercado e a Mãe Natureza, levando os valores da "sustentabilidade" a ambos os domínios. Não é um trabalho que possa ser deixado para nossos netos. Este problema é

* Em inglês, o termo original foi *Re-Generation.* (N. da E.)

nosso. Caímos em diversos tipos de comportamento que, além de colocarem em risco nosso bem-estar econômico, fizeram de nós uma espécie ameaçada de extinção. Nossa sorte é que, como americanos, vivemos em um país que tem a capacidade tecnológica e o temperamento radical necessários a uma mudança de rumo.

"A democracia tem de ser reinventada e reconstruída a cada geração, com novos materiais", diz Yaron Ezrahi, cientista político da Universidade Hebraica. "Com a eleição de Barack Obama, o mundo inteiro está observando novamente uma experiência americana — como fez no final do século XVIII —, para saber se os Estados Unidos conseguirão criar um modelo de coexistência entre a política, a economia e a liberdade que possa ser inspirador para o restante do planeta." O conceito de sustentabilidade será decisivo para que isso ocorra.

De fato, o que a luta pela liberdade significou para a geração de nossos pais, a luta pela "sustentabilidade" terá de ser para a Regeração. A sustentabilidade é a cruzada pela liberdade de nossos dias, pois a próxima geração não poderá viver livremente — não terá liberdade para perseguir seus sonhos de realização econômica, nem para aproveitar tudo o que a natureza tem a oferecer — se nossa atitude em relação ao mundo financeiro e ao mundo natural não for baseada em valores sustentáveis. A falta de sustentabilidade poderá oprimir nossas vidas. Poderá limitar tudo o que desejarmos fazer. A menos que nos tornemos menos dependentes dos hidrocarbonetos e a menos que encontremos um equilíbrio entre a necessidade de os mercados terem suficiente liberdade para recompensar a inovação e a tomada de riscos, mas não tanta liberdade a ponto de recompensar imprudências que possam desestabilizar toda a economia global —, nossas vidas serão reduzidas, redigidas e restringidas. Seremos esmagados pelos componentes tóxicos liberados tanto no Mercado quanto na Mãe Natureza. Vai ser pior do que se a União Soviética tivesse vencido a Guerra Fria, pois nós e nossos filhos seremos escravizados por nossas dívidas financeiras e oprimidos por nossas dívidas ecológicas.

Eis por que estou convencido que a sustentabilidade está para a Regeração assim como as campanhas pela liberdade — da Segunda

Guerra Mundial até as campanhas pelos direitos civis — estiveram para a Grande Geração. Trata-se agora de uma campanha contra as forças que podem nos tirar a liberdade: um clima radicalmente alterado, desastres ambientais que podem criar milhões de refugiados, mercados financeiros passíveis de produzir perdas de riqueza súbitas e colossais, e uma luta global por recursos escassos capaz de deflagrar guerras e fomentar o autoritarismo.

Vivemos em um mundo onde a globalização é um fato: mais pessoas estão se conectando e competindo com outras pessoas em um grau muito maior do que no passado. Mas os efeitos de tanta gente no planeta se conectando e competindo em mercados livres podem ser assustadores. A elevação do consumo pode devorar a vida existente nas florestas, nos rios e nos oceanos de um modo capaz de modificar o clima e a paisagem a uma velocidade sem precedentes. E quando se tem um mundo tão interconectado, onde contaminações financeiras podem se alastrar tão depressa, derrubando inúmeras economias de uma só vez, é óbvio que nosso objetivo maior tem de ser uma "globalização sustentada". Trata-se de um conceito que defendi em 1999, no meu livro *O Lexus e a Oliveira*. Acho que agora precisamos deste conceito mais do que nunca. Por quê? Porque um mundo definido pelos valores da sustentabilidade não é apenas um mundo mais verde, como observou David Rothkopf: "É um mundo mais seguro, é um mundo mais justo e é um mundo mais estável politicamente." Um mundo de mercados e ambientes sustentáveis é um mundo de abundância, e um mundo de abundância favorece sempre a liberdade e a democracia. É muito mais fácil dar às pessoas liberdade de escolher quando as opções são muitas. "Um mundo de escassez favorece sempre o autoritarismo — alguém terá de administrar o racionamento", diz o climatologista e físico Joseph Romm. Se as mudanças climáticas e a degradação ambiental um dia levarem a melhor sobre nosso planeta, acrescenta ele, "teremos de racionar o espaço em que vivemos, o modo como vivemos e o que poderemos usar".

É por isso que concordo com John Dernbach, que argumentou em seu livro *Agenda for a Sustainable America* (Agenda para uma América sustentável), que o "desenvolvimento sustentável está entre as mais importantes ideias surgidas no século XX". Alinha-se no mesmo patamar, segundo ele, da "promoção da democracia", da "proteção dos direitos humanos", dos "mercados livres", da "segurança coletiva" e da necessidade de "combater a pobreza em uma base global". O desenvolvimento sustentável, ou simplesmente a "sustentabilidade", merece estar neste patamar, escreveu Dernbach, "porque proporciona uma estrutura para que os seres humanos vivam em prosperidade e harmonia com a natureza, em vez de às custas dela. Tudo o que tem importância para nós — crescimento da economia, segurança e bem-estar das pessoas — fica comprometido, solapado ou diminuído pela degradação ambiental".

A promoção da ética da sustentabilidade, em suma, é exatamente o meio pelo qual poderemos impedir que o Citibank, os bancos da Islândia e os bancos de gelo da Antártida continuem a derreter, e é como poderemos impedir que mais um Bear Stearns e mais outra família de ursos-polares se tornem extintos ao mesmo tempo.

Sustentabilidade: você a reconhece quando a vê

Agora que estabelecemos a importância da sustentabilidade, precisamos estabelecer exatamente o que significa. Quais serão os valores que apoiam o comportamento sustentável, seja no mundo financeiro, seja no mundo natural? Quando se fala sobre sustentabilidade ecológica ou ambiental, diz Dernbach, a definição é bastante clara: "Uma coisa é ambiental ou ecologicamente sustentável quando protege, recupera e regenera o ambiente, em vez de degradá-lo."

O mesmo pode ser dito da área financeira: um mercado é financeiramente sustentável quando favorece práticas, investimentos e inovações que promovem o crescimento a longo prazo da economia, das empresas e da oferta de emprego, ao contrário do pensamento irresponsável de curto prazo, que pode destruir tudo isso da noite para o dia. Mas quais serão os valores necessários para inspirar os cidadãos, os executivos e os líderes, de modo a garantir que eles entendam e implementem a sustentabilidade? Fiz essa pergunta a Dov Seidman, diretor presidente da LRN, organização que ajuda empresas a desenvolver uma cultura ética sustentável, e autor do livro *Como: Por Que o Como Fazer Algo Significa Tudo... nos Negócios (e na Vida).*

Seidman disse que gostaria de começar por definir aquilo que a sustentabilidade não é. Em muitos casos, explicou ele, "nós equacionamos a sustentabilidade no mundo financeiro de acordo com tamanho e escala, aferidos por lucros, valor de mercado, número de clientes e taxas históricas de crescimento". Pensamos erradamente que quando uma empresa se torna realmente grande, ficará grande demais para quebrar — e portanto sustentável. "Mas o fato de algo ser grande, como sentimos na própria pele, não significa que seja sustentável", diz Seidman.

O lema do AIG era "a força de estar aqui". Mas o AIG se desvinculou dos valores e do pensamento de longo prazo que o tornariam uma empresa sustentável. Embora enorme em tamanho, o AIG não conseguiu se sustentar. Foi necessária a intervenção do Tesouro americano e do Federal Reserve para mantê-lo de pé.

O que realmente torna uma instituição sustentável não é a escala nem o tamanho que alcança, "mas o modo como gerencia seus negócios" — como se relaciona com seus funcionários, acionistas, clientes e fornecedores, afirma Seidman. Será que constituiu seus negócios como um castelo de cartas — através de relacionamentos superficiais como os existentes entre tomadores de hipotecas, corretores, agências classificadoras de risco, banqueiros e fundos de pensão que levaram à confusão das hipotecas de risco —, ou foi colocando um tijolo de cada vez, alimentando relacionamentos sustentáveis com clientes, fornecedores, banqueiros, acionistas e funcionários? A sustentabilidade, enquanto valor, é o oposto de "Eu terei desaparecido". A sustentabilidade prega, em vez disso, que me comportarei como se fosse permanecer aqui para sempre, e serei sempre responsável pelo que acontecer enquanto eu estiver de vigília.

Não existem os "sete hábitos das pessoas altamente sustentáveis", diz Seidman. "Os valores sustentáveis não podem ser reduzidos a uma lista. A sustentabilidade trata da disposição, da mentalidade e dos comportamentos que moldam e sustentam os relacionamentos — com a família, os amigos, os clientes, os investidores, os funcionários, os tomadores de empréstimo, os concidadãos, a comunidade, o ambiente e a natureza." Tanto no mundo natural quanto no financeiro, significa que você pensa e se comporta de um modo que literalmente sustenta o mundo natural ao seu redor, sustenta as relações de negócios, sustenta as relações pessoais, sustenta a comunidade, sustenta o país, sustenta o planeta e sustenta suas relações com seus netos e com as gerações seguintes. Segundo Seidman, esta mentalidade automaticamente nos conduz "aos valores que nos conectam de forma profunda às outras pessoas e, como povo, às instituições, às comunidades e ao ambiente — valores como transparência, integridade, honestidade e responsabilidade compartilhada". Esta mentalidade sempre nos leva a pensar sobre o impacto que nossas ações terão a longo prazo.

Não me entendam mal: mercados livres significam competição nua e crua. Sempre haverá vencedores e perdedores. A sustentabilidade não é um eufemismo para trabalhos de caridade ou socialismo. É um ingrediente essencial para vencer. Colocar em prática os valores da sustentabilidade, além de ajudar uma empresa a sobreviver, contribui para que esta prospere a longo prazo. "Os valores da sustentabilidade desempenham dois papéis", explica Seidman. Esses valores preservam, recompõem e fortalecem as empresas, ao mesmo tempo em que geram recursos renováveis, inovações, vantagens e prosperidade. "Há um valor real nos valores sustentáveis", acrescenta ele.

Em outras palavras, a sustentabilidade é tanto uma finalidade quanto um meio. A sustentabilidade é um resultado — desejamos que nossas melhores instituições e empresas, e tanto quanto possível de nosso mundo natural, sejam sustentáveis. E é uma prática — um conjunto de princípios para tratar as empresas e os ecossistemas de modo a preservá-los. Quando agimos de acordo com valores sustentáveis, tornamos mais provável que tanto nosso mundo natural quanto as instituições que lastreiam nossas existências e melhoram nossos padrões de vida continuem a existir. Assim sendo, a prática de uma ética de sustentabilidade produz empresas que são boas demais e fortes demais para quebrar — e não empresas que são grandes demais para quebrar.

As melhores empresas americanas, as que foram formadas para durar, entendem esses princípios — mas muitas outras os esqueceram. Como diz Jeffrey Immelt, da GE: temos de "formar empresas competitivas, que sejam bem-sucedidas a longo prazo em todos os cantos do mundo. O mundo empresarial tem de se livrar da mentalidade de curto prazo que acarretou tantos problemas. Se quisermos ver nosso país de volta à liderança, temos de começar a pensar como líderes novamente, e adotar uma visão de longo prazo. Não podemos pôr a culpa em Wall Street. Temos de ter coragem para investir... É hora de pensar grande outra vez. E é hora de recomeçar a fazer coisas funcionais e duráveis". O fato de que um de nossos mais proeminentes executivos tenha de nos exortar a ter "coragem para investir" sinaliza como saímos dos trilhos, enquanto país, no início do século XXI.

Segundo a visão de Seidman, só há na verdade dois tipos de relacionamento empresarial: oportunista ou sustentável. "As relações oportunistas só se preocupam com o que se pode obter aqui e agora — neste momento. Só se preocupam em explorar as oportunidades de curto prazo, em vez de praticar os princípios que criam o sucesso a longo prazo."

O lado positivo do que eu chamo de "achatamento" do mundo é que mais pessoas do que nunca estão hoje conectadas por redes e pela rapidez das viagens, podendo colaborar umas com as outras de forma significativa. O lado negativo, no entanto, é que mais pessoas do que nunca podem se conectar umas com as outras de forma oportunista, em vez de fazer isso de modo sustentável. Quem seria capaz de imaginar que poupadores britânicos, mediante o clique de um mouse, poderiam depositar fundos em bancos on-line da Islândia? Mas no mundo plano eles fizeram isso. Exatamente por estarem conectados através da tecnologia, mas sem acesso a valores sustentáveis sobre administração de riscos e práticas financeiras corretas, esses poupadores britânicos ficaram expostos a perigos financeiros que desconheciam completamente.

O mesmo se aplica ao mundo natural. Um número sem precedentes de pessoas tem hoje acesso a recursos financeiros, computadores, trabalhos e tecnologias que estimulam o crescimento e o desenvolvimento.

Mas se todas essas pessoas agirem sobre a natureza com valores oportunistas, em vez de sustentáveis, a Terra se transformará rapidamente em um enorme shopping center.

"Eis por que precisamos inspirar um número cada vez maior de pessoas a adotar valores sustentáveis e a viver de acordo com esses valores", diz Seidman. "Leis e regulamentações dizem o que você pode fazer, mas os valores dizem o que você deve fazer. Há uma diferença entre fazer o que você tem direito de fazer e fazer o que é certo."

Agências reguladoras dizem o que você pode e não pode fazer, mas os líderes, professores, religiosos, filósofos e pais nos incutem os valores que nos dizem o que devemos e não devemos fazer. "Nesse sentido, os valores são muito eficientes", conclui Seidman. "Um punhado de valores pode inspirar uma enorme quantidade de comportamentos sustentáveis que, se colocados em um código de regulamentação, exigiria mais de mil páginas."

Oportunisticamente falando: em um mundo plano, um banco da Islândia pode se transformar num fundo de derivativos, atraindo poupanças do mundo inteiro em troca de juros absurdamente altos. Mas deveria fazer isso? Valores sustentáveis nos dizem que não. Podemos derrubar florestas na Amazônia para plantar soja, que venderemos para a China obtendo grandes lucros, mas deveríamos? Valores sustentáveis nos dizem que não. Poucos anos atrás, poderíamos obter uma hipoteca no valor de 500 mil dólares sem efetuar nenhuma entrada — nem nenhum pagamento durante dois anos —, com base em um salário anual de 20 mil dólares, mas deveríamos? Valores sustentáveis nos dizem que não. A sustentabilidade exige que nosso comportamento vá além de uma situação específica. Se não estivermos imbuídos de valores, só agiremos com base na situação. As regras são melhores que a anarquia, é claro, e precisamos delas para governar a sociedade. Mas necessitamos de valores de sustentabilidade para acompanhar as regras. Caso contrário, se as regras nos disserem para não colocarmos os pés no sofá, nós os colocaremos na cadeira. Os valores, por sua vez, nos dizem para não colocarmos os pés sobre os móveis; senão eles não irão durar. Não há dúvida de que precisamos de regulamentações mais inteligentes e mais agentes reguladores para impedir a repetição da crise econômica de 2008/9. Mas não podemos perder de vista o fato de que a Grande Recessão foi também causada, de diversas maneiras, por pessoas fazendo o que podiam fazer, mas que jamais deveriam ter feito. (Será mesmo necessária uma lei que diga que os bancos só podem emprestar dinheiro a pessoas que têm uma boa chance de pagar o empréstimo? Qualquer banqueiro deveria ter valores capazes de responder a esta pergunta sem precisar de uma nova lei.) Falar da exata combinação de novas regulamentações bancárias, limites de alavancagem, exigências de idoneidade econômica e valores de sustentabilidade que se faz necessária para que nosso sistema financeiro seja mais sustentável e não tenhamos de ficar pulando de crise em crise — está além do escopo deste livro. Vou deixar esse assunto para os peritos em negócios e finanças, e me concentrar nas leis, regulamentações, preços e valores necessários para fortalecer e aumentar a sustentabilidade no mundo natural. O que me traz ao tema central deste livro.

O tema central

Como se pode depreender destes três primeiros capítulos, minha tese é muito simples: os Estados Unidos têm um problema e o mundo tem um problema. O problema dos Estados Unidos é ter se perdido nos últimos anos — em parte por conta do 11 de setembro, em parte por causa de alguns maus hábitos, da preguiça mental e da irresponsabilidade financeira que deixamos se avolumar, sobretudo desde o final da Guerra Fria. A reunião de tudo isso enfraqueceu a capacidade e a disposição de nossa sociedade para enfrentar grandes desafios e para concretizar nosso potencial em sua plenitude. O mundo tem também um problema, que vou explicar em detalhes nos próximos capítulos: está se tornando quente, plano e lotado. Em um mundo assim, a elevação do padrão de vida acarreta um esgotamento sem precedentes dos recursos naturais, que intensifica a extinção de plantas e animais, aprofunda a pobreza energética, fortalece as ditaduras do petróleo e acelera as mudanças climáticas. Estou convencido de que a melhor maneira de resolvermos nosso maior problema — recolocar o país nos trilhos — é assumirmos a liderança na solução dos maiores problemas do mundo — um mundo quente, plano e lotado. Isto significa criar as ferramentas, as estratégias, as fontes energéticas e os valores que permitirão que o mundo, como um todo, cresça de modo mais simples e sustentável.

Mas fazer frente a este desafio "não constitui apenas uma nova forma de gerar energia elétrica", segundo Rothkopf. "É também uma nova forma de gerar poder para os Estados Unidos — ponto final." Fazer frente a esses desafios e oportunidades reviverá o país em casa, reconectará o país com o exterior e reequipará o país para o amanhã. E considerando a dimensão dos desafios, não consigo imaginar que nosso país os enfrente globalmente sem dar um passo adiante dizendo: "Sigam-me" — e não: "Vão na frente."

"Seremos perdedores ou heróis — não há espaço para mais nada entre uma coisa e outra", diz Rob Watson, diretor-presidente da EcoTech International, e um dos maiores ambientalistas dos Estados Unidos. Ou nos colocamos na posição de liderança, criando inovações e estabelecendo colaborações, ou todos perderemos — muito. Apenas ir levando, fazendo as mesmas velhas coisas, já não é uma opção. Precisamos de uma abordagem totalmente nova.

O nome do projeto que estou propondo é "Código Verde". O que o "vermelho" significou para os Estados Unidos nas décadas de 1950 e 1960 — um símbolo da ameaça global do comunismo, que serviu para mobilizar o país e expandir seu Exército, sua base industrial, suas rodovias, ferrovias, portos e aeroportos, as instituições de ensino e capacidade científica, de modo a liderar o mundo em defesa da liberdade —, o "verde" precisa significar para os Estados Unidos de hoje.

Infelizmente, após o 11 de Setembro, em vez de substituir o vermelho pelo verde, o presidente George W. Bush substituiu o vermelho pelo "Código Vermelho" e outras cores malucas utilizadas pelo sistema de alerta do Departamento de Segurança Interna. É hora de descartá-las em favor do Código Verde. Código Verde, para mim, significa fazer dos Estados Unidos o líder mundial no desenvolvimento de fontes de energia limpa e no uso eficiente da energia produzida, inspirando uma ética de sustentabilidade em relação ao Mercado e à Mãe Natureza.

"A marca registrada de todas as empresas e países que prosperam continuamente é que se reinventam continuamente", observa David Rothkopf. "Nós nos reinventamos como potência industrial de âmbito continental no século XIX; como potência industrial, de âmbito mundial, no século XX; e como sociedade global de informação, no século XXI." Agora teremos — pelo nosso próprio bem e pelo bem do mundo — de nos reinventar mais uma vez. Transformar os Estados Unidos no mais ecológico dos países não é um ato de caridade altruísta ou de ingênua indulgência moral, mas o cerne de nossa segurança nacional e de nossos interesses econômicos. É como iremos sobreviver e prosperar.

Há um provérbio chinês que diz: "Quando o vento muda de direção, há os que constroem muros e há os que constroem moinhos de vento." Bem, definitivamente o vento mudou de direção e precisamos construir moinhos que possam aproveitá-lo de modo sustentável. Os velhos processos já não são suficientes. A era em que estamos ingressando será uma era em que nossas vidas, nossas economias, nossas escolhas políticas e nossos ecossistemas serão restringidos, se não encontrarmos um modo mais sustentável de administrar nossas finanças e de proteger o mundo natural. Então, eu digo: vamos construir moinhos de vento. Vamos liderar. E vamos liderar sob a bandeira do desenvolvimento sustentável.

Nestes Estados Unidos, nosso ar será mais limpo, nosso meio ambiente, mais saudável, nossos jovens verão seu idealismo refletido em seu governo e nossas indústrias serão mais capazes de trazer benefícios não só a si mesmas, como também a todo o planeta. Estes são os Estados Unidos que terão sua identidade de volta. Seremos respeitados, considerados e inspiradores, pois estaremos novamente liderando o mundo nas questões mais importantes e estratégicas do momento.

Nestes Estados Unidos, iremos agir sempre do modo como agimos quando estamos no melhor de nossa forma. Não devemos nos esquecer que trazemos dentro de nós a capacidade de pensar e de agir de forma sustentável. Trazemos dentro de nós a capacidade de pensar e agir a longo prazo. Trazemos dentro de nós a capacidade de nos unirmos para realizar grandes projetos de interesse nacional. Afinal de contas, não somos apenas o povo do 4 de Julho — o povo que proclamou que nosso país seria impulsionado pela ética da liberdade e da dignidade humana; e que, aderindo a este grande ideal, iríamos progredir como nação. Somos também o povo do 20 de julho, que se uniu e levou um homem à Lua, uma década depois de anunciar este objetivo. Somos o povo do 8 de dezembro, que, diante da avassaladora ameaça do fascismo, após o ataque a Pearl Harbor, reconfigurou completamente a economia e mobilizou o país para enfrentar a ameaça ao nosso modo de vida. E somos o povo do 12 de setembro, que, na esteira de um ataque ao nosso território, deixou de lado as diferenças políticas, republicanas ou democratas, e se uniu para defender o país, reconstruindo o Pentágono e a economia. Exatamente porque fizemos todas essas coisas nessas datas, e em outras, sabemos que somos capazes. Agora, porém, teremos de estar no melhor de nossa forma durante muito tempo. É por isso que não precisamos, simplesmente, de um empréstimo de emergência para a Grande Recessão. Precisamos reformular tudo através da Regeração. Estamos vivendo há muito tempo com dinheiro emprestado e já passamos do limite. Precisamos voltar a trabalhar em nosso país e em nosso planeta. Já é tarde, os riscos não poderiam ser maiores e o projeto não poderia ser mais difícil. Mas a recompensa não poderia ser maior.

O resto deste livro é sobre como poderemos realizar esses projetos.

Segunda Parte

Onde estamos

QUATRO

Data de hoje: dia 1º E.E.C.

PREVISÃO DO TEMPO: QUENTE, PLANO E LOTADO

Mas que nova era é essa em que estamos ingressando, na qual a adoção de um Código Verde se tornará uma coisa tão necessária, tão relevante e tão oportuna para os Estados Unidos? A resposta mais curta é que estamos entrando na Era da Energia e do Clima.

Em *O Mundo É Plano*, argumentei que a revolução tecnológica que estava nivelando o campo de atuação da economia global, possibilitando que muito mais pessoas ao redor do mundo pudessem competir, conectar-se e colaborar, estava constituindo uma nova fase de globalização, que teria um grande impacto sobre os assuntos econômicos, políticos, militares e sociais de todos os países. Quanto mais viajo, mais observo os efeitos do nivelamento mundial.

Mas os acontecimentos dos últimos anos tornaram claro, para mim, que duas outras forças poderosas estão atingindo nosso planeta de modo fundamental: o aquecimento global e o enorme crescimento populacional. Ao incorporar esses dados à minha própria análise, concluí que a convergência do aquecimento global, nivelamento global e lotação global são as forças mais importantes na formação do mundo em que hoje vivemos. A maneira resumida que uso para tal convergência é o título deste livro: *Quente, Plano e Lotado* — e o termo resumido que uso para a época que está nascendo desta convergência é Era da Energia e do Clima.

Este livro enfoca cinco problemas-chave que um mundo quente, plano e lotado está intensificando radicalmente. São eles: a crescente demanda por recursos naturais e suprimentos de energia cada vez mais escassos; a maciça transferência de divisas para países ricos em petróleo e seus ditadores; drástica mudança climática; pobreza energética, que está dividindo o mundo, de forma nítida, entre aqueles que têm energia elétrica e os que não a têm; e perda da biodiversidade, cada vez mais rápida, com a extinção de plantas e animais em progressão recorde. Acredito que esses problemas — e como iremos administrá-los — definirão a Era da Energia e do Clima. Como não são problemas comuns, qualquer um deles, se não for administrado corretamente, poderá acarretar rupturas profundas, imprevisíveis e irreversíveis que afetarão numerosas gerações. Para resolvermos esses problemas, precisaremos de novas ferramentas, nova infraestrutura, novos modos de pensar e novos modos de colaborar. São esses os elementos que formam as novas grandes indústrias e produzem os avanços científicos que fazem uma nação avançar e outra ficar para trás.

Por conseguinte, precisamos compreender a nova era em que estamos ingressando. A palavra definidora é "nova". Temos que parar de pensar em nós mesmos como "pós" alguma coisa — pós-coloniais, pós-guerra, pós-Guerra Fria, pós-pós-Guerra Fria. Essas eras não têm significado nos dias de hoje. Tire-as de sua mente. Elas não explicam nada a respeito do período que estamos atravessando.

"Não creio que estejamos em uma era pós-alguma coisa, creio que estamos em uma era pré-alguma coisa totalmente nova", escreveu David Rothkopf, consultor de energia. E a coisa na qual estamos ingressando é a Era da Energia e do Clima.

"Acredito que estamos em um desses momentos de transição que existem na história, quando as coisas podem mudar de modos inimagináveis, e em uma enorme extensão de áreas, ao mesmo tempo", acrescentou Rothkopf. "Já tivemos momentos assim antes — as revoluções democráticas do Iluminismo, a Revolução Industrial e, em nossos tempos, a revolução da informática. Todos estes momentos têm uma coisa em comum: quando as coisas começaram a mudar, as pessoas não conseguiram, inicialmente, compreender sua real importância. Outra coisa em comum foi que as grandes mudanças impuseram grandes desafios. Foi o modo de enfrentar estes desafios que definiu as novas eras, trouxe progresso, criou novas instituições e separou os vencedores dos perdedores."

De fato, os países que inspiraram e inventaram as grandes soluções para os grandes problemas do passado lideraram as eras que se seguiram. E os países que não conseguiram se adaptar ficaram à margem. Nesta nova Era da Energia e do Clima, os Estados Unidos precisam se assegurar de que estarão entre os primeiros.

Vamos examinar o mecanismo desta nova era — esta convergência do quente, plano e lotado —, começando pelo *lotado*. Eis uma estatística que considero estarrecedora. Eu nasci no dia 20 de julho de 1953. Se você for até o site Infoplease.com e digitar a data do seu nascimento poderá descobrir, em termos aproximados, quantas pessoas viviam no planeta no dia em que você nasceu. Fiz isso e o número que apareceu foi 2,681 bilhões. Se Deus quiser, se eu continuar a andar de bicicleta e a comer iogurte, posso viver até cem anos. As estimativas das Nações Unidas, para 2053, são de que haverá mais de 9 bilhões de pessoas no planeta, graças a progressos nos cuidados com a saúde, erradicação de doenças e desenvolvimento econômico. Isto significa que, durante minha vida, a população mundial terá mais do que triplicado. Mais pessoas nascerão entre este momento e 2053 do que as que existiam na Terra quando eu nasci.

Em termos mais específicos, a Divisão de População das Nações Unidas publicou um relatório (13 de março de 2007) declarando que "é provável que a população mundial aumente em 2,5 bilhões ao longo dos próximos 43 anos, passando dos atuais 6,7 bilhões para 9,2 bilhões em 2050. Esse aumento é equivalente à população de 1950, e será absorvido, em sua maior parte, pelas regiões menos desenvolvidas, cujo crescimento populacional, segundo projeções, saltará de 5,4 bilhões, em 2007, para 7,9 bilhões, em 2050. Enquanto isso, a população das regiões mais desenvolvidas deverá permanecer sem grandes modificações, na marca de 1,2 bilhão; poderia até declinar, se não fosse pela migração de habitantes de países em desenvolvimento para os países desenvolvidos — estimada em 2,3 milhões de pessoas anualmente, em média".

Portanto, se você tem a impressão de que o mundo está lotado agora, aguarde mais algumas décadas. Em 1800, Londres era a maior cidade do mundo, com um milhão de habitantes. Em 1960, existiam 111 cidades com mais de um milhão de habitantes. Em 1995, havia 280 e hoje, mais de 300, segundo estatísticas do Fundo Populacional da ONU. O número de megacidades (com 10 milhões de habitantes ou mais) subiu de 5, em 1975, para 14, em 1995. E calcula-se que o total chegará a 26 cidades em 2015, segundo a ONU. Esse crescimento populacional explosivo, nem é preciso dizer, está destruindo a infraestrutura dessas megacidades — 19 milhões de habitantes somente em Mumbai — e também acarreta a perda de terras cultiváveis, o desmatamento, a pesca predatória, a falta de água e a poluição do ar e da água.

Em 2007, o diretor-presidente do Fundo Populacional das Nações Unidas, Thoraya Ahmed Obaid, publicou um relatório revelando que, em 2008, mais da metade da humanidade estaria vivendo em cidades, e que "nós não estamos preparados para isso". Segundo Obaid, as cidades menores absorveriam a maior parte do crescimento urbano: "Estamos nos concentrando nas megacidades, quando os dados nos dizem que a maior parte do movimento será em direção às cidades menores — com 500 mil habitantes ou mais", que muitas vezes não dispõem de recursos hídricos e energéticos, nem de instituições governamentais para lidar com o crescimento das populações migrantes. A Associated Press, em uma reportagem procedente de Londres (27 de junho de 2007), observou que, por volta de 2030, o número de habitantes das cidades deverá subir para 5 bilhões.

O crescimento se tornou tão grande e tão rápido que Michael V. Hayden, diretor da Agência Central de Inteligência (a CIA), declarou que seus analistas hoje acreditam que a tendência mundial mais preocupante não é o terrorismo, mas a explosão demográfica.

"Existem 6,7 bilhões de pessoas dividindo o planeta atualmente", disse o general Hayden em um discurso na Kansas State University (30 de abril de 2008). "Na metade do século, as melhores estimativas indicam uma população mundial de mais de 9 bilhões. É um aumento de 40% a 45% — impressionante — mas a maior parte desse crescimento deverá ocorrer, quase certamente, em países menos preparados para enfrentá-lo. Isso irá criar uma situação propícia à instabilidade política e ao extremismo — não apenas nessas áreas, mas também fora delas. Há muitos países frágeis, onde governar é hoje muito difícil e onde as populações irão crescer rapidamente: Afeganistão, Libéria, Níger e República Democrática do Congo. Nesse grupo, estima-se que, até a metade do século, a população terá triplicado. O número de habitantes da Etiópia, da Nigéria e do Iêmen deverá mais do que dobrar. Além disso — além dos números em si — todos esses países deverão ter, como resultado desse crescimento, grande concentração de jovens. Se suas necessidades básicas — alimentação, moradia, educação e emprego — não forem asseguradas, eles poderão ser atraídos para a violência, agitações civis e extremismo."

É isso o que eu quero dizer com *lotado*. Mas e *plano*? Quando eu escrevi que o mundo é plano, não estava sugerindo, claro, que o mundo estava se tornando fisicamente plano, ou que estávamos todos nos tornando economicamente iguais. O que o livro argumentava era que uma combinação de acontecimentos tecnológicos, comerciais e geopolíticos, no final do século XX, havia nivelado o campo no qual atua a economia global, permitindo que mais pessoas do que nunca, de mais lugares do que nunca, participassem da economia global — e, no melhor dos casos, ingressassem na classe média.

Esse nivelamento foi fruto de diversos fatores. O primeiro foi a invenção e a proliferação do computador pessoal, que possibilitou a indivíduos — *indivíduos* — criarem seu próprio conteúdo na forma digital. Pela primeira vez na história, indivíduos puderam criar palavras, dados, planilhas, fotos, projetos, vídeos, desenhos e música, em seus próprios PCs, sob a forma de bits e bytes. Tão logo um conteúdo estivesse na forma digital, poderia ser transformado de muitas outras maneiras e distribuído para muitos outros lugares.

Outro grande nivelador foi o aparecimento da internet, da World Wide Web, a base mundial de dados, e do navegador da internet — um conjunto de ferramentas que permitiu que indivíduos enviassem seu conteúdo digital para qualquer lugar do mundo, praticamente de graça; e mostrassem ou acessassem esse conteúdo por meio das páginas da internet.

O terceiro nivelador foi uma revolução silenciosa nos softwares e na transmissão de protocolos, que eu chamo de "revolução do fluxo de trabalho", pelo modo como interligou os computadores de todo o mundo — possibilitando que o trabalho fluísse mais rapidamente e alcançasse uma distância maior, através de redes internas das empresas, internet e World Wide Web. De repente, muitas pessoas podiam trabalhar juntas, em muitas coisas diferentes. Assim, a Boeing poderia contratar projetistas de aviões em Moscou e integrá-los como construtores de aviões em Wichita, e a Dell poderia projetar computadores em Austin e Taiwan e fabricá-los na China ou na Irlanda, com assistência técnica de profissionais da Índia.

Os grandes niveladores geopolíticos foram o colapso do comunismo e a queda do Muro de Berlim. O fim da União Soviética e de sua cortina de ferro foi como a eliminação de um imenso obstáculo na estrada da economia global. No rastro desse colapso, a economia de mercado se tornou a norma em quase todos os países do mundo — e até mesmo países como Cuba e Coreia do Norte começaram a engatinhar no capitalismo.

Junte todos esses niveladores e você terá um mercado global muito mais homogêneo e desobstruído. Nesta ágora global, milhões de novos consumidores e produtores podem comprar ou vender suas mercadorias e serviços — sejam indivíduos ou empresas —, e podem colaborar com mais pessoas em mais lugares, em mais atividades, com mais facilidade e por menos dinheiro do que nunca. É isso o que considero um mundo plano.

A boa notícia é que o fim do comunismo e o nivelamento do mundo ajudaram a retirar 200 milhões de pessoas da pobreza mais abjeta, durante os anos 1980 e 1990, somente na China e na Índia, segundo o Fundo Monetário Internacional — e fizeram com que dezenas de milhões a mais galgassem a pirâmide econômica e ingressassem na classe média. Mas, depois de saírem da pobreza, geralmente associada a um modo de vida rural e agrícola, esses vários milhões de recém-chegados começaram a receber salários que lhes permitiram produzir e consumir mais coisas. Todos esses consumidores entraram no gramado do jogo econômico com suas próprias versões do "sonho americano" — um carro, uma casa, um condicionador de ar, um telefone celular, um forno de micro-ondas, uma torradeira, um computador e um iPod — criando uma nova e enorme demanda por "coisas" que devoram enormes quantidades de energia, recursos naturais, terra e água, emitindo enormes quantidades de gases-estufa que modificam o clima, tanto ao serem produzidas quanto ao serem descartadas.

Este processo, claro, está atiçando uma competição sem precedentes por energia, minérios, água e produtos florestais, à medida que nações em desenvolvimento, como Brasil, Índia e China, buscam conforto, prosperidade e segurança econômica para uma parcela cada vez maior de suas populações. A longo prazo, a combinação de plano e lotado — cada vez um número maior de pessoas consegue ter um estilo de vida moderno, com amplo consumo de energia e recursos — é a maior ameaça ao meio ambiente global.

E estamos apenas no início. Calcula-se que a população mundial aumente em mais um bilhão, somente nos próximos 15 anos. Muitos dos novos habitantes se tornarão consumidores e produtores. Quando algo assim acontece, a lei dos grandes números entra em funcionamento — tudo passa a funcionar em uma escala imensa, observa David Douglas, vice-presidente de responsabilidade ecológica da Sun Microsystems. Por exemplo, ele pergunta, "o que aconteceria se cada um dos componentes desse bilhão recebesse uma lâmpada de 60 watts?" "Cada lâmpada não pesa muito — cerca de 20 gramas, com a embalagem. Mas um bilhão delas, somadas, pesam em torno de 20 mil toneladas métricas, ou o equivalente a 15 mil Toyotas Prius",* diz Douglas. "Agora, vamos acender as lâmpadas. Se todas forem acesas ao mesmo tempo, consumirão 60 mil megawatts a qualquer momento. Felizmente, eles só usarão suas lâmpadas durante algumas horas por dia, então o consumo cai para 10 mil megawatts a qualquer momento. Epa! Parece que ainda assim vamos precisar de umas vinte novas usinas termelétricas a carvão, com produção de 500 megawats" — apenas para que o próximo bilhão de pessoas possa acender a luz!

E o que dizer do *quente*? O consenso científico de nossos dias é o de que o planeta vem apresentando uma tendência ao aquecimento — acima das variações naturais e normais — que se deve, quase certamente, ao aumento das atividades humanas, associadas à fabricação em grande escala. O processo teve início no final dos anos 1700, com a Revolução Industrial, quando o trabalho manual, a tração animal e os moinhos de água começaram a ser substituídos ou aperfeiçoados com máquinas. Essa revolução, com o tempo, transformou a Grã-Bretanha, outros países da Europa e, finalmente, os Estados Unidos. De sociedades agrícolas e mercantis, se transformaram em sociedades de fabricação, baseadas mais no uso de maquinário e motores do que em ferramentas e animais.

A Revolução Industrial estava no cerne de uma revolução no uso da energia. Seu início é geralmente datado pelo advento da máquina a vapor, que tinha por base a conversão da energia química, contida na madeira e no carvão, em energia térmica e trabalho mecânico — a princípio, para mover maquinaria industrial e locomotivas a vapor. O carvão acabou suplantando a madeira, pois, comparando-se os combustíveis quilo a quilo, o carvão contém duas vezes mais energia que a madeira — medida em BTUs, ou British Thermal Units (Unidades Térmicas Britânicas), por quilo. E também porque ajudou a preservar o que restava das florestas temperadas do mundo. O carvão teve aplicação direta em processos industriais, como a metalurgia, na calefação

* Toyota Prius — Primeiro carro híbrido de fabricação em grande escala, movido a gasolina e eletricidade. (N. da E.)

de edificações e na alimentação de motores a vapor. Quando o petróleo surgiu em meados do século XIX, algumas décadas antes do advento da eletricidade, era queimado em lâmpadas a óleo sob forma de querosene, substituindo o óleo de baleia. Era também usado para aquecer edificações e em processos de fabricação, e como combustível para motores utilizados na indústria e para a propulsão.

Em resumo, pode-se dizer que os humanos precisam de energia não só para iluminação, aquecimento e como força motriz, mas também para a geração de eletricidade, que pode proporcionar tudo isso, além de outras coisas como comunicação eletrônica e processamento de informações. Desde a Revolução Industrial, todas as funções da energia têm sido supridas principalmente, mas não exclusivamente, por combustíveis fósseis, que emitem dióxido de carbono (CO_2).

Colocando as coisas de outra forma, a Revolução Industrial atribuiu uma nova proemiência ao que Rochelle Lefkowitz, presidente da Pro-Media Communications e estudiosa dos problemas da energia, chama de "combustíveis do inferno" — carvão, petróleo e gás natural. Todos esses combustíveis do inferno provêm do subsolo, são exauríveis e emitem CO_2, além de outros poluentes, quando usados em transporte, aquecimento e finalidades industriais. Esses combustíveis se contrapõem ao que Lefkowitz chama de "combustíveis dos céus" — vento, hidrelétricas, marés, biomassa e energia solar —, que estão acima do solo, são infinitamente renováveis e não produzem emissões nocivas.

Os primeiros anos do século XX trouxeram também uma revolução nos transportes, com a invenção do motor de combustão interna, usado para movimentar carros e caminhões. Motores propelidos a gasolina foram inventados na Alemanha no final do século XIX, mas, segundo o website Ideafinder.com, "o primeiro automóvel produzido em quantidade foi o Curved Dash Oldsmobile, de 1901, construído nos Estados Unidos por Ransom E. Olds. A moderna produção em série de automóveis e o uso de linhas de montagem modernas são creditados a Henry Ford, de Detroit, Michigan, que construiu seu primeiro carro movido a gasolina em 1896. Ford começou a produzir o seu Model T em 1908.* Em 1927, quando o modelo deixou de ser fabricado, cerca de 18 milhões de unidades tinham sido produzidas pela linha de montagem". O motor de combustão interna transformou o comércio, valorizou o petróleo, usado para movimentar os automóveis, e aumentou enormemente a demanda por ferro, aço e borracha. Os motores a vapor funcionavam por combustão externa — carvão, gasolina ou madeira eram queimados do lado de fora, criando o vapor que realmente movimentava os motores. Mas o motor de combustão interna era mais eficiente, exigia menos combustível e permitia que máquinas e motores fossem menores.

Enquanto isso, a industrialização promovia a urbanização e esta, a seu tempo, ensejou a suburbanização. Essa tendência, que se repetiu através dos Estados Unidos, alimentou o culto americano ao automóvel, ensejou a construção de um sistema nacional de autoestradas e provocou uma eclosão de subúrbios em torno das cidades, que transformaria a vida americana. Muitos outros países, desenvolvidos e em desenvolvimento, seguiram o modelo americano, com todas as suas vantagens e desvantagens. O resultado disso foi que, hoje, existem cidades cercadas de subúrbios e cortadas por uma rede de estradas de rodagem não só nas maiores cidades americanas, como também em cidades da China, da Índia e da América do Sul. E à medida que essas áreas urbanas atraem mais pessoas, as cidades vão se estendendo em todas as direções.

E por que não? O carvão, o petróleo e o gás natural que alimentavam esse novo modelo econômico pareciam relativamente baratos, inesgotáveis e inofensivos — ou, pelo menos, relativamente fáceis de limpar depois de utilizados. Assim, não havia muito a ser feito para deter o movimento irresistível de mais pessoas, mais desenvolvimento, mais concreto, mais prédios, mais automóveis — e mais carvão, petróleo e gás para sustentar tudo isso. Resumindo o processo, Andy Karsner, secretário-assistente de eficiência energética e energia renovável do Departamento de Energia, me disse uma vez: "Formamos um meio

* Ford Model T — Modelo que se tornou conhecido no Brasil como Ford de Bigode. (N. do T.)

ambiente extremamente ineficiente, com a maior eficiência que o homem já viu."

Após a publicação de livros como *Silent Spring* (Primavera silenciosa), de Rachel Carson, em 1962, as pessoas começaram a se conscientizar dos efeitos tóxicos dos pesticidas. Essa primeira conscientização ambiental evoluiu gradualmente até englobar preocupações com a poluição atmosférica, resíduos industriais despejados em lagos e rios, e a crescente perda de espaços verdes para a expansão das cidades. Nos Estados Unidos, essas preocupações deram origem a um movimento ecológico, que acabou por produzir uma legislação destinada a restaurar o ar puro e a água limpa, e a reduzir os piores efeitos da poluição das águas, do lixo tóxico, das emissões poluentes, da destruição da camada de ozônio e da sujeira às margens das estradas. Baseando-se na preservação da vida natural, pregada pelo naturalista John Muir há mais de um século, o moderno movimento ecológico obteve a aprovação da Lei das Espécies Ameaçadas e de outras leis destinadas à conservação das maravilhas naturais da biodiversidade americana.

Mas não havia tempo a perder. No início da segunda metade do século XX, começou a haver consenso entre os cientistas, no sentido de que uma acumulação excessiva de poluentes invisíveis — chamados de gases-estufa — estava afetando o clima. A acumulação desses gases-estufa vinha ocorrendo desde o início da Revolução Industrial, em algo que não podíamos ver e sob uma forma que não podíamos tocar ou cheirar. Os gases-estufa, primordialmente dióxido de carbono emitido pela atividade humana, industrial, residencial e de transporte, não se acumulavam às margens das estradas ou dos rios, em latas ou garrafas vazias, e sim acima de nossas cabeças, na atmosfera da Terra. Se pensássemos na atmosfera terrestre como um cobertor que ajuda a regular a temperatura do planeta, veríamos que o acúmulo de CO_2 aumenta a espessura deste cobertor, tornando o planeta mais quente.

Para visualizar este processo, Nate Lewis, químico especializado em energia do Instituto de Tecnologia da Califórnia, oferece a seguinte analogia: "Imagine que você está dirigindo seu carro e, a cada 3 quilômetros, jogue um quilo de lixo pela janela. E todos na estrada, dentro de seus carros, fazem a mesma coisa. Algumas pessoas, dirigindo Hummers, atiram dois sacos de uma vez — um pela janela do motorista e outro pela janela do passageiro. Como você se sentiria? Não muito bem. Mas é exatamente o que estamos fazendo; apenas não podemos ver isso. O que estamos atirando pela janela é um quilo de CO_2 — é isso o que entra na atmosfera a cada 3 quilômetros que dirigimos."

Esses sacos de CO_2 de nossos carros flutuam e permanecem na atmosfera, juntamente com sacos de CO_2 liberados pela queima de florestas, que libera todo o carbono armazenado nas árvores, plantas e no solo. Na verdade, muitas pessoas não se dão conta de que o desmatamento em lugares como Indonésia e Brasil é responsável pela liberação de mais CO_2 que a soma da emissão de todos os carros, caminhões, navios e trens do mundo — o que significa 20% de todas as emissões globais.

E quando não estamos atirando sacos de dióxido de carbono na atmosfera, estamos jogando outros gases-estufa, como o metano (CH_4) liberado pelo cultivo de arroz, perfurações de poços de petróleo, mineração de carvão, defecação animal, aterros sanitários e, até mesmo, arrotos de reses.

Arrotos de reses? Correto — o que há de espantoso sobre os gases-estufa é a diversidade de fontes que podem produzi-los. Um rebanho arrotando pode ser pior que uma rodovia cheia de Hummers. O gás expelido pelos rebanhos tem alto teor de metano, que, assim como o CO_2, é invisível e inodoro. E, como o CO_2, o metano é um dos gases-estufa que, liberados na atmosfera, absorve o calor que se irradia da superfície da Terra. "Molécula por molécula, a capacidade do metano para aprisionar calor na atmosfera é 21 vezes superior ao dióxido de carbono, o gás-estufa mais abundante", informou a revista *Science World* (21 de janeiro de 2002). "Com 1,3 bilhão de reses arrotando constantemente ao redor do mundo (100 milhões apenas nos Estados Unidos), não é nenhuma surpresa que o metano liberado pelo gado seja uma das maiores fontes de gases-estufa, segundo a Agência de Proteção Ambiental dos Estados Unidos. 'É parte do processo digestivo normal', diz Tom Wirth, da agência. 'Quando as reses mastigam, regurgitam algum alimento, para mastigá-lo de novo, e o gás vem junto.' O boi médio expele 600 litros de metano por dia, segundo relatam os estudiosos do clima."

Qual é, precisamente, a relação científica entre essas emissões de gás e o aquecimento global? Pesquisadores do Pew Center on Global Climate Change (Centro Pew de Estudos de Mudanças Climáticas Globais) oferecem um resumo acessível em seu relatório intitulado "Mudança Climática 101". "As temperaturas globais médias", observa o estudo do centro Pew, "têm sofrido mudanças naturais ao longo da história humana. Por exemplo, o clima no hemisfério norte mudou de um período relativamente quente, entre os séculos XI e XV, para um período com temperaturas mais frias, entre o século XVII e meados do século XIX. Cientistas que estudam a rápida elevação das temperaturas globais durante o final do século XX dizem que a variabilidade natural não pode ser responsabilizada pelo que está acontecendo agora". O que há de novo é o fator humano, o enorme aumento de nossas emissões de dióxido de carbono e outros gases-estufa provenientes da queima de combustíveis fósseis, como o carvão e o petróleo — assim como o desmatamento, a pecuária em larga escala, a agricultura e a industrialização.

"Os cientistas se referem ao que aconteceu na atmosfera terrestre, durante o século passado, como 'efeito estufa intensificado'", observa o estudo do centro Pew. Bombeando para a atmosfera os gases-estufa que produzem, os seres humanos estão alterando o processo pelo qual gases-estufa de ocorrência normal — por sua exclusiva estrutura molecular — aprisionam o calor do Sol próximo à superfície da Terra, antes que esse calor se irradie de volta para o espaço.

"O efeito estufa mantém a Terra quente e habitável; sem ele, a superfície terrestre seria, em média, 15°C mais fria. Como a temperatura média na Terra é de cerca de 7°C, o efeito estufa natural é, evidentemente, uma coisa boa. Mas o efeito estufa intensificado significa o aprisionamento de mais calor solar, fazendo com que a temperatura da Terra aumente. Entre os diversos estudos científicos que oferecem provas claras de que um efeito estufa intensificado está ocorrendo, há um relatório produzido em 2005 pelo Instituto Goddard de Estudos Espaciais, da Nasa. Utilizando satélites, dados coletados em boias e modelos computadorizados do comportamento dos oceanos, os cientistas concluíram que há mais energia sendo absorvida do Sol do que emitida de volta ao espaço, desequilibrando a troca de energia e aquecendo o globo terrestre."

Uma série de dados reforça essa conclusão. A composição da atmosfera terrestre "tem permanecido relativamente imutável por 20 milhões de anos", observa Nate Lewis, do Instituto de Tecnologia da Califórnia. Mas, nos últimos cem anos, "começamos a transformar de forma drástica essa atmosfera, e a mudar o equilíbrio de calor entre a Terra e o Sol, de modo que essas mudanças poderão afetar enormemente os hábitats de cada planta, animal ou ser humano neste planeta". Às vésperas da Revolução Industrial — segundo amostras de gelo obtidas em camadas profundas, que retiveram bolhas de ar de eras passadas e oferecem um quadro das condições climáticas há milhares de anos — o nível de dióxido de carbono na atmosfera era cerca de 280 partes por milhão por volume. "E vinha se mantendo em torno deste nível ao longo dos 10 mil anos anteriores", diz Lewis. O nível começou a subir nos anos 1950, seguindo o aumento global do consumo de energia, liderado pelas potências industrializadas do Ocidente, após a Segunda Guerra Mundial. Apesar de todos os debates sobre a necessidade de se diminuir os efeitos das mudanças climáticas, a progressão em que nós, humanos, estamos bombeando dióxido de carbono na atmosfera ainda está se acelerando. Em 2007, o nível de CO_2 na atmosfera estava em 384 partes por milhão em volume, e parecia estar se elevando em uma proporção de duas partes por milhão por volume, a cada ano.

O consenso geral entre os estudiosos do clima é o de que a temperatura da Terra já está cerca de 0,8ºC acima do nível de 1750, com uma elevação mais acelerada a partir de 1970. A mudança em torno de 1°C na temperatura média da Terra não parece muita coisa, mas diz que há algo errado com as condições climáticas — assim como pequenas mudanças de temperatura em nossos corpos nos dizem que há alguma coisa errada conosco.

"A temperatura normal de seu corpo é cerca de 37°C. Quando sobe um pouco, até 39ºC, isso é uma coisa grave — e mostra que há alguma coisa errada com você", diz John Holdren, professor de política ambiental em Harvard, diretor do Centro de Pesquisas Woods Hole e ex-presidente da Associação Americana para o Progresso da Ciência.

"A mesma lógica se aplica à temperatura média da superfície terrestre. Por amostras extraídas das camadas do gelo ártico", explica Holdren, "sabemos que a diferença na temperatura média global entre uma idade do gelo e um período interglacial, como o que atravessamos agora — ou seja, a diferença entre a Terra ser uma bola de gelo e ser propícia ao desenvolvimento humano e à agricultura — são meros 6 ou 7°C". Assim, uma pequena diferença na temperatura média global pode acarretar grandes mudanças. Por esta razão, a diferença de 0,8°C está nos informando, como Al Gore gosta de dizer, que o planeta Terra está "com febre". Segundo a Organização Mundial de Meteorologia, os dez anos mais quentes registrados desde que a medição por termômetros foi iniciada, em 1860, ocorreram entre 1995 e 2005.

O fundador da CNN, Ted Turner, não é um cientista, mas resumiu, com seu jeito brusco, o que significa o mundo se tornar quente, plano e lotado. "Somos muita gente — é por isso que existe o aquecimento global", disse ele em uma entrevista ao jornalista televisivo Charlie Rose (2 de abril de 2008). "Gente demais usando coisas demais."

Mas a história da Era da Energia e do Clima não acaba na conjunção negativa do quente, plano e lotado. A convergência do aquecimento global, do nivelamento global e da superlotação global está elevando a patamares jamais vistos, como planeta ou como espécie, os cinco grandes problemas mundiais: demanda e oferta de energia, ditadura do petróleo, mudanças climáticas, pobreza energética e perda da biodiversidade. Eis um breve resumo de cada um deles:

DEMANDA E OFERTA DE ENERGIA E RECURSOS NATURAIS: Do início da Revolução Industrial até o final do século XX, os americanos, e as pessoas em geral, viveram sob a feliz ilusão de que os combustíveis fósseis que estavam usando para gerar energia mecânica, alimentar os veículos, aquecer as casas, cozinhar, suprir os processos industriais e produzir eletricidade eram inesgotáveis, baratos, politicamente benignos e (se você não morasse em Newcastle)* climaticamente inofensivos.

* Newcastle — Cidade da Inglaterra, famosa pela produção de carvão. (N. do T.)

Quando entramos na Era da Energia e do Clima, tudo isso mudou: agora compreendemos que os combustíveis fósseis são exauríveis, cada vez mais caros, e política, ecológica e climaticamente tóxicos. Este é o limite que atravessamos.

O que mudou? A resposta simples é que o plano e o lotado convergiram: de repente, muitas pessoas conseguiram elevar seus padrões de vida. Quando, por volta do ano 2000, o nivelamento e a lotação do mundo convergiram, o mundo ingressou num patamar em que o consumo global de energia, recursos naturais e alimentos começou a crescer de modo acelerado — com os países emergentes se juntando aos países industrializados do Ocidente na mesa de jantar da classe média.

Se você quiser uma imagem gráfica do que está acontecendo, não há nenhuma melhor do que a oferecida por Richard Richels, do Instituto de Pesquisa de Energia Elétrica. "É como se o mundo fosse uma banheira, que os Estados Unidos e outros países desenvolvidos tivessem enchido até a borda com seu crescimento", ele me disse. "Então apareceram a Índia, a China e outros países, e ligaram o chuveiro. Agora, a água está entornando no chão do banheiro."

O economista Philip K. Verleger, Jr., especializado em energia, observa que o consumo global de energia cresceu 5% ao ano entre 1951 e 1970. "Este crescimento rápido ocorreu concomitantemente com a reconstrução econômica da Europa e do Japão após a Segunda Guerra Mundial, e com o crescimento americano do pós-guerra", escreveu Verleger na revista *The International Economy* (22 de setembro de 2007). "A história pode se repetir de 2001 a 2020, à medida que a China, a Índia e outros países deixem de ser países em desenvolvimento e se transformem em países desenvolvidos. O consumo deverá aumentar em uma taxa próxima à do crescimento econômico nesses países, como ocorreu na Europa, Japão e Estados Unidos, após a Segunda Guerra Mundial."

Embora tais países tenham sido capazes de elevar seu Produto Interno Bruto através de medidas eficientes, estão agora concentrados em construir uma nova e enorme infraestrutura, e "essa infraestrutura é grande consumidora de energia", diz Verleger. É por esse motivo que o relatório publicado em 2008 pela Royal Dutch Shell afirma que o consumo global de todas as formas de energia deverá *pelo menos dobrar* entre o momento atual e o ano de 2050, devido ao crescimento populacional e à maior riqueza trazida pela globalização dos mercados.

Esta é a novidade no tocante às forças que impulsionam a Era da Energia e do Clima: elas são acarretadas pelo consumo, à medida que mais pessoas, subitamente, passem a ter um estilo de vida inerente à classe média.

O ano decisivo, que nos mostrou que estamos em uma nova era, em termos de demanda e oferta, foi 2004, diz Larry Goldstein, um perito em petróleo da Fundação de Pesquisas de Política Energética. "O que aconteceu em 2004 foi o primeiro choque, acarretado pela demanda de energia, que o mundo sofreu." Eis o que ele quer dizer: em 1973, 1980 e 1990, os preços do petróleo subiram de repente, em decorrência das guerras e revoluções no Oriente Médio, que bruscamente limitaram a oferta do produto. O que aconteceu em 2004, diz Goldstein, foi um choque de preços resultante de tendências de longo prazo, que colocaram a demanda muito à frente da oferta — acarretado, em grande parte, pelo súbito crescimento do consumo na China.

Historicamente, exceto em épocas de guerra, sempre que a oferta de petróleo diminuía, segundo Goldstein, a escassez podia ser aliviada pela "capacidade de produzir petróleo, capacidade de refinar petróleo e pelos estoques de petróleo". Essas três reservas amorteciam os choques que ocorriam no mercado de petróleo. Ano após ano, a demanda de petróleo cresceu cerca de 1% ao ano. Os amortecedores absorviam essa elevação gradual — e asseguravam uma elevação de preços igualmente gradual — *até 2004*.

Duas coisas ocorreram naquele ano. Os amortecedores de choque não foram suficientes e a demanda de energia aumentou enormemente, em função do crescimento da China. "No início de 2004, a Agência Internacional de Energia previu que a demanda global por petróleo bruto iria aumentar cerca de 1,5 milhão de barris por dia", diz Goldstein. "Em vez disso, aumentou em 3 milhões de barris por dia. Somente na China, a demanda se elevou em mais de um milhão de barris por dia", diz ele. Como os três tradicionais amortecedores de choque já não funcionavam, a demanda extra não pôde ser amortecida.

Por que não? Normalmente, preços mais altos iriam acarretar mais investimentos, mais perfurações e mais petróleo. Isso demorou a acontecer naquela vez, entretanto, por uma série de razões, segundo Goldstein. Em primeiro lugar, houve uma grande escassez de elementos necessários ao incremento da produção — de engenheiros capacitados a tanques, passando por brocas. Em segundo lugar, países como a Rússia começaram a mudar retroativamente as regras de exploração de seus campos, afastando companhias estrangeiras para poderem, eles mesmos, extrair o petróleo; isto desencorajou as multinacionais de petróleo mais habilitadas e experientes de operar nesses países, o que, por seu turno, reduziu a produção. Finalmente, os Estados Unidos e outras nações ocidentais continuaram a limitar a quantidade de terras destinadas à perfuração de poços, por motivos ecológicos. Assim, o mercado entrou em desequilíbrio em 2004, e se desequilibrou sempre mais, o que explica a disparada de preços até 2008, com a subida contínua na demanda até que por fim a Grande Recessão acalmou — momentaneamente — as coisas.

Preços elevados de petróleo e gás natural, entretanto, são apenas uma das coisas que ocorrem quando o nivelamento global se encontra com a lotação global. O que mais acontece? Temos um mundo em que 2,4 bilhões de pessoas vivem com dois dólares por dia, ou menos, segundo o Banco Mundial, mas no qual milhões delas estão lutando e conseguindo embarcar no mundo plano, o que cria uma nova e gigantesca demanda por mais recursos naturais — uma bênção para a estabilidade mundial, mas um desafio para a ecologia e o clima.

"Tudo hoje está em falta — aço, bauxita, equipamentos de construção, engenheiros, fornecedores, navios", diz Klaus Kleinfeld, presidente da Alcoa, multinacional de alumínio. "Você encontra gargalos para onde quer que se vire."

"Veja o alumínio", explica ele. "Para começar, a quantidade de pessoas no planeta aumenta todos os dias. Nos países em desenvolvimento, um número cada vez maior de pessoas está se mudando para áreas urbanas, onde vivem em arranha-céus, dirigem carros ou motos, andam de ônibus, viajam em aviões e bebem Coca-Cola em latas. Tudo isso aumenta a demanda mundial de alumínio. Companhias como a

Alcoa, então, tentam conseguir mais bauxita. Isto requer mais minas, mais fundições, mais navios, mais aço, mais energia, mais engenheiros e mais fornecedores. Quando se tenta fazer alguma dessas coisas hoje — construir um novo navio, implantar uma nova usina, contratar um fornecedor de alcance global — todo mundo lhe diz a mesma coisa: 'Vamos colocar você na lista de espera. Dá para esperar uns três anos?'"

Esse quadro não deverá mudar. A Grande Recessão diminuiu a velocidade do crescimento, mas o aumento da demanda por energia e recursos naturais é o novo padrão.

Quando houve o aumento nos preços dos combustíveis, também subiram os custos da agricultura em todo o mundo e, por conseguinte, os custos dos alimentos. Isto também encorajou um número cada vez maior de países a destinar terras para a produção de biocombustíveis, como o etanol, a fim de diminuir sua dependência do petróleo, o que, ao reduzir a área reservada ao cultivo de alimentos, aumentou igualmente a conta do armazém. E, finalmente, quanto mais subiam os preços do petróleo, menos terras os agricultores dos países em desenvolvimento conseguiam cultivar. Segundo uma reportagem da BBC (22 de abril de 2008), agricultores do vale do Rift, no Quênia, plantaram 1/3 a menos de terras do que no ano anterior, porque os fertilizantes de origem petroquímica haviam dobrado de preço.

Por que o mercado não reagiu com antecedência, por meio das leis naturais da procura e da oferta? Em parte, dizem peritos do Banco Mundial, porque a demanda crescente não se traduziu, imediatamente, em preços mais altos para os consumidores, devido a anos de subsídios maciços para energia e alimentos em todo o mundo. Em 2007, segundo o Banco Mundial, os governos da Índia, da China e de países do Oriente Médio, sozinhos, gastaram 50 bilhões de dólares subsidiando gasolina para seus motoristas e óleo combustível para abastecimento de fogões, calefação e produção de eletricidade para residências e fábricas: importavam energia a preços de mercado e a vendiam com descontos para suas populações — a diferença saía dos cofres públicos. Essa política manteve os preços artificialmente baixos e a demanda artificialmente alta. Se os preços tivessem subido de acordo com o mercado, a demanda teria caído. Mas isso não foi permitido. Em 2007, a Indonésia gastou 30% de seu orçamento em subsídios à energia e apenas 6% em educação. Ao mesmo tempo, os países industrializados do Ocidente gastaram aproximadamente 270 bilhões de dólares em subsídios à agricultura, para que seus agricultores ficassem ricos, seus consumidores tivessem comida barata e os agricultores do Terceiro Mundo competissem em desigualdade de condições. Isso manteve alguns estoques de alimentos artificialmente baixos, embora a demanda mundial estivesse em crescimento e houvesse cada vez mais bocas de classe média para serem alimentadas. Em suma: o comportamento dos mercados foi anômalo.

O que mudou tudo, segundo os peritos do Banco Mundial, foi o fato de que, de repente, as demandas de um mundo que se tornou cada vez mais plano e lotado romperam todas as distorções e amortecedores do mercado, como um vulcão explodindo seu próprio cume.

"Nos últimos dez anos, olhávamos para as estatísticas da China e da Índia a cada ano, e dizíamos: 'Uau, eles cresceram 8, 9 ou 10% este ano'", disse-me um perito em energia do Banco Mundial. "Bem, adivinhe", acrescentou ele, "os mercados emergentes emergiram".

DITADURA DO PETRÓLEO: O grande limite de segurança que está sendo transposto, ao ingressarmos na Era da Energia e do Clima, envolve a transferência maciça de recursos — centenas de bilhões de dólares por ano — dos países consumidores de energia a países produtores de energia, à medida que os preços do petróleo e do gás natural têm disparado e permanecido elevados. Essa transferência financeira sem precedentes está fortalecendo personalidades e tendências não democráticas em muitos países produtores de petróleo. Está conferindo poder a líderes que não o merecem, seja desenvolvendo efetivamente suas economias, seja educando seus cidadãos. E está fortalecendo os clérigos mais conservadores e radicais do mundo islâmico, que geralmente são financiados pela Arábia Saudita, Irã e outros países do Golfo Pérsico enriquecidos pelo petróleo.

Existem muitos desdobramentos que ilustram esse deslocamento de poder, mas, para mim, um dos mais notáveis ocorreu no início de

2006, quando o então presidente Vladimir Putin fechou por um breve período o gasoduto que atravessa a Ucrânia e segue até os países da Europa central e ocidental, numa tentativa de intimidar o governo ucraniano, recém-eleito, simpático ao Ocidente. Eis como o *New York Times* descreveu o incidente (2 de janeiro de 2006):

> A Rússia suspendeu o suprimento de gás natural destinado à Ucrânia no domingo, quando negociações sobre preços e condições de abastecimento descambaram em áspero conflito político, que trará consequências para a economia da Ucrânia, em recuperação, e possivelmente para o fornecimento de gás à Europa ocidental. A disputa acontece um ano depois que a Revolução Laranja levou ao poder, na Ucrânia, um governo pró-Ocidente. (...) A interrupção no suprimento de gás destinado à Ucrânia — no início do inverno — é um lembrete preocupante de que as *promessas* (grifo meu) de exportação de energia não são a única maneira de usar o petróleo e o gás natural como armas para incrementar objetivos políticos russos. A Rússia pode, igualmente, fechar a torneira das exportações de energia.

No espaço de poucos anos, a Rússia deixou de ser o país doente da Europa, suplicando para ser convidado às reuniões dos outros países, e se transformou no ricaço da Europa, capaz de esbordoar seus vizinhos desligando o abastecimento de gás natural, se estes se revelarem travessos demais, democráticos demais ou indiferentes demais aos interesses russos. A Rússia não melhorou seu sistema educacional, não se tornou mais produtiva nem apresentou uma indústria mais eficiente. Simplesmente a Europa ficou mais dependente dos recursos naturais russos e a Rússia se mostrou mais agressiva em explorar essa dependência.

MUDANÇAS CLIMÁTICAS: À medida que as temperaturas médias na Terra têm se elevado, o clima vem sofrendo grandes alterações. E como o CO_2 permanece na atmosfera por milhares de anos, os efeitos só irão aumentar, enquanto mais CO_2 é despejado no sistema operacional da Mãe Natureza. Assim, ao entrarmos na Era da Energia e do Clima, estamos deixando para trás um passado em que todas as mudanças que promovíamos no clima e no meio ambiente eram tidas como controláveis e reversíveis — chuva ácida, destruição da camada de ozônio, poluição convencional, por exemplo — e ingressando em uma era em que as alterações que promovemos no clima e nos sistemas naturais da Terra estão se tornando potencialmente incontroláveis e irreversíveis.

Os sinais vermelhos que nos indicaram que estávamos entrando nessa nova era foram o furacão Katrina e o mais recente relatório patrocinado pelas Nações Unidas — o Painel Intergovernamental sobre Mudanças Climáticas (IPCC, na sigla em inglês), publicado em 2007, após um exame do impacto causado pelas mudanças climáticas desde 1990. O Katrina nos deu uma amostra de como as mudanças climáticas podem se tornar incontroláveis, quando, no dia 29 de agosto de 2005, destruiu Nova Orleans com uma ferocidade que muitos climatologistas acreditam ter sido alimentada pela elevação da temperatura das águas do Golfo do México, atribuída ao aquecimento global. O relatório do IPCC informou que climatólogos de todo o mundo, tendo por base dezenas de milhares de estudos científicos, concluíram que a realidade do aquecimento global é "inequívoca" e que há fortes indícios de que o aumento de temperatura registrado desde 1950 pode ser atribuído diretamente aos gases-estufa emitidos por atividades humanas.

O IPCC concluiu ainda que, sem uma drástica redução dessas emissões de CO_2, as mudanças climáticas podem acarretar consequências "abruptas e irreversíveis" no ar, nos oceanos, nas geleiras, nas terras, nas regiões costeiras e sobre as espécies. O presidente da assembleia, Rajendra Pachauri, declarou aos repórteres, durante o sumário final, que "se não houver nenhuma ação antes de 2012, já será tarde demais. O que fizermos nos próximos dois ou três anos irá determinar nosso futuro. Este é o momento definitivo".

Até que ponto as coisas podem ficar ruins? A pedido das Nações Unidas, a sociedade de pesquisas científicas Sigma Xi também convocou seu próprio grupo internacional de climatologistas e produziu um relatório em fevereiro de 2007, "Confronting Climate Change" (Enfrentando as Mudanças Climáticas), o qual observava que mesmo a pequena elevação de 0,8°C na temperatura média que tivemos desde 1750 foi "acompanhada por uma significativa incidência de inundações, secas, ondas de calor e incêndios em florestas. (...) Tem havido, também, consideráveis reduções na extensão do gelo no mar Ártico, durante o verão, grande aceleração no degelo da Groenlândia, sinais de instabilidade na calota de gelo da Antártida Ocidental e mudanças nas áreas ocupadas por um grande número de espécies vegetais e animais".

É impossível interromper as emissões de CO_2 de uma hora para outra. Mas mesmo que elas cresçam à metade da taxa projetada, "o efeito cumulativo do aquecimento, por volta de 2100, será uma elevação de 3 a 5°C na temperatura, em relação à época pré-industrial", diz o relatório da Sigma Xi, o que poderia provocar elevações do nível dos mares, secas e inundações em escala bíblica, que afetariam a habitabilidade de um grande número de povoações humanas. E estas são as projeções para um crescimento à metade da taxa estimada. Muitos climatologistas acham que a temperatura ficará muito mais quente.

Agora que sabemos disso, nosso desafio, como civilização da Era da Energia e do Clima, é controlar os efeitos que são "inevitáveis", já cimentados em nosso futuro, e evitar os efeitos que serão de fato "incontroláveis", como a Sigma Xi explicou muito bem. De fato, se houver um lema para a Era da Energia e do Clima, este já foi sugerido pela Sigma Xi: "Evite o incontrolável e controle o inevitável."

"Existem graus de pior", diz Peter Gleick, cofundador e presidente do Pacific Institute for Studies in Development, Environment and Security (Instituto do Pacífico para Estudos sobre Desenvolvimento, Meio Ambiente e Segurança), em Oakland, Califórnia. "Não interessa quão ruim esteja a situação, ela sempre pode ser pior, ou menos ruim. Há uma grande diferença entre uma elevação de 70 centímetros no nível dos oceanos e uma elevação de 3 metros. Há uma grande diferença entre uma elevação de 2 graus na temperatura e uma elevação de 5 graus. Por isso, acho relevante a diferença entre o que é controlável e o que é incontrolável. Um cenário pode matar 10 milhões de pessoas e outro, 100 milhões."

POBREZA ENERGÉTICA: O acesso à eletricidade é uma coisa importante há muito tempo, mas quando o mundo se tornar quente, plano e lotado, será ainda mais importante. Em um mundo crescentemente nivelado como o de hoje, se você não tiver eletricidade, não poderá estar on-line, não poderá competir, conectar-se, ou colaborar mundialmente e nem mesmo localmente. Em um mundo mais quente, onde modelos elaborados por computadores preveem que as mudanças climáticas irão exacerbar extremos climáticos — chuvas mais torrenciais, inundações mais avassaladoras, secas mais longas —, os mais desabrigados e menos equipados irão sofrer mais. Se você não tiver ferramentas elétricas para erguer um muro mais alto, eletricidade para acionar uma perfuradora e cavar um poço mais fundo ou para dessalinizar água, sua capacidade de adaptação será drasticamente reduzida. Em um mundo lotado, cada vez mais gente estará nesta categoria — a categoria dos sem eletricidade e sem sorte.

Para mim, este ponto foi destacado por uma pequena notícia postada pelo website de notícias econômicas Bloomberg.com (24 de janeiro de 2008): "No terceiro trimestre de 2007, os sul-africanos importaram 44.590 geradores, segundo o Banco Central Sul-Africano. Compare-se isso com os 790 geradores importados no terceiro trimestre de 2003."

Por trás dessa pequena nota está uma grande história: no último trimestre de 2007, a África do Sul e o Zimbábue, que depende da vizinha África do Sul para obter uma parte de sua energia elétrica, sofreram blecautes generalizados, pois a rede elétrica sul-africana estava sobrecarregada por uma demanda crescente. Isto provocou não só uma corrida em busca de geradores de todos os tipos, mas também boatos sobre um prolongado desaquecimento na economia, já que as pessoas não teriam combustível suficiente para tocar seus negócios.

A mesma reportagem do Bloomberg observava: "Na semana passada, os funcionários do restaurante Tre Gatti Cucina, de Joanesburgo, passaram as horas de maior movimento limpando mesas e dobrando guardanapos à luz de velas, com a cozinha paralisada pelo pior blecaute já registrado na África do Sul. A Eskom Holdings Ltda., empresa que monopoliza a produção de energia do país, prevê que a escassez deverá perdurar, pelo menos, até 2013. Os seis garçons e os funcionários da cozinha correm o risco de perder seus empregos brevemente. "Se as coisas continuarem desse jeito, vamos ter de vender", declarou Dee Kroon, que abriu o restaurante italiano em Craighall Park, um bairro de Joanesburgo, no ano de 2005. "Mas quem vai comprar um negócio, se há cortes de energia todos os dias?"

Para os países que já são pobres em energia e que nunca tiveram muita eletricidade, prolongados cortes de energia não farão muita diferença. Mas, para os que dispõem de energia, e cujas aspirações têm crescido com cada quilowatt, perdê-la de repente pode levar a uma situação politicamente explosiva.

PERDA DA BIODIVERSIDADE: O nivelamento e a lotação do mundo estão impulsionando o desenvolvimento econômico, o comércio, a construção de estradas, a extração de recursos naturais, a pesca predatória e a expansão urbana — que devastam os campos, os recifes de coral, as florestas tropicais e os ecossistemas, exaurindo os rios e provocando a extinção de espécies por todo o planeta, em uma escala sem precedentes.

"Apesar de todos os benefícios trazidos pelo progresso econômico, apesar de todas as doenças e mazelas evitadas, apesar de todas as glórias que abrilhantam nossa civilização, os custos impostos ao mundo natural têm sido imensos e devem ser colocados na balança como perdas trágicas", escreve James Gustave Speth, decano da Escola de Silvicultura e Estudos Ambientais da Universidade de Yale, e autor de *The Bridge at the Edge of the World* (A ponte no fim do mundo). "Metade das florestas tropicais e temperadas do mundo já se foram. O ritmo de desmatamento nos trópicos prossegue a uma taxa de meio hectare por segundo. Cerca de metade dos pantanais e manguezais já desapareceram. (...) Vinte por cento dos corais também já desapareceram, e outros 20% estão severamente ameaçados. Espécies estão se extinguindo em um ritmo mil vezes mais rápido que o normal."

Existem muitas ocorrências que nos mostram que já ultrapassamos o ponto de equilíbrio, no que se refere à biodiversidade, à medida que o mundo vai se tornando quente, plano e lotado. Para mim, o símbolo mais poderoso foi quando, em 2006, nós, humanos, perdemos um parente.

Somos grandes mamíferos e, pela primeira vez em muitas décadas, mãos humanas levaram à extinção um grande mamífero — o baiji, o boto do rio Yangtze. O baiji só vivia nesse rio e era um dos poucos golfinhos de água doce do mundo.

O motivo pelo qual o baiji constituiu uma perda tão dolorosa para nossa herança global é que ele representava um gênero, não apenas uma espécie. Espécies estão sendo perdidas com regularidade crescente, e cada perda é uma tragédia. Mas quando se perde um gênero, que potencialmente inclui muitas espécies, perde-se um pedaço muito maior da história da vida. Pensem na diversidade como a árvore da vida. Quando uma espécie se torna extinta, é como se cortássemos um ramo de um galho da árvore. Quando um gênero se torna extinto, estamos cortando todo o galho da árvore. O baiji foi um galho enorme.

A fundação Baiji.org relatou (13 de dezembro de 2006) que o baiji, o golfinho do Yang-Tse, estava provavelmente extinto, como concluiu uma expedição de buscas.

> Durante uma expedição de seis semanas, cientistas de seis países esquadrinharam o Yang-Tse desesperadamente, mas em vão. Eles percorreram 3.500 quilômetros, em dois navios de pesquisa — desde Yichang, perto da represa das Três Gargantas, até Xangai, no delta do Yang-Tse, ida e volta, usando instrumentos óticos de alta precisão e microfones subaquáticos. "É possível que ainda existam um ou dois animais, mas nós não os vimos", declarou August Pfluger, diretor da fundação Baiji.org, sediada na Suíça, e coorganizador da expedição em Wuhan. De qualquer forma, os animais já não teriam nenhuma chance de sobreviver no rio. "Temos que aceitar o fato de que o baiji está funcionalmente extinto. Isto é uma tragédia, não só para a China, como também para o mundo inteiro", afirmou Pfluger, em Wuhan.

O jornal *The Guardian* voltou ao assunto no ano seguinte (8 de agosto de 2007), em um artigo que também destacava o significado histórico da perda.

> O golfinho do Yang-Tse, até recentemente uma das espécies mais ameaçadas do planeta, foi declarado oficialmente extinto, após extensa pesquisa em seu hábitat natural. O mamífero de água doce, que podia alcançar até 2,5 metros e pesar cerca de 1/4 de tonelada, é o primeiro grande vertebrado levado à extinção pela atividade humana, em cinquenta anos. E foi apenas a quarta vez que toda uma linha evolucionária de mamíferos desapareceu da face da Terra desde 1500. Conservacionistas descreveram a extinção, ontem, como uma "tragédia chocante", provocada não só por perseguição ativa, mas, também, acidentalmente e por falta de cuidados — mediante uma combinação de fatores que inclui pesca predatória e intenso tráfego de embarcações. Nos anos 1950, o Yang-Tse e rios vizinhos tinham milhares de golfinhos de água doce, conhecidos como baiji. Mas sua população foi declinando drasticamente, desde que a China se industrializou e transformou o Yang-Tse em uma congestionada artéria de transporte fluvial, pesca e geração de energia.

Todos os cinco problemas-chave — demanda e oferta de energia, política petrolífera, mudanças climáticas, pobreza energética e perda da biodiversidade — vêm se avolumando há anos. Mas só chegaram a um ponto crítico pouco depois do ano 2000. Há 2 mil anos, o mundo passou de a.C. (antes de Cristo) para d.C. (depois de Cristo). Bem, algo me diz que um dia os historiadores olharão para trás e concluirão que o dia 31 de dezembro de 1999 não foi apenas o final de um século, nem simplesmente o final de um milênio, mas o fim do período que chamávamos de Era Comum — e que 1º de janeiro de 2000 foi, na verdade, o primeiro dia de uma nova era.

Foi o primeiro dia do primeiro ano da Era da Energia e do Clima.

Foi o dia 1º da E.E.C.

Sim, vivemos algo novo. Os seres humanos nunca haviam enfrentado esta intensa combinação de problemas criados pela energia e pelo clima.

Quando penso — no sentido mais profundo — sobre o que significa ter ingressado na Era da Energia e do Clima, lembro-me do que me disse Bill Collins, um dos maiores especialistas em simulação de condições climáticas do Laboratório Nacional Lawrence Berkeley, na Califórnia, enquanto me mostrava uma simulação de mudanças climáticas durante o próximo século, criada em um supercomputador: "Estamos realizando uma experiência sem controle na única casa que temos."

CINCO

Cópias carbono (ou: americanos demais)

DEMANDA E OFERTA DE ENERGIA E RECURSOS NATURAIS

Affluenza é um termo de língua inglesa cunhado por críticos do consumismo, uma combinação das palavras inglesas *affluence* (afluência, riqueza material) e influenza (gripe). É definida como se segue:

— Condição dolorosa, contagiosa e socialmente transmissível de encargos, dívidas, ansiedades e desperdícios, resultante da obsessiva busca por mais. (de Graaf)

— 1. Sentimento fútil, indolente e frustrante que resulta de esforços para se equiparar ao vizinho. 2. Epidemia de estresse, estafa e endividamento causada pela perseguição ao Sonho Americano. 3. Vício insustentável de crescimento econômico.

— Wikipedia (explicação da origem do nome de um programa especial de televisão transmitido pela Public Broadcasting Service).

No outono de 2007, visitei duas cidades das quais, possivelmente, você nunca ouviu falar: Doha e Dalian. Mas são cidades que você deveria conhecer se quiser entender como e por que o encontro do plano com o lotado nos fez entrar na Era da Energia e do Clima. Doha é a capital do Catar, um minúsculo país peninsular na costa leste da Arábia Saudita. População: em torno de 450 mil. Dalian fica no nordeste da China e é conhecida como o Vale do Silício chinês, por suas empresas de software, colinas verdejantes e seu prefeito Xia Deren, perito em tecnologia. População: cerca de 6 milhões. Estive várias vezes em ambas as cidades e as conheço bastante bem, mas já fazia três anos que não ia a nenhuma delas, quando me aconteceu de visitá-las com duas semanas de intervalo.

Mal as reconheci.

Em Doha, um perfil que lembrava uma mini-Manhattan brotara das areias desde a última vez em que eu lá estivera, como uma grande flor do deserto após uma tempestade-relâmpago. Quaisquer guindastes que não estivessem ocupados em Xangai e Dubai deviam estar trabalhando em Doha. Na verdade, havia tantos guindastes sobressaindo na silhueta da cidade, que Doha parecia estar precisando de um corte de cabelo. Esse porto no Golfo Pérsico, antes sonolento, dera lugar a um grande conjunto de arranha-céus de vidro e aço em diversos estágios de construção — graças a uma súbita e substancial injeção de recursos provenientes do petróleo e do gás.

A Dalian que eu conhecia já abrigava uma mini-Manhattan. Mas, quando lá retornei, vi que surgira outra; esta incluía um refulgente centro de convenções construído em uma península artificial: o Centro de Convenções e Exibições Dalian Xinghai, tido como o maior da Ásia. De fato, era maior, mais luxuoso e mais deslumbrantemente moderno do que qualquer outro que eu já tivesse visitado. E está situado em uma das 49 cidades da China com mais de um milhão de habitantes — 47 das quais você, provavelmente, nunca ouviu falar.

Mas esta não é uma história de turismo. É uma história de consumo de energia em um mundo plano, quando tantas pessoas estão começando a prosperar, consumir energia e emitir dióxido de carbono no mesmo nível dos americanos. Ver Doha e Dalian me fez pensar, com preocupação, que eu e seus habitantes jamais chegaríamos a um consenso na questão de mudanças climáticas. Você conseguiria imaginar quanta energia consumirão todos aqueles arranha-céus, somente em duas cidades das quais você nunca ouviu falar, e quanto CO_2 os veículos que entram nelas e saem delas irão emitir? Eu teria dificuldade.

Fico feliz com o fato de que muitas pessoas, nos Estados Unidos e na Europa, tenham substituído as lâmpadas incandescentes de seus lares por compactas e duradouras lâmpadas fluorescentes. A medida poupou muitos quilowatts de energia. Mas o recente crescimento de Doha e Dalian simplesmente devorou toda essa poupança no café da manhã. Fico feliz com o fato de que muita gente esteja comprando carros híbridos. Mas Doha e Dalian devoraram antes do meio-dia toda a gasolina poupada. Fico feliz com o fato de que o Congresso dos Estados Unidos tenha decidido equiparar a quilometragem por litro dos carros americanos aos padrões europeus, até o ano de 2020. Mas Doha e Dalian comerão no almoço a energia que será poupada — talvez ainda no primeiro prato. Fico feliz com o fato de que as energias solar e eólica estejam chegando à "expressiva" marca de 2% da geração americana de energia, mas Doha e Dalian beberão esses elétrons limpos no jantar. Estou encantado com o fato de que as pessoas, hoje, estão pondo em prática as "vinte medidas ecológicas" para poupar energia, recomendadas por sua revista americana favorita. Mas Doha e Dalian vão abocanhar essas boas intenções como um saco de pipoca antes de dormir.

Doha e Dalian revelam o que ocorre quando o plano se encontra com o lotado. Como já dissemos, a população mundial pulará de cerca de 3 bilhões, em 1955, para 9 bilhões, projetados para 2050. Porém, o mais importante é que, de uma população em que talvez um bilhão de pessoas vivam em estilo "americano", ingressaremos em um mundo onde 2 ou 3 bilhões de pessoas estarão vivendo em estilo americano, ou aspirando a isso.

Lembre-se: o que deve ser observado não é o número total de pessoas no planeta — e, sim, o número total de "americanos" no planeta. Este é o número-chave, e vem crescendo de forma consistente.

Eu, com certeza, não censuro os cidadãos de Doha ou de Dalian por aspirarem a um estilo de vida americano, ou por optarem erguê-lo sobre fundações de combustíveis fósseis baratos, assim como nós fizemos. Nós inventamos este sistema. Nós o exportamos. As outras pessoas têm tanto direito a ele quanto nós, se não mais, já que temos nos beneficiado dele há décadas, enquanto os outros estão sentindo o primeiro gostinho. O crescimento não é coisa que possa ser desencorajada, particularmente em um mundo plano, onde todos veem como os demais estão vivendo. Dizer às pessoas que elas não poderão crescer é dizer-lhes que terão de permanecer pobres para sempre.

Um ministro egípcio resumiu a situação para mim: "É como se o mundo desenvolvido tivesse devorado todas as entradas, todos os pratos principais e todas as sobremesas do jantar, e então convidasse o mundo em desenvolvimento para um cafezinho — e nos pedisse para rachar a conta." Isto não vai acontecer. O mundo em desenvolvimento não pode ser ignorado.

Nós, americanos, não temos o direito de fazer sermões a ninguém. Mas temos o dever de saber o que é certo. Temos a capacidade de estabelecer um modelo diferente de crescimento. Temos a capacidade de utilizar nossos recursos e conhecimentos para inventar sistemas eficientes de geração de energia, que utilizarão fontes limpas e renováveis e tornarão o crescimento mais compatível com a ecologia. Tanto a Europa quanto o Japão têm demonstrado que é possível viver com padrão de classe média e consumir menos energia. Em um mundo plano e lotado, se nós, americanos, não redefinirmos o padrão americano de classe média — e não criarmos instrumentos e know-how que permitam a outros 2 ou 3 bilhões de pessoas viverem da mesma forma, de modo mais sustentável — seremos obrigados a colonizar mais três planetas. Pois estamos tornando a Terra tão quente e desprovida de recursos naturais que ninguém, no futuro, nem mesmo nós, será capaz de viver como os americanos.

"Foi necessária toda a história da humanidade para construir a economia mundial de 7 trilhões de dólares, vigente em 1950; a atividade econômica de hoje cresce neste valor a cada década", observa James Gustave Speth, de Yale, em *The Bridge at the End of the World*. "Com a taxa atual de crescimento, a economia mundial dobrará de tamanho em apenas 14 anos."

"Americanos" brotam em toda parte nos dias de hoje — de Doha a Dalian, de Calcutá a Casablanca, passando pelo Cairo —, mudando-se para bairros em estilo americano, comprando carros em estilo americano, comendo fast-food no estilo americano e produzindo lixo em níveis americanos. O planeta nunca viu tantos americanos.

Cidades de todo o mundo contraíram a *affluenza* americana — certamente uma das moléstias mais infecciosas que o ser humano já conheceu. Tom Burke, cofundador do grupo E3G — Ambientalismo de Terceira Geração, uma firma de consultoria ecológica sem fins lucrativos —, gosta de colocar as coisas da seguinte maneira: pense nos Estados Unidos como uma unidade de energia. Então, um "americum", como diz Burke, "é um grupo de 350 milhões de pessoas com renda per capita acima de 15 mil dólares por ano e uma crescente propensão para o consumismo". Por muitos anos, existiram somente dois americuns no mundo, diz Burke — um na América do Norte e outro na Europa, com pequenos bolsões de americuns vivendo na Ásia, na América Latina e no Oriente Médio.

"Hoje", observa ele, "existem americuns germinando em todo o planeta". A China deu à luz um americum e está grávida do segundo, previsto para 2030. A Índia tem um americum e também outro em gestação, igualmente previsto para 2030. Cingapura, Malásia, Vietnã, Tailândia, Indonésia, Taiwan, Austrália, Nova Zelândia, Hong Kong, Coreia e Japão formam outro americum. A Rússia e a Europa central estão gerando mais um americum. Partes da América do Sul e do Oriente Médio, mais outro. "Em 2030, portanto", diz Burke, "teremos passado de um mundo com dois americuns para um mundo com oito ou nove".

São as cópias dos Estados Unidos.

Enquanto estava em Dalian, me encontrei com meu amigo Jack Hidary, um jovem empresário de Nova York, com negócios na internet e no setor energético. Ele me falou sobre uma excursão que acabara de fazer com oficiais chineses, seus anfitriões, ao porto de Dayao — a saída de Dalian para o oceano Pacífico —, que fica nas imediações. Lá, visitara o novo complexo portuário construído pelo governo chinês, com participação da Noruega e do Japão, e conhecera também o maior terminal chinês de importação de petróleo — uma floresta de aço inoxidável, com gasodutos, tanques de armazenagem e petroleiros ostentando bandeiras do Oriente Médio.

"Eu olhei para aquilo e disse para os meus anfitriões chineses: 'Meu Deus, vocês nos copiaram — por que vocês nos copiaram?'", lembra-se Hidary. "'Na telefonia, vocês não fizeram isso. Vocês pularam à nossa frente, com os telefones celulares. As linhas telefônicas convencionais são só 5% da telefonia na China. Então, por que vocês nos copiaram aqui?' Eu estava muito deprimido. Eles viram o que nós fizemos e poderiam ter evitado o buraco em que nós caímos, mas não fizeram isso."

Ainda há tempo para que a China e outros países adotem uma abordagem diferente, mas a mudança é improvável, a menos que nós lhes mostremos o caminho. Isto é mais urgente do que se possa imaginar, pois se o mundo em desenvolvimento adotar o estilo americano de consumo, construção e transportes, teremos que conviver durante décadas com as limitações impostas pelo clima e pela escassez de energia.

Já sofremos limitações em nossa história, determinadas por doenças, fome ou guerras, mas nunca "pela lógica ecológica do capitalismo", argumenta Jeff Wacker, futurólogo da Electronic Data Systems Corporation. Sabemos que estamos na Era da Energia e do Clima quando a eco-lógica do capitalismo se transforma em uma importante, se não a mais importante, restrição ao nosso crescimento econômico.

"Nossa prosperidade está sendo ameaçada pelos próprios alicerces desta prosperidade" — a natureza do capitalismo americano, segundo Wacker. "Temos de consertar esses alicerces, se quisermos continuar a morar na casa. Os alicerces da China não podem ser os mesmos alicerces utilizados pelos Estados Unidos. E os alicerces dos Estados Unidos já não podem ser os mesmos. Chegamos ao limite físico de construção sobre estes alicerces. Teremos de usar outros."

O problema é que ainda não inventamos esses novos alicerces.

O que acontece, exatamente, quando o lotado se encontra com o plano? É como o terminal de desembarque no aeroporto de Xangai, quando lá desci em 2006, para fazer uma reportagem, e tive que esperar durante quase noventa minutos, em uma fila, para que carimbassem meu passaporte e verificassem meu visto. Quase fui esmagado entre cidadãos chineses em viagem e visitantes estrangeiros, aparentemente homens de negócio, muitos dos quais pareciam impacientes para entrar no país e começar a participar do capitalismo desenfreado. Todas as pessoas na fila dos passaportes falavam em seus celulares, ou trabalhavam em seus *palmtops*. Sem nenhum dos aparelhos, me senti nu, como se tivesse chegado a uma colônia de férias sem a escova de dentes. Além de não ser mais um país comunista, a China pode ser o país *mais capitalista* do mundo — pela determinação e pelo entusiasmo que demonstram seus habitantes.

De fato, creio que a história se lembrará de que o capitalismo chinês pregou o último prego no caixão do Estado assistencialista da Europa do pós-guerra. A França já não pode sustentar uma semana de trabalho de 35 horas, nem a Europa suas pródigas redes de assistência, por conta da crescente competição da China e da Índia, com seus salários baixos e aspirações altas. É difícil para a França manter uma semana de trabalho de 35 horas, quando a China e a Índia inventaram o dia de trabalho de 35 horas.

Quando tanta energia capitalista é desencadeada, o efeito em nossos recursos naturais é estarrecedor. Na cidade de Shenzhen, no sul da China, uma única loja Sam's Club, parte da cadeia Wal-Mart, vendeu cerca de 1.100 condicionadores de ar, apenas em um fim de semana quente, em 2006. Aposto que isso é mais que algumas lojas da Sears, nos Estados Unidos, vendem durante todo o verão.

Mas não foram apenas os números que se tornaram grandes. Costumo fazer um jogo mental comigo mesmo, sempre que estou preso em um engarrafamento de trânsito em Pequim. Olho para os prédios de escritórios — enormes e, muitas vezes, de arquitetura deslumbrante — e conto os que poderiam se tornar atrações turísticas em Washington, D.C., mas se perdem na floresta de prédios descomunais em que se transformou a Pequim de nossos dias. Não é exagero: Pequim deve ter uns trinta prédios de escritórios, tão gigantescos, tão colossais e tão ultramodernos que, se estivessem em Washington, as pessoas levariam seus amigos de outras cidades para visitá-los, além da Casa Branca e do Monumento a Washington.

Essa tendência está começando a englobar casas particulares. Como demonstra a seguinte história, publicada pelo *Wall Street Journal* (19 de outubro de 2007): "Que a Cafonice Floresça", por Geoffrey A. Fowler.

> PEQUIM — Num passeio pelas casas-modelo em Palais de Fortune, o gerente de vendas Cai Siyu aponta as características que seriam de se esperar em um castelo francês: esculturas de querubins adornando o portão principal, um candelabro de cristal Swarovski sobre uma ampla escadaria central, uma criada em pé diante de uma porta, vestindo um uniforme debruado de renda. Na porta seguinte, 10 metros adiante, outra Versalhes em miniatura se ergue no *smog* de Pequim. Rua abaixo há mais 172 construções no mesmo estilo. A visão é um extravagante lembrete de que este condomínio fechado, onde as casas custam cerca de 15 milhões de dólares e medem, aproximadamente, 1.400 metros quadrados, não fica na França. Embora disparatado em termos arquitetônicos, este é um dos bairros mais exclusivos da China. (...) Hoje, duas décadas depois das reformas econômicas pós-Mao que transformaram o país — existem 106 bilionários chineses, segundo a lista dos mais ricos publicada no Relatório Hurun —, muitos chineses não gostam de falar sobre sua riqueza. Mas não têm vergonha de exibi-la. As casas suntuosas e revestidas de granito, que ocupam os 33 hectares do Palais de Fortune, materializam a nova paixão da China por estilos de vida estrangeiros, pelo menos como imaginam que sejam. "Nossos projetistas foram à França para estudar o estilo", diz o sr. Cai. Durante a visita a uma casa-modelo, ele exibe a cozinha em "estilo ocidental", de um branco reluzente, com uma cafeteira elétrica, uma prateleira de vinhos, um forno e outros apetrechos, além de uma tigela com frutas de plástico. O Palais de Fortune, segundo o folheto promocional, "representa o estilo de vida das famílias mais ricas do mundo".

Em agosto de 2007, o hotel Veneziano, na ilha chinesa de Macau — o maior cassino do mundo —, abriu suas portas e foi inundado por jogadores ansiosos para ocupar suas mesas. A revista *The Economist* (1º de setembro de 2007) descreveu o novo cassino da seguinte maneira:

> O enorme prédio, o maior da Ásia, precisou de 20 mil operários para ser construído. Três metros de folhas de ouro foram usados em sua decoração. Seu funcionamento requer 16 mil empregados e energia suficiente para abastecer 300 mil residências. (...) No maior salão de jogos do mundo, o Veneziano dispôs 870 mesas e 3.400 máquinas caça-níqueis. O salão é cercado por 350 lojas, constituindo um espaço de vendas maior que o de qualquer shopping center em Hong Kong. (...) Tudo para atrair os entusiasmados jogadores chineses.

É bom lembrar que estamos apenas no início do encontro entre o plano e o lotado. Esperem a China ficar um pouco mais rica — e a lei dos grandes números começa a se aplicar ao turismo. Na revista *Foreign Affairs* (7 de setembro — 7 de outubro de 2007), Elizabeth C. Economy, estudiosa do meio ambiente chinês, ofereceu uma rápida avaliação do rumo que a China está tomando:

> Empreiteiros chineses estão construindo mais de 80 mil quilômetros de novas autoestradas em todo o país. Cerca de 14 mil novos automóveis chegam às estradas chinesas todos os dias. Por volta de 2020, a China deverá ter mais de 130 milhões de carros e por volta de 2050 — ou talvez ainda em 2040 — já deverá ter mais automóveis que os Estados Unidos. (...) Os projetos chineses de urbanização em grande escala agravarão as coisas. Os líderes da China planejam realocar 400 milhões de pessoas — mais do que toda a população dos Estados Unidos — em novos centros urbanos, entre 2000 e 2030. No processo, irão erguer metade de todos os edifícios que deverão ser construídos no mundo durante esse período. É uma perspectiva perturbadora, considerando-se que os edifícios chineses não utilizam energia de modo eficiente — são duas vezes e meia menos eficientes que os prédios da Alemanha. Além disso, os chineses das áreas urbanas utilizam condicionadores de ar, televisores e geladeiras, consumindo três vezes e meia mais energia do que seus compatriotas das áreas rurais.

Em 2006, mais de 34 milhões de chineses viajaram ao exterior, um aumento de 300%, em comparação com o ano 2000, segundo a revista *Foreign Policy* (julho-agosto de 2007). Por volta de 2020, calcula-se que 115 milhões de chineses deverão fazer turismo no exterior, formando o maior bloco de turistas no mundo, o que certamente envolverá mais viagens de avião, reservas em hotéis, uso de gasolina e emissões de CO_2. No dia 22 de fevereiro de 2008, Patrick Smith, especialista em aviação da revista eletrônica Salon.com, observava que "em países como China, Índia e Brasil, classes médias emergentes ensejaram o aparecimento de um grande número de novas empresas de aviação. A China, por si só, pretende construir mais de quarenta grandes aeroportos durante os próximos anos. Nos Estados Unidos, prevê-se que o número de passageiros de linhas aéreas, já perto de um bilhão, deverá dobrar por volta de 2025. A emissão de gases-estufa pelos aviões poderá aumentar em cinco vezes".

Uma vez mais, digo que não podemos censurar os chineses por desejarem saborear os mesmos petiscos à disposição dos americanos e de outros ocidentais. Só estou contando essas histórias para colocar em relevo o vulcão de consumo que está entrando em erupção nos antigos países comunistas, onde as aspirações das pessoas foram reprimidas por tantos anos.

O comunismo e o socialismo eram sistemas de restrições — tanto por desígnio quanto pela própria ineficiência. Mas os governos comunistas substituíram o desenvolvimento econômico planificado pela economia de mercado. Basicamente, nos velhos dias do comunismo, só existiam três tipos de artigos em Moscou — pão, leite e carne — e quase nenhum automóvel particular. Por conseguinte, era uma sociedade de baixo impacto, em termos de consumo energético. Na prática, as economias comunistas eram corruptas, ineficientes e não muito produtivas. Isto também restringia tudo, do consumo de energia às calorias ingeridas pelas pessoas. Embora seja verdade que as indústrias estatais soviéticas e chinesas tinham pouco cuidado com o meio ambiente, e que suas fábricas sujas e esbanjadoras de energia promoviam enormes estragos na qualidade do ar, na terra, nas florestas e na água, os estragos eram relativamente — *relativamente* — moderados, pois o ritmo total da atividade econômica e do desenvolvimento era modesto, se comparado às indústrias ocidentais. Qualquer pessoa que tenha visitado Moscou regularmente, ao longo dos anos, poderá confirmar isso. Quando lá estive pela primeira vez, em 1977, ainda estudante, fiquei impressionado com o contraste entre as avenidas incrivelmente largas, sobretudo em torno da Praça Vermelha, no centro da cidade, e a quase total ausência de automóveis. As coisas não são mais assim. Quando visitei Moscou em 2007, trinta anos mais tarde, havia tantos carros naquelas avenidas largas, que mal podiam se locomover. Uma cidade construída para 30 mil carros e que, dez anos atrás, tinha 300 mil, conta hoje com 3 milhões de automóveis e um cinturão de novos subúrbios, dos quais e para os quais os moscovitas se locomovem todos os dias. No dia em que deixei a cidade, em minha última visita, meus colegas do escritório do *New York Times* em Moscou recomendaram que eu saísse de meu hotel, próximo à Praça Vermelha, "quatro horas" antes do horário marcado para meu voo até Londres. Como isso é possível, pensei, se eu sempre levei apenas 35 minutos para ir de carro da Praça Vermelha até o aeroporto de Sheremetyevo?

De qualquer forma, segui o conselho deles. Deixei o hotel Marriott às 16h20, para o voo das 20h20. A estrada para o aeroporto, que, na minha primeira visita, nos anos 1970, e mesmo no princípio dos anos 1990, era bastante despojada, agora parecia quase idêntica a qualquer estrada para qualquer aeroporto americano — ladeada por lanchonetes McDonald's, lojas de grande porte e shopping centers, e apinhada de carros que se dirigiam aos subúrbios. Cheguei ao aeroporto às 19h10 — quase três horas mais tarde —, em cima da hora de passar pela alfândega e tomar o avião. E o detalhe: não houve nenhum acidente de trânsito durante o percurso. Era apenas um longo engarrafamento.

Mesmo um país como a Índia está sofrendo as consequências do crescimento descontrolado. Depois da independência, entre 1950 e 1980, os líderes indianos instituíram uma economia planificada, em estilo socialista, com uma dose de capitalismo, convencidos de que o que veio a ser chamado de "taxa indiana de crescimento" — 3,5% ao ano — era suficiente. Essa taxa foi mantida, embora mal superasse o crescimento anual da população da Índia, 2,5% ao ano, e não permitisse uma elevação significativa no padrão de vida da maior parte de seus habitantes.

Embora a Índia, uma democracia, tenha demorado mais do que a China a se aproveitar do colapso da ideologia socialista e do nivelamento mundial, está recuperando rapidamente o tempo perdido. Quase triplicou a antiga taxa de crescimento e hoje está crescendo em torno de 9% ao ano. O impacto disso no poder de compra e no ritmo de construções da Índia é espantoso, conforme ilustrado no website Guardian Unlimited (13 de junho de 2006), por Salil Tripathi, analista indiano de assuntos econômicos:

> Para dar uma ideia do crescimento da Índia: ao crescer 7,5%, no ano passado, a renda do país aumentou em uma proporção superior à renda total de Portugal (194 bilhões de dólares), Noruega (183 bilhões) ou Dinamarca (178 bilhões) no mesmo ano. Foi como se a economia de um país rico fosse acrescentada à de um país muito pobre. (...) Isto também significa que, durante a década 1991-2001, embora a Índia acrescentasse mais 156 milhões de pessoas à sua população — número equivalente à soma das populações totais de Grã-Bretanha, França e Espanha — durante aquele período, o número de pessoas pobres na Índia, na verdade, caiu em 37 milhões, ou o equivalente à população da Polônia. Se o nível de pobreza tivesse permanecido o mesmo, haveria 361 milhões de pobres na Índia. Em vez disso, a economia indiana tirou 94 milhões de pessoas da pobreza absoluta, naquele período — ou seja, 12 milhões de pessoas a mais do que a população total da Alemanha, o país mais populoso da União Europeia.

Bem, uma Alemanha aqui, uma Polônia ali... tudo em 15 anos.

Quando visitamos a Índia, nos dias de hoje, podemos ver e sentir a elevação dos padrões de vida que acontece em torno de nós, o que é bonito — contanto que não estejamos em um engarrafamento de trânsito. Na cidade de Haiderabade, em outubro de 2007, eu estava andando de carro pelo agitado centro da cidade, quando passamos por um grupo de aproximadamente cinquenta homens sentados, de pernas cruzadas, na entrada do que parecia ser uma nova ponte. Um sacerdote hindu em trajes coloridos andava entre eles, balançando uma bandeja com cascas de coco incandescentes e entoando cânticos destinados a trazer boas vibrações às pessoas que passassem por aquela ponte — segundo me explicou um amigo indiano, que estava no carro. Políticos locais também estavam lá, para aparecer nas fotografias. A ponte abençoada era um viaduto recém-construído, destinado a desafogar o trânsito nas ruas de Haiderabade, diminuindo os engarrafamentos. Sua construção levara dois anos. Fiquei feliz em ver os progressos. Durante o café da manhã em meu hotel, na manhã seguinte, eu estava folheando o *Sunday Times of India* (edição de Haiderabade, 28 de outubro de 2007), quando meu olhar foi atraído pela foto de um grande engarrafamento de trânsito — motos, ônibus, carros, riquixás de três rodas, motorizados, tudo em um só emaranhado.

A manchete dizia: "Só reclamações conseguiram passar." A legenda da foto dizia: "Trânsito engarrafa no viaduto de Greenlands, inaugurado ontem em Haiderabade. Em seu primeiro dia, o viaduto ficou lotado, despertando dúvidas a respeito de sua eficácia na redução dos congestionamentos."

Era o meu viaduto! Em um só dia, um viaduto que levara dois anos para ser construído fora devorado pelo crescimento da Índia, sem mesmo um arroto. Esperem até que o Grupo Tata, da Índia, inicie a fabricação em massa de seus carros para quatro passageiros — que custarão 2.500 dólares! Embora o carro deva ser econômico, seu preço baixo vai congestionar ainda mais aquela passagem elevada.

Em uma conferência do Fórum Econômico Mundial, Sheila Dikshit, ministra-chefe do território de Delhi, que engloba a capital indiana, explicou o que é tentar governar uma cidade de 16 milhões de habitantes, que atrai 500 mil imigrantes todos os anos: "Todos os que estão vivendo em Delhi querem mais água, mais energia, melhores salários, mais gasolina." Ela prosseguiu dizendo que nenhum político indiano se atrevia a negar combustível barato à população, observando que, no ano fiscal de 2007, "o governo indiano deverá gastar uma quantia estimada em 17,5 bilhões de dólares, ou 2% do orçamento do país em subsídios aos combustíveis — pois se recusa a transferir aos cidadãos os grandes aumentos ocorridos nos preços mundiais da energia", por medo de uma revolta (*The Financial Times*, 6 de dezembro de 2007).

Não pensem que esses fenômenos estão restritos às economias aquecidas da China, da Rússia e da Índia. Em junho de 2008, visitei a plantação de oliveiras pertencente a Khalil Nasrallah e Sarah Gauch, localizada na autoestrada Cairo-Alexandria, a cerca de 50 quilômetros das pirâmides. Khalil, um empresário libanês, comprou a propriedade em 1991. Mais tarde, conheceu a americana Sarah, escritora e jornalista freelance. Casaram-se, tiveram filhos e estabeleceram duas residências, no Cairo e na propriedade.

"Isto aqui era assim, quando viemos aqui pela primeira vez", disse Khalil, abrindo um álbum de fotografias em uma página em que havia uma foto tirada do telhado de sua casa. O que eu vi foi a plantação de oliveiras cercada pelo deserto vazio. Não havia nem mesmo um poço d'água quando eles chegaram. Khalil comprara a terra por sua conta e risco e descobriu a água mais tarde — água abundante. "Estávamos totalmente sozinhos aqui", disse ele nostalgicamente.

Quando subimos ao telhado da casa hoje em dia, "sozinho" não é a palavra que nos vem à mente. Khalil e Sarah estão cercados, principalmente, de condomínios fechados, repletos de casas de mau gosto em lotes de mil metros quadrados — com nomes como Moon Valley, Hyde Park, Richmont, Riviera Heights e Beverly Hills. O condomínio à direita possui um complexo de golfe com 99 buracos. Pouco adiante, ergue-se um hipermercado Carrefour. À esquerda, há outro condomínio fechado e, além deste, mais um campo de golfe. Os condomínios são habitados por egípcios que trabalharam duro e enriqueceram no Golfo Pérsico, ou fazem parte da globalizada classe de negociantes do Cairo. Eles têm tanto direito a seus campos de golfe e mansões de mau gosto quanto os americanos que vivem em Palm Desert, Califórnia. Mas as implicações energéticas e hidráulicas de todos esses novos condomínios fechados é uma das razões pelas quais o

Oriente Médio está, cada vez mais, consumindo seu próprio petróleo, em vez de exportá-lo.

O que preocupa Khalil é a água. O complexo de golfe, com seus 99 buracos, bebe um bocado de H_2O. "Estou preocupado com o dia em que meu engenheiro vai me chamar para dizer que nós temos um problema com o poço — que já não há água suficiente", disse Khalil. "Até agora, a queda foi só de um metro."

E acrescentou: "A noite já foi tranquilíssima aqui no deserto, mas agora não é mais. Às vezes, nós não conseguimos dormir, com o barulho das festas até as quatro da manhã. Estamos a 4 quilômetros de distância dos condomínios, mas no deserto nós podemos ouvir."

Como tantos jornalistas da minha geração, Sarah veio para o Oriente Médio atraída pelas singulares paisagens, sons, pessoas e dramas da região. Ela jamais pensou que os Estados Unidos a seguiriam — talvez até o Cairo, mas não deserto adentro. "A última coisa que eu queria na vida era viver em um subúrbio americano no meio do deserto egípcio", pondera ela.

Quando reúno todas essas histórias e números, a imagem que me vem à mente é a de um caminhão enorme. Eis a economia global de nossos dias: um caminhão enorme, com o acelerador emperrado na aceleração máxima. E nós perdemos a chave. Ninguém pode parar ou desligar o caminhão. Sim, na Índia e na China, cerca de 200 milhões de indivíduos saíram da pobreza nos últimos trinta anos. A maioria deixou uma vida de baixo impacto ecológico, em alguma povoação, para ingressar em uma vida de classe média nas áreas urbanas. Mas, como os economistas destacam, há outros 200 milhões atrás deles, e outros 200 milhões depois... todos esperando sua vez. Seus governos não lhes poderão negar, e eles não negarão a si mesmos um estilo de vida nos padrões americanos.

Em um mundo plano, onde todos os países têm alguma forma de economia de mercado, e todos podem ver como os outros estão vivendo, "ninguém pode desligar a máquina do crescimento", diz Nandam Nilekani, codiretor executivo da Infosys, o gigante tecnológico da Índia. "Seria um suicídio político. Por que algum político iria cometer um suicídio político? Como ninguém quer cometer um suicídio político, estamos todos cometendo um suicídio coletivo."

As consequências de tantas pessoas se tornarem "americanas" — sobre a energia, os alimentos e os recursos naturais — são simplesmente estarrecedoras. James Kynge, autor de *A China Sacode o Mundo: A Ascensão de uma Nação com Fome*, conta esta história maravilhosa:

> Para mim, esta nova tendência [a ascensão da China] começou a se intensificar nas primeiras semanas de fevereiro de 2004, quando, lentamente a princípio, mas com rapidez crescente, tampas de bueiro começaram a desaparecer das estradas e calçadas do mundo. Quando a demanda chinesa elevou os preços da sucata a níveis recordes, ladrões de todas as partes tiveram a mesma ideia. Quando a noite caía, eles retiravam as tampas de ferro e as vendiam a negociantes locais, que as cortavam e as embarcavam para a China. Os primeiros furtos foram notados em Taiwan, a ilha ao largo da costa sudeste da China. Os furtos seguintes ocorreram em outros países, como a Mongólia e o Quirguistão. Logo, a atração gravitacional do ressurgente "Império do Meio" alcançava os recantos mais distantes. Em todos os lugares do mundo, gatunos começaram a trabalhar para satisfazer a fome chinesa. Mais de 150 tampas de bueiro desapareceram em um mês na cidade de Chicago. Na Escócia, mais de uma centena sumiu em poucos dias. Em Montreal, Gloucester e Kuala Lumpur, pedestres distraídos caíam em buracos.

Ainda que tenha algo de divertido, esta história reflete uma das forças mais determinantes que estão nos conduzindo à Era da Energia e do Clima: "Esta é a primeira vez na história humana que o crescimento econômico tornou-se prerrogativa da maioria dos habitantes do planeta", diz Carl Pope, diretor-executivo do Sierra Club.* "Não é o que acontecia até dez anos atrás. Este é um fenômeno completamente

* Sierra Club — A maior e mais antiga organização norte-americana dedicada a problemas ambientais. (N. do T.)

novo." Como o geógrafo e historiador Jared Diamond assinala, durante um longo tempo presumiu-se apenas que o crescimento populacional era o grande desafio da humanidade. Mas agora compreendemos que os efeitos desse crescimento dependem de quantas pessoas consumam e produzam. À medida que o mundo se torna nivelado, cada vez mais pessoas consumirão e produzirão.

"Se a maioria dos 6,5 bilhões de habitantes do mundo estivesse congelada e não consumisse, não haveria pressão sobre as reservas do planeta", observa Diamond em um ensaio no *New York Times* (2 de janeiro de 2007):

> O que realmente importa é o consumo total do mundo, a soma de todos os consumos locais, que é o produto de população local vezes o índice de consumo per capita. O índice relativo de consumo per capita dos habitantes dos países desenvolvidos — estimados em um bilhão — é de 32. A maior parte dos outros 5,5 bilhões de habitantes do planeta constitui o mundo em desenvolvimento, com índices relativos de consumo per capita abaixo de 32, muitas vezes próximos de 1. A população do mundo em desenvolvimento, em especial, está crescendo, e algumas pessoas só prestam atenção nisso. Observam que as populações de países como o Quênia estão crescendo rapidamente e dizem que isto é um grande problema. Sim, é um problema para os mais de 30 milhões de habitantes do Quênia, mas não configura um problema mundial, já que os quenianos consomem muito pouco. (Seu índice relativo per capita é de 1.) O problema real do mundo é que cada um de nós, 300 milhões de americanos, consome tanto quanto 32 quenianos. Com uma população dez vezes maior, os Estados Unidos consomem 320 vezes mais recursos que o Quênia. (...) Pessoas que consomem pouco querem desfrutar de um estilo de vida semelhante ao das pessoas que consomem muito. Os governos dos países em desenvolvimento fazem do aumento nos padrões de vida a meta mais importante da política nacional. E dezenas de milhões de habitantes dos países em desenvolvimento procuram por conta própria o estilo de vida do Primeiro Mundo, emigrando, principalmente, para os Estados

> Unidos, Europa ocidental, Japão e Austrália. Cada transferência de uma dessas pessoas para um país de consumo elevado aumenta os índices de consumo do mundo, ainda que muitos imigrantes não consigam de imediato multiplicar seu consumo por 32. Entre os países em desenvolvimento que procuram aumentar os índices de consumo per capita em sua própria casa, a China é o destaque. Sua economia é a que cresce mais rapidamente no mundo, e há 1,3 bilhão de chineses, quatro vezes a população dos Estados Unidos. O mundo está ficando sem recursos naturais e a situação poderá ficar pior se a China atingir índices de consumo em níveis semelhantes aos dos americanos. A China já compete conosco, por petróleo e metais, nos mercados do mundo.

Diamond observa que "o índice de consumo per capita na China ainda é 11 vezes menor que o nosso", mas se atingir o nosso patamar — mesmo que nenhum outro país eleve seu consumo, nenhuma população cresça (inclusive a da China) e toda a imigração seja interrompida —, apenas o fato de os chineses consumirem tanto quanto nós "praticamente dobraria os índices de consumo mundiais. O consumo de petróleo cresceria 106%, por exemplo, e o de metal cresceria 94%. Se a Índia também se equiparasse aos Estados Unidos, os índices de consumo mundial triplicariam. E se, de repente, todos os países em desenvolvimento se equiparassem aos Estados Unidos, os índices aumentariam 11 vezes. Seria como se a população mundial aumentasse para 72 bilhões de habitantes (mantendo os atuais índices de consumo)".

Larry Brilliant, que dirige a Google.org, a fundação beneficente da Google, trabalhou durante anos na Índia como médico. Conta que ficou impressionado com o contraste entre o que as velhas e as novas gerações da Índia pensam sobre o consumo de alimentos. "Você hoje pergunta aos velhos da Índia: 'Seus filhos vão ser vegetarianos?' Eles dizem que sim. Então, você fala com os filhos e eles dizem: 'De jeito nenhum — nós vamos comer no McDonald's.'" Bem, nós estamos falando de consumo per capita. Então, se tivermos mais *capita* — um aumento de

40 a 50% na população já é praticamente certo —, teremos um bocado de pressão a mais sobre as reservas.

E se as tendências na área da saúde se mantiverem, muitas dessas bocas viverão dez anos a mais. Portanto, mais do que nunca, teremos pessoas vivendo como americanos — e vivendo por mais tempo. A Associated Press publicou uma reportagem na Cidade do México (24 de março de 2008) sobre a elevação global nos preços dos alimentos, que incluía a seguinte curiosidade: "Na China, o consumo per capita de carne cresceu 150% desde 1980. Por causa disso, seis meses atrás, Zhou Jian decidiu passar a vender carne de porco, em vez de peças de automóveis. O preço da carne de porco aumentou 58% no ano passado; mesmo assim, donas de casa e criadas ainda lotam a loja de Jian todos os dias, e mais clientes procuram cortes nobres. O jovem de 26 anos fatura hoje 4.200 dólares por mês, duas ou três vezes o que ganhava vendendo peças de automóvel."

Tudo isso levanta uma pergunta simples, mas profunda, argumenta o editor da *Foreign Policy*, Moisés Naím. "Podemos sustentar uma classe média?", perguntou ele na edição da revista publicada em março-abril de 2008. "A classe média nos países pobres", segundo ele,

> é o segmento que mais cresce na população mundial. Enquanto a população total do planeta deverá aumentar cerca de um bilhão de pessoas nos próximos 12 anos, as fileiras da classe média aumentarão 1,8 bilhão. (...) Embora seja uma boa notícia, é claro, isso também significa que a humanidade terá de se ajustar a pressões sem precedentes. (...) No último mês de janeiro, 10 mil pessoas tomaram as ruas de Jacarta para protestar contra os preços da soja, que dispararam. E os indonésios não são as únicas pessoas furiosas com o custo crescente dos alimentos. (...) O debate sobre os "limites de crescimento" da Terra é tão antigo quanto o alerta de Thomas Malthus a respeito de um mundo em que a população excederá sua capacidade de alimentar a si mesma. No passado, ficou demonstrado que os pessimistas estavam errados. Preços mais altos e novas tecnologias, como a revolução verde, sempre apareceram para nos

socorrer, aumentando os estoques e permitindo que o mundo continuasse a crescer. Isto pode ocorrer novamente. Mas os ajustes a uma classe média maior do que em qualquer época anterior estão apenas no início. Como demonstram os protestos dos indonésios, os ajustes não serão baratos. Nem tranquilos.

E os alimentos não constituem nem metade do problema. O McKinsey Global Institute calcula que, entre 2003 e 2020, o valor do espaço residencial médio, na China, aumentará em 50%, e a demanda por energia crescerá 4,4% anualmente.

Depois da China, os países árabes e o Irã apresentam os maiores índices de crescimento no uso de energia entre as nações do mundo em desenvolvimento — sobretudo porque suas reservas abundantes lhes permitem manter baixos os preços domésticos do petróleo e do gás. Por conseguinte, seus cidadãos são pródigos no uso de energia. Os produtores de petróleo estão se tornando, progressivamente, consumidores sequiosos. Alguns estudiosos predizem que a utilização da energia — em ascensão vertiginosa — dentro dos próprios países poderá forçar a Rússia, o México e os países da Opep a reduzir suas exportações de petróleo em 2 ou 3 milhões de barris por dia no final da década — o que, em um mercado que já sofre de escassez, elevará os preços ainda mais.

Como um funcionário do Banco Mundial, especialista em Iraque, comentou comigo, quando visitei o país em 2007: "Aqui, a energia é uma coisa dada como certa — conservação não está nem na ordem do dia. E quando examinamos o planejamento econômico, encontramos pouquíssimas críticas ao descaso com o ambiente. É como se você estivesse falando uma língua estrangeira com eles quando fala sobre padrões e controles ambientais. Eles queimam qualquer tipo de coisa em qualquer tipo de máquina, lançam tudo o que é porcaria no ar e na água — e ninguém se incomoda."

Eu não sei quando chegaremos ao limite. Mas o aumento constante nos preços da energia, dos alimentos e de outras commodities desde 2000 é, com certeza, um sinal de que, no estágio atual da ciência e da tecnologia, o mundo está sendo sacrificado para fornecer matérias-primas para tantos americuns. Sem drásticos progressos na obtenção de energia sustentável e no aumento da produtividade dos recursos é inviável a estratégia, adotada por China, Índia e mundo árabe, de simplesmente imitar o modelo de desenvolvimento dos Estados Unidos — esbanjador de recursos. O velho modelo não pode ser replicado em escala sino-indiana num mundo plano sem danos irreparáveis ao planeta Terra.

"Todos os surtos de desenvolvimento econômico na história de um país ou de uma região foram alimentados por uma área biológica inexplorada", argumenta Carl Pope. "O norte da Europa ingressou no capitalismo através dos pescadores de bacalhau no Atlântico Norte, durante o século XVII. Naquela época, não havia muitas fontes de proteína na Europa, até que foram descobertos grandes bancos pesqueiros ao largo da costa canadense. A descoberta proporcionou proteína suficiente para que as pessoas deixassem as fazendas e se mudassem para as cidades, onde iam trabalhar na indústria e no comércio. A frota britânica, a propósito, só se tornou possível graças às florestas de pinheiros da América do Norte e de madeira de lei da Índia."

A Revolução Industrial, nos séculos XVIII e XIX, acrescenta Pope, foi alimentada, em parte, "pelo Meio-Oeste americano, uma área ideal para a produção de grãos, ainda inexplorada, e pela exploração britânica do chá plantado na Índia, que era enviado para a China, em troca de prata e seda. Partes da África forneceram escravos para as plantações de cana-de-açúcar no Caribe. No início do século XX, os japoneses sustentaram seu crescimento com tungstênio da Indonésia, borracha da Malásia e arroz da China. Quando perderam tudo isso (após perderem a Segunda Guerra Mundial), alimentaram sua revolução industrial pós-guerra explorando todos os bancos pesqueiros do mundo, para alimentar os trabalhadores japoneses que fabricavam Toyotas".

A má notícia para as potências econômicas ascendentes e para os novos capitalistas dos dias de hoje é que restam poucas áreas inexploradas para alimentar sua decolagem rumo ao capitalismo. "É por isso que a China, atualmente, está limitada ao roubo de tampas de bueiro", diz Pope. "Sim, é injusto, mas é a realidade."

Ou esses países irão devorar a si mesmos, ou usarão a globalização como um canudo para sugar cada gota de recursos naturais dos últimos rincões da África, América Latina e Indonésia — ou, o que seria muito melhor, encontraremos um modelo de crescimento mais sustentável para um mundo quente, plano e lotado.

"A boa notícia é que existe outro modelo de crescimento", argumenta Pope. "Hoje em dia, há várias formas de se substituir matéria-prima por conhecimento." Não, não é possível construir um prédio com bits e bytes de computador, como se fossem tijolos e argamassa. Mas, com materiais e projetos mais inteligentes, pode-se construir um prédio com muito menos tijolos e muito menos argamassa. Podemos construir um prédio com janelas mais bem ajustadas e com isolamento térmico muito melhor. Podemos produzir aço com muito menos minério de ferro e com muito menos calor. Podemos edificar prédios que retenham calor, ou refrigeração, com muito mais eficiência. Podemos cultivar mais alimentos por hectare. *Tudo isso requer conhecimento.* Criatividade na geração de energia sustentável e no melhor aproveitamento dos recursos naturais é nosso único caminho para resolver os problemas atuais. Para crescerem, a China e a Índia terão de usar muito mais conhecimentos do que o Ocidente — quando este se desenvolveu —, de modo a utilizarem menos recursos naturais. Na verdade, estão tentando fazer isso. Mas não dispõem de 150 anos para aprender — nem nós —, não quando tantos de seus habitantes estão prestes a viver como americanos. Mesmo que demorem apenas cinquenta anos para desenvolver tecnologias mais avançadas, diz Pope, "já será tarde".

Então, como podemos incentivar o crescimento econômico em um mundo cujos recursos naturais são limitados e não estão aumentando? Um dos modos mais criativos de se encarar este desafio é o conceito "berço a berço", que o arquiteto William McDonough e o químico Michael Braungart descrevem em seu livro *Cradle to Cradle: Remaking the Way We Make Things* (Berço a berço: reformulando o modo de fazermos as coisas).

Eles argumentam que nosso método atual de reciclagem é transformar produtos de alta qualidade — como computadores, produtos eletrônicos, embalagens e carros — em produtos de baixa qualidade, menos sofisticados, que depois descartamos. Isto não é reciclagem, dizem eles, mas sucateamento — apenas um esbanjamento de recursos em câmera lenta. Em *Cradle to Cradle*, eles argumentam que podemos e devemos fabricar cada televisor, cadeira, tapete, armário e monitor de computador com materiais que possam ser completamente reutilizáveis em outros produtos ou completamente biodegradáveis — de modo que possam ser usados como fertilizantes. Todos os componentes dos produtos, insistem eles, podem ser projetados de modo que possibilitem uma recuperação contínua, como nutrientes biológicos ou técnicos, "eliminando o conceito de desperdício".

Visitei McDonough em seu escritório na Universidade da Virgínia, e ele falou mais sobre o conceito, apontando para a cadeira em que eu estava sentado:

"'Berço a berço' significa o contrário de 'berço ao túmulo'; significa que fechamos os ciclos — assim não enviamos coisas para os depósitos de lixo e incineradores. Nós as colocamos em ciclos fechados, para que sejam sempre reutilizadas... Como essa cadeira em que você está sentado, que é feita de alumínio e tecido. O tecido retorna ao solo. O alumínio retorna à indústria, assim nada é desperdiçado. Eliminamos o conceito de desperdício — tudo está em um ciclo fechado. (...) Nós olhamos para esses materiais e, em vez de ficarmos preocupados porque vão acabar parando em algum aterro sanitário ou incinerador, nós os projetamos para que retornem à natureza ou à indústria. E o que é importante, isso cria enormes oportunidades de geração de empregos — em nosso próprio país, pois no futuro, quando os custos de mão de obra começarem a se nivelar, a logística será a coisa mais cara, e tudo que é local será não só o menos oneroso como também o mais necessário. Então imagine: hoje, há 2 milhões de quilos de tapetes que são jogados fora, todos os anos, nos Estados Unidos. Mas em vez de aterrar, incinerar ou exportar esses tapetes para a China, que tal se todos eles pudessem se transformar em tapetes novamente, porque foram projetados como produtos berço a berço? Você não só poderia modificar o seu tapete quantas vezes quisesse, sem nenhum sentimento de culpa, como também estaria gerando uma enorme quantidade de empregos nos Estados Unidos."

Algum dia, aventou McDonough, todos os aparelhos poderão ser alugados — geladeiras, fornos de micro-ondas, televisores, até automóveis — e devolvidos a seus fabricantes para serem totalmente reciclados, incessantemente: nada mais de berço ao túmulo, e sim, berço a berço. Algumas variações desse conceito são a única solução viável para o crescimento econômico em um mundo plano.

Infelizmente, em vez de repensar e redefinir o que significa ser americano, nós, americanos, ainda estamos intensificando, expandindo e até dobrando nosso velho modelo devorador de energia.

Em novembro de 2006 fiz um documentário sobre energia para o canal Discovery Times. Um dos locais que decidimos filmar foi a loja "verde" experimental do Wal-Mart, em McKinney, Texas, que tem sua própria turbina eólica no estacionamento, um sistema de energia solar na parte externa do prédio, iluminação de alta eficiência, mictórios sem uso de água — e até um sistema que recolhe o óleo usado nas frituras do setor de alimentação e o mistura ao óleo combustível usado pelas oficinas mecânicas da rede, colocando a mistura em um aquecedor a biocombustível, que alimenta os sistemas de aquecimento da loja. Quando perguntei à produtora onde era McKinney, ela me respondeu: "É um subúrbio de Dallas." Não haveria problema em encaixar no programa, pensei, uma visita ao local. Então, voamos até Dallas, tarde da noite, e alugamos uma van, para que nossa equipe pudesse viajar até o "subúrbio" de McKinney. Dirigimos muito para chegar até o lugar, que, para ser exato, ficava 50 quilômetros ao norte de Dallas.

A produtora tinha razão: era um subúrbio de Dallas (na verdade, o que hoje seria chamado de exúrbio). Mas não era o tipo de subúrbio como aquele em que eu crescera, a poucos minutos do centro de Minneapolis. Era um subúrbio no sentido de estar ligado a Dallas por um cordão umbilical de desenvolvimento. Fizemos a maior parte do trajeto em uma estrada secundária, pois a autoestrada estava sendo expandida. Mas os empreendimentos comerciais que iriam enfeitar a rodovia expandida já estavam em seu lugar, um assombroso caleidoscópio de McDonald's, Pizza Huts, Burger Kings, postos de gasolina, motéis, novos prédios de apartamentos e casas geminadas, mais McDonald's, shopping centers, shoppings a céu aberto, mais McDonald's — e até mesmo um Wal-Mart não verde — antes de chegarmos ao Wal-Mart experimental de McKinney. Eram os Estados Unidos, estendendo-se em todas as direções.

Na volta para o aeroporto — depois de filmarmos o Wal-Mart ecológico —, passei todo o percurso olhando para aquela proliferação e pensando comigo mesmo: "Nossa viagem não tem sentido. Qualquer energia que o Wal-Mart verde possa poupar será sugada por essa enxurrada de desenvolvimento" — que parecia destinada a alcançar as fronteiras de Oklahoma.

Apesar de toda a conversa sobre a Índia e a China consumirem cada vez mais energia e recursos naturais, os americanos precisam ter em mente que nós ainda somos, de longe, os maiores devoradores de energia. Nossa utilização total de energia está aumentando, apesar da maior produtividade que estamos obtendo em cada unidade de energia. Vejam o relatório sobre energia publicado em 2007 pelo InterAcademy Council (Conselho Interacadêmico), intitulado "Lighting the Way" (Iluminando o Caminho), produzido por um grupo multidisciplinar de cientistas.

"A quantidade de energia necessária para manter vivo um ser humano varia entre duas e três mil quilocalorias por dia", observa o estudo.

> Por contraste, o consumo per capita de energia nos Estados Unidos é de, aproximadamente, 350 bilhões de joules por ano, ou 230 mil quilocalorias por dia. Assim, o americano médio consome energia suficiente para suprir as necessidades biológicas de 100 pessoas, enquanto o cidadão médio de outras economias desenvolvidas usa a energia necessária para sustentar cerca de 50 pessoas. Em comparação, a China e a Índia, nos dias de hoje, consomem de 9 a 30 vezes menos energia por pessoa do que os Estados Unidos. O consumo mundial de energia praticamente dobrou entre 1971 e 2004, e calcula-se que deverá crescer mais 50% até 2030, à medida que os países em desenvolvimento se movimentem — em circunstâncias

normais — em direção a uma prosperidade econômica profundamente enraizada na maciça utilização de energia.

Não é de surpreender que o *New York Times* (9 de novembro de 2007) tenha relatado que "enquanto a demanda dispara no exterior, o apetite dos americanos por carros e casas grandes aumentou consistentemente neste país também. A Europa conseguiu frear o consumo de petróleo mediante uma combinação de impostos altos sobre a gasolina, carros pequenos e transporte público eficiente — mas os americanos não fizeram isso". Margo Oge, diretora do Gabinete de Transportes e Qualidade do Ar, da Agência de Proteção Ambiental, declarou, em 2007, que a demanda por petróleo cresceu 22% nos Estados Unidos, desde 1990. Em Paris, a Agência Internacional de Energia prevê que, em 2030, a demanda por petróleo alcançará 116 milhões de barris por dia — contra 86 milhões, em 2007. Cerca de 2/5 do aumento poderão ser atribuídos à China e à Índia. O *New York Times* também informou no mesmo artigo que "se os chineses e os indianos consumissem tanto petróleo por pessoa quanto os americanos, o consumo ultrapassaria os 200 milhões de barris por dia, em vez dos 86 milhões de hoje. Nenhum estudioso do assunto considera viável esse nível de produção".

Eis o que ocorre dentro de nossas casas cada vez maiores: um frango em cada panela,* um iPod em cada bolso, um computador e uma tevê de tela plana em cada quarto. Peter Bakker é o diretor-presidente da TNT, uma das maiores empresas de entregas da Europa. Em 2007, os Índices de Sustentabilidade da Dow Jones apontaram a TNT como a número um entre as empresas de bens industriais e serviços, em termos de uso de energia e práticas ambientais. Mas, apesar de todas as medidas ecologicamente sensíveis que a empresa tem instituído, os avanços obtidos não significam muito, ao se considerarem os níveis atuais de crescimento, apenas no Ocidente. Quando me encontrei com Bakker na China, em

* Referência à promessa eleitoral de Herbert Hoover, na eleição presidencial americana de 1928. (N. da E.)

setembro de 2007, pouco depois de sua empresa receber o prêmio de sustentabilidade, ele me contou a seguinte história: "Nós operamos com 35 mil caminhões e 48 aviões na Europa. Acabamos de adquirir dois Boeings 747, que, quando estiverem em pleno funcionamento, farão nove viagens de ida e volta, todas as semanas, entre nossa sede, em Liège (Bélgica), e Xangai. Eles saem de Liège parcialmente cheios e voltam para a Europa repletos de iPods e computadores. Pelas nossas contas, apenas estes dois 747 vão usar tanto combustível quanto nossos 48 outros aviões, combinados, e emitir a mesma quantidade de CO_2."

Toda essa quinquilharia está começando a se acumular. Eu estava visitando minha mãe, em Minnesota, quando me deparei com a seguinte história, na primeira página do *Star Tribune*, de Minneapolis (17 de novembro de 2007):

> A iniciativa do Mall of America (um grande shopping center em Minnesota) de recolher aparelhos eletrônicos para reciclagem, durante três dias, terminou prematuramente, na sexta-feira, por conta do esmagador afluxo de pessoas que desejavam jogar coisas fora. Mais de meia tonelada de material foi recolhida, antes que os executivos da empresa de reciclagem decidissem que não teriam como receber mais, disse um funcionário da Materials Processing Corp. (MPC), da cidade de Eagan. O material encheu 86 caminhões. O acontecimento evidenciou uma necessidade reprimida de métodos práticos e gratuitos para que as pessoas possam se desfazer dos velhos televisores e computadores acumulados em seus porões e garagens, agora que é ilegal jogá-los no lixo. A pressão deverá aumentar à medida que computadores mais rápidos e televisores de última tecnologia estimulem os consumidores a fazer um upgrade. "As pessoas não sabem o que fazer com as coisas que não querem mais", disse David Kutoff, diretor-presidente da MCP.

Então, adivinhem onde elas vão parar? Logo na manhã seguinte (18 de novembro de 2007), notei o seguinte comunicado da Associated Press, originado em Guiyu, na China:

> O ar tem um cheiro pungente, por conta dos fogareiros que, do lado de fora das casas, derretem fios para recuperar o cobre e cozinham placas-mãe de computadores para recolher o ouro. Trabalhadores migrantes, em roupas imundas, quebram tubos de imagem com as mãos, para recolher vidro e componentes eletrônicos, liberando no ar cerca de 3 quilos de poeira de chumbo. Durante cinco anos, os ambientalistas e a imprensa vêm destacando o perigo representado pelo desmanche de grande parte do lixo eletrônico do mundo por operários chineses. Mas uma visita a esta cidade no sudeste da China, conhecida como o "centro da sucata eletrônica", mostra que pouca coisa mudou. Na verdade, o problema está se tornando pior, devido à própria contribuição chinesa. A China produz hoje mais de um milhão de toneladas de sucata eletrônica por ano, diz Jamie Choi, ativista contra a poluição tóxica e membro do Greenpeace da China, sediado em Pequim. É a soma de 5 milhões de televisores, 4 milhões de geladeiras, 5 milhões de lavadoras automáticas, 10 milhões de telefones celulares e 5 milhões de computadores pessoais, segundo Choi. "A maior parte da sucata eletrônica da China vem do exterior, mas a contribuição chinesa está aumentando", diz ele.

Em outubro de 2005, eu estava visitando Xangai e me deparei com um artigo no jornal *China Daily* que chamou minha atenção. Era uma coluna que propunha que os chineses considerassem a ideia de comer com as mãos, abandonando os pauzinhos.

Por quê? Porque, como escreveu o colunista Zou Hanru, "nós já não possuímos uma cobertura florestal abundante, nosso território já não está tão verde, nossos lençóis de água estão se esgotando e nossa população está se expandindo mais do que nunca... A China, por si só, usa 45 bilhões de pares de pauzinhos descartáveis por ano, ou 1,66 milhão de metros cúbicos de madeira" — o que representa milhões de árvores grandes. Quanto mais ricos se tornam os chineses, acrescentou Zou, "maior é sua demanda por casas maiores, e maior variedade de móveis.

Os jornais se tornam mais volumosos, em sua tentativa de obter uma fatia maior do mercado de anunciantes". Diante das crescentes pressões ambientais, segundo ele, a China deveria abandonar os pauzinhos descartáveis e substituí-los por varetas de aço, alumínio ou fibra. "Ou, ainda melhor, poderíamos usar nossas mãos."

O encontro do plano com o lotado é visível em toda parte. E o artigo de Zou me informa que a China não poderá continuar sendo a China se continuar a copiar o estilo americano de consumo.

E os Estados Unidos, é claro, também não poderão continuar a ser os Estados Unidos.

Em 24 de julho de 1959, o então vice-presidente Richard Nixon e o primeiro-ministro Nikita Kruschev realizaram um debate público em uma exposição montada na embaixada dos Estados Unidos em Moscou. A exibição incluía o que supostamente era uma típica casa americana, repleta de típicos bens de consumo americanos, acessíveis a uma típica família americana. Isto provocou o famoso "Debate da Cozinha" entre Nixon e Kruschev, sobre quais cidadãos teriam a melhor qualidade de vida — os americanos ou os russos. Vale a pena relembrar o debate:

> NIXON: Vocês podem estar à nossa frente em algumas coisas, por exemplo, na potência de seus foguetes que investigam o espaço sideral; podemos estar à frente de vocês em algumas coisas — em televisão colorida, por exemplo.
> KRUSCHEV: Não, nós estamos à frente de vocês nisso também. Nós superamos vocês em uma técnica e também na outra.
> NIXON: Estou vendo que você nunca admite nada.
> KRUSCHEV: Eu nunca desisto.
> NIXON: Espere até você ver a imagem. Vamos ter mais comunicação e intercâmbio nesta área de que estamos falando. Nós deveríamos ouvir mais vocês em nossas televisões. Vocês deveriam nos ouvir mais nas televisões de vocês.

Então, alguns minutos mais tarde:

NIXON: Do jeito que domina a conversa, você seria um bom advogado. Se estivesse no Senado dos Estados Unidos, você seria acusado de obstruir os trabalhos da assembleia. [Segurando Kruschev na cozinha-modelo da casa-modelo]: Vocês mostraram uma bela casa na exibição que fizeram em Nova York. Minha mulher e eu gostamos muito dela. Quero lhe mostrar esta cozinha. É como as cozinhas das nossas casas na Califórnia.

KRUSCHEV: [Depois que Nixon chamou a atenção para uma lavadora de roupas automática embutida e controlada por um painel]: Nós temos essas coisas.

NIXON: Este é o modelo mais novo. É do tipo que é fabricado aos milhares, para instalação direta nas residências.

A mensagem de Nixon para Kruschev foi muito simples: nossas cozinhas são melhores do que as suas cozinhas; nossas lavadoras são melhores do que as suas lavadoras; nossos televisores são melhores do que os seus televisores. Isto prova que nosso sistema é melhor do que o seu sistema. O "modelo americano" defendia mercados livres e eleições livres, mas também um certo estilo de vida. Considerando esta perspectiva, não é nenhuma surpresa que minha geração — eu nasci depois da Segunda Guerra Mundial — tenha sido criada com a ideia de que seria uma coisa boa se todos pudessem viver como nós. Nós queríamos que todos se convertessem ao estilo de vida americano, embora, na realidade, nunca pensássemos sobre as implicações disso. Bem, agora sabemos. Sabemos que, na Era da Energia e do Clima, se todas as pessoas começarem a viver como nós — como cada vez mais russos, chineses, indianos, brasileiros e egípcios estão começando a fazer —, isto seria um desastre para o clima e para a biodiversidade.

Quer dizer que já não desejamos que as pessoas vivam como nós? Não. Quer dizer que temos de remodelar e reinventar o que significa viver como nós vivemos — o que constitui o "modelo americano", em termos de consumo de energia e recursos naturais. Pois se a expansão da liberdade e dos mercados livres não for acompanhada por uma mudança no modo como produzimos energia e tratamos o meio ambiente

— o Código Verde —, a Mãe Natureza e o planeta Terra irão impor suas próprias pressões e limites sobre nosso modo de vida. Eis por que é fundamental que uma estratégia para o Código Verde (apresentarei a minha na segunda metade deste livro) seja incluída entre os itens que a América presenteia ao mundo, juntamente com a Declaração dos Direitos dos Cidadãos, a Declaração de Independência e a Constituição. Sem ela, não seremos livres por muito mais tempo — nem mais ninguém o será. Haverá americanos demais — americanos no velho estilo. E a Terra não poderá sustentar tantos americanos *desse tipo*.

SEIS

Enchendo os tanques com ditadores

A POLÍTICA DO PETRÓLEO

A Rússia iniciou um esforço diplomático para restringir, na antiga União Soviética, as atividades dos mais influentes observadores de eleições. Neste sentido, submeteu propostas à Organização de Segurança e Cooperação da Europa, que reduzirão de forma drástica o tamanho das missões e proibirão a publicação de seus relatórios imediatamente após uma eleição. As propostas (...) exigem também que os observadores sejam proibidos de fazer qualquer declaração pública sobre a conduta eleitoral de um governo nos dias seguintes à votação.

— *The International Herald Tribune*, 25 de outubro de 2007, primeira página.

Petróleo atinge o recorde de 90,07 dólares por barril em Nova York, na sexta-feira.

— Reportagem da *Bloomberg News* no mesmo jornal, mesmo dia, página 20.

Uma universidade (em projeto), cujas obras deverão custar em torno de 10 bilhões de dólares, é um dos maiores objetivos da reforma educacional da Arábia Saudita. (...) A universidade deverá garantir liberdade acadêmica, ignorando qualquer pressão de elementos conservadores. (...) "É fundamental que a liberdade acadêmica seja resguardada", diz Nadhmi al-Nasr, um executivo da Aramco, presidente interino (da programada universidade saudita).

— *Financial Times*, 25 de outubro de 2007, página 6.

A Arábia Saudita proibiu a distribuição do último número da revista *Forbes*, editada em língua árabe, por conta de um artigo sobre a riqueza do rei Abdullah e outros líderes árabes, declarou ontem o chefe de redação da revista. (...) "Em vez de arrancar as páginas da reportagem, as autoridades decidiram proibir a revista inteira", disse um funcionário do governo. (...) Duas vezes, este ano, as autoridades sauditas ordenaram que as páginas que continham as colunas escritas por Khalid al-Dakhil, destacado jornalista saudita e professor universitário, fossem arrancadas da *Forbes Arabia.*

— Mesmo jornal, mesmo dia, mesma página.

Um mês depois que a coalizão liderada pelos Estados Unidos invadiu o Afeganistão, em 2001, visitei a cidade fronteiriça de Peshawar, um viveiro de radicalismo islâmico próximo à fronteira afegã. Bastou passar uma tarde caminhando pelo Bazar dos Contadores de História para perceber que ali não era o lugar mais pacato do mundo. Por que senti isso? Talvez porque um camelô tivesse me perguntado *em que cor, exatamente*, eu iria querer a camiseta de Osama Bin Laden — a amarela com o retrato dele, ou a branca que simplesmente o exaltava como o herói da nação islâmica, com os dizeres "O jihad é nossa missão". (Ele estava fazendo ótimos negócios com o pessoal local.) Ou talvez por causa do pôster pendurado em uma parede, que meu amigo paquistanês traduziu como: "Ligue para este número se quiser se juntar ao 'jihad contra a América'." Ou talvez pelos olhos frios e duros que encaravam o óbvio estrangeiro. Aqueles olhos não diziam "Aceita-se American Express". Diziam: "Dê o fora."

Bem-vindos a Peshawar. Ah, eu mencionei que Peshawar fica no Paquistão? Aqueles eram os caras que estavam do nosso lado.

A caminho de Peshawar, com meu amigo paquistanês, eu visitara a Darul Uloom Haqqania, a maior madraçal, ou escola islâmica, do Paquistão, com 2.800 alunos internos — todos estudando o Alcorão e os ensinamentos do profeta Maomé, com o objetivo de se tornarem líderes espirituais, ou apenas muçulmanos mais devotos. Tive permissão para assistir a uma aula de garotos do nível elementar, que estavam sentados no chão, decorando o Alcorão através de textos exibidos em cavaletes de madeira. Isto constituía o cerne de seus estudos. A maioria deles jamais teria contato com o pensamento crítico ou assuntos modernos. Era uma coisa impressionante e, ao mesmo tempo, perturbadora. Era impressionante porque a madraçal proporcionava moradia, alimentação, educação e roupas para centenas de garotos paquistaneses que, de outra forma, ficariam pelas ruas, devido à erosão do ensino secular no Paquisão. (Em 1978, havia aproximadamente 3 mil madraçais no país; hoje existem cerca de 30 mil, grandes ou pequenas.) Era perturbador porque o currículo religioso que aprendiam fora concebido, em grande parte, pelo imperador mogol Aurangzeb Alamgir, que morreu em 1707. Na biblioteca, havia uma prateleira com livros científicos — em sua maioria publicados na década de 1920.

O ar na sala de aula era tão pesado e viciado que poderia ser cortado em fatias e vendido como se fosse um bolo. O professor pediu a um menino de 8 anos que recitasse para nós um versículo corânico, o que ele fez com a beleza e o garbo de um experiente muezim. O que significava aquilo? Era um versículo famoso, explicou ele por intermédio de um tradutor: "Os fiéis entrarão no paraíso e os infiéis serão condenados ao eterno fogo do inferno."

Era perturbador porque, quando perguntei a um dos estudantes — Rahim Kunduz, um refugiado afegão de 12 anos — o que achava dos ataques do 11 de Setembro, ele disse: "O ataque deve ter sido feito por americanos, de dentro dos Estados Unidos. Estou feliz porque os americanos tiveram de enfrentar a dor, porque eles já obrigaram o resto do mundo a sentir dor." E sua opinião sobre os americanos, de modo geral? "São infiéis que não gostam dos muçulmanos, e querem dominar o mundo com seu poder."

A madraçal de Darul Uloom Haqqania é famosa porque o mulá Muhammad Omar, líder talibã, estudou lá, como muitos outros talibãs. O mulá Omar nunca se formou, explicou nosso anfitrião, "mas nós lhe demos um diploma honorário, pois ele saiu daqui para fazer o jihad e criar um governo islâmico puro". Do que mais me lembro desta visita, no entanto, é de um letreiro pendurado na parede da sala de aula, onde os meninos estudavam. Estava em inglês e dizia que aquela sala de aula era "um presente do Reino da Arábia Saudita".

Tenho certeza de que era.

E por que não seria? Em 2006, membros do cartel petrolífero da Opep faturaram 506 bilhões de dólares com exportações de petróleo. Em

2007, as receitas dos países da Opep aumentaram para cerca de 535 bilhões, e havia a expectativa de que subissem para mais de 600 bilhões, em 2008, segundo o Center for Global Energy Studies (Centro de Estudos Globais sobre Energia), sediado em Londres. Em 1998, a Opep faturou 110 bilhões de dólares, vendendo aproximadamente a mesma quantidade de petróleo, a preços muito mais baixos. A receita obtida pela Arábia Saudita com o petróleo — 165 bilhões, em 2006, e cerca de 170 bilhões, em 2007 — deverá crescer para algo em torno de 200 bilhões, em 2008.

O morticínio de aproximadamente 3 mil pessoas, em 11 de setembro de 2001 — perpetrado por 19 homens, 15 dos quais eram sauditas —, foi a meu ver um desses grandes eventos que trazem à luz uma série de tendências subjacentes que vão se avolumando durante muito tempo. O que trouxe à luz foi que nossa dependência de petróleo não está modificando apenas o sistema climático; também está mudando o sistema internacional em quatro pontos fundamentais. Em primeiro lugar, o mais importante: através de nossas compras de energia, estamos ajudando a fortalecer a variedade mais intolerante, antimoderna, antiocidental, anti-igualdade feminina e antipluralista do islã — a variedade propagada pela Arábia Saudita.

Em segundo lugar, nossa dependência do petróleo está ajudando a financiar um retrocesso nas tendências democráticas da Rússia, da América Latina e de outros lugares, iniciadas com a queda do Muro de Berlim e o fim do comunismo. Como explicarei mais adiante, neste capítulo, chamo este fenômeno de "Primeira Lei da Política do Petróleo": à medida que o preço do petróleo aumenta, o avanço da liberdade diminui; e à medida que o preço do petróleo diminui, o avanço da liberdade aumenta.

Em terceiro lugar, nossa crescente dependência do petróleo está alimentando uma feroz disputa global por energia, que faz surgir o que há de pior nas nações, quer seja Washington fechando o bico a respeito da repressão às mulheres e à falta de liberdade religiosa na Arábia Saudita, quer seja a China se aliando a uma ditadura assassina no Sudão, rico em petróleo.

E, finalmente, através de nossas compras de energia, estamos financiando ambos os lados do terror. Isto não é um exagero. À medida que nossas compras enriquecem governos islâmicos conservadores no Golfo Pérsico, e à medida que esses governos partilham seus ganhos com instituições de caridade, mesquitas, escolas religiosas e indivíduos na Arábia Saudita, Emirados Árabes Unidos, Catar, Dubai, Kuwait e outros lugares do mundo muçulmano, e à medida que essas instituições de caridade, mesquitas e indivíduos doam parte de sua riqueza a grupos terroristas antiamericanos, homens-bomba e pregadores radicais, financiamos tanto os exércitos de nossos inimigos quanto nossos próprios exércitos. Financiamos o Exército americano, a Marinha, a Força Aérea e os fuzileiros navais com os dólares de nossos impostos; e, indiretamente, com nossas compras de energia, financiamos a Al Qaeda, o Hamas, o Hezbollah e o jihad islâmico.

A política energética americana nos dias de hoje, diz Peter Schwartz, presidente do conselho diretor da Global Business Network, uma firma de consultoria para estratégias, pode ser resumida como "maximizar a demanda, minimizar a oferta, e compensar a diferença comprando o máximo possível das pessoas que mais nos odeiam".

Não consigo pensar em nada mais idiota.

O público americano, com certeza, já está consciente dessas conexões. Pode-se perceber isso nos adesivos de para-choques que começaram a aparecer depois do 11 de Setembro: "Quantos soldados por litro o seu utilitário bebe?"; ou "Osama ama o seu utilitário"; ou "Nada mais idiota que um Hummer"; ou "Alistem os motoristas de utilitários em primeiro lugar"; ou "Os Estados Unidos precisam de uma troca de óleo". Pode-se perceber isso nos discursos políticos, como o do presidente Bush que, falando sobre o estado da União, em 2006, declarou que os americanos eram "viciados em petróleo".

Adesivos e slogans à parte, a verdade é que os americanos fizeram muito pouco desde o 11 de Setembro, no sentido de dar um fim à nossa dependência de petróleo.

Temos que fazer mais, pois dar um fim à nossa dependência já não é somente uma necessidade ambiental. É um imperativo estratégico. Só vamos poder respirar — em todos os sentidos da expressão — se conseguirmos reduzir nossa demanda de petróleo e de gás. Esta dependência está por trás de mais tendências ruins, tanto interna quanto externamente, do que qualquer outro fator isolado de que eu me lembre. Nossa dependência de petróleo torna o aquecimento global mais intenso, e os ditadores do petróleo, mais poderosos; o ar puro, mais sujo; as pessoas pobres, mais pobres; os países democráticos, mais fracos; e os terroristas radicais, mais ricos. *Será que me esqueci de alguma coisa?*

Petróleo e Islã

O islã se subdivide em diversos ramos. Alguns são mais sintonizados com a modernidade, a reinterpretação do Alcorão e a tolerância com outros credos — como os muçulmanos sufistas ou os populistas dos centros urbanos, que ainda encontramos no Cairo, Istambul, Casablanca, Bagdá e Damasco. Outros ramos, como o movimento salafista — seguido pela família wahhabista que governa a Arábia Saudita e pela Al Qaeda —, acreditam que o islã deve retornar às suas raízes mais puras, a um austero "islã do deserto", que acreditam ter sido praticado nos tempos do profeta Maomé. É uma modalidade que nunca aderiu à modernidade e nunca quis evoluir, pois suas raízes eram pré-modernas. A expressão "As-Salaf us-Salih", ou salafismo, para encurtar, refere-se aos companheiros mais próximos do profeta Maomé e às duas gerações que os sucederam — que supostamente constituíram o melhor exemplo de como o islã deve ser praticado. Os que hoje seguem esse caminho fundamentalista são chamados de salafistas. Antes do século XX, a versão salafista do islã tinha pouco apelo fora do deserto árabe. Já não é mais assim. Os sectários do salafismo, financiados pelos petrodólares da Arábia Saudita, tiveram um impacto profundo no modo como muitos muçulmanos interpretam sua fé, nos dias de hoje, e em como se relacionam com outros credos, com muçulmanos menos ortodoxos e com muçulmanos não sunitas, principalmente os xiitas. Nas mãos de extremistas muçulmanos, o salafismo financiado pelo petróleo serve como justificativa ideológica para o jihad violento, que visa restaurar o califado do século VII, e sustenta grupos como o Talibã, a Al Qaeda, o Hamas e os esquadrões de homens--bomba do Irã, da Palestina e do Paquistão.

O empenho saudita em exportar o salafismo islâmico aumentou depois que fundamentalistas radicais desafiaram as credenciais muçulmanas da família governante saudita, tomando a Grande Mesquita de Meca, em 1979 — um ano em que, por coincidência, houve a revolução iraniana e um forte aumento nos preços do petróleo. Como Lawrence Wright observa em *O Vulto das Torres*, sua história definitiva da Al Qaeda:

> O ataque à Grande Mesquita (...) acordou a família real saudita para a nítida perspectiva de uma revolução. A lição que a família real extraiu daquele incidente sangrento foi que o único modo de se proteger dos religiosos extremistas era lhes dar poder. (...) Por conseguinte, a *muttawa*, a polícia religiosa subsidiada pelo governo, tornou-se uma presença esmagadora dentro do reino, percorrendo shoppings e restaurantes, arrastando homens para as mesquitas, na hora das orações, e obrigando as mulheres a se vestirem adequadamente.
>
> Não satisfeito em eliminar do país qualquer vestígio de liberdade religiosa, o governo saudita deu início à catequização do mundo islâmico, utilizando os bilhões de riais de que dispunha, obtidos mediante o *zakat* — taxa religiosa —, para construir centenas de mesquitas e escolas no mundo inteiro, dotadas de professores e imãs wahhabistas. Com apenas 1% da população muçulmana do mundo, a Arábia Saudita acabou arcando com 90% das despesas referentes à religião, submergindo outras tradições do islã. A música desapareceu do reino. A censura sufocou a arte e a literatura. A vida intelectual, que mal tinha desabrochado no jovem país, definhou. Paranoia e fanatismo ocupam, naturalmente, as mentes bloqueadas e temerosas.

Guardiã das duas mesquitas mais sagradas do islã, em Meca e Medina, e com imensas reservas de petróleo, a Arábia Saudita tem legitimidade incomparável e um nível excepcional de recursos para difundir sua modalidade ultraconservadora de islamismo no mundo muçulmano — que hoje conta com 1,5 bilhão de pessoas, muitas delas vivendo nas maiores cidades do mundo. Nunca tanta riqueza foi entregue a uma minoria tão extremista de uma grande religião mundial, com tantas consequências a longo prazo.

Daqui a cinquenta anos, quando olharmos para este início da Era da Energia e do Clima, concluiremos que a mais importante tendência geopolítica que dela emergiu foi a mudança no centro de gravidade do islã — saindo do eixo urbano e mediterrâneo constituído por Cairo-Istambul-Casablanca-Damasco, dominante nos séculos XIX e XX, e se inclinando na direção de um islã salafista, irradiando-se do deserto, muito mais puritano, repressivo com as mulheres e hostil aos demais credos.

A ascensão dessa modalidade mais fundamentalista do islã, nas duas últimas décadas, não pode ser atribuída inteiramente ao dinheiro saudita. Uma reação mais ampla contra a globalização e a ocidentalização também está em andamento no mundo islâmico, ao lado de uma rejeição a todas as fracassadas ideologias do passado — nacionalismo árabe, socialismo árabe e comunismo — por parte de uma nova geração de muçulmanos. Mas o dinheiro saudita, com certeza, ajudou a consolidar essa irrupção de islamismo ortodoxo, que surge num momento em que, como relatou o jornal inglês *Financial Times* (4 de junho de 2008), aproximadamente 2/3 da população do Oriente Médio estão abaixo dos 25 anos de idade, e mais de um em quatro indivíduos estão desempregados. Muitos desses jovens frustrados e desempregados encontram alívio na fé.

O escritor William G. Ridgeway redigiu, para a Unidade de Assuntos Sociais, iconoclástico instituto de pesquisas britânico, uma série de artigos criteriosos e provocantes intitulados "Cartas da Arábia". Em um dos ensaios (22 de agosto de 2005), ele argumenta que essa mudança, sob alguns aspectos, é uma versão moderna de um antigo conflito entre o puritano "islã do deserto", representado por seitas como os wahhabistas sauditas, e o "islã urbano" uma versão muito mais cosmopolita, tolerante com as mulheres e aberta a novas ideias. "A crescente modernidade resultou no aumento da influência e do poder do islã do deserto na vida cotidiana", escreveu Ridgeway.

> Contrariamente às crenças disseminadas no Ocidente, a respeito de uma hesitante, mas inevitável marcha do Oriente Médio em direção à democracia liberal, a região está, na verdade, seguindo no rumo oposto — rapidamente. Estudiosos chamam isso de "islamização", a difusão de práticas e crenças radicais xiitas e wahhabistas por toda a região. Como resultado dessa tendência, o Oriente Médio de hoje em dia nada tem a ver com o de, digamos, cinquenta anos atrás. Em torno dos anos 1950, quando o petróleo estava sendo descoberto no Golfo Pérsico, muitas nações islâmicas eram relativamente liberais, pelos padrões de hoje. O álcool fluía livremente, mulheres andavam descobertas e havia um animado debate sobre o "caminho de Ataturk", a separação entre o islã e o Estado, a modernização e o diálogo com o Ocidente. O Oriente Médio parecia estar seguindo na direção certa.

A súbita riqueza petrolífera da Arábia Saudita mudou tudo isso. "O petróleo significava que os sauditas tinham agora os meios para mudar o mundo, tornando-o mais parecido com o deles", diz Ridgeway. "A montanha iria até Maomé... No mais autêntico estilo puritano, o islã do deserto retirou a graça e o colorido da vida árabe — e tudo indica que continuará fazendo isso por longo tempo. A alegria dos flertes, das vestes provocantes, ou da ausência delas, não existe mais. Tudo foi substituído pela cor negra." Ridgeway argumenta que a versão wahhabista do islã, agora financiada pelo petróleo saudita, representa "um ataque ao islã liberal, movido por uma seita do deserto, que era periférica na época de ouro da cultura árabe, se não pitoresca. Talvez o melhor símbolo do que se perdeu seja a mulher árabe coquete e levemente embriagada, tão apreciada nas antigas comédias árabes. Naquela época, provocava risos. Hoje, seria apedrejada até a morte".

Além da Arábia Saudita, outros países conservadores do Golfo Pérsico — o Kuwait, o Catar e os Emirados Árabes Unidos — também se beneficiaram de um maciço influxo de capitais provenientes do petróleo, igualmente utilizados para financiar instituições religiosas e instituições de caridade conservadoras, em casa e no exterior.

Eis o que me disse um amigo egípcio, professor que leciona em um país do Golfo Pérsico, durante um café da manhã no Golfo, em agosto de 2007. Por motivos de segurança pessoal, ele não permitiu que seu nome fosse divulgado. A Arábia Saudita, segundo ele, tem tido grande influência no mundo muçulmano. "Veja as relações entre homens e mulheres. Antigamente, homens e mulheres da mesma família se sentavam uns com os outros no mesmo aposento. Hoje, ficam separados. O relacionamento entre os sexos [no Golfo Pérsico], hoje, é muito delicado. Você não sabe se deve ou não apertar a mão de uma mulher... A islamização saudita da região teve consequências horríveis, e vai levar décadas para que isto seja modificado. Nas universidades [dos países do Golfo Pérsico] não existe mistura entre os sexos. Quando eu era estudante, no Egito, costumava me sentar ao lado de uma garota, durante as aulas. Agora, ambos os sexos estudam na mesma sala de aula, mas tendem a se dividir (espontaneamente). Esse não é o islã egípcio. Esse é o islã saudita. A pior coisa é que os sauditas têm o dinheiro, mas foram os egípcios que puseram em prática as ideias deles... Nós importamos o estilo de vida saudita, as roupas, os livros vendidos nas portas das mesquitas — todos com a interpretação wahhabista do islã. Infelizmente, os egípcios não tiveram meios para reagir."

E ainda não têm. Uma história procedente do Cairo, escrita pelo correspondente no Oriente Médio da *Newsweek* Rod Nordland (9 de junho de 2008), deixa isto claro:

> Abir Sabri, famosa por sua pele cor de alabastro, cabelos cor de ébano, lábios carnudos e corpo voluptuoso, costumava estrelar shows e filmes maliciosos na tevê egípcia. De repente, poucos anos atrás, no auge de sua carreira, ela desapareceu — seu rosto, pelo menos, desapareceu. Com o rosto coberto, ela começou a atuar em canais religiosos pertencentes a sauditas, entoando versículos do Alcorão. Financistas árabes conservadores lhe prometeram muito trabalho, diz ela, desde que mudasse suas atuações. "São os investidores wahhabistas", diz ela, referindo-se ao rigoroso islamismo sunita que prevalece na Arábia Saudita. "Antes, eles investiam em terrorismo — agora colocam o dinheiro em cultura e artes."

Os egípcios lamentam o que chamam de saudização de sua cultura. Durante muito tempo, o Egito dominou as artes cênicas, do Marrocos até o Iraque. Mas investidores sauditas, cheios de petrodólares, estão agora comprando os contratos de cantores e atores, remodelando as indústrias cinematográfica e televisiva, e estabelecendo uma programação mais enraizada nos rígidos valores sauditas do que nos descontraídos valores egípcios. "Pelo que me diz respeito, este é o maior problema do Oriente Médio nos dias de hoje", diz o bilionário Naquib Sawiris, do setor de telefonia celular. "O Egito sempre foi muito liberal, muito secular e muito moderno. Agora..." De sua janela, no 26º andar de um prédio de escritórios no Cairo, ele faz um gesto: "Estou olhando para o meu país, e é como se já não fosse o meu país. Eu me sinto um estrangeiro aqui."

No Grand Hyatt Cairo, um hotel cinco estrelas a um quilômetro e meio Nilo acima, o proprietário saudita baniu o álcool, no dia 1º de maio de 2008. Ostensivamente, ordenou que toda a adega do hotel, no valor de 1,4 milhão de dólares, fosse despejada nos ralos. "Um hotel sem álcool, no Egito, é como uma praia sem mar", diz Aly Mourad, diretor do Studio Masr, o mais antigo estúdio cinematográfico do país. Ele diz que os sauditas — que nem possuem salas de cinema em seu próprio país — hoje financiam 95% dos filmes feitos no Egito. "Eles dizem: tome, pegue nosso dinheiro, mas há umas condiçõezinhas." Mais do que isso, na realidade; as 35 Regras, como as chamam os cineastas, vão muito além das previsíveis proibições de abraços, beijos e bebidas nas telas. É proibido, até mesmo, mostrar uma cama vazia, muito menos insinuar que alguém possa fazer alguma coisa em cima dela. Os canais de satélite, controlados por sauditas, estão comprando os acervos de filmes egípcios, censurando radicalmente alguns velhos filmes e retirando outros do ar.

Alguns egípcios dizem que o novo puritanismo não é inteiramente por culpa dos sauditas. "Os filmes estão se tornando mais conservadores porque toda a sociedade está se tornando mais conservadora", diz a cineasta Marianne Khoury, segundo a qual o dinheiro saudita tem sido um sopro de vida para a velha indústria cinematográfica egípcia, já com cerca de 80 anos. De um apogeu de mais de 100 filmes por ano, nos anos 1960 e 1970, a produção dos estúdios egípcios caiu para apenas meia dúzia, nos anos 1990. Graças aos investidores sauditas, subiu agora para 40. "Se eles não tivessem aparecido, não haveria mais filmes egípcios", diz Khoury.

Alguns egípcios, pelo menos, dizem que a Arábia Saudita é que vai acabar mudando. "O Egito vai voltar a ser o que foi", prediz Dina, uma das poucas dançarinas do ventre egípcias que restam no país. E foi uma produtora saudita que, em 2006, financiou um filme que aborda francamente a homossexualidade, *O Edifício Yacoubian.* Sawiris lançou um canal por satélite próprio, que exibe filmes americanos sem censura. Ele está determinado a vencer — mas é apenas um bilionário, e a Arábia Saudita está repleta deles.

Os Estados Unidos, dependentes do petróleo, jamais descobriram um modo de lidar com este fenômeno. Durante a Guerra Fria, observa Jim Woolsey, ex-diretor da CIA, os americanos se acostumaram a lidar com totalitaristas soviéticos, cuja ideologia secular — baseada na economia e inspirada por um pensador do século XIX falecido há muito tempo — poderia ser refreada. Não havia muitos marxistas, diz Woolsey, que estivessem dispostos a cometer suicídio pela ideia que apregoavam: "De cada um, segundo suas capacidades; a cada um, segundo suas necessidades." A ideologia que nossas compras de energia estão alimentando indiretamente é muito mais malévola e prega o suicídio de forma aberta. Os ensinamentos wahhabistas, conforme articulados nas *fatwas* de seus imãs, são extremamente hostis "com relação a xiitas, judeus, homossexuais e apóstatas, e terrivelmente repressivos com relação a todos os demais, especialmente as mulheres", observa Woolsey. "São essencialmente as mesmas crenças básicas expressas pela Al Qaeda." Ou seja, em termos puramente ideológicos, há muito pouca diferença entre os princípios religiosos vigentes na Arábia Saudita (um aliado-chave dos Estados Unidos) e os pregados pela Al Qaeda (um inimigo-chave dos Estados Unidos). A diferença está nos métodos. "Na verdade", diz Woolsey, "a discussão fundamental entre os wahhabistas e a Al Qaeda não é sobre crenças. Trata-se de uma luta semelhante à que ocorreu entre stalinistas e trotskistas durante os anos 1920 e 1930, para decidir quem deveria ficar no comando. Mas os pontos de vista repletos de ódio, subjacentes a ambas as facções, apontam na mesma direção geral. Muitas madraçais, custeadas pelo wahhabistas em todo o mundo, ecoam e colocam em prática esse ódio, promovendo suas consequências".

Ninguém registrou melhor que o humanitário norte-americano Greg Mortenson o impacto dos petrodólares sauditas sobre as comunidades muçulmanas fora do Oriente Médio. Fez isso em seu clássico livro *A Terceira Xícara de Chá* (escrito em parceria com David Oliver Relin). No livro, ele relata como esse alpinista americano, transformado em educador, criou o Central Ásia Institute (Instituto da Ásia Central) e construiu mais de cinquenta escolas progressistas, nas áreas rurais do Paquistão e do Afeganistão, tentando reduzir a pobreza e aumentando o acesso à educação, principalmente por parte das garotas — ajudando assim a combater o extremismo islâmico. (O número de escolas já chegou a 78 e continua a aumentar).

"Eu sabia que a seita wahhabista saudita estava construindo mesquitas ao longo da fronteira afegã havia anos", diz Mortenson em seu livro.

> "Fiquei impressionado com todas as novas construções bem ali, no coração do baltistão xiita [Paquistão]. Pela primeira vez, percebi a escala daquilo que estavam tentando fazer e isso me assustou." (...)
>
> Em dezembro de 2000, a publicação saudita *Ain-Al-Yaqeen* relatou que uma das quatro maiores organizações de proselitismo wahhabista, a Fundação Al Haramain, construíra "1.100 mesquitas, escolas e centros islâmicos" no Paquistão e em outros países muçulmanos, e dera emprego a 3 mil catequistas no ano anterior.
>
> Segundo a *Ain-Al-Yaqeen*, o mais ativo dos quatro grupos, a Organização de Assistência Internacional Islâmica — que a Comissão do 11 de Setembro mais tarde acusaria de apoiar diretamente o Talibã e a Al Qaeda — completou, no mesmo período, a construção de 3.800 mesquitas, gastou 45 milhões de dólares em "Educação Islâmica" e empregou 6 mil professores, muitos deles no Paquistão.

Mortenson conta que os recursos que ele tinha para construir sua pequena rede de escolas progressistas no Paquistão e na fronteira afegã

> "eram ninharias, comparados aos recursos dos wahhabistas. Todas as vezes que eu visitava alguns de nossos projetos, parecia que dez madraçais wahhabistas haviam brotado durante a noite".
>
> O sistema educacional do Paquistão, disfuncional, tornou o incentivo à doutrina wahhabista uma simples questão de economia. Um pequeno percentual de crianças ricas frequentava escolas particulares de elite. (...) mas vastas áreas do país eram atendidas pelas escolas públicas, que lutavam contra a falta de recursos. As madraçais se concentravam nos estudantes pobres, que o sistema público falhara em atender. Oferecendo moradia e alimentação gratuitas, e construindo escolas em áreas onde não existia nenhuma, as madraçais proporcionaram a milhões de pais paquistaneses a única oportunidade de educar seus filhos. "Não quero dar a impressão de que todos os wahhabistas sejam ruins", diz Mortenson. "Muitas de suas escolas e mesquitas estão realizando um bom trabalho, no sentido de ajudar as pessoas pobres do Paquistão. Mas parece que algumas existem apenas para ensinar a militância jihad."

Mortenson tem consciência da extensão em que nossas compras de energia estão subsidiando esse fenômeno.

> "Não se trata apenas de alguns xeques árabes descendo de aviões da Gulf Air com sacos de dinheiro. [Os wahhabistas] estão levando os mais brilhantes alunos das madraçais para a Arábia Saudita, onde os submetem a uma década de doutrinação. Depois os encorajam a tomar quatro esposas e procriar como coelhos. (...) Eles estão produzindo em massa, geração após geração, alunos desse tipo, que sofreram lavagem cerebral. Estão pensando vinte, quarenta, até sessenta anos à frente, quando seus exércitos de extremistas forem numerosos o suficiente para invadir o Paquistão e o restante do mundo islâmico."

Se o islã do deserto sobrepujar o islã urbano, em parte graças a nossas compras de energia, o impacto sobre a geopolítica da Era da Energia e do Clima será profundo. Segundo o estudioso egípcio Mamoun Fandy, autor de *(Un)Civil War of Words: Media and Politics in the Arab World* (Guerra [nada] civil de palavras: mídia e política no mundo árabe) e membro graduado da divisão para o Oriente Médio do Instituto Internacional de Estudos Estratégicos, em Londres, isto irá empurrar o islã em direção ao mar Vermelho e ao Golfo Pérsico.

> Gosto de dizer que existe um "islã do Mediterrâneo" e um "islã do mar Vermelho". Quando o centro de gravidade do islã se move na direção do Mediterrâneo — um universo de navegação, comércio e interação, o mundo de Beirute, Istambul, Alexandria e Andaluzia —, a religião e sua comunidade se tornam mais cosmopolitas, atraentes e voltadas para o exterior. Quando o islã se move na direção do mar Vermelho, para as proximidades do deserto desolado e das reservas de petróleo, torna-se mais assustado, voltado para si mesmo e xenofóbico.

Recentemente, surgiram duas notícias a respeito da Arábia Saudita: uma boa e outra ruim. A boa é que a família real al-Saud começou a tomar medidas efetivas para refrear os pregadores do jihad, professores religiosos e jovens mais violentos do país — e para controlar os sauditas que ingressam no terrorismo doméstico, ou se tornam voluntários em missões suicidas no exterior. A má notícia é que a ideologia salafi-wahhabista está tão profundamente incrustada no sistema religioso/educativo saudita que fazê-la retroceder não é tarefa fácil. A família real saudita nunca se preocupou muito com os jihadistas violentos, enquanto a violência destes era dirigida contra outros países. Mas quando os jihadistas promoveram ataques a instituições dentro do próprio país, o regime passou a encarar a ameaça com mais seriedade.

Em 20 de março de 2008, a BBC mencionou o jornal *Asharq Alawsat*, pertencente a sauditas, como tendo declarado que o reino "está para retreinar 40 mil líderes de orações — também conhecidos como imãs — em um esforço para se opor à militância islâmica". Isto significa retreinar toda a liderança religiosa do país. Podemos perceber a gravidade do problema quando lemos que esses mesmos líderes de orações foram instados a deixar de xingar os cristãos e os judeus. No *Al-Riyadh*, jornal do governo, o colunista Dr. Sa'd Al-Quway'i escreveu (1º de fevereiro de 2008): "A convocação para destruir todos os cristãos e todos os judeus viola a lei divina." E acrescentou que os xingamentos "não devem ser dirigidos aos infiéis, como um todo, mas apenas àqueles que ferem os muçulmanos e lutam contra eles".

Os petrodólares estariam alimentando tendências mais positivas? Temos de observar que esse influxo maciço de riquezas estimula algumas poderosas forças de modernização em todos os países ricos em petróleo. Mais mulheres estão sendo educadas — e não somente em escolas religiosas. Mais homens e mulheres estão conseguindo estudar no exterior. Novas universidades estão sendo abertas. Novas mídias estão sendo criadas no mundo árabe muçulmano, inclusive alguns jornais e canais de televisão razoavelmente independentes e progressistas. Os países do Golfo Pérsico estão se globalizando de forma rápida, acolhendo conferências internacionais e convidando universidades americanas e europeias a abrirem filiais em seus países. Teriam estas sementes americanas começado a brotar? Ainda não. Mas é preciso observar esta tendência.

Principalmente na Arábia Saudita. Tendo escrito reportagens da Arábia Saudita, posso dizer, sem hesitação, que existem sauditas moderados e mesmo veementemente pró-Ocidente, que estudaram nos Estados Unidos, visitam o país regularmente e ainda torcem por seus times de futebol americano favoritos. Eu os conheci. Debati com eles. Gosto da companhia deles. Eles amam profundamente sua religião e se sentem constrangidos com os excessos cometidos pelos extremistas salafi-wahhabistas, que envergonharam a Arábia Saudita diante do mundo — de modo mais grotesco em 2002, quando 15 alunas sauditas morreram, depois que a *muttawa* não permitiu que fossem retiradas da escola em chamas, nem deixou que os bombeiros entrassem, pois os rostos e os corpos das meninas não estavam cobertos de acordo com as tradições sauditas. Tenho certeza de que muitos sauditas gostariam de uma nação islâmica mais aberta. Mas não são eles que ditam a política religiosa e não é sua visão progressista que está sendo exportada para as madraçais do Paquistão, de Londres, Mossul e Jacarta.

Há mais coisa em jogo, aqui, do que quantas mulheres terão de usar véus. No Iraque, jovens muçulmanos sunitas da Arábia Saudita, do norte da África e de todo o mundo árabe, inspirados por imãs wahhabistas sauditas, ou pela ideologia deles, compõem o principal estoque de homens-bomba, os quais — mais que qualquer outro fator — levaram as tropas lideradas pelos Estados Unidos a um impasse na guerra no Iraque, e envenenaram as relações entre sunitas e xiitas.

"Se eu pudesse, de alguma forma, estalar os dedos e cortar o suprimento de fundos para algum país, este seria a Arábia Saudita", declarou Stuart Levey, subsecretário do Tesouro da administração Bush, em uma reportagem televisiva da *ABC News* (12 de setembro de 2007). Dois meses mais tarde (22 de novembro de 2007), o *New York Times* relatou que dados obtidos a partir de um conjunto de documentos e computadores encontrados pelo Exército americano durante uma incursão a um acampamento no deserto, próximo a Sinjar, no Iraque, perto da fronteira com a Síria, revelaram que

> a Arábia Saudita e a Líbia, que são considerados aliados dos Estados Unidos na luta contra o terrorismo, forneceram cerca de 60% dos combatentes estrangeiros que chegaram ao Iraque no ano anterior, para servir como homens-bomba, ou para apoiar outros ataques. (...) O alvo da incursão era uma célula insurgente tida como responsável por contrabandear a maioria dos combatentes para dentro do Iraque. Os sauditas compunham, de longe, o maior número de guerrilheiros relacionados nos registros — 305, ou 41% —, segundo descobriram os oficiais de inteligência americanos, esquadrinhando os documentos e os computadores, semanas após a incursão. Os dados mostravam que, apesar dos crescentes esforços da Arábia Saudita para reprimir futuros terroristas, desde o 11 de Setembro (...) alguns guerrilheiros sauditas conseguiram cruzar as fronteiras.

Ainda segundo o artigo, militares graduados dos Estados Unidos diziam acreditar, também, que cidadãos sauditas forneciam a maior parte do financiamento da Al Qaeda na Mesopotâmia, para impedir que xiitas dominassem o governo de Bagdá. A reportagem observava que os documentos de Sinjar "indicavam que cada estrangeiro trazia consigo cerca de mil dólares, usados principalmente para financiar as operações da célula que importava combatentes. Os sauditas portavam mais dinheiro, por pessoa, do que os combatentes de outras nações, disseram os oficiais americanos".

Em uma visita que fiz ao Curdistão, em agosto de 2007, um graduado agente de segurança curdo comentou comigo: "Os sauditas estão exportando terroristas. Para eles, isto funciona nos dois sentidos: em primeiro lugar, eles se livram de seus terroristas; em segundo, os terroristas que vão para o Iraque matam gente que os sauditas odeiam, como os xiitas. Tudo o que os sunitas tipo Al Qaeda no Iraque precisam fazer é viajar uma vez até o Catar, os Emirados Árabes Unidos ou a Arábia Saudita, e eles voltam com sacos de dinheiro."

A política do petróleo ajuda a lubrificar todo esse processo. O Institute for the Analysis of Global Security (Instituto de Análise da Segurança Global), um centro de estudos sediado em Washington, que estuda o impacto do petróleo na geopolítica, explica como, em um documento intitulado "Fueling Terror" (Abastecendo o Terror), de autoria dos codiretores do Instituto, Gal Luft e Anne Korin:

> Consideremos a Arábia Saudita, por exemplo... Muitas de suas instituições de caridade são de fato dedicadas a boas causas, mas outras apenas lavam dinheiro para organizações terroristas. Enquanto muitos sauditas contribuem de boa-fé para essas instituições, acreditando que seu dinheiro será empregado em causas nobres, outros sabem muito bem que seu dinheiro será canalizado para propósitos terroristas. O que torna as transações monetárias no mundo árabe particularmente difíceis de controlar é o sistema *hawala* — o método não oficial de transferir dinheiro, que é um dos elementos-chave no financiamento do terrorismo global. Esse sistema funciona há gerações e está profundamente enraizado na cultura árabe. As transações *hawala* são baseadas na confiança e conduzidas verbalmente;

portanto, não deixam rastros de papel. O regime saudita tem sido cúmplice dessas ações e faz vista grossa para o fato de que alguns de seus ricos cidadãos enviam dinheiro a instituições de caridade que, por sua vez, desviam as contribuições para organizações terroristas.

"Se não fosse o dinheiro do petróleo, a maioria dos países do Golfo Pérsico não possuiria a riqueza que lhes permitiu investir tanto na aquisição de armas e no patrocínio de organizações terroristas", argumenta o Instituto, observando que o petróleo constitui 90 a 95% das exportações da Arábia Saudita e 70 a 80% da receita do país. "A maioria dos sauditas ricos que patrocinam instituições de caridade e fundações educacionais — que pregam a intolerância religiosa e o ódio aos valores ocidentais — acumulou sua riqueza com a indústria do petróleo ou suas subsidiárias. A riqueza de Osama Bin Laden provém da firma de construções de sua família, que fez fortuna com contratos feitos com o governo, e financiados pelo dinheiro do petróleo." Quando visitei o Paquistão e o Afeganistão no verão de 2009, oficiais do Exército americano explicaram que o Talibã conseguia recrutar nesses países em parte devido ao dinheiro das drogas, em parte graças a doações provenientes da Arábia Saudita e outras partes do Golfo.

Enquanto a Arábia Saudita fornece o combustível financeiro para a difusão do islã salafista e fundamentalista, o Irã, desde a queda do xá, em 1979, faz o mesmo com relação a seu próprio tipo de islã xiita. Na verdade, ambos os países se consideram rivais nos papéis de líder islâmico e de país-modelo para o mundo muçulmano. Em outras palavras, o ano de 1979 assistiu ao nascimento da primeira corrida armamentista religiosa, moderna e global, entre um Estado saudita salafista, enriquecido pelo petróleo (a Arábia Saudita é o maior produtor de petróleo da Opep), e uma república xiita revolucionária (o Irã é o segundo maior produtor de petróleo da Opep), para decidir qual dos dois países será mais capaz de influenciar os rumos do mundo islâmico.

No verão de 2006, imediatamente após o Hezbollah ter lançado sua temerária guerra contra Israel, a partir do Líbano, o líder do Hezbollah, Hassan Nasrallah, declarou que o grupo começaria a pagar uma soma em dinheiro para os milhares de famílias libanesas cujas casas tivessem sido destruídas pelas retaliações israelenses. "Para as famílias que tiveram suas casas totalmente destruídas, pagaremos uma compensação em dinheiro, para que cada uma delas possa alugar uma casa durante um ano e também comprar mobília", disse ele. "São 15 mil famílias", acrescentou. Nasrallah também prometeu que sua organização iria ajudar na reconstrução das casas e lojas atingidas, para que seus donos "não precisassem pedir dinheiro emprestado ou esperar em filas" para obter socorro financeiro. Parafraseando um comercial de sucesso nos Estados Unidos: "Você está em boas mãos com o Hezbollah."

Mas... onde o Hezbollah conseguiria os mais de 3 bilhões de dólares necessários para reconstruir o Líbano? A organização não fabrica nada. Não cobra impostos de seus seguidores. A resposta, claro, é que o Irã, valendo-se de sua receita petrolífera, iria enviar dinheiro a Nasrallah. Assim, o Hezbollah não teria de enfrentar a cólera dos libaneses, por ter iniciado uma guerra em que nada obteve, exceto destruição. Sim, graças a um barril de petróleo a 70 dólares, o Hezbollah pôde adquirir foguetes Katyusha e manteiga, ao mesmo tempo. Quando o dinheiro do petróleo é tão abundante, por que não? O Hezbollah e o Irã eram como uma dupla de estudantes ricos que alugaram o Líbano para o verão, como se fosse uma casa de praia. "Vamos quebrar tudo", disseram a si mesmos. "Quem é que se importa? O papai paga!" A única coisa que Nasrallah não disse aos libaneses foi: "Podem ficar com o troco."

Por todas essas razões, a recusa do presidente Bush, depois do 11 de Setembro, em fazer qualquer coisa significativa para reduzir nosso consumo de gasolina foi equivalente a uma política de apoio aos mulás. O ex-diretor da CIA Jim Woolsey colocou isso de uma forma mais incisiva: "Nós estamos financiando a corda que vai nos enforcar."

Petróleo e liberdade

Essa maciça transferência de riquezas em troca de petróleo não está modificando apenas o mundo islâmico, mas também a política mundial como um todo. Em qualquer lugar onde os governos possam auferir a maior parte de sua receita simplesmente furando o solo, em vez de aproveitar a energia, a criatividade e a iniciativa de seu povo, as liberdades tendem a ser restringidas, a educação, negligenciada, e o desenvolvimento humano, protelado. Isto se deve ao que eu chamo de Primeira Lei da Política do Petróleo.

Comecei a conceber a Primeira Lei da Política do Petróleo depois do 11 de Setembro, lendo as manchetes diárias e ouvindo o noticiário. Quando ouvi Hugo Chávez, presidente da Venezuela, mandar o ministro Tony Blair "para o inferno", e dizer a seus partidários que a Área de Livre Comércio das Américas, patrocinada pelos Estados Unidos, também poderia "ir para o inferno", não pude deixar de dizer a mim mesmo: "Gostaria de saber se o presidente da Venezuela diria essas coisas se o preço do petróleo, hoje, estivesse em 20 dólares o barril, em vez de 60 ou 70 dólares, e seu país tivesse que viver dos esforços de seus empresários, e não apenas furando o solo!"

Enquanto acompanhava os acontecimentos no Golfo Pérsico, nos últimos anos, também notei que o primeiro país do Golfo a organizar uma eleição parlamentar livre e transparente, em que as mulheres puderam participar e votar, foi o Barein, o pequeno Estado insular ao largo da costa da Arábia Saudita. O Barein foi também o primeiro país do Golfo a contratar a McKinsey & Company para reformar suas leis trabalhistas, de modo a tornar seus habitantes mais produtivos e eficientes, reduzindo sua dependência de mão de obra importada. Foi também o primeiro país do Golfo a assinar um tratado de livre comércio com os Estados Unidos. O rei do Barein e seus conselheiros expuseram francamente seus objetivos: mediante a vinculação de aumentos de salários a aumentos de produtividade, acabar com o Estado assistencial financiado pelo petróleo, que dominava a economia do país desde sua independência em 1971; e acabar com a prática, adotada pelos empresários bareinitas, de importar quinhentos trabalhadores mal pagos da Índia ou de Bangladesh para fazer funcionar suas indústrias — o que significava que uma fábrica bareinita sustentava muito bem a família do empresário e as famílias de quinhentos operários provenientes do sul da Ásia; mas não sustentava nenhum bareinita ou sua família. O Barein, uma monarquia constitucional com um rei e um parlamento eleito, também reformulou seu sistema educacional, criando um programa para retreinar seus professores e um novo sistema politécnico, para habilitar jovens bareinitas que não desejassem frequentar uma universidade. O Barein também se abriu mais do que nunca aos investimentos do exterior e começou a privatizar indústrias estatais, no sentido de estimular uma competição real entre as empresas do país — e para se diferenciar do modelo de "concorrência" econômica vigente no Golfo, que geralmente consiste em duas empresas financiadas pelo governo que, supostamente, competem entre si.

Mas por que tudo isso aconteceu no Barein, em meio ao boom do petróleo de 2007? Porque o Barein não foi somente o primeiro país do Golfo Pérsico a descobrir petróleo, em 1932; foi também, o que é mais importante, *o primeiro país petrolífero do Golfo cujas reservas de petróleo começaram a diminuir*, o que foi constatado em 1998. Não é de admirar que o primeiro debate público sobre corrupção, no Barein, ocorreu em 1998, quando os preços do petróleo caíram abaixo de 15 dólares o barril.

Ao contrário de seus vizinhos ricos em petróleo, o Barein, nos anos 1990, podia praticamente marcar no calendário o dia em que não mais teria sua receita baseada no petróleo. Assim, não tinha outra escolha, que não a de estimular e aproveitar os talentos de sua própria população. Não pude deixar de perguntar a mim mesmo: "Seria apenas uma coincidência? O primeiro país do Golfo Pérsico a ficar sem petróleo é também o primeiro a implantar uma série de reformas políticas e econômicas?" Mas não creio que isto seja uma coincidência. E quando examinei o mundo árabe mais atentamente, e vi um movimento popular democrático expulsar do Líbano um exército de ocupação sírio, não pude deixar de me perguntar: "Seria por acidente que a primeira e única real democracia do mundo árabe — o Líbano — seja também um dos poucos países árabes que nunca tiveram uma gota de petróleo?"

Quanto mais eu ponderava sobre essas perguntas, mais me parecia óbvio que deveria haver uma correlação — uma correlação literal, passível de ser medida e representada — entre o preço do petróleo e o avanço, a amplitude e a sustentabilidade das liberdades políticas e das reformas econômicas em determinados países. Certa tarde, durante um almoço com Moisés Naím, editor da revista *Foreign Policy*, abri meu guardanapo e desenhei um gráfico mostrando como parecia haver uma correlação aproximada entre o preço do petróleo, entre 1975 e 2005, e as liberdades civis nos países produtores de petróleo no mesmo período. Quando um caía, o outro subia.

"Pense nisso", disse eu a Moisés. "Em 2001, quando o petróleo estava entre 25 e 30 dólares o barril, George W. Bush olhou para Vladimir Putin, presidente russo, e viu nele um amigo dos Estados Unidos. 'Olhei o homem nos olhos. Achei que ele era muito sincero e confiável... Consegui sentir a alma dele.' Mas se alguém olhar para a alma de Putin, nos dias de hoje, com o petróleo a mais de 100 dólares o barril, verá as companhias petrolíferas Gazprom e Lukos, os jornais *Izvestia* e *Pravda*, o parlamento e todas as outras instituições democráticas que Putin engoliu, por obra e graça do petróleo a 100 dólares o barril." Como um líder mundial, que pediu para não ser identificado, comentou comigo durante uma entrevista: "Quando o petróleo estava a 20 dólares o barril, Putin tinha 20% dos votos russos; quando chegou a 100 dólares, tinha 100% dos votos russos!" Quando o preço do petróleo caiu para 20 dólares, em 1997, o Irã elegeu como presidente o reformista Mohammed Khatami, que conclamou um "diálogo entre civilizações". Em 2005, com o petróleo entre 60 e 70 dólares o barril, o Irã elegeu Mohammed Ahmadinejad, que afirmou que o Holocausto foi um mito.

"Garanto a você que, a 20 dólares o barril", disse eu a Moisés, "o Holocausto deixa de ser um mito".

Moisés pegou o guardanapo, voltou para seu escritório e o mostrou para sua equipe. Uma hora mais tarde me telefonou, e me pediu que transformasse meu guardanapo em um artigo para a *Foreign Policy*, o que eu fiz (maio-junho de 2006).

Em um dos eixos, representei a média global dos preços do petróleo desde 1979. No outro, tracei a evolução do crescimento ou retração das liberdades, tanto econômicas quanto políticas — conforme medidas pelo relatório "Liberdade no Mundo", da Freedom House,* e do "Relatório da Liberdade Econômica no Mundo", publicado pelo Fraser Institute (Instituto Fraser) — de Rússia, Venezuela, Irã e Nigéria. Isso incluía eleições livres e transparentes, jornais abertos ou fechados, prisões arbitrárias, reformistas eleitos para parlamentos, projetos de reformas econômicas iniciados ou interrompidos, companhias privatizadas ou nacionalizadas e assim por diante. (Eu seria o primeiro a assinalar que não se trata de uma experiência científica, pois a ascensão e a queda das liberdades políticas em uma sociedade não podem ser nunca perfeitamente quantificadas ou permutadas.) Eis meu gráfico:

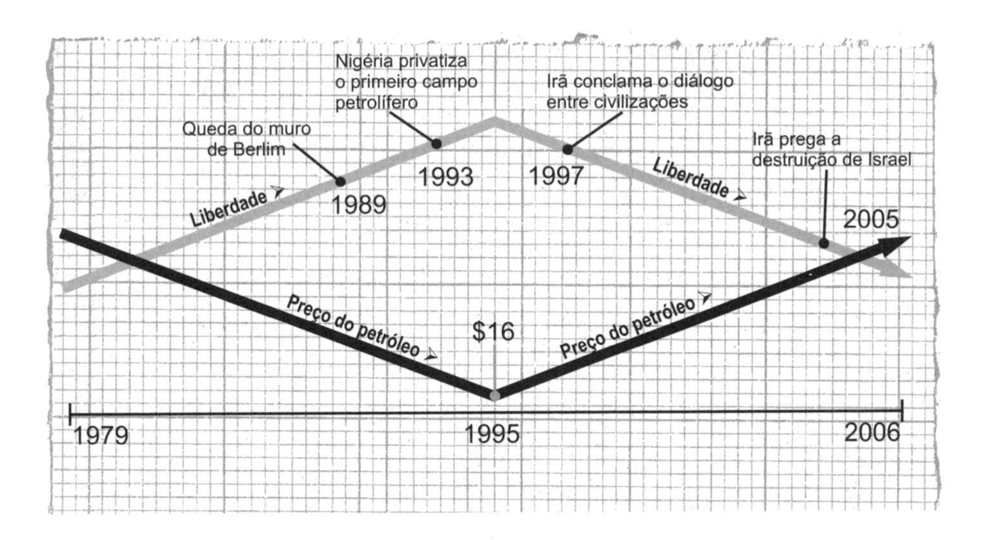

Embora as correlações sejam aproximadas, são também inequívocas o suficiente para que eu apresente a Primeira Lei da Política do Petróleo, que pressupõe o seguinte: nos países ricos em petróleo, os Estados "petrolistas", o preço do petróleo e o avanço das liberdades tendem a se mover em direções opostas. Ou seja, quanto mais au-

* Freedom House — Organização não governamental, com sede nos Estados Unidos, que advoga a democracia, a liberdade política e os direitos humanos, assuntos sobre os quais realiza pesquisas. Publica anualmente um relatório sobre as liberdades democráticas em cada país. (N. do T.)

menta o preço médio do petróleo, mais são corroídas a liberdade de expressão, a liberdade de imprensa, as eleições livres e transparentes, a liberdade de reunião, a transparência do governo, a independência do poder judiciário, a obediência às leis, a formação de partidos políticos independentes e de organizações não governamentais. Todas essas tendências negativas são reforçadas pelo fato de que quanto mais alto é o preço do petróleo, menos os líderes dos países petrolistas se importam com o que o mundo pense ou diga a respeito deles, pois dispõem de recursos suficientes para fortalecer as forças de segurança doméstica, subornar opositores, comprar votos ou apoio público e resistir às normas internacionais.

Inversamente, de acordo com a Primeira Lei da Política do Petróleo, quanto mais cai o preço do petróleo, mais rápido é o avanço das liberdades: os países petrolistas são obrigados a se mover na direção de uma política e uma sociedade mais transparentes, mais sensíveis às vozes da oposição, mais abertas a um amplo conjunto de interações com os outros países, mais concentradas em estabelecer estruturas legais e educacionais que maximizem a capacidade de seus cidadãos (homens *e* mulheres) para competir, fundar novas empresas e atrair investimentos do exterior. E, naturalmente, quanto menor é o preço do petróleo, mais sensíveis se tornam os líderes dos países petrolistas ao que pensam os estrangeiros a respeito deles.

Defino os países petrolistas como países autoritários (ou com instituições nacionais fracas), cujas receitas dependem imensamente da exportação de petróleo. Em quase todos os casos, esses países acumularam as riquezas proporcionadas pelo petróleo antes de estabelecerem instituições de governo confiáveis e transparentes. No topo de minha lista de Estados petrolistas estão Angola, Gabão, Nigéria, Irã, Rússia, Egito, Cazaquistão, Kuwait, Uzbequistão, Azerbaijão, Indonésia, Venezuela, Catar, Emirados Árabes Unidos, Síria, Guiné Equatorial, Sudão, Birmânia e Arábia Saudita. Países que possuem bastante petróleo, mas que já eram Estados bem estabelecidos, com sólidas instituições democráticas e economias diversificadas, antes que as jazidas fossem descobertas

— Noruega, Estados Unidos, Dinamarca e Grã-Bretanha —, não estão sujeitos à Primeira Lei da Política do Petróleo.

Como indicam os gráficos abaixo, referentes a quatro países petrolistas, quando os preços do petróleo caíram, no início dos anos 1990, a competitividade, a transparência, a participação política e a responsabilidade dos ocupantes do governo tenderam a crescer nesses países — aferidas por eleições livres, novos jornais, reformadores eleitos, projetos de reforma econômica iniciados e empresas privatizadas. Mas, à medida que os preços do petróleo começaram a disparar, depois de 2000, liberdade de expressão, imprensa livre, eleições transparentes e liberdade para formar partidos políticos e ONGs começaram a desaparecer nesses países.

IRÃ: LIBERDADE PARA COMERCIAR COM O EXTERIOR VERSUS PREÇOS DO PETRÓLEO

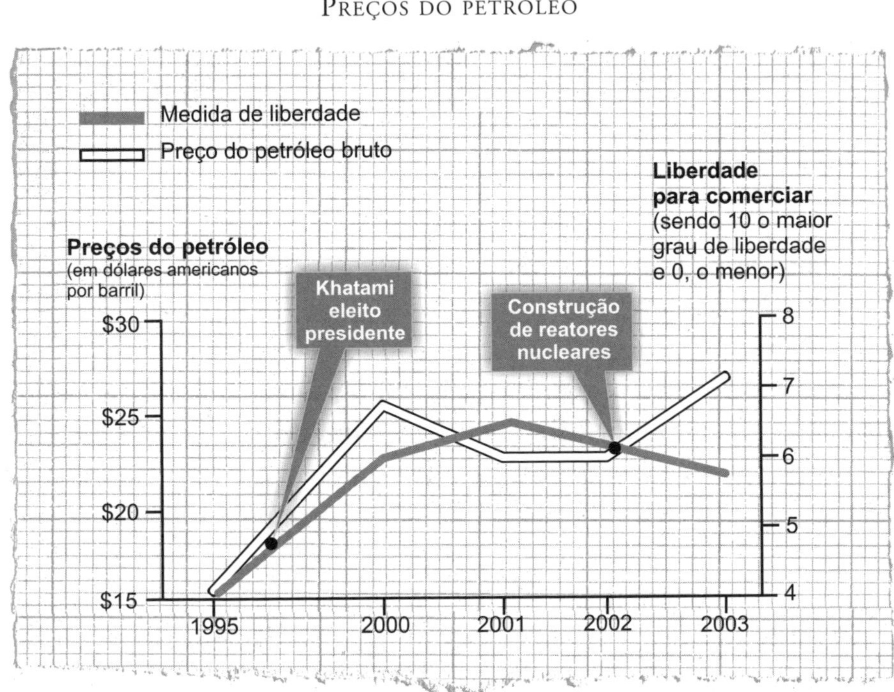

Fontes: "Relatório Estatístico da Energia Mundial em 2005", da British Petroleum; Instituto de Assuntos Econômicos; e "Relatório da Liberdade Econômica no Mundo", do Fraser Institute.

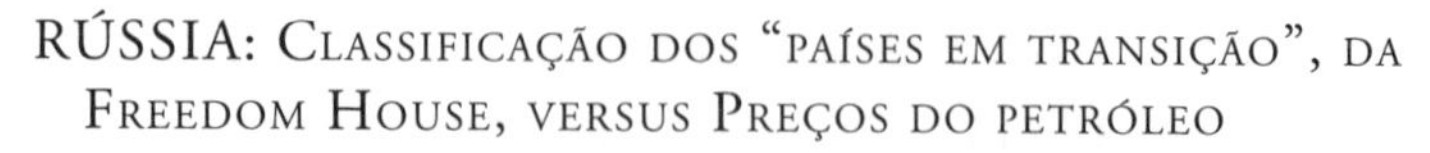

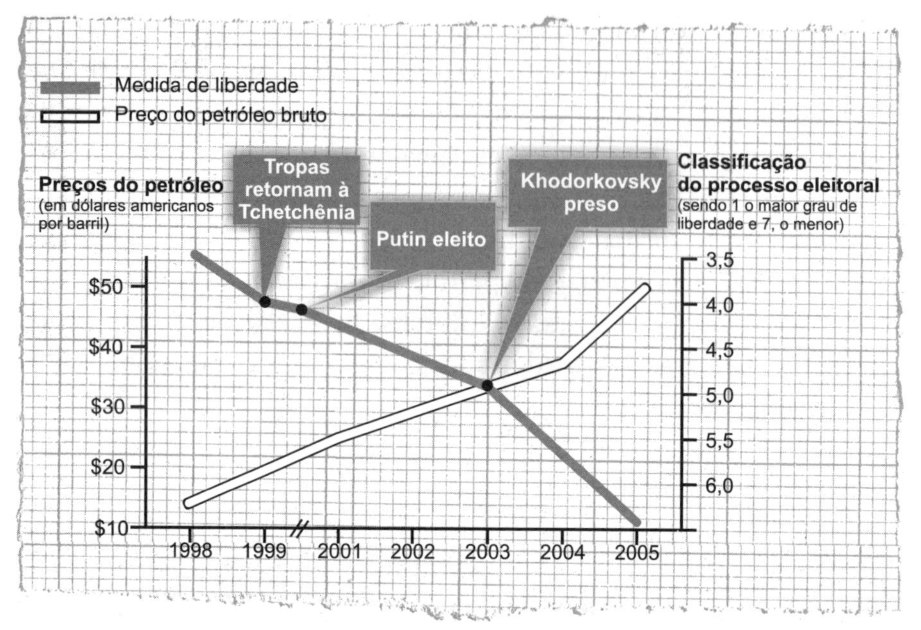

Fontes: "Relatório Estatístico da Energia Mundial em 2005", da British Petroleum; Instituto de Assuntos Econômicos; e o relatório "Países em Transição", da Freedom House.

No Barein, onde as lideranças usaram o fato de que o petróleo estava chegando ao fim como plataforma para seus projetos de reforma, a elevação dos preços do petróleo entre 2006 e 2008 foi um tanto problemática. Os reformistas bareinitas foram obrigados a modificar sua argumentação, segundo me disse o xeque Mohammed Bin Essa Al-Khalifa, diretor-presidente do Conselho de Desenvolvimento Econômico do Barein, uma organização estatal: "Tivemos que mudar nossa argumentação a respeito de por que deveríamos fazer as reformas. A 'necessidade' passou a ser uma 'aspiração'." Foi uma coisa difícil de fazer. O barril a cem dólares não deteve o processo de reformas do Barein, disse Al-Khalifa, mas "fez com que ficasse mais vagaroso". O parlamento passou a demorar mais na aprovação de leis que exigissem maior competitividade e menos intervenção governamental.

VENEZUELA: CLASSIFICAÇÃO DE "LIBERDADE NO MUNDO", DA FREEDOM HOUSE, VERSUS PREÇOS DO PETRÓLEO

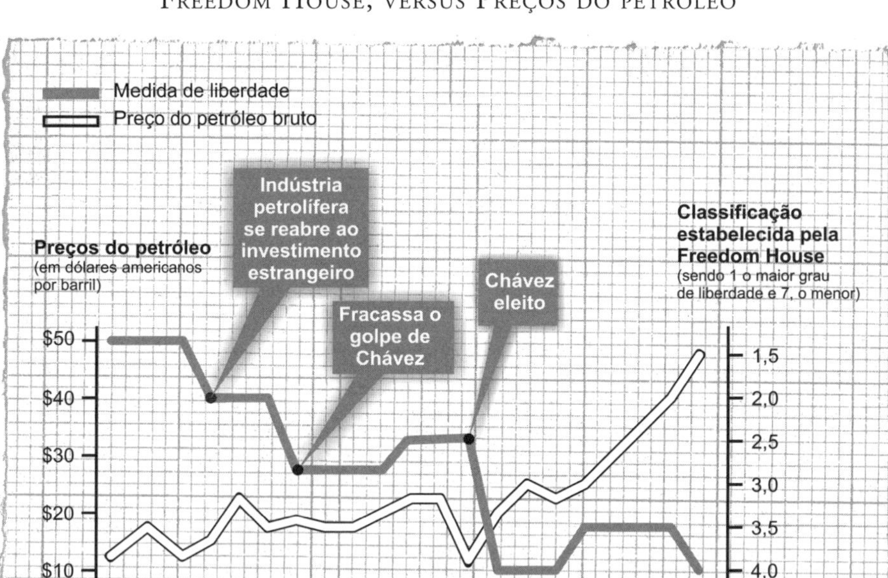

Fontes: "Relatório Estatístico da Energia Mundial em 2005", da British Petroleum; Instituto de Assuntos Econômicos; e o relatório "Países em Transição", da Freedom House.

Há muito tempo, economistas apontam para o fato de que a abundância em recursos naturais pode ser prejudicial à economia e à política de um país. Esse fenômeno tem sido diagnosticado como a "doença holandesa", ou "maldição dos recursos naturais". A doença holandesa se refere ao processo de desindustrialização que pode ocorrer como resultado de uma grande descoberta de recursos naturais. O termo foi cunhado na Holanda, no início dos anos 1960, depois que os holandeses descobriram imensos depósitos de gás natural no mar do Norte. O que acontece em um país com a doença holandesa é o seguinte: em primeiro lugar, o valor da moeda sobe, graças ao aporte de dinheiro proveniente da venda de petróleo, gás, diamantes, ouro ou outros recursos naturais. A moeda forte, na realidade, eleva o preço dos produtos do país para os compradores estrangeiros, tornando pouco competitiva a exportação de manufaturados, e muito barata sua importação. Os cidadãos, cheios de dinheiro, começam a comprar produtos importados mais baratos, sem nenhuma restrição; o setor de manufaturados do país é aniquilado e, pronto, eis a desindustrialização.

NIGÉRIA: SISTEMA LEGAL E DIREITOS DE PROPRIEDADE VERSUS PREÇOS DO PETRÓLEO

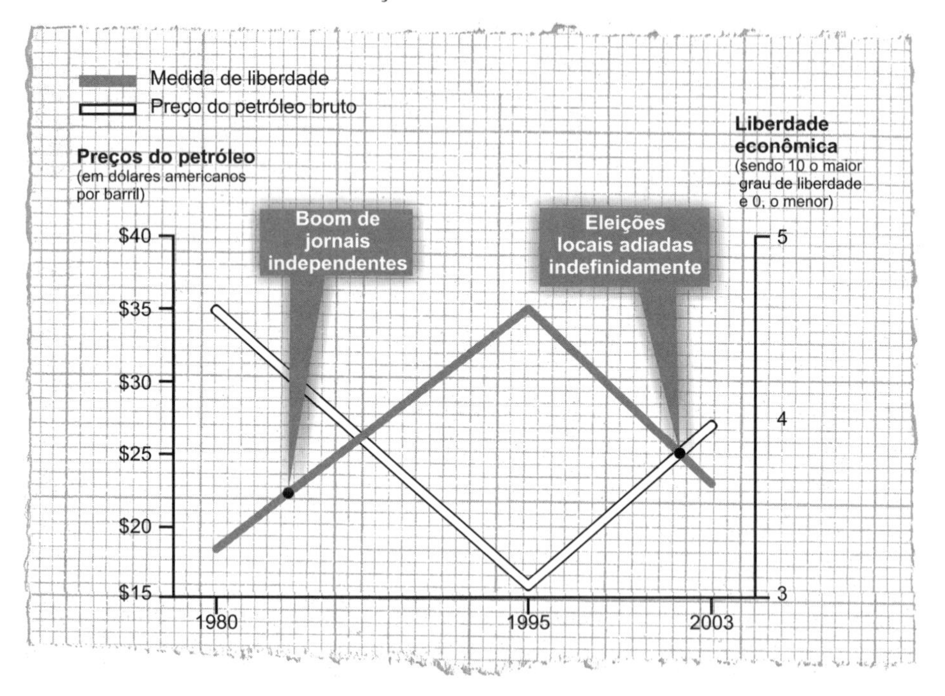

Fontes: "Relatório Estatístico da Energia Mundial em 2005", da British Petroleum; Instituto de Assuntos Econômicos; e "Relatório da Liberdade Econômica no Mundo", do Instituto Fraser.

Essa "maldição dos recursos naturais" se refere também ao modo como a dependência de recursos naturais pode desvirtuar as prioridades de um país — na política, nos investimentos e na educação —, de tal forma que tudo passa a girar em torno de quem controla os recursos e de quem ganha mais dinheiro com eles. Muitas vezes, nos países petrolistas, a população desenvolve uma noção distorcida do que possa ser o desenvolvimento. Os indivíduos concluem que seu país é pobre e que os líderes, ou algum outro grupo, estão ricos — mas não porque o país tenha falhado em promover a educação, a inovação, a obediência às leis e a iniciativa privada, mas apenas porque alguém está roubando o dinheiro do petróleo, privando-os do que lhes é devido. Frequentemente têm razão. Alguém está roubando. Mas as pessoas começam a pensar que, para prosperar, tudo o que têm de fazer é acabar com o roubo — não construir uma sociedade, tijolo por tijolo, baseada na melhoria da educação, na obediência às leis, na inovação e na iniciativa privada.

"Se a Nigéria não tivesse petróleo, a equação política seria completamente diferente", me disse Clement Nwankwo, um dos principais defensores dos direitos humanos naquele país, durante uma visita a Washington, em março de 2006. "Não haveria receita proveniente do petróleo e, portanto, a diversificação da economia entraria em pauta, a iniciativa privada se tornaria cada vez mais importante e as pessoas teriam que desenvolver sua própria criatividade." Os comentários de Nwankwo me fizeram lembrar do que me disse uma repórter iraniana ocidentalizada, em Teerã, enquanto caminhávamos pela rua: "Se nós não tivéssemos petróleo, poderíamos ser como o Japão."

A Primeira Lei da Política do Petróleo toma como base esse tipo de raciocínio, mas leva a correlação entre petróleo e política um passo adiante — afirmando não só que o excesso de rendimentos provenientes do petróleo tem grandes efeitos negativos na democratização, como também que o *preço* do petróleo tem o mesmo efeito. O *preço* do petróleo e o avanço, ou recuo, da democratização possuem uma correlação aproximada.

Uma das análises mais incisivas com a qual me deparei, sobre o motivo dessa correlação, foi um estudo intitulado "O Petróleo Obstrui a Democracia?" (*World Politics*, abril de 2001), escrito pelo cientista político Michael L. Ross, da UCLA. Nesse ensaio, Ross oferece uma explicação detalhada a respeito de como e por que, geralmente, democracia e volumosas exportações de petróleo não se misturam. Usando uma análise estatística de 113 países, entre 1971 e 1997, Ross concluiu que "um país que dependa de suas exportações de petróleo ou minérios tende a ser menos democrático; exportações de outros produtos primários não têm esse efeito; o fenômeno não está restrito à Península Arábica, ao Oriente Médio ou à África subsaariana; e... não está restrito a pequenos países".

O que considero particularmente útil, no trabalho de Ross, é sua lista de mecanismos precisos, mediante os quais o excesso de riqueza petrolífera impede o crescimento da democracia. Em primeiro lugar, argumenta ele, existe um "efeito de tributação". Governos de países ricos em petróleo tendem a usar sua receita "para aliviar pressões sociais que, de outra forma, poderiam conduzir a um aumento da responsabilização do governo — ou a reivindicações por maior participação nele".

Gosto de colocar as coisas da seguinte forma: o lema da Revolução Americana era "Não há tributação sem representação". O lema do Estado petrolista é "Não há tributação, então não há representação". Regimes dependentes do petróleo que não precisam tributar seu povo para obter receita — pois basta furar um poço de petróleo e vender o produto ao exterior — também não precisam ouvir seu povo, nem representar suas aspirações.

O segundo mecanismo pelo qual o petróleo dificulta a democratização, argumenta Ross, é o "efeito de gastos". A riqueza do petróleo conduz a gastos paternalistas, que também estorvam as pressões por democratização. O terceiro mecanismo que ele cita é o "efeito de formação de grupos". Quando as receitas petrolíferas proporcionam riquezas a um Estado fraco e não democrático, "o governo irá usá-las para impedir a formação de grupos sociais independentes do Estado" —, escreve Ross. Além disso, argumenta ele, uma superabundância de rendimentos petrolíferos pode criar um "efeito de repressão", pois permite aos governos gastar excessivamente com policiamento, segurança interna e órgãos de inteligência, que podem ser usados para sufocar os movimentos democráticos. Finalmente, argumenta ele, pode ocorrer um efeito de antimodernização no trabalho. Isto se deve ao fato de que a volumosa riqueza petrolífera, em uma sociedade, tende a diminuir as pressões por especialização ocupacional, urbanização ou níveis mais elevados de educação — tendências que normalmente acompanham o desenvolvimento econômico diversificado e produzem uma população mais articulada, livre para se organizar e munida de centros autônomos de poderio econômico.

Em um estudo posterior, baseado em dados de 169 países, Ross demonstrou por que as mulheres, nos países do Oriente Médio, continuam com baixa escolaridade, pouca representatividade no mercado de trabalho e quase nenhum poder político: petróleo.

"No Oriente Médio", escreveu Ross em seu ensaio intitulado "Oil, Islam and Women" — "Petróleo, Islã e Mulheres" — (*American Political Science Review*, fevereiro de 2008),

> o número de mulheres que trabalham fora é muito menor que em qualquer outra região do mundo — para não falar das que ocupam posições no governo. Segundo a maioria dos observadores, essa anomalia perturbadora se deve às tradições islâmicas da região. (...) Alguns até argumentam que o "choque de civilizações" entre o mundo islâmico e o Ocidente tem sido causado, em parte, pela condição inferior reservada às mulheres muçulmanas. (...) Este ensaio sugere que as mulheres do Oriente Médio têm pouca representação no mercado de trabalho e no governo por causa do petróleo — não do islã (...) Os obstáculos para que as mulheres se juntem à força de trabalho não doméstico tem profundas implicações sociais: levam a um aumento da taxa de fertilidade, menos educação para as meninas e menos influência da mulher no âmbito da família. O que também traz consequências políticas de longo alcance: quando menos mulheres trabalham fora, torna-se menos provável que troquem informações e superem problemas coletivos; torna-se menos provável que se mobilizem politicamente e façam pressão por mais direitos; e se torna menos provável que obtenham representação no governo. Isso faz com que os países produtores de petróleo tenham instituições culturais e políticas atípicas, poderosamente patriarcais.

Em outras palavras: segundo Ross, os mesmos preços altos do petróleo, que supervalorizam as moedas, provocam maciças importações e aniquilam a produção doméstica de manufaturados — a doença holandesa —, também mantêm as mulheres em posição subalterna na sociedade. Os empregos na indústria têxtil e de vestuário — que representam a porta de entrada para mulheres pobres e de baixa escolaridade no sistema econômico — geralmente desaparecem quando os cidadãos passam a gastar o dinheiro do petróleo em importações baratas. O mesmo ocorre com as indústrias voltadas para a exportação. Entretanto, os booms petrolíferos tendem a incentivar mais construções e a criar mais empregos na construção civil, ou seja, mais empregos e poder para os homens. O estudo de Ross revela dados indicativos de que, quando aumenta a receita petrolífera de algum país, diminui o número de mulheres no mercado de trabalho e com cargos políticos — caso outros fatores permaneçam os mesmos. "Estes resultados são compatíveis com a alegação de que a produção de petróleo reduz a influência política feminina, reduzindo o número de mulheres que trabalham fora", escreve ele.

Alguns perguntam por que os preços baixos do petróleo, e a falta de receitas petrolíferas, nos anos 1960, não determinaram maior democratização do mundo árabe, naquela época. (Na verdade, países como Egito, Síria, Líbano e Iraque eram politicamente muito mais liberais, nos anos 1940 e no início dos 1950, antes do boom petrolífero, do que são hoje.) Resposta: entre 1950 e 1989, a Guerra Fria costumava atuar contra as tendências democráticas no mundo inteiro, já que os Estados Unidos estavam muito mais interessados em saber se um país era pró-americano ou pró-soviético do que em saber se era democrático ou não democrático. Além disso, a ideologia e a cultura política dominantes, no mundo árabe de então, não eram o liberalismo, mas o nacionalismo árabe e o socialismo árabe; a participação das mulheres era reduzida ou inexistente. E muitos dos militares árabes que tomaram o poder no Oriente Médio, após a Segunda Guerra Mundial, recebiam apoio externo: "ajuda estrangeira" que, durante a Guerra Fria, significava a União Soviética ou os Estados Unidos.

Tudo isso começou a mudar nos anos 1980, com a explosão populacional, grande número de jovens desempregados, uma revolução mundial na informação e um movimento global pela democracia, após o colapso do comunismo. Foi então que os altos preços do petróleo tornaram mais fácil, para os governantes, comprar a boa vontade de seus cidadãos — e os preços baixos tornaram isto muito mais difícil.

Não acredito que os regimes militares do Egito e da Síria pudessem ter se mantido por tanto tempo se não fosse por uma combinação de "petróleo diplomático" — ajuda externa de Moscou e Washington, durante a Guerra Fria — seguida por ajuda e investimentos imobiliários de países do Golfo Pérsico ricos em petróleo e, finalmente, suas próprias descobertas de petróleo e gás natural, nos anos 1980 e 1990. Esse dinheiro a mais, com certeza, tem ajudado o presidente Hosni Mubarak a se manter no poder há mais de 25 anos — um período caracterizado pela estagnação política e econômica do Egito. Este fato fez surgir uma piada sobre Mubarak, que se alastrou pelo Cairo, mas que poderia ter sido contada nas capitais de muitos países produtores de petróleo. Foi relatada pelo meu colega Michael Slackman, do *New York Times*: "O presidente Hosni Mubarak está em seu leito de morte, quando um auxiliar aparece ao seu lado e diz: 'Sr. Presidente, o senhor não vai fazer um discurso de despedida para o povo?' O presidente abre os olhos e responde: 'Sério? Por quê? Para onde o povo está indo?'"

Quando o dinheiro pode ser extraído do solo, as pessoas simplesmente não desenvolvem o DNA da inovação e da iniciativa. A revista eletrônica *Jerusalem Report* (4 de fevereiro de 2008) citou um ensaio publicado no diário *Al-Siyasa*, do Kuwait, escrito pelo dr. Ahmed Al-Baghdadi, um dos raros cidadãos que criticam o governo abertamente: "O que realmente nós produzimos?", perguntou o dr. Al-Baghdadi a seus concidadãos kuwaitianos. "Nosso petróleo é produzido e comercializado por expatriados. Os vegetais que produzimos em estufas são cultivados por expatriados. Os proprietários kuwaitianos dessas estufas recebem enormes quantidades de subsídios do governo por produtos que, se fossem importados por nós, custariam 1/10 do que custam... Nós não produzimos nada, importamos tudo e consumimos muito."

Esta é certamente uma das razões pelas quais não existe nenhuma universidade ou centro de pesquisas científicas no mundo árabe, ou no Irã, atualmente. Um conhecido meu, proeminente homem de negócios árabe, que montou uma empresa de serviços realmente competitiva em termos mundiais, certa vez comentou comigo que, por conta das perversões do petróleo, e do modo como possibilita aos governos dominarem a economia dos países árabes, "há muitos empresários árabes, hoje em dia, mas nenhum deles operando no mundo árabe... Nesta parte do mundo, os empresários vivem de rendimentos proporcionados pelo petróleo, ou vivem lutando contra o terrorismo... Não há incentivo ao talento. Importamos mão de obra barata e exportamos pessoas. Exportamos trabalhadores especializados e importamos operários braçais. Como criar novas riquezas aqui? Só se consegue fazer fortuna no mercado imobiliário, ou fechando contratos com o governo. O processo de privatização só foi iniciado quando o preço do petróleo chegou a dez dólares o barril".

Isso não é tão complicado. Se você vive em uma sociedade na qual a maneira mais fácil de obter um dólar é roubar, enfiar um tubo no solo, aboletar-se num monopólio autorizado pelo governo ou conseguir os melhores contratos governamentais mediante o favoritismo, as pessoas mais espertas e talentosas serão atraídas justamente para estas atividades. Em resumo, se uma série de atividades improdutivas e quase corruptas forem a alma da sua economia, você irá sufocá-la. Isto é precisamente o que vemos ocorrer em tantos estados petroleiros, e a razão de tantos talentos locais serem desperdiçados ou emigrarem.

Isto ocorre no Oriente Médio e na Rússia, que, apesar de sua imensa população, só possui duas universidades classificadas entre as quinhentas melhores do mundo. "Quando os preços do petróleo subiram, as reformas se tornaram mais lentas", disse-me Vladimir Ryjkov — um membro liberal da Duma russa, oriundo de Altay (e um dos poucos integrantes da Duma dispostos a dizer o que pensa) —, por ocasião de uma visita que fiz a Moscou em fevereiro de 2007. "A Rússia se tornou um país mais fechado, com uma economia mais estatizada. No ano passado, os preços do petróleo bateram recordes, e não houve nenhuma reforma. Foi por esse motivo que a Freedom House, no ano passado, classificou a Rússia como um país 'sem liberdade'. A pergunta para vocês, americanos, é: 'Quando os preços vão cair?' Para nós, democratas russos, esta é a única esperança."

Petróleo e geopolítica

Nós pensávamos que a queda do Muro de Berlim iria gerar uma onda incontrolável de mercados e pessoas livres e, durante cerca de uma década, foi exatamente o que aconteceu. A proliferação de eleições livres no mundo, na década iniciada em 1989, transformou as expectativas em realidade. Mas aqueles anos coincidiram com o barril de petróleo custando entre dez a quarenta dólares. O aumento do preço para um patamar de cinquenta a cento e vinte dólares o barril, no início dos anos 2000, desencadeou um movimento contrário — uma onda de autoritarismo por parte dos países petroleiros —, na Rússia, na Venezuela, no Irã, no Sudão, em Angola e até em países como o Turcomenistão. As elites que dirigiam esses países, eleitas ou impostas, aproveitaram a bonança trazida pelo petróleo para se aferrar ao poder, subornar opositores e se opor às liberdades obtidas após a queda do Muro de Berlim.

Esse é um dos principais motivos pelos quais o mundo enfrenta hoje uma "recessão democrática", diz Larry Diamond, especialista em democracia da Universidade de Stanford e autor de *The Spirit of Democracy* (O espírito da democracia). Segundo Diamond, dos 23 países do mundo cuja receita depende majoritariamente da exportação de petróleo e gás, nem um só deles é uma democracia.

Quando era secretária de Estado, Condoleeza Rice nunca admitiu qualquer responsabilidade da equipe de Bush pelo fortalecimento das tendências autoritárias dos países petroleiros, mas foi franca a respeito de quanto a política do petróleo modificou seu trabalho. Depondo no Comitê de Relações Exteriores do Senado (5 de abril de 2006), ela declarou: "Posso lhes dizer que nada me deixou mais surpresa, como secretária de Estado, do que o modo como a questão da energia está — vou usar a palavra deturpando — deturpando a política e a diplomacia ao redor do mundo. Alguns países se viram com um enorme poder nas mãos — países que, em outras circunstâncias, teriam pouquíssimo poder. E estão utilizando esse poder de forma não muito positiva para o sistema internacional. Alguns países estão crescendo muito rapidamente, e procuram energia em todas as direções — países como a China e como a Índia — e isto os está levando a partes do mundo onde jamais tinham estado antes."

A "distorção" da geopolítica certamente incluiria a aliança da China, para ter acesso a petróleo e gás, com o governo autoritário do Sudão, envolvido em uma campanha de repressão homicida em Darfur. Incluiria a relutância dos Estados Unidos em falar francamente com a Arábia Saudita sobre o papel de suas mesquitas e pregadores, no apoio aos homens-bomba do Iraque. Costumo dizer que os viciados nunca dizem a verdade a seus traficantes. Eu incluiria também as tentativas da Rússia de fincar sua bandeira em áreas do Ártico ricas em petróleo. E certamente incluiria a decisão do governo britânico (14 de dezembro de 2006) de abandonar a investigação, promovida por seu Serviço de Investigação de Fraudes Graves, sobre se houve suborno na volumosa venda de armas da BAE Systems para a Arábia Saudita. A BAE é o quarto maior fabricante de armas do planeta. No negócio, vendeu jatos de caça, no valor de 80 bilhões de dólares, para a força aérea saudita. Durante a investigação, no entanto, foi aventado que a BAE pagara quase 2 bilhões de dólares — sim, 2 bilhões — em subornos a funcionários do governo saudita, para assegurar a efetivação do gigantesco contrato. Entre os nomes citados, estava o do príncipe Bandar Bin Sultan, ex-embaixador saudita nos Estados Unidos. O então primeiro-ministro Tony Blair recorreu à "segurança nacional" para justificar a decisão de encerrar as investigações sobre corrupção. E explicou: "Não tenho dúvida nenhuma de que, se tivéssemos permitido que a investigação prosseguisse, estaríamos causando um enorme prejuízo aos verdadeiros interesses deste país, para não falar que teríamos perdido milhares de empregos altamente especializados e um negócio muito, muito importante para a indústria britânica." Parece que isso foi um modo diplomático de o governo de Blair dizer: "Os sauditas nos disseram que se essa investigação prosseguisse, expondo quem foram os sauditas subornados, e que tipo de suborno receberam, eles nunca mais comprariam nem uma bala da BAE Systems. Então a encerramos." Isto pode ter sido a maior e mais clara perversão da justiça — relacionada ao petróleo — ocorrida numa democracia ocidental em todos os tempos.

Vale a pena ressaltar que os sauditas não estavam ameaçando cortar o fornecimento de petróleo à Grã-Bretanha. Estavam ameaçando fechar a torneira de dinheiro. Com o preço do barril de petróleo a cento e trinta dólares, e subindo, um bocado de dinheiro tem saído dessa torneira atualmente. Se os preços se mantiverem sempre altos, isso resultará, no mínimo, em uma modificação na balança de poder econômico — do Ocidente para os países produtores de petróleo e gás, sejam eles a Rússia, a Venezuela, o Irã ou os demais países do Golfo Pérsico. Até agora, os fundos de riqueza soberana do Golfo Pérsico têm desempenhado um papel relativamente útil na estabilização durante a grande recessão, ao comprar participações significativas em algumas das maiores, porém mais enfraquecidas instituições — como a Citigroup —, e empresas industriais — como a Porsche. Mas é difícil imaginar que sua vantagem econômica não seja traduzida politicamente. Afinal de contas, foi o que os Estados Unidos e a Grã-Bretanha fizeram quando tinham poder financeiro: usaram seu dinheiro para promover no exterior seus interesses nacionais.

Pós-Iraque

Então, o que estou dizendo? Que precisamos levar à falência todos os produtores de petróleo? Não, não quero levar à falência a Arábia Saudita, ou o Kuwait, o Egito, ou a Síria, a Rússia, ou a Indonésia. Isto só iria provocar um tipo diferente de desestabilização, gerado pelo empobrecimento. Aliás, o preço do petróleo não vai cair a zero em um futuro próximo, mesmo que todos passemos a dirigir veículos elétricos. Precisaremos de produtos oriundos do petróleo — de plásticos a fertilizantes — até o futuro mais distante que podemos enxergar. Mas o mundo será um lugar melhor, politicamente, se pudermos descobrir fontes abundantes de energia renovável, que acabem reduzindo a demanda por petróleo — obrigando até mesmo os países ricos em petróleo a diversificar suas economias e a utilizar sua mão de obra de formas mais criativas.

Até o 11 de Setembro, os Estados Unidos tratavam o mundo árabe, basicamente, como grandes postos de gasolina — o posto saudita, o posto líbio, o posto kuwaitiano. "Caras", dizíamos a eles (e a gente falava exclusivamente com homens), "este é o trato: mantenham as bombas em funcionamento, os preços baixos, não mexam demais com os judeus, e vocês podem fazer o que quiserem lá nos fundos. Podem tratar mal suas mulheres. Podem destituir seus povos de quaisquer direitos civis. Podem difundir teorias de conspiração contra nós tanto quanto quiserem. Podem educar seus filhos para serem intolerantes com outros credos, tanto quanto quiserem. Podem fazer quantas pregações peçonhentas quiserem, em suas mesquitas... Apenas mantenham as bombas funcionando, os preços baixos, não perturbem muito os israelenses — e façam o que quiserem lá nos fundos".

Bem, no 11 de Setembro os Estados Unidos foram atingidos com a essência destilada de todas as patologias que havia nos fundos do posto de gasolina. Isto é o que a Al Qaeda e Osama Bin Laden personificam. Aliás, ao tentar levar a democracia para o Iraque, um esforço que eu apoiei, o governo Bush estava realmente tentando ajudar os iraquianos a mudar o que acontecia nos fundos.

Infelizmente, o sr. Bush não fez praticamente nada para reduzir nossa dependência de petróleo — ou mesmo para reduzir o preço do petróleo — como parte de uma estratégia para enfraquecer as forças de tirania que havia nos fundos e abaixo da superfície. Ele apostou tudo no rápido sucesso da invasão do Iraque. Ninguém sabe como a saga iraquiana irá terminar. Mas tenho certeza de duas coisas: uma é que a necessidade de levar reformas para o mundo árabe-muçulmano é tão vital quanto sempre foi — reforma educacional, participação das mulheres, modernização religiosa e política mais consensual. A outra é que, aconteça o que acontecer no Iraque, nós, os Estados Unidos, tão cedo não iremos invadir outro país árabe-muçulmano, em nome de reformas. Para mudar as coisas nos fundos, precisaremos encontrar outro modo de nos associar às pessoas da região.

Acredito que a melhor estratégia pós-Iraque para levar reformas ao Golfo Pérsico é fazer com que o preço do petróleo caia — desenvolvendo alternativas de energia limpa. Depois, contando com as forças externas de globalização e as pressões econômicas internas, impelir os líderes dos países petroleiros em direção a mudanças. Esta é a combinação de forças que fomentaram o processo de reformas no Barein. Se o preço do petróleo fosse a metade do que é hoje, esses regimes totalitários não poderiam resistir tão facilmente à modernização política e religiosa. Como observa Michael Mandelbaum, especialista em política externa da Universidade Johns Hopkins: "Os indivíduos não mudam quando dizemos a eles que devem mudar. Mudam quando dizem a si mesmos que devem mudar." Preços do petróleo em queda os fariam dizer a si mesmos que devem mudar.

A história nos ensina que isso pode funcionar. Consideremos a União Soviética. Em fevereiro de 2007, estive em Moscou para fazer uma palestra na embaixada americana a respeito da globalização e da política energética. Depois disso, fui conversar com Vladimir Mau, diretor da Academia Russa de Economia Nacional. Perguntei-lhe se ele achava que eu estava certo, ao argumentar que fora o barril de petróleo a dez dólares, e não Ronald Reagan, que derrubara o regime soviético. (Na verdade, o preço do barril de petróleo no Natal de 1991, quando a União Soviética desmoronou, era 17 dólares.)

O professor Mau não hesitou. Abanou a cabeça. Não, ele me disse, eu estava errado. O que acabou com a União Soviética foi o barril a setenta dólares, *seguido* pelo barril a dez dólares. Fora o rápido aumento nos preços do petróleo, por conta do embargo árabe e da revolução iraniana, segundo ele, que fizera o Kremlin delirar, subsidiando de forma maciça as ineficientes indústrias domésticas, adiando verdadeiras reformas econômicas e invadindo o Afeganistão — e de repente, sobreveio o colapso dos preços, nos anos 1980 e início dos 1990, que derrubou o vasto e petrificado império.

Eis a história exata: a ineficiente economia soviética sobreviveu nas primeiras décadas, segundo o professor Mau, graças ao baixo custo da agricultura — a cargo de prisioneiros e camponeses forçados a trabalhar em fazendas coletivas —, o que permitiu a implantação de indústrias estatais. No início dos anos 1960, entretanto, nem mesmo esses insumos baratos foram suficientes. Assim, o Kremlin começou a importar grãos, em vez de exportá-los. As coisas poderiam ter dado errado para os comunistas. Mas o embargo de 1973-74, promovido pelos árabes, e o brusco aumento nos preços do petróleo — do qual a Rússia era o segundo maior produtor mundial, depois da Arábia Saudita — deram à União Soviética uma sobrevida de 15 anos, com base em uma terceira fonte de recursos baratos: "petróleo e gás", disse o professor Mau. A bonança petrolífera deu ao governo Brejnev "dinheiro para comprar o apoio de diferentes grupos de interesse, como os agricultores, para importar algumas mercadorias e para comprar a boa vontade do complexo industrial-militar", afirma o professor Mau. "A participação do petróleo no total das exportações subiu de 10 ou 15%, para 40%." Isso apenas tornou a União Soviética mais esclerosada. "Quanto mais petróleo você tem, de menos política você necessita", observa ele.

Nos anos 1970, a Rússia exportava petróleo e gás, e "usava o dinheiro para importar alimentos, bens de consumo e máquinas para extração de petróleo e gás", diz o professor Mau. O Estado soviético estendeu-se, e ampliou seus subsídios a áreas cada vez mais numerosas, apoiado quase totalmente nas receitas obtidas com o petróleo, não em uma verdadeira produtividade industrial ou agrícola. No início dos anos 1980, no entanto, os preços mundiais do petróleo começaram a afundar — graças, em parte, aos esforços conservacionistas dos Estados Unidos. "Uma das alternativas para os soviéticos era reduzir o consumo, mas o Kremlin não podia fazer isso — tinha que assegurar a boa vontade de todos os seus pilares", diz o professor Mau. Então, começou a "tomar dinheiro emprestado no exterior e a usá-lo em subsídios, inclusive ao consumo, para manter sua popularidade e estabilidade". Os preços do petróleo continuaram caindo, juntamente com a produção, enquanto o primeiro-ministro soviético, Mikhail Gorbachev, tentava reformar o comunismo. Mas já era tarde demais.

Yegor Gaidar, atual diretor do Instituto de Economias em Transição, em Moscou, presenciou essa mudança em primeira mão. Entre 1991 e 1994, era o primeiro-ministro da Rússia, em exercício, ministro da Economia e primeiro-ministro substituto. Em 13 de novembro de

2006, proferiu um discurso no Instituto Empresarial Americano, intitulado "O Colapso de um Império: Lições para a Rússia Moderna", no qual observou que "o divisor de águas no colapso da União Soviética pode ser traçado no dia 13 de setembro de 1985. Nessa data, o xeque Ahmed Zaki Yamani, ministro do Petróleo da Arábia Saudita, declarou que a monarquia decidira alterar radicalmente sua política petrolífera. Os sauditas pararam de proteger os preços de seu petróleo e logo recuperaram sua hegemonia no mercado mundial. Durante os seis meses seguintes, a produção de petróleo, na Arábia Saudita, aumentou em quatro vezes, enquanto os preços despencaram aproximadamente na mesma proporção, em termos reais. Por conseguinte, a União Soviética perdeu cerca de 20 bilhões de dólares por ano — uma quantia sem a qual o país simplesmente não conseguiria sobreviver".

Há um paralelismo óbvio entre a União Soviética no auge de sua loucura petrolífera e o Irã de hoje, argumenta o professor Mau. Após o choque do petróleo de 1973-74, liderado pela Opep, o xá usou a bonança petrolífera do Irã para introduzir uma grande modernização em uma sociedade iraniana ainda tradicional. A reação à modernização forçada provocou a revolução islâmica dos aiatolás, em 1979. Os aiatolás usaram os dividendos do petróleo para se entrincheirar no poder, estendendo o Estado e os subsídios estatais a todas as áreas da vida.

No entanto, nem mesmo a riqueza petrolífera do Irã acompanhou a explosão populacional do país — em 1979, quando a revolução islâmica derrubou o xá, os iranianos somavam aproximadamente 30 milhões e hoje são mais de 70 milhões — graças principalmente aos desmandos econômicos do regime. O presidente Ahmadinejad destruiu de tal forma a economia iraniana, com a concessão de subsídios e a falta de investimentos na inovação e nas indústrias de exportação, que o desemprego chegou a 20% quando o preço do barril de petróleo estava em mais de cento e quarenta dólares. Devido à insuficiente capacidade de refinamento, o Irã também precisou importar gasolina. Entre 2008 e 2009, em vez de exportar cerca de 2,4 milhões de barris diários por quase cento e quarenta dólares o barril, passou a exportar a mesma quantidade diária a um preço entre sessenta e setenta dólares o barril, e a forte queda na receita afetou o poder de investimento do regime. Segundo um informe do Dow Jones Newswire (9 de setembro de 2008), o Fundo Monetário Internacional concluiu que o Irã precisava receber noventa dólares por barril para o governo poder pagar suas contas. "O preço de equilíbrio é de noventa dólares o barril", disse, ao repórter do Dow Jones, Mohsin Khan, diretor do FMI para o Oriente Médio e a Ásia Central. "Se os preços forem menores do que isto [...] eles precisariam ajustar a política de gastos públicos e, provavelmente, cortar subsídios, o que seria um problema para o governo — o público ficaria insatisfeito", acrescentou ele nove meses antes da explosiva eleição iraniana de junho de 2009. (O Irã não está sozinho. Khan previu um preço de equilíbrio de 56 dólares o barril para a Argélia, 49 para a Arábia Saudita, 33 para o Catar e 23 para os Emirados Árabes Unidos). Não, não foi por acaso que a "revolução verde" popular do Irã contra os incompetentes líderes clericais — quando o governo de Ahmadinejad roubou a eleição de junho de 2009 — coincidiu com esta queda prolongada nos preços do petróleo cru como resultado da Grande Recessão. Não foi a única razão para a revolta pós-eleitoral, mas certamente foi um fator. Infelizmente, a mesma riqueza gerada pelo petróleo permitira ao regime islâmico e seus guardas revolucionários construir um poderoso aparato de segurança interna e uma ampla rede de corporações estatais e colaboradores econômicos que, juntos, conseguiram sufocar a revolução popular, pelo menos o suficiente para que Ahmadinejad e seus comparsas mantivessem o poder. Sim, os revolucionários foram fortalecidos pelas novas tecnologias para organizar, informar e mobilizar — Twitter, blogs, Facebook —, mas o regime possuía as armas e, à época da publicação deste livro no segundo semestre de 2009, o bangue-bangue havia derrotado o tecla-tecla.

Porém, tenho certeza de que se mais tarde pudéssemos baixar drasticamente o preço do petróleo, os aiatolás enfrentariam as mesmas opções impossíveis enfrentadas pela liderança soviética que acarretaram o colapso do comunismo.

Os islamistas linha-dura seriam levados a suspender os subsídios de um número cada vez maior de colaboradores e oponentes, o que tornaria os aiatolás governantes mais impopulares, ou a conceder poder ao talento humano iraniano — homens e mulheres — e permitir o livre acesso ao aprendizado, à ciência, ao comércio e à colaboração com o resto do mundo, fazendo a outrora grandiosa civilização persa crescer sem petróleo. Uma mudança tão profunda poderia levar ao surgimento de um "aiatolá Gorbachev" e minaria o regime e sua ideologia. Sabemos como isso acaba. "Recorde a história da União Soviética", assinalou o professor Mau.

Então sejamos sérios. Os democratas e reformistas iranianos não necessitam de elogios. Necessitam sim da única coisa que podemos fazer, sem dar um tiro, para realmente enfraquecer os teocratas governantes e forçá-los a libertar o seu povo: acabar com a nossa dependência do petróleo que sustenta a ditadura islâmica no Irã. Sim, isso leva tempo. É preciso muito para influenciar os preços globais do petróleo. Mas os Estados Unidos consomem aproximadamente 25% da produção global, então o que fazemos realmente importa.

É por isto que o lançamento de uma verdadeira revolução verde nos Estados Unidos seria a melhor maneira de apoiar a "revolução verde" no Irã. A revolução verde americana para acabar com nossa dependência do petróleo — em paralelo à revolução verde iraniana para acabar com a teocracia — ajuda a eles, a nós e significa a possibilidade de que o vencedor na disputa pelo poder terá de ser um reformador. Por isso, tornar-se verde deixará de ser um simples passatempo para ambientalistas cheios de princípios ou uma "virtude pessoal", como Dick Cheney desdenhou certa vez. Trata-se agora de um imperativo de segurança nacional. Qualquer estratégia americana para promover a democracia numa região rica em petróleo está fadada ao fracasso sem um plano para desenvolver alternativas de energia renovável que, com o tempo, façam cair o preço do petróleo.

Nos dias de hoje, já não podemos ser realistas em política externa, nem idealistas na promoção da democracia, sem sermos, igualmente, ambientalistas poupadores de energia. Esta é a Segunda Lei da Política do Petróleo.

SETE

Esquisitices Globais

MUDANÇA CLIMÁTICA

Washington, D.C. — "O Outono", antigo seriado de dias mais curtos e noites mais frias, foi cancelado no início desta semana, após 3 bilhões de temporadas na Terra, segundo informações obtidas nesta terça-feira.

O clássico período anual, que costumava ocupar um cobiçado espaço entre o verão e o inverno, será substituído por novos e sufocantes níveis de umidade, tempo quase sempre ensolarado e ausência quase total de chuva.

— Por muito que eu queira que ele permaneça, o outono não deverá retornar para mais uma temporada — informou John Hayes, durante uma abafada reunião com a imprensa, no dia 6 de novembro. — O outono era um sucesso, mas, infelizmente, os tempos mudaram.

Hayes acrescentou:

— Francamente, estamos surpresos de que tenha durado tanto tempo.

Embora surpreendente para muitos, não faltaram sinais indicativos do cancelamento. Em anos recentes, o outono foi reduzido, de três meses, para uma aparição de apenas duas semanas, e seu início estava sendo cada vez mais atrasado...

Embora desapontados com o cancelamento, alguns americanos reconheceram que as últimas temporadas do outono foram "totalmente decepcionantes" e já não demonstravam o espírito característico e a animação de anos anteriores.

— "Outono Cancelado após 3 Bilhões de Temporadas", história na primeira página do jornal satírico *A Cebola*, 7 de novembro de 2007.

Há muitos indícios de que entramos em uma nova era, em termos climáticos. Os cientistas apontam para novos dados — mudanças nas temperaturas médias globais, níveis dos mares em elevação, degelo glacial acelerado. Para mim, o sinal mais revelador foi que comecei a fazer novas perguntas. Duas em particular: "Quem fez o clima ficar tão quente?" e "Al Gore não nos deve desculpas?"

Comecei a fazer a primeira pergunta pouco depois do furacão Katrina, em agosto de 2005. Como muita gente, achei o Katrina mais do que apenas deplorável. Fiquei triste com o número de pessoas arruinadas por aquele furacão inusitadamente poderoso, triste com o modo com que os mais pobres foram atingidos de maneira desproporcional, e com as disparidades raciais que o furacão pôs a nu, triste com a patética resposta do governo. Mas também achei o Katrina preocupante — descobri que levantava tantas perguntas filosóficas quanto meteorológicas.

É bem conhecido o fato de que os furacões extraem sua força do calor que existe na superfície dos oceanos. Na época em que o Katrina reuniu forças, enquanto estava a caminho de Nova Orleans, as águas do Golfo do México estavam cerca de 0,2°C mais quentes, na superfície, do que a média histórica para aquela época do ano. O Katrina, em particular, segundo acreditam os cientistas, ganhou força quando passou sobre a "corrente do laço", uma esteira rolante oceânica que serpenteia através do Golfo, armazenando calor do Sol. Muitos climatologistas acreditam que a ferocidade incomum do Katrina foi alimentada pelas águas quentes do Golfo do México, fato que pode ser atribuído ao aquecimento global, acreditam eles. E esta é a parte realmente perturbadora.

No início de 2007, eu estava almoçando com meu amigo Nate Lewis, um químico especializado em energia que trabalha no Instituto de Tecnologia da Califórnia (Caltech, na sigla em inglês). Estávamos no clube da faculdade, situado no campus do Caltech, orlado de palmeiras. Eu não pude deixar de perguntar a Nate:

— Por que o Katrina foi tão preocupante?

Nate processou a pergunta em sua mente por alguns momentos, bebeu um pouco de sua limonada batida com morangos, uma especialidade da casa e, finalmente, respondeu à minha pergunta com outra pergunta:

— Nós fizemos isso? Ou foi um cataclismo?

No início, não entendi — mas depois a ficha caiu. Quando furacões ou outros desastres naturais ocorrem, as companhias de seguro e a mídia os chamam de "cataclismos". O que Nate estava perguntando era isto: será que introduzimos tanto CO_2 no sistema operacional da natureza que já não sabemos onde a natureza termina e nós começamos a moldar o clima atual? "Já não sabemos", disse ele, "o que é um cataclismo e o que é fruto da ação humana". Ou, em outras palavras: a responsabilidade é nossa ou de Deus? Fomos nós que superaquecemos as águas do Golfo, fortalecendo o Katrina, ou foi Deus, agindo por intermédio da natureza, quem fez isso? Esta é a grande questão filosófica levantada pelo Katrina, segundo Lewis: "Será que brevemente — ou talvez isto já esteja acontecendo — o que costumávamos chamar de cataclismo passará a ser, na verdade, consequência da ação humana — pelo menos parcialmente?"

Se for este o caso, se estamos contribuindo para moldar o clima, segundo Lewis, o que iremos dizer daqui por diante? Como explicaremos os enormes tufões e ciclones, ou secas inusitadas? "Iremos dizer: 'Nós somos os responsáveis pelo aquecimento. Nós inundamos Bangladesh. Nós provocamos a chuva.' É isso o que vamos começar a dizer? E quem é 'nós'?" Os Estados Unidos injetaram mais CO_2 na atmosfera que qualquer outro país. Vamos perguntar: "Foram os Estados Unidos que provocaram o aquecimento?" Mas e se a China continuar a construir uma nova termelétrica movida a carvão a cada semana? Vamos perguntar: "A China provocou o aquecimento?"

Heidi Cullen, perita em climatologia do canal de TV a cabo Weather Channel (Canal do tempo), tem um modo atraente de formular essa questão filosófica: "Um dia extemporaneamente quente no meio do inverno já foi visto como uma bênção", diz ela. "Mas agora a sensação é a de que estamos pagando por alguma coisa que fizemos."

Agora, em Washington, D.C., quando meus amigos me chamam para jogar golfe alguns dias antes do Natal, pois a temperatura é de 15°C e não há um floco de neve no chão, eu me aproveito do fato — mas já não o vejo como um presente. Agora há uma percepção sinistra, segundo Cullen, de que não podemos brincar com o sistema operacional da natureza sem termos que *pagar* por isso, algum dia, em algum lugar.

"A natureza é como uma sinfonia longa e complexa", explica Cullen, "e o Sol é como um bumbo. Sua batida dirige tudo — desde as idades do gelo até os períodos de aquecimento. Mas, agora, a influência dos humanos penetrou tão profundamente na sinfonia que nós, humanos, estamos afetando o clima no dia a dia. É como se estivéssemos tocando o instrumento principal — uma estridente guitarra elétrica — na sinfonia da natureza".

Essa mudança é irônica, quando se considera por quanto tempo, e com quanta dedicação, os grandes filósofos se esforçaram para entender a natureza como um sistema que age de acordo com suas próprias leis, sem interferência humana — ou divina. Os gregos antigos, observa o teórico político israelense Yaron Ezrahi, "achavam que os deuses agiam através da natureza. Viam as catástrofes naturais como vingança divina e o trovão, como a voz ameaçadora de Zeus". Estas crenças deram início a um movimento filosófico que pretendia provar que, ao contrário, os cataclismos não eram guerras movidas pelos deuses contra os seres humanos, mas fenômenos naturais.

"Esta é a origem do pensamento ocidental moderno, segundo o qual a natureza é um conjunto de leis e regras necessárias, fora do controle humano", diz Ezrahi. "Os gregos que vieram depois tentaram provar que a natureza era um sistema independente, para que os humanos não se sentissem duplamente ansiosos — os fenômenos naturais não seriam coisas provocadas por eles. Assim, criaram o conceito de natureza como um sistema independente da ação humana." Os gregos desconectaram a moralidade humana, ou sua imoralidade, de qualquer coisa que ocorresse na natureza. Um dos efeitos disto foi, basicamente, aliviar a ansiedade humana e tranquilizar as pessoas, assegurando-lhes que não eram responsáveis, através de seus atos, por enchentes, tempestades e secas.

Agora, a ansiedade humana está de volta. Mas, em vez de perguntarmos: "Será que Zeus criou esse furacão por causa de alguma coisa que fizemos?", estamos perguntando: "Será que fomos nós que criamos esse furacão com alguma coisa que fizemos?" Ezrahi observa: "Em vez de perguntarmos: 'Podemos controlar os deuses e, assim, controlar o tempo?', perguntamos agora: 'Podemos controlar a nós mesmos e, assim, controlar o tempo?'"

Já não somos mais objetos da natureza; em algum grau, somos também sujeitos. Tornamo-nos parte da sinfonia — embora algumas pessoas se recusem a admitir que façam parte da orquestra.

E isto me traz de volta à questão de por que Al Gore nos deve desculpas.

Em janeiro de 2008, fui moderador de um debate no Fórum Econômico de Davos, que contou com a participação do ex-vice-presidente. Depois de ouvir seus argumentos cativantes, humildemente lhe sugeri que escrevesse um artigo que começaria assim: "Desculpem. Peço mil desculpas. Quero pedir perdão. Eu subestimei completamente o aquecimento global. Espero que vocês me perdoem."

Isso chamaria a atenção de qualquer um, não?

Claro, eu estava brincando. Al Gore não deve desculpas a ninguém. Todos temos com ele uma enorme dívida de gratidão, por seu esforço isolado — que lhe valeu o prêmio Nobel — para alertar o mundo sobre os efeitos nocivos das mudanças climáticas, através de seu documentário *Uma Verdade Inconveniente*, realizado em uma época na qual muitas pessoas preferiam simplesmente ignorar o problema, como ainda o fazem. Nunca uma só pessoa fez tanto quanto Al Gore, no sentido de despertar o mundo para um problema sério. Quando, de brincadeira, o exortei a pedir desculpas, minha intenção era a premente necessidade de agir, e, também, de encontrar o melhor modo de reverter os danos, causados ao debate, por aqueles que negam o problema, os proteladores e os céticos.

Os que negam as mudanças climáticas se dividem em três tipos: os que são pagos pelas empresas que distribuem combustíveis fósseis para negar que o aquecimento global seja um problema sério, provocado pela ação humana; os cientistas, uma pequena minoria, que examinam os dados e concluem, por diversas razões, que a extensão e o rápido aumento da emissão de gases-estufa, desde a Revolução Industrial, não constituem uma séria ameaça à viabilidade do planeta; e, finalmente, os conservadores que simplesmente se recusam a aceitar a realidade da mudança climática, por detestarem a solução: mais regulamentação e intervenção governamental.

O efeito disso tudo tem sido obscurecer a questão da origem humana das perigosas mudanças climáticas; e, ainda, dar a impressão de que qualquer afirmativa neste sentido é meramente uma opinião política, não um fato científico. Como Al Gore, um político liberal, se tornou a voz mais destacada a alertar sobre mudança climática, foi fácil, para os que as negam e os céticos, insinuarem que não se tratava de um debate entre cientistas e políticos, mas entre políticos e políticos.

O fato de Al Gore, um político, ter se tornado o destaque mundial na divulgação — no melhor sentido da palavra — dos perigos da mudança climática é revelador. O físico Joseph Romm, secretário-assistente em exercício no Departamento de Energia do governo Clinton, autor de diversos livros sobre mudança climática, inclusive *Hell and High Water* (Inferno e maré alta), afirma que a projeção obtida por Gore se deve à convergência de diversos fatores. Para começar, afirma Romm, os cientistas americanos relutam em se tornar divulgadores. Por conseguinte, é provável que o americano médio saiba dizer o nome de três juízes do *American Idol*, mas não saiba dizer o nome de nenhum cientista americano de projeção. "No mundo científico", diz Romm, "se você for um divulgador, não será considerado um cientista sério; e se você for um cientista sério, você não fala com o público". Ao mesmo tempo, alguns ambientalistas, normalmente atentos, demoraram a abordar a questão da mudança climática, em termos de seu enorme potencial e da ação humana. Finalmente, argumenta Romm, que também edita o blog ClimateProgress.org, sobre aquecimento global, a mídia americana, em sua maior parte, adotou a visão daqueles que negam a mudança climática — a visão "de que isso é uma questão política, não científica, e, portanto, possui dois lados" — de que, na verdade, não havia certezas a este respeito.

Mas a questão não é política. A ciência já estabeleceu que o clima muda com o tempo. E quase todo mundo concorda que o clima agora está mudando inusitadamente, se comparado às variações naturais de longo prazo. E, finalmente, cientistas bem informados concordam que as atividades humanas são responsáveis pela maior parte das variações inusitadas no padrão atual de mudança climática. Mas muita gente na imprensa, diz Romm, tem tratado a mudança climática como se cada um destes pontos ainda fosse duvidoso, e como se a comunidade científica estivesse dividida a respeito do assunto. "A imprensa está tão acostumada com seu papel de mediadora honesta que tende a achar que o meio-termo é sempre a resposta correta", argumenta Romm. Como observou o ativista ambiental e escritor britânico George Monbiot (*The New York Times*, 24 de abril de 2009), os que negam as mudanças climáticas se aproveitaram do instinto da mídia de fazer coberturas "equilibradas" de temas controversos e usaram isso para semear a dúvida nas mentes de muitas pessoas. "Eles não precisaram ganhar o debate para levar a melhor e causaram muita confusão", disse Monbiot.

Então, Al Gore ingressou nesse turbilhão, valendo-se de sua celebridade e autoridade política para atrair a atenção do mundo para o potencial catastrófico da mudança climática. Como Gore, que não é um cientista célebre, foi o mensageiro, e como apresentou os fatos com um alarmismo intencional, muito tempo e energia foram gastos em discussões sobre Al Gore, e não sobre o que é inegável no nosso sistema climático. Isto fez com que as discussões se desviassem da realidade atual — que já não se limita ao fato de que o clima está mudando em decorrência das atividades humanas. A verdade é que, segundo amplas evidências, o clima está mudando *muito mais rapidamente* do que previam os climatologistas mais pessimistas há três ou quatro anos. E pode se tornar ainda mais incontrolável e destruidor do que todos esperavam. Esta atualização do meu livro podia facilmente ter levado o título de *Mais Quente, Mais Plano, e Mais Lotado.*

Considere um estudo publicado em 2009 e divulgado pelo Programa Conjunto do MIT sobre Ciência e Política das Mudanças Globais. Foi feita uma atualização do seu Modelo Integrado do Sistema Global, que acompanha e prediz as mudanças climáticas entre 1861 e 2001. "Nas nossas simulações de modelos mais recentes", explica o estudo, "a absorção de calor pelos oceanos é mais lenta do que o estimado, a absorção de carbono é menor, a resposta do sistema terrestre ao aumento da temperatura é mais forte, o acúmulo de emissões de gases do efeito estufa é maior durante o século e o esfriamento compensatório das emissões de aerossol é mais baixo. Nenhum destes efeitos é muito forte em si próprio e, mesmo somando-os por separado, não seria possível explicar completamente as altas temperaturas. [Mas] em vez de interagirem de forma acumulativa, estes diferentes efeitos parecem interagir de forma multiplicativa, com retroalimentações entre os fatores que contribuem para isso, levando ao aumento surpreendentemente grande da possibilidade de temperaturas muito mais altas".

Ali, apresentado na linguagem sóbria de um estudo de políticas públicas, há um fato alarmante: o clima está mudando ainda mais rapidamente do que previam os especialistas. Alarmante, mas não surpreendente. Afinal, quase todos os dias há uma matéria nos jornais sobre alguma ocorrência incomum que foge à variabilidade climática normal.

"A onda de calor na Europa em julho e agosto de 2003 — que se manteve estável acima de 38ºC — matou 35 mil pessoas", concluiu John Holdren, climatologista da Universidade Harvard e assessor científico do presidente Obama. "Estima-se que uma onda de calor assim ocorra uma vez a cada cem anos. Antes de começarmos a mexer com o clima, era um acontecimento que ocorria a cada 250 anos. Hoje, os modelos demonstram que, em 2050, isto ocorrerá a cada dois anos e, por volta de 2070, representará um verão extraordinariamente fresco na Europa."

Há uma década as pessoas pensavam que, no pior dos casos, em 2070 o gelo do mar do Ártico estaria inteiramente derretido, disse Holdren. Alguns pessimistas radicais apontavam o ano de 2040. Agora dizem que ele pode desaparecer em alguns anos. Não é de admirar: no verão de 2007, as temperaturas elevadas derreteram tanto gelo do oceano Ártico que trechos antes não navegáveis puderam ser cruzados por navios. A Passagem Nordeste ficou livre de gelo pela primeira vez registrada na história, permitindo a passagem de navios. A Associated Press (11 de dezembro de 2007) publicou a seguinte história sobre este acontecimento inesperado e sem precedentes:

> O derretimento do Ártico se acelerou enormemente este verão, um sinal de alarme que, para alguns cientistas, pode significar a gota d'água no aquecimento global. Um deles chegou a especular que o gelo do oceano desapareceria em cinco anos.
>
> Segundo novos dados do satélite da NASA obtidos pela Associated Press, a camada de gelo da Groenlândia perdeu mais de 19 bilhões de toneladas comparada à marca anterior, e o volume do gelo no mar do Ártico ao final do verão era a metade do que havia há quatro anos atrás. "O Ártico está gritando", afirmou Mark Serreze, cientista sênior do centro governamental para o gelo e a neve em Boulder, no Colorado. No ano passado, dois grandes cientistas surpreenderam os colegas ao projetar que o gelo do Ártico está derretendo tão rapidamente que pode desaparecer completamente no verão de 2040. Esta semana, depois de revisar seus próprios dados recentes, Jay Zwally, climatologista da NASA, concluiu: "Neste ritmo, o oceano Ártico pode ficar quase completamente sem gelo no final do verão de 2012, muito mais rapidamente do que afirmavam as previsões anteriores." Então, os cientistas se fazem as seguintes perguntas: o derretimento recorde em todo o Ártico em 2007 foi uma irregularidade em meio ao aquecimento constante e implacável? Ou as coisas se aceleraram em um novo ciclo climático que supera os piores cenários previstos com modelos computacionais? "No alerta do aquecimento o Ártico costuma ser comparado ao canário na mina de carvão", apontou Zwally, que na adolescência carregava carvão. "Agora, como um símbolo do aquecimento global, o canário está morto. É hora de começar a deixar as minas."

Devíamos estar falando sobre estas reportagens e manchetes! Daí a minha sugestão brincalhona de que a melhor maneira de chamar a atenção para estas, e outras, é que Al Gore simplesmente peça perdão — por subestimar a mudança climática! Isto poderia alertar as pessoas para o que realmente está acontecendo. Ele poderia dizer: "Sim, eu entendi mal. Vai ser muito pior e muito mais cedo do que pensei." O vice-presidente Al Gore não quis escrever este artigo, mas entendeu perfeitamente onde eu queria chegar. Nos últimos trinta anos, explicou, os cientistas têm falado dos perigos do clima empregando "um conjunto de projeções" — o melhor caso, o caso médio, e o pior caso, e os danos esperados, inclusive quanto a temperatura se elevará e quanto gelo derreterá. No entanto, nos últimos anos, cada vez que fazem estas projeções, o ano passa e as evidências do que realmente aconteceu ficam disponíveis, os resultados tendem a ser iguais ou piores do que as projeções dos piores casos. Estamos num ponto em que se espera que, se continuar assim, até 2100 haverá um aumento de 11 graus na temperatura média global. "Isto é tão impensável que deteria a civilização por completo, e romperia a trama da vida", ressaltou Gore.

Mas os que negam a mudança climática nos querem fazer acreditar que devemos deixar como está para ver como é que fica. Eles nos querem fazer crer que estamos jogando com dados que podem cair entre o 2 e o 12 — sendo 2 a mudança climática zero e 12 a possibilidade louca e absurda de que algo do que Al Gore diz possa suceder. Sinto muito, rapazes, mas os dados pertencem à Mãe Natureza. Eles são como os dados poliédricos do jogo Dungeons & Dragons. Têm vinte, trinta e até sessenta faces. Não pensem que sempre cai 12. Pode cair sessenta — e cada vez há mais indícios de que pode ser assim, algo muito fora dos limites. Como afirma Romm, a única lacuna importante na ciência de mudança climática é se será "séria ou catastrófica" e se chegaremos lá mais cedo do que esperávamos.

"Lembra quando você era criança, sua mãe lhe perguntava o que queria ser quando crescesse e você respondia 'Eu quero mudar o mundo?'", disse Nate Lewis uma vez. "Bem, adivinhe, mãe: nós conseguimos."

"Mas alguém me disse... Eu li que... Desculpe, mas eu simplesmente não acredito nisto."

Quando estou em algum lugar e o assunto de mudança climática vem à tona, em geral alguém diz: "Não acredito nessa história de mudança climática. Alguém me disse... Alguém me disse que no ano passado o frio bateu o recorde... Como o clima pode ter mudado mil anos atrás mesmo sem carros para emitir CO_2?"

"Li em algum lugar que isso tem a ver com as manchas solares... Eu não acredito nesse negócio. Alguém me disse..."

Ouço muito coisas desse tipo. Então, como respondo? Para começar, tento explicar a diferença entre "variabilidade climática" e "mudança climática".

De acordo com o site da World Meteorological Organization, "clima" geralmente se define como "tempo mediano" em qualquer região. Isto é, a média num determinado período de tempo de variáveis tais como temperatura, a precipitação e o vento. A "variabilidade climática" se refere aos desvios da média da temperatura, dos ventos ou da precipitação. Como o clima é muito complexo (e envolve muitas interações e respostas entre a física, a biologia e a química), nem sempre compreendemos o que provoca a variabilidade climática — por que temos um ano frio no meio de um período de aquecimento, por que temos um ano chuvoso numa seca de longo prazo. E, como o clima varia, não se deve enfocar um só ano ou acontecimento climático. "De um ano para o outro podemos observar em algumas partes do mundo episódios mais frios ou mais quentes do que em outras partes, que levam a recordes de temperaturas baixas ou altas. Esta variabilidade climática regional não contradiz as mudanças climáticas de longo prazo", observou Michel Jarraud, secretário-geral da Organização Meteorológica Mundial, em uma carta publicada no *Washington Post* (21 de março de 2009). "O ano de 2008 foi ligeiramente mais fresco do que 2007, parcialmente devido à ocorrência do La Niña, mas, ainda assim, ficou em décimo lugar na lista dos anos mais quentes já registrados."

Então, o que é a "mudança climática"? A organização a define assim: "Mudança climática se refere a variações estatisticamente significativas, seja no estado médio do clima, seja em sua variabilidade, que persistem por um período extenso (tipicamente por décadas ou mais)." É importante observar que o clima muda porque é forçado a fazê-lo. E é forçado a mudar devido a forças naturais ou forças provocadas pelos homens. Em outras palavras, o clima *varia* naturalmente devido à sua própria dinâmica interna complexa, mas ele *muda* porque algo o força a mudar.

As forças naturais mais importantes que levam à mudança climática são as mudanças na órbita terrestre — que mudam a intensidade da radiação solar que atinge diferentes partes da Terra e o equilíbrio de energia térmica da atmosfera mais baixa, o que pode mudar o clima. Os cientistas sabem que a mudança climática também pode ser provocada por grandes erupções vulcânicas, com a emissão de partículas de pó no ar que formam um guarda-chuva e isolam a Terra de parte da radiação solar, levando a um período de esfriamento. O clima pode ser forçado a mudar por emissões massivas e naturais de gases do efeito estufa provenientes do subsolo — como o metano — que absorvem muito mais calor do que o dióxido de carbono e levam a um súbito período de aquecimento.

A novidade neste momento da história da Terra é que a força que provoca a mudança climática não é a mudança na órbita terrestre, uma erupção vulcânica ou a súbita emissão de gases do efeito estufa, mas a queima de combustíveis fósseis, o cultivo de arroz, a pecuária e as queimadas e o desflorestamento, que despejam na atmosfera dióxido de carbono, metano e outros gases que conservam o calor numa velocidade cem vezes maior que a velocidade normal da natureza. Como os cientistas sabem disso? Em agosto de 2008 tive uma aula sobre variabilidade climática e mudança climática ao visitar uma estação de pesquisas sobre o gelo no Círculo Ártico, na franja de gelo da Groenlândia — numa latitude de 77° 45' norte, longitude de 51° 6' oeste. Viajei até lá com um grupo de especialistas, guiados por Connie Hedegaard, ministra dinamarquesa de clima e energia, e acompanhados por Rajendra Pachauri, chefe do Painel Intergovernamental sobre Mudança Climática da ONU, que partilhou o prêmio Nobel com Al Gore. Voamos no C-130 da Guarda Nacional dos Estados Unidos, que aterrissou em esquis — não em pneus —, pois a pista de pouso era uma faixa cavada num campo de gelo e neve. Você ainda não viu nada até aterrissar num avião que usa esquis no trem de pouso. E certamente não viveu nada até levantar voo numa coisa dessas. Foram três tentativas até alcançar velocidade suficiente para a decolagem, e os pilotos estavam a ponto de usar os foguetes de lançamento; isso mesmo: pequenos foguetes atrelados às asas para garantir a decolagem.

Aquele ponto no meio do nada na franja de gelo da Groenlândia é sem dúvida uma das estações de pesquisa mais notáveis e isoladas do mundo. Por toda parte que olhava eu via a vastidão perfeitamente plana de gelo e neve estendendo-se pelo horizonte. Eu podia ver tão longe em qualquer direção que era como se pudesse ver a curvatura da Terra. O acampamento consiste em um domo geodésico aquecido onde os cientistas fazem as refeições, uma dúzia de barracas pouco aquecidas onde eles (e os convidados) dormem e equipamentos de laboratório enterrados. Ao longo de três "verões" eles planejavam extrair amostras de gelo e chegar até a camada de rocha, a aproximadamente 2 quilômetros de profundidade, ou o equivalente a 150 mil anos de acumulação de camadas de gelo. A Groenlândia é um dos melhores lugares para observar os efeitos da mudança climática. Como a maior ilha do mundo só tem 57 mil habitantes e praticamente nenhuma indústria, a condição da sua imensa camada de gelo — assim como a temperatura, a precipitação e os ventos — é mais influenciada pelas correntes atmosféricas e oceânicas que convergem para lá do que por fatores locais. O que quer que ocorra na China ou no Brasil é depois sentido na Groenlândia.

Eu não conhecia pesquisas sobre gelo e fiquei assombrado ao descobrir tudo o que se pode aprender com as pequenas amostras de gelo de dezenas de milhares de anos. A minha aprendizagem começou quando um dos anfitriões, o pesquisador dinamarquês Jorgen Peder Steffensen, me fez uma oferta irrecusável: "Se você vier a Copenhagen, vou lhe mostrar uma neve de Natal — a neve verdadeira, que caiu entre 1 b.C. e 1 d.C. Posso mostrar-lhe também uma amostra da primeira neve que caiu bem ao final da Idade do Gelo, há 1.700 anos. Ou você prefere ver amostras de ar com traços sulfúricos da erupção do monte Vesúvio? — aquele que destruiu Pompeia em 79 a.C."

Não é o tipo de oferta que se ouve todos os dias. Steffensen realmente tinha amostras gelo de todos aqueles anos. Ele é glaciologista e curador da maior coleção de amostras de gelo que existe, uma espécie de DNA atmosférico perfurado nos glaciares da Groenlândia, preservadas em cofres refrigerados na capital dinamarquesa. Quanto mais profundamente perfuram e mais amostras extraem, melhor é o quadro que os cientistas conseguem traçar do clima em eras passadas — e, portanto, melhor entendemos as mudanças climáticas. Cada camada de gelo tem água e bolhas de ar presas na neve que, analisadas por cientistas especializados, revelam em grandes detalhes a temperatura, a quantidade de gases do efeito estufa na atmosfera, a quantidade e as origens de poeira vulcânica e até a quantidade de sal marinho no ar e, portanto, a distância entre o glaciar e o oceano.

Imagine um congelador repleto destes cubos de gelo reveladores. Cada cubo representa um ano de dados atmosféricos, começando há 150 mil anos, que é a data mais longínqua da atual camada de gelo na Groenlândia. Bem, Steffensen, sua esposa Dorthe Dahl-Jensen, ambos do Centro para o Gelo e o Clima do Instituto Niels Bohr da Universidade de Copenhagen, e uma equipe de especialistas internacionais estão justamente criando um museu de gelo com amostras perfuradas no norte da Groenlândia, acima do Círculo Ártico. Seu objetivo é fazer algo que nunca foi feito: projetar um quadro completo do clima na Groenlândia, da Idade do Gelo, que durou de 200 mil a 130 mil anos atrás, passando pelo período de aquecimento conhecido como Eemiano, que durou entre 130 mil e 115 mil anos atrás, até a última Idade do Gelo, de 115 mil a 11.703 anos atrás ao atual período de aquecimento em que vivemos desde então. (Lembre-se: a Terra geralmente é uma bola de gelo; os períodos quentes interglaciais são exceções).

O último projeto de perfuração da equipe na Groenlândia terminou em 2004 e se concentrou nas camadas de 14.700 a 11.500 anos. Elas oferecem uma grande aula sobre a mudança climática natural. Em um artigo publicado em 2008 na revista *Science Express*, a equipe de Dahl-Jensen anunciou a descoberta, a partir dos núcleos de gelo, de que a circulação atmosférica do hemisfério Norte acima da Groenlândia "mudou abruptamente" ao final da última Idade do Gelo, há 11.700 anos. Parece que isto foi provocado por uma mudança súbita nas monções dos trópicos. Algo ocorreu na natureza, possivelmente erupções vulcânicas, e forçou a mudança climática. Esta foi tão abrupta que esquentou abruptamente o hemisfério Norte, acima da Groenlândia, por 10°C em apenas cinquenta anos.

"Isto demonstra que o nosso sistema climático tem capacidade de fazer mudanças muito abruptas por conta própria" quando é forçado por algum motivo, disse Dahl-Jensen. Isto seria uma razão para duvidar que a humanidade possa ser uma destas forças?, perguntei a ela. De jeito nenhum, foi a resposta. Isto significa que se o clima já é capaz de mudar por conta própria, forçado por motivos naturais, por que a humanidade poria seu pé coletivo no pedal para bombear mais gases do efeito estufa na atmosfera em um nível e uma velocidade inéditos? Porque nem sempre sabemos o que provoca a mudança climática, mas conhecemos as leis da física: sabemos que os gases do efeito estufa captam calor e que, se acrescentarmos mais gases à atmosfera e tornarmos mais espessa a camada de gases do efeito estufa isto fará mais calor se acumular, e sabemos que quando os gases se alojam na atmosfera e concentram mais calor, não se dissipam durante milhares de anos. Os seus efeitos nas temperaturas médias e no clima do planeta são cumulativos e, portanto, mais gases do efeito estufa na atmosfera levarão ao aumento das temperaturas médias da Terra, acima de quaisquer variações ou mudanças naturalmente provocadas que estejam ocorrendo na época. Isto tornará o período de resfriamento menos frio e o período de aquecimento mais quente.

Os que negam a mudança climática costumam esgrimir as incertezas sobre a variabilidade e a mudança climática para sugerir que, já que não sabemos tudo, não sabemos nada. Se não temos certeza de algo, argumentam, devemos ter incerteza diante de tudo. Diante da queda de seus fundos de pensão, muita gente não quer se preocupar com o aumento das temperaturas, então cita quaisquer incertezas como um motivo para não agir. Atenção! A demora implica riscos. Os que negam a mudança climática são como alguém que vai ao médico para um diagnóstico, e quando o médico avisa, "Se você não parar de fumar, há uma chance de 90% que vai morrer de câncer do pulmão," o paciente responde: "Doutor, quer dizer que você não tem 100% de certeza? Então eu vou continuar a fumar."

Não podemos cometer o erro de pensar que apenas porque os cientistas tendem a se focar nos 10% que não sabem, os 90% que sabem não seriam uma chamada para agir. Certo, não sabemos até onde as temperaturas médias globais irão e a qual velocidade, no contexto do espessamento da manta de gases de efeito estufa; portanto não sabemos precisamente até onde os mares irão subir e em quanto tempo. E não podemos dizer com certeza quando e em qual grau isso irá desestabilizar o sistema, para além de sua variabilidade natural. Mas sabemos sim que adicionar mais CO_2 na atmosfera cria uma função de forçar. Significa, com o passar do tempo, a subida constante das temperaturas médias, menos gelo, e mares mais altos — e esse processo não pode ser revertido, somente desacelerado.

"As conclusões mais importantes sobre a perturbação global do clima — que é real, que está acelerando, que já está causando importantes prejuízos, que as atividades humanas são quase totalmente responsáveis por ela, que os pontos de virada para a perturbação realmente catastrófica nos espreitam pela trajetória de 'vida como sempre', e que existe muito que pode ser feito para reduzir o perigo a um custo acessível se apenas começássemos — não foram forjadas pelo Sierra Club nem pelos inimigos do capitalismo", comentou Holdren, da Universidade de Harvard. "Estão calcados em um enorme acervo de cuidadosos estudos divulgados nas mais importantes publicações científicas, revisados e examinados por cientistas. Já foram checados e documentados em seus mínimos detalhes pelo maior, mais longo, mais caro, mais internacional, mais interdisciplinário, e mais completo processo de revisão formal de um tópico científico jamais realizado."

Diz-se frequentemente, Holdren prosseguiu, que existem três etapas de ceticismo com relação a questões como mudança climática — ou seja, grandes desafios que surgem no encontro da ciência com a sociedade: "Um, dizem que você está errado e podem prová-lo: 'O clima não está mudando de forma inusitada, ou, se estiver, a causa não é atividade humana.' Dois, dizem que você tem razão, mas não importa: 'OK, está mudando e os seres humanos têm um papel, mas não fará muito estrago.' Três, dizem que importa, mas já é tarde: 'Sim, a perturbação do clima vai ser bastante nociva, mas está tarde demais, é difícil demais, ou é caro demais para evitar isso, então vamos esperar e aguentar.' Todas essas posições são povoadas por subgrupos dos céticos da mudança climática que pululam nos programas de entrevista, blogs, cartas ao editor, artigos de opinião em jornais sem critério ou que estão obcecados com 'equilíbrio', e conversas em coquetéis. Os céticos individuais frequentemente mudam de categoria um a dois e de dois a três, à medida que partes da evidência que chega ao conhecimento deles se tornam mais difíceis de ignorar ou refutar. Praticamente todos os poucos céticos com credenciais na área de ciência de mudança climática têm trocado a categoria um pela dois nos últimos anos. E os saltos de dois a três — e direto do um para o três — se tornam mais frequentes. Todas as três posições estão profundamente equivocadas."

Holdren, que passou grande parte de sua vida dedicado ao estudo de diferentes aspectos da questão da mudança climática, formulou o que ele chama, com ironia, de "O primeiro princípio de Holdren" sobre mudança climática. Trata-se do seguinte: "Quanto mais aspectos do assunto você conhece, mas pessimista você se torna. Quem estuda ciência atmosférica é pessimista. Quem conhece ciência atmosférica e oceanos é mais pessimista, e quem conhece ciência atmosférica, oceanos e gelo é mais pessimista ainda, e quem conhece ciência atmosférica, oceanos, gelo e biologia é ainda mais pessimista, e quem sabe de todas essas coisas, além de engenharia, economia e política, é o mais pessimista de todos — porque sabe como é demorado mudar todos os sistemas que estão por trás do problema."

"Eu gosto de colocá-lo assim", Holdren acrescentou. "Estamos dirigindo na neblina num carro com o freio ruim, indo em direção a um precipício. Agora sabemos que o precipício está à frente, apenas não sabemos exatamente onde. Seria prudente começar a pisar no freio."

Ou, como o meu colega Andrew C. Revkin, repórter de meio ambiente do *New York Times*, gosta de dizer: "A incerteza é a razão para agir. Se construí a minha casa à beira da floresta e sei que há grande possibilidade de enchentes e incêndios, vou contratar mais seguro residencial e investir em mantas asfálticas corta-fogo, para diminuir os riscos e me preparar para o pior cenário. Não vou ficar sentado pensando:

'Nossa, ninguém pode saber com certeza quando um raio vai atingir aquela floresta, quantas árvores vão se incendiar, quanto o fogo vai se alastrar nem se a minha casa vai ser atingida, então por que contratar um seguro contra incêndio?'"

A nossa versão planetária do seguro contra incêndio seria fazer tudo o que pudermos para tirar o pé coletivo do pedal que está bombeando mais CO_2 na atmosfera. Não podemos deter o aquecimento global porque já há demasiado CO_2 no nosso futuro depois de tudo o que já bombeamos para o alto, mas podemos reduzir o ritmo do aquecimento global e, portanto, reduzir as chances de que a nossa casa seja atingida pelo equivalente climático de um incêndio florestal.

As coisas realmente assustadoras que já conhecemos

Com tudo isso em mente, o que sabemos exatamente sobre o que nós, como espécie, fizemos para forçar as mudanças climáticas? Se há uma resposta científica consensual a esta questão, ela está estampada nas conclusões do Painel Intergovernamental da ONU sobre as Mudanças Climáticas, que divulgou seu relatório mais recente em 2007.

Eis os fatos: antes da Revolução Industrial, em meados do século XVIII, e durante os 10 mil anos anteriores, o planeta Terra tinha, aproximadamente, 280 partes por milhão por volume de CO_2 em sua atmosfera. Ou seja, se pudéssemos retirar da atmosfera um bloco de um milhão de moléculas, em 1750, haveria nele 280 moléculas de CO_2. Hoje, esse mesmo bloco conteria cerca de 384 moléculas de CO_2. A única explicação para uma diferença tão grande, em um período tão curto de tempo, seria a emissão de gás carbônico produzido pelo uso industrial de combustíveis fósseis por parte da humanidade, assim como pelo desmatamento ocorrido desde o início da Revolução Industrial.

É verdade que, como os que negam as mudanças climáticas costumam observar, outros fatores afetam o resfriamento e o aquecimento do planeta, além do CO_2 produzido pela atividade humana. O sistema climático tem sua própria pulsação, e a órbita da Terra em torno do Sol é o verdadeiro marca-passo — que controla essa pulsação e determina, em linhas gerais, a quantidade de calor existente em nosso planeta. Uma das razões pelas quais as temperaturas médias variam ao longo da história é o fato de a órbita da Terra não ser circular, mas elíptica. Portanto, a distância da Terra ao Sol varia ligeiramente, à medida que a órbita muda, e isto influi no nível de radiação que recebemos do Sol. Estas mudanças ocorrem em ciclos de aproximadamente 10 mil anos. Outro fator é a inclinação do eixo da Terra. A inclinação do eixo do planeta com relação ao Sol é que nos proporciona as estações; se não existisse a inclinação, Nova York teria a mesma estação durante o ano inteiro, pois sua latitude sempre receberia a mesma quantidade de radiação solar. Como a Terra é inclinada, recebemos mais radiação solar no verão e menos no inverno, em função da diferença de latitudes — o que nos proporciona as estações. Mas, em períodos de 40 mil anos, a inclinação da Terra se altera, gradualmente, um ou dois graus. Isto, por sua vez, aumenta ou diminui a quantidade de radiação que atinge diferentes lugares do planeta. Um terceiro fator tem a ver com mudanças sutis no alinhamento da órbita da Terra com relação ao Sol. Essas mudanças, que ocorrem em ciclos de 21 mil anos, também determinam ligeiros aumentos ou reduções na radiação solar que atinge o planeta. Esses três processos periódicos são conhecidos como ciclos de Milankovitch. Estão sempre acontecendo e sua soma total regula a distribuição de radiação solar na Terra em qualquer período.

"Sabemos que esses períodos existem e podemos calcular, mais ou menos, quanta radiação as diferentes partes da Terra recebem quando estamos mais perto ou mais longe do Sol, e quando as estações serão mais curtas ou longas", diz Nate Lewis, químico da Caltech especializado em energia. "E podemos calcular — com base em camadas de gelo que datam de 670 mil anos — a temperatura média de nosso planeta, ano a ano, assim como as concentrações médias de CO_2. Com isso, sabemos que a temperatura média tem variado em torno de 6°C. Quando está quente — nos períodos interglaciais, como o que estamos atravessando

— temos um clima como o de hoje. Quando entramos nos períodos glaciais — e a temperatura média cai cerca de 6°C — temos geleiras do Polo Norte até Indiana."

Segundo alegam muitos dos que negam as mudanças climáticas, a variabilidade da órbita da Terra e as diferenças que acarreta nos níveis de radiação solar que atingem o planeta — *e somente estes fatores* — respondem pelas grandes flutuações de temperatura. As atividades humanas, dizem, não teriam nenhum efeito concreto. Só há um problema com essa argumentação, segundo Lewis: as grandes diferenças de temperatura observadas não podem ser explicadas somente pelas pequenas diferenças na quantidade de radiação solar que atinge a Terra, como resultado de pequenas variações na órbita terrestre.

"Sabemos que à medida que nos aproximamos ou nos afastamos do Sol, os oceanos ficam mais quentes ou frios, e respondem a isso liberando ou absorvendo CO_2", explica Lewis. "Quando os oceanos são aquecidos, liberam CO_2 da mesma forma que acontece quando você sacode uma garrafa de refrigerante. O dióxido de carbono borbulha para fora. É o que fazem os oceanos. Borbulham o CO_2 para fora e isto aquece a atmosfera, o que, por sua vez, aquece mais os oceanos, que liberam mais CO_2. Além disso, quando a temperatura aumenta, o gelo derrete e reflete menos luz solar, o que, por seu turno, faz com que mais luz solar seja absorvida, o que provoca mais aquecimento."

Mesmo quando a Terra passou de períodos glaciais para interglaciais, a mudança total nos níveis de concentração de CO_2 não foi maior que 120 partes por milhão, diz Lewis. Subia de 180 ppm para 300 ppm. Depois retornava a 180 ppm. E as variações de temperatura, em torno de 6°C, acompanhavam esses movimentos. Durante os últimos 10 mil anos, entretanto, a concentração de CO_2 se manteve estável, em torno de 280 ppm — e nosso clima se manteve bastante estável também.

Tudo mudou subitamente por volta de 1750. Após o início da Revolução Industrial, e particularmente nos últimos cinquenta anos, a quantidade de CO_2 na atmosfera terrestre disparou de 280 ppm para 384 ppm, marca que, provavelmente, jamais fora atingida em 20 milhões de anos. Para produzir um aumento na mesma escala, o Sol demorou milênios em cada ciclo. E agora estamos a caminho de acrescentar 100 ppm, ou mais, de CO_2 à atmosfera nos próximos cinquenta anos. Essa quantidade extra de CO_2 não é proveniente dos oceanos mas, sim, das atividades humanas, que acarretam a queima de combustíveis fósseis e o desmatamento. Sabemos disto porque o carbono pode ser datado. A idade do carbono existente no dióxido de carbono produzido pela queima de combustíveis fósseis é diferente da idade do carbono contido nos oceanos. E as medições demonstram, definitivamente, que o aumento do dióxido de carbono na atmosfera, verificado nos últimos cinquenta anos, provém do carbono liberado pela queima de combustíveis fósseis.

Também sabemos que, nos últimos cem anos, o posicionamento da Terra em relação ao Sol não mudou de forma significativa. Mas a quantidade de CO_2 na atmosfera subiu radicalmente. "Simplesmente porque, no passado, o deflagrador inicial para o aumento de CO_2 foi o Sol, isto não quer dizer que outra coisa não possa ampliar a liberação de CO_2, ou mesmo provocar sua liberação agora, levando ao aquecimento que temos observado — e esta outra coisa somos nós", diz Lewis. "O Sol puxou o gatilho de um fuzil e deu um tiro de CO_2. Mas os humanos estão disparando um canhão de CO_2. E sabemos que esse aumento de CO_2 vai alterar o clima, pois, em 670 mil anos, todas as vezes em que o nível de CO_2 se elevou, as temperaturas se elevaram — e todas as vezes em que o nível de CO_2 caiu, as temperaturas caíram. Portanto, dizer que o CO_2 acrescentado pelos humanos não constitui um problema é apostar contra 670 mil anos consecutivos de dados, e esperar pela sorte."

O último relatório do IPCC (janeiro de 2007) concluiu que o aquecimento global é "inequívoco" e, "muito provavelmente", o causador da maioria dos aumentos de temperatura ocorridos desde 1950. Segundo o relatório, são de 90% as probabilidades de que o dióxido de carbono e outros gases-estufa, produzidos pela indústria e pela agricultura, sejam os maiores culpados pelo aquecimento global.

Com base na ciência atual, o IPCC alerta que se, devido à ação humana, o nível de CO_2 na atmosfera atingir 550 ppm, e estamos nos encaminhando nesta direção, a temperatura média global, com o tempo (haverá um intervalo, pois demora um pouco para que os oceanos se aqueçam), aumentará em cerca de 3°C. Se, através de nossos esforços, conseguirmos manter o nível de CO_2 em 450 ppm, isso deverá resultar em um aumento em torno de 2°C na temperatura média global.

"Em nossa opinião", dizem os climatologistas que trabalharam no relatório da fundação Sigma Xi/ONU sobre aquecimento global, aumentos de 2 a 2,5°C acima dos níveis de 1750, "acarretariam riscos sérios e crescentes de ultrapassarmos o 'ponto de equilíbrio' climático, o que poderia trazer consequências intoleráveis ao bem-estar humano, mesmo se fizéssemos todas as tentativas possíveis de adaptação". Foi por esse motivo que a União Europeia propôs um teto de 2°C. E é por isso que precisamos fazer as duas coisas: diminuir os efeitos das mudanças climáticas, reduzindo as emissões de CO_2 — e promover adaptações. Mas, se as mudanças climáticas não forem amenizadas agora, poderão se tornar grandes demais para que as adaptações surtam algum efeito.

"Durante muito tempo", diz John Holdren, professor de Harvard que participou do estudo da Sigma Xi, "algumas pessoas argumentaram que deter as emissões em 550 ppm e 3°C deveria ser a meta — não porque não causasse malefícios, mas porque era difícil imaginar como poderíamos fazer melhor. Mas o que se verificou, desde meados dos anos 1990, foi que quase todas as evidências científicas têm demonstrado que 3°C não seriam toleráveis".

Por quê? Por muitos motivos: os cientistas perceberam que estavam subestimando os efeitos que as mudanças trariam à agricultura (em um mundo mais quente, por exemplo, muitas pragas que prejudicam as lavouras não seriam mortas no inverno); perceberam que as calotas de gelo da Groenlândia e do oeste da Antártida estão derretendo ou se desprendendo mais rapidamente do que se previa; e, finalmente, perceberam que a acidificação dos oceanos estava colocando em risco os recifes de coral e os moluscos de concha calcária — importantíssimos para a cadeia alimentar submarina — de modo muito mais rápido do que se acreditava antes. (Eis como ocorre a acidificação: adicionando mais CO_2 a H_2O, obtém-se mais H_2CO_3 — também conhecido como ácido carbônico, um ácido fraco que afeta o nível de pH dos oceanos e dissolve o carbonato de cálcio necessário para que os corais e os moluscos de concha formem seu exterior calcário.)

Há outras razões pelas quais podemos estar subestimando o aquecimento global. Para começar, os cientistas — os bons cientistas — possuem um medo congênito de exagerar alguma coisa. São punidos por exagerar e não são punidos por subestimar. Isto produz uma cautela generalizada. "Um charlatão pode dizer uma mentira em uma frase, que um cientista levaria três parágrafos para refutar", diz Holdren. Além disso, os dados brutos que foram utilizados no modelo do IPCC e outros modelos sofrem uma defasagem de tempo real. Para compor os modelos climáticos, os cientistas reúnem pequenos fragmentos de informação sobre o que sabem que ocorreu no passado, verificam sua relação com o que de fato ocorreu, e tentam fazer projeções futuras baseadas nas tendências observadas anteriormente. Mas a maior parte dos dados utilizados no modelo do IPCC, relacionados às atividades econômicas da China, por exemplo — segundo Bill Collins, cientista graduado da Divisão de Ciências da Terra, do Laboratório Nacional de Berkeley —, precede os últimos cinco anos, quando a China intensificou suas já gigantescas atividades industriais, aumentou a produção de cimento e acelerou o ritmo de suas construções, multiplicando o número e a capacidade de suas termelétricas a carvão, para sustentar isso tudo.

"Ninguém utilizou, nos modelos de economia energética, a aceleração das emissões da China nos últimos cinco anos", diz Collins. "Isto é amedrontador. Muitos dos cálculos da Sigma foram efetuados quando as emissões da China eram decrescentes, nos anos 1990, e a União Soviética estava desmoronando. O que está acontecendo agora é pior do que as piores projeções do modelo do IPCC."

As coisas ainda mais assustadoras que desconhecemos

O que deixa os climatologistas insones são coisas assustadoras que eles sabem que podem ocorrer, mas que são impossíveis de prever.

Por exemplo, a respeito de como mudanças climáticas altamente destruidoras e não lineares podem interagir, ampliando os efeitos umas das outras. São os chamados "laços de realimentação" positivos e negativos. O que aconteceria com o planeta se houvesse uma seca na Amazônia interagindo com uma elevação no nível dos mares, e ambos os fenômenos interagindo com um degelo na Groenlândia? Se tivéssemos uma orquestra de laços de realimentação tocando um concerto, não haveria computador no mundo capaz de nos dizer com certeza o que poderia acontecer.

Como poderiam interagir entre si diferentes formas de mudança climática? Jim Woolsey, ex-diretor da CIA e perito em energia, gosta de chamar a atenção para algumas regiões de tundra no Ártico, na Sibéria Ocidental e em uma pequena área do Alasca, nas quais cerca de 500 bilhões de toneladas de carbono — cerca de 1/3 de todo o gás carbônico existente nos solos do mundo — estão aprisionadas em pântanos de turfa congelados. Se o *permafrost** desses pântanos se descongelasse, grande parte desse gás carbônico seria imediatamente convertido em metano, outro gás-estufa. Como o metano é muito mais poderoso que o CO_2, explica Woolsey, sua liberação maciça poderia impulsionar uma rápida mudança climática — equivalente a bilhões de toneladas de CO_2. Isto, por sua vez, poderia provocar temperaturas médias mais elevadas, mais degelo e amplificações ainda maiores do fenômeno, catastróficas e imprevisíveis.

É difícil persuadir os executivos dos governos a reconhecerem esse tipo de mudança não linear e a se prepararem para ele. Talvez isso se deva ao fato de que a maioria das pessoas tenha o que o inventor e futurólogo "Ray Kurzweil chama de 'visão linear intuitiva' dos fenômenos, em vez de uma 'visão exponencial histórica'", argumenta Woolsey. "Em *The Singularity Is Near* (A singularidade está próxima), Kurzweil sugere que a maioria de nós tem grande dificuldade em entender mudanças exponenciais. Ele nos compara com um indivíduo que possui um pequeno lago em sua propriedade, e que, regularmen-

* *Permafrost* — Tipo de solo permanentemente congelado, encontrado na região do Ártico. É recoberto por uma camada de gelo e neve. (N. do T.)

te, limpa a camada de aguapés que se acumula na superfície. Certo dia, como os aguapés estão cobrindo apenas 1% da superfície do lago, o proprietário decide sair de férias. Ao retornar, semanas depois, fica surpreso ao encontrar o lago coberto de aguapés, e os peixes mortos. O proprietário esqueceu-se de que os aguapés não sabiam que não deveriam se expandir exponencialmente, apenas porque a mente humana tende a pensar linearmente." Nossa geração e as gerações futuras, acrescenta Woolsey, precisam entender que "a natureza nem sempre vai se comportar de modo linear, simplesmente porque nossas mentes trabalham assim".

Portanto, na Era da Energia e do Clima, temos que pensar exponencialmente. "Alguns comportamentos humanos que pareciam aceitáveis, ou pelo menos inócuos, no passado, podem ser insensatos nos dias de hoje, pois, essencialmente, aumentam a chance de metástase no sistema", conclui Woolsey. Não percebemos quando uma pequena mudança pode fazer uma grande diferença.

Sem dúvida, pode haver laços de realimentação que podem contribuir para o equilíbrio entre aquecimento e resfriamento. Por exemplo, o aquecimento global pode formar mais nuvens baixas e algumas delas podem se deslocar para cima, o que ajudaria a resfriar a Terra. "Existem realimentações positivas e negativas com referência às nuvens", explica Lewis, "e muitas diferenças nos modelos climáticos dependem de como as nuvens são consideradas, de quando e como são analisados os laços de realimentação das nuvens". Mas, por enquanto, os laços de realimentação que podemos identificar são muito mais preocupantes do que tranquilizadores.

Todos os modelos que nos dizem o que vem pela frente são apenas extrapolações do que será a atmosfera com diferentes níveis de CO_2, e como os novos níveis afetarão o clima, de um modo geral, nossa biosfera e nossa civilização. Os diferentes modelos climáticos, todos eles, são uma média de diferentes fatores, e nos oferecem uma projeção média do futuro para o qual nos encaminhamos. Mas não podemos pensar que esta projeção vá se concretizar.

"A Terra não está em um caminho normal", acrescenta Lewis. "Está em um caminho — apenas não sabemos em qual. Mas há indícios crescentes de que este caminho possa conduzir a mudanças climáticas aceleradas e abrangentes, sobretudo se alguns descontrolados efeitos de realimentação começarem a ter influência... Quatrocentos e cinquenta ppm seria uma proporção segura? Quinhentos e cinquenta ppm acabaria se revelando uma proporção segura? Não sabemos. O único nível de CO_2 que sabemos ser seguro é naquele em que vivemos nos últimos 10 mil anos: 280 ppm — e este já ficou para trás. Você se sentiria bem em deixar para seus filhos um mundo com 550 ppm de CO_2 na atmosfera? Eu não. Pode ser ótimo — mas é um mundo no qual nenhum ser humano jamais viveu."

Vamos rezar

Cada vez mais pessoas estão começando a perceber que as mudanças climáticas são reais, mesmo que não saibam explicar por quê, pois as mudanças climáticas começaram a pular dos livros científicos para dentro de suas vidas. Observo isto em minhas próprias viagens e nos últimos tempos passei a me perguntar: "Comecei no jornalismo há trinta anos, ouvindo o Serviço Mundial da BBC. Será que vou encerrar minha carreira grudado no Weather Channel?" Quando eu era garoto, o noticiário local apresentava "notícia, previsão do tempo e esportes". Mas algo dentro de mim me diz que, em 2030, o jornal da noite irá apresentar "previsão do tempo, outras notícias e esportes". O tempo e o clima estão começando a adquirir tamanha importância, em tantos lugares, que se tornaram notícia. Transformaram-se em política, também. De fato, somente em 2007, testemunhei dois casos em que políticos apelavam para seus concidadãos — a sério — para que rezassem pedindo chuva.

Visitei a Austrália em maio de 2007, em meio ao que os australianos estavam chamando de "Grande Seca", uma seca de sete anos, aproximadamente, que se tornara tão severa que, em 19 de abril de 2007, o então primeiro-ministro John Howard chegou a pedir para seus compatriotas que juntassem as mãos e suplicassem ao Bom Deus para que caísse um aguaceiro torrencial. Pois se não começasse a chover, disse Howard, ele seria obrigado a proibir a distribuição de água para fins de irrigação na bacia do rio Murray-Darling, área que responde por 40% da produção agrícola da Austrália. Isto seria como um faraó egípcio proibir a irrigação com as águas do Nilo, ou como um presidente americano fazer a mesma coisa em relação ao Mississipi. Os australianos ficaram chocados. Mas Howard não estava brincando. Durante uma entrevista, em seu escritório em Sydney, ele comentou comigo: "Eu disse ao pessoal para rezar pedindo chuva. E eu disse isso sem nenhuma intenção de ironia." Acabou acontecendo uma coisa engraçada: realmente começou a chover! Howard me disse que um parlamentar integrante do seu próprio Partido Liberal, que vivia em Mallee, ao norte da província de Victoria, uma das áreas mais afetadas pela seca, telefonou para lhe dizer que, quando as chuvas finalmente caíram, seus filhos pequenos ficaram brincando sob o aguaceiro. Todos tinham menos de 6 anos e nunca tinham brincado na chuva. A Grande Seca fora uma presença constante em suas vidas.

Mas rezar pela chuva não foi o suficiente. As eleições realizadas na Austrália naquele mesmo ano, mais tarde, foram as primeiras da história em que mudanças climáticas — especificamente o fracasso do governo de Howard em responder a elas com ações, em vez de preces — estavam entre as três questões eleitorais mais importantes, juntamente com regulamentação trabalhista e taxas de empréstimos hipotecários. Pesquisas realizadas logo após as eleições revelaram que a insistência de Howard em manter a Austrália fora do Protocolo de Kyoto, alguns anos antes, fora um dos motivos principais de sua derrota para o Partido Trabalhista. Imediatamente após as eleições, em dezembro de 2007, o adversário vitorioso de Howard, Kevin Rudd, entregou pessoalmente às Nações Unidas, na conferência sobre mudanças climáticas realizada em Bali, um conjunto de documentos ratificando o Protocolo de Kyoto. Foi sua primeira iniciativa diplomática.

Alguns meses depois de ter visitado a Austrália, eu estava de volta aos Estados Unidos, planejando uma viagem a Atlanta, quando me deparei com a seguinte história na internet: o governador da Geórgia

Sonny Perdue conduzira uma vigília de orações nos degraus da assembleia estadual, em busca de alívio para a seca de proporções monumentais que assolava a Geórgia e todo o Sudeste americano.

"Nós nos reunimos com apenas um objetivo — o de muito reverentemente e respeitosamente orar por uma tempestade", disse o governador Perdue, apoiado por uma centena de fiéis. "Pai nosso, nós reconhecemos nossos desperdícios", acrescentou Perdue. Pelo menos, foi uma coisa honesta. A revista *Time* da semana seguinte (19 de novembro de 2007) alfinetou Perdue e seu estado por confiar demais no Bom Deus e não o suficiente no bom senso. "Não foi Deus quem permitiu que um parque temático construísse uma montanha com 4 milhões de litros de neve artificial, enquanto o Sudeste estava sendo atingido pela seca; foram o governador Perdue e sua equipe", informou o artigo da *Time*. "Eles também permitiram a perdulária irrigação dos algodoais da Geórgia, assim como a urbanização desenfreada da área metropolitana de Atlanta, que exauriu os recursos hídricos."

O desperdício de água da Geórgia estava prestes a se tornar notícia de outras formas. Enquanto a seca se prolongava e batia recordes, o norte da Flórida, cujas enormes fazendas de cultivo de ostras dependem da água que desce da Geórgia, ameaçava uma guerra civil no Sul. Ainda não atingira o nível dos somalis e sudaneses que, crestados pela seca, travam sangrentas guerras civis na disputa pela água, mas estava com a mesma disposição.

Em 14 de dezembro de 2007, Diane Roberts, autora de *Dream State* (Estado de sonho), um livro sobre a Flórida, escreveu para o *St. Petersburg Times* um artigo sobre a vizinha Geórgia e o governador Perdue. "Atlanta se comporta como aquele deplorável primo beberrão em sua casa, após o jantar do Dia de Ação de Graças, embriagado e fora de controle", reclamou Roberts.

> Distribuída entre 28 municípios, a população aumentou em um milhão nos últimos sete anos: um vasto emaranhado de shopping centers, condomínios fechados, mansões de mau gosto e complexos de apartamentos. Ninguém parou para verificar se havia água

> suficiente (...) As soluções de Perdue para a crise da água, até o momento, foram: 1. Rezar por chuva; 2. Culpar a Lei das Espécies Ameaçadas. Eu sou a favor das orações. Sou a favor das danças de chuva, sacrifícios de galinhas no estilo *santería*, encantamentos de feiticeiros, ou qualquer tipo de mágica que possa persuadir a H_2O a cair dos céus. Mas Perdue, ao apontar um dedo acusador para as criaturas marinhas que dependem do fluxo de água doce do sistema Chattahoochee-Fling-Apalachicola, quer reduzir o problema a homens contra moluscos. Ele disse a um entrevistador, na televisão, que nenhum molusco "merece mais água do que os seres humanos, as crianças e os bebês de Atlanta..." "As pessoas gostam de definir o problema como bebês contra ostras", diz David Guest, um advogado da Earthjustice, um escritório de advocacia especializado em causas ambientais. "Mas a verdadeira questão é: por que Atlanta pensa que deve receber mais água do que antes?" O lago Lanier foi criado há cinquenta anos para possibilitar o trânsito de barcaças no Chattahoochee. Não foi concebido para ser um reservatório de água potável. Mas como não houve uma supervisão responsável do crescimento da área, o Lanier se tornou o poço sagrado da região metropolitana de Atlanta. (...) Guest questiona a solicitação, feita pela Geórgia, de que o Corpo de Engenharia do Exército dos Estados Unidos reservasse mais água para o estado. "Há alguma base nessa reivindicação, além do 'Eu quero'?" É um descaso com a destruição rio abaixo. "Permitir que Atlanta obtenha mais água é como emprestar seu cartão de crédito a um viciado, com a promessa de que ele só vai usar o cartão uma vez."

Por isso não devemos pensar que os efeitos da mudança climática só serão sentidos diante de um grande desastre natural, como o furacão Katrina. Não necessariamente, afirma Minik Thorleif Rosing, geólogo do Museu de História Natural da Dinamarca e um dos meus companheiros na viagem à Groenlândia. "A maioria das pessoas sentirá a mudança climática com a ajuda do carteiro", explicou. "Ela virá na forma de contas de água mais caras, devido a severas secas em algumas áreas; contas de energia mais altas, quando o verdadeiro custo do uso dos combustíveis fósseis se tornar proibitivo, e taxas de seguros e hipotecas mais altas, devido ao clima mais violentamente imprevisível."

Caçadores, fazendeiros e pescadores constituem, de modo geral, uma turma conservadora. Não são o tipo de gente que assistiria a um filme de Al Gore. Mas eles conhecem seus rios, seus campos, suas reservas de caça e seus vales nas montanhas. E, nos últimos tempos, perceberam que não precisam assistir a *Uma Verdade Inconveniente*, pois eles são as estrelas do filme, é o vídeo caseiro deles. Uma rápida viagem a Montana pode confirmar isso.

Era início de janeiro de 2007 quando me aventurei por lá, e confesso que não havia nenhum sinal de aquecimento global no dia em que cheguei. Eu fora a Colstrip, Montana, para ver como é realmente uma mina de carvão, e tinha o melhor guia possível — Brian Schweitzer, o governador democrata do estado, e seu cão Jake, cujo índice de popularidade, como o governador apressou-se em informar, era maior que o dele.

O governador, um homem enorme, de sorriso fácil e humor afiado, se encontrou comigo em Billings, no seu pequeno avião bimotor. Voamos até Colstrip em meio a um temporal de inverno, que nos fazia pular como pipoca. Aterrissamos em uma pista provisória no coração da região carvoeira. (No caminho de volta, depois de atravessarmos outra tempestade furiosa, que me fez enterrar as unhas nos braços da poltrona — com tanta força que deixei minhas impressões digitais no couro —, agradeci profundamente aos pilotos. O governador apenas berrou: "Ainda bem que pudemos voar com os melhores alunos da nossa escola de pilotos!" Muito engraçado...) Durante o voo, enquanto apontava pontos de interesse no chão, o governador Schweitzer refletiu sobre como ele e seus concidadãos de Montana haviam mudado de opinião — e rapidamente.

"Aqui em Montana, nós vivemos ao ar livre", disse o governador, um agrônomo que começou a vida organizando fazendas na Arábia Saudita, "e por isso sabemos que o clima está mudando... Assim, quando a Exxon Mobil contrata alguém que se intitula 'cientista' para afirmar que isto não é verdade, nós não precisamos do *New York Times* para saber que o cara está levantando uma cortina de fumaça".

Mais tarde, Schweitzer detalhou para mim os motivos pelos quais os caçadores, fazendeiros e pescadores de Montana acabaram acreditando nas mudanças climáticas. Todos os anos, em julho, o estado verifica a temperatura de seus rios trutíferos. As trutas gostam das águas frias que, durante o verão, escoam das montanhas nevadas e esfriam os rios. Infelizmente, durante as últimas décadas, a cobertura de gelo de algumas montanhas já estava derretida em julho; assim, os rios não estavam recebendo o fluxo constante de águas frias, e as trutas estavam estressadas. Em julho de 1979, segundo ele, a temperatura do famoso rio Flathead, que brota no Parque Nacional das Geleiras, era de 11,3°C. Em julho de 2006, subira para 15,95°C. E os rios antes formados por neve derretida, em quase 100%, agora se constituíam em 50% de águas provenientes de chuvas e de nascentes. As trutas de Montana ficaram tão estressadas que o estado teve de proibir a pesca em alguns rios.

"A pesca de trutas é importante para a alma", diz Schweitzer. "Quando as pessoas não podem pescar em seus rios favoritos, ficam deprimidas." E há também os incêndios florestais. No noroeste de Montana, as montanhas são cobertas por bosques de pinheiros até a maior altitude possível. Devido às temperaturas mais quentes no inverno, entretanto, as árvores se tornaram muito mais vulneráveis a insetos e outras pragas, cujas larvas, em épocas anteriores, eram mortas por temperaturas de 30 a 35°C negativos, que eram comuns no inverno, em janeiro e fevereiro. Não é o que tem ocorrido nos últimos anos.

"Agora, nas montanhas Rochosas, temos hectares e mais hectares de árvores mortas ou moribundas", diz Schweitzer. "A natureza tem seu modo de cuidar disso: quedas de raios. Uma floresta saudável queimaria um pouco, depois choveria um pouco e o equilíbrio seria restaurado. Agora, com tantas árvores mortas e moribundas, cai um raio e, bum! — 200 mil hectares de árvores desaparecem. Toda a composição da floresta está sendo modificada."

Isto, por sua vez, está prejudicando os caçadores. Em Montana, a temporada de caça graúda, alces principalmente, sempre teve seu início no terceiro domingo de outubro. "Metade de Montana vai à caça, nesta época", diz Schweitzer. "As mulheres de Montana já contam que vão ter um descanso dos maridos — e os maridos contam com uns dias à vontade na floresta, sem ter de tomar banho, nem fazer a barba." Em outubro, os habitantes de Montana sabiam que as pesadas nevascas que caíam nas montanhas, acima de 600 ou 900 metros, forçariam os alces da montanha a procurar altitudes mais baixas, nos vales, onde poderiam se agregar a um grupo e se alimentar. E onde os caçadores poderiam segui-los e abatê-los. Para que o equilíbrio natural seja mantido, os espécimes mais fracos ou doentes das manadas precisam ser removidos. Mas com as neves chegando mais tarde, os alces descem as montanhas mais tarde. Assim, a estação de caça aos alces teve de ser mudada para novembro. Não chega a ser um desastre — apenas nos diz que o ambiente está mudando e que nosso modo de vida, por conseguinte, pode mudar.

"Mudar a data do início da estação de caça aos alces não foi uma reivindicação dos cientistas", diz Schweitzer. "Foi uma reivindicação dos caras que querem caçar e me dizem: 'Há três anos, não consigo matar um alce.' São apenas pessoas comuns. Podem não dispor de nenhuma informação sobre o clima, mas sabem o que devem saber, e sabem que alguma coisa está diferente."

Alguns problemas, no entanto, não podem ser consertados com uma mudança no calendário. Cerca de 70% da água que escoa na bacia do Missouri, a maior dos Estados Unidos, provêm das neves de Montana, assim como 50% das águas da bacia do rio Columbia. Quando neva menos em Montana, além de menos água escoar para esses rios, muitas das represas neles instaladas produzem menos energia hidrelétrica, uma energia limpa. A diferença tem de ser compensada mediante a queima de carvão. Quando há menos fluxo de neve derretida, os fazendeiros precisam instalar bombas elétricas cada vez maiores, de modo a trazer água do subsolo para irrigar as plantações. Isto significa maior demanda de eletricidade.

"Montana é o estado das cabeceiras de rios", diz Schweitzer. "Nosso fluxo de neve derretida se escoa no Atlântico, no Pacífico e no Ártico. Este fluxo costumava durar o ano inteiro. Nós refrigerávamos este país.

Agora, o degelo termina em meados de julho — quando o congelador da montanha fica sem gelo — e as nevascas começam no final do outono."

Uma análise do Instituto Scripps de Oceanografia, da Universidade da Califórnia, em San Diego, publicada em fevereiro de 2008 na revista *Science*, concluiu, através de dados coletados desde 1950, que a camada de gelo das montanhas do Oeste, medida todos os anos em 1º de abril, vinha diminuindo sistematicamente em oito das nove regiões estudadas. Os pesquisadores disseram não haver nenhuma dúvida de que mudanças climáticas eram a causa do fenômeno e que, dada a importância do fluxo de neve derretida para tudo, desde a irrigação de plantações até o abastecimento de água potável, passando pela alimentação de represas no Oeste, "modificações na infraestrutura do aproveitamento das águas no Oeste americano são uma necessidade".

Não é nenhuma surpresa que, nos dias de hoje, aqueles que negam as mudanças climáticas não tenham uma audiência muito grande em Montana.

"Eu vi algumas pesquisas, no ano passado, que mostravam que mais de 60% do pessoal de Montana concordaria em mudar o estilo de vida e pagar mais impostos se isto levasse a uma diminuição nas mudanças climáticas", disse Schweitzer. "Gente da velha geração, velhos comuns, que nunca usaram uma gravata na vida, e não têm nenhuma intenção de usar, dizem para mim: 'Puxa, cara, as coisas estão mudando.' Tudo o que eles precisam fazer é olhar para o alto das montanhas, em agosto, e ver que elas não estão cobertas de neve. Nós sabemos qual o aspecto que elas deveriam ter, mas não têm. E eles sabem que o riacho que corria nas terras de seus avós, na virada do século, agora seca no verão. Eles não sabem a causa disso — mas sabem que alguma coisa está acontecendo, e é uma coisa que não lhes agrada."

Narcisos em janeiro

À medida que mais pessoas se deparam com as mudanças climáticas, mais pessoas começam a entender que estas não são apenas um fenômeno com o nome engraçadinho de "aquecimento global". Talvez digam: "Está bem, o tempo vai ficar um pouco mais quente, mas em que isso pode me prejudicar?" Principalmente se são de um estado frio como Minnesota — como é o meu caso. Mas o fenômeno deveria se chamar "esquisitices globais".

"Esquisitices globais" é uma expressão usada por Hunter Lovins, cofundador do Rocky Mountain Institute, para explicar às pessoas que a elevação das temperaturas médias no mundo (aquecimento global) irá desencadear todos os tipos de fenômenos inusitados — de ondas de calor e secas mais abrasadoras, em alguns lugares, a nevascas mais intensas, em outros, passando por tempestades mais violentas, inundações mais devastadoras, trombas d'água, incêndios florestais e extinção de espécies. O tempo vai ficar esquisito. Já ficou. Quando os narcisos perto da entrada de nossa casa, em Bethesda, Maryland, que geralmente brotam em março, brotaram este ano no início de janeiro, eu achei esquisito — parecia uma coisa extraída de algum velho episódio de *Além da Imaginação*. Eu meio que esperava ver Rod Serling, o apresentador do programa, aparando a grama de nosso jardim.

Acostumem-se com isso. O tempo pode parecer ficção científica, mas a ciência subjacente é bastante real e mundana. Basta uma pequena elevação nas temperaturas médias globais para que se tenha um grande efeito no clima, pois o que controla os ventos e seus padrões de circulação pela superfície terrestre são as diferenças de temperatura. Assim, se a temperatura da superfície da Terra se modificar, o padrão dos ventos se modificará e, num piscar de olhos, o comportamento das monções será alterado. Quando a Terra se torna mais quente os níveis de evaporação também se alteram — e esta é a razão pela qual há tempestades intensas em alguns lugares, curtos períodos de secas abrasadoras, em outros, seguidos por secas prolongadas.

Como podemos ter, ao mesmo tempo, os dois extremos? À medida que se elevam as temperaturas médias globais, e a Terra fica mais quente, a evaporação do solo aumenta. Assim, regiões que já são naturalmente secas tendem a ficar mais secas. Mas os níveis mais altos de evaporação, por força do aquecimento global, também carregam a atmosfera com mais vapor. Por conseguinte, áreas próximas a grandes volumes de água, ou em lugares onde a dinâmica atmosférica favorece níveis pluviométricos mais altos, tendem a ficar mais úmidas. Já sabemos uma coisa sobre o ciclo hidrológico: toda umidade que sobe tem de descer, e onde mais umidade sobe, mais umidade desce. O índice pluviométrico global provavelmente deverá aumentar, e a quantidade de água em cada tempestade também deverá crescer — o que, por sua vez, elevará a ocorrência de enchentes e trombas d'água. Eis por que esta expressão gentil, "aquecimento global", não reflete o potencial destruidor do que vem pela frente.

"A expressão popular 'aquecimento global' é incorreta", diz John Holdren. "Ela transmite a ideia de alguma coisa uniforme, gradual e possivelmente benigna — principalmente no que se refere a temperaturas. O que está acontecendo com o clima do planeta não é nada disso. É irregular, em termos geográficos. É rápido, comparado aos níveis históricos de mudanças climáticas e ao tempo que os ecossistemas e as sociedades humanas levam para se ajustar. Está afetando diversos fenômenos climáticos, extremamente importantes, além da temperatura, tais como índice pluviométrico, umidade do ar, umidade do solo, padrões de circulação atmosférica, tempestades, coberturas de neve e gelo, correntes oceânicas e subida de águas profundas para a superfície. E seus efeitos sobre o bem-estar humano, sem dúvida, serão mais negativos do que positivos. Um rótulo mais adequado que 'aquecimento global', embora mais incômodo, seria 'destruição climática global'."

O website CNN.com (7 de agosto de 2007) informou a respeito de um estudo recém-distribuído pela Organização Meteorológica Mundial, da ONU, que enfoca as aberrações climáticas sem precedentes que haviam ocorrido até o momento, naquele ano. O relatório poderia ser chamado de "Esquisitices Globais 2007":

> Quatro monções, o dobro do número normal, provocaram fortes inundações na Índia, no Paquistão e em Bangladesh (...) A Inglaterra e o País de Gales tiveram o período de maio a julho mais úmido desde o início das medições, em 1766. No final de julho, rios muito acima do nível normal ameaçavam transbordar de suas margens (...) No final do último mês, no Sudão, enchentes e chuvas torrenciais

> provocaram o desabamento de 23 mil casas de adobe, matando pelo menos 62 pessoas. Os aguaceiros foram anormalmente fortes e precoces para esta época do ano. (...) Em maio, ondas enormes, de quase 5 metros, varreram 68 ilhas nas Maldivas, provocando alagamentos e sérios prejuízos. (...) Ainda em maio, uma onda de calor assolou a Rússia. (...) O sudeste da Europa não escapou ao clima inusitado. A área sofreu recordes de calor em junho e julho. (...) No sul, um inverno excepcionalmente frio originou ventos e tempestades de neve em diversas partes da América do Sul, com temperaturas atingindo -22°C na Argentina, e -18ºC no Chile, durante o mês de julho. Em junho, a África do Sul teve sua primeira nevasca significativa desde 1981; quase 25 centímetros de neve recobriram algumas partes do país...

Essa tendência a extremos mais extremos prosseguiu pelo verão de 2008, quando chuvas torrenciais sem precedentes, em Iowa, fizeram com que o rio Cedar transbordasse e inundasse o centro de Cedar Rapids, subindo mais de 9 metros acima do nível do mar — muito acima do que qualquer pessoa já tivesse visto ou pudesse esperar. Uma reportagem do *New York Times* (13 de junho de 2008) capturou de forma magistral a sensação de aquecimento global experimentada pelos habitantes de Iowa: "'Geralmente, quando se quebra um recorde, é por um ou 2 centímetros', declarou Jeff Zogg, um hidrologista do Instituto de Meteorologia, em Davenport, Iowa. 'Mas quebrar um recorde por um metro e oitenta? Isso é uma coisa espantosa.'"

Já não estamos no Kansas

Em que ponto estamos, então, da Era da Energia e do Clima? Estamos em um ponto em que muitas pessoas acham que o tempo ficou estranho, mas um número insuficiente delas acha que temos de fazer o que for preciso para controlar o inevitável e evitar o incontrolável. Precisamos usar muito nossa imaginação. Precisamos entender que a magnitude das mudanças é muito maior que a média das projeções.

Para estimular a compreensão e a imaginação das pessoas no tocante às mudanças climáticas, Heidi Cullen, a climatologista do Weather Channel, tem insistido em que as tevês locais devem fazer alguma menção às mudanças climáticas em seus boletins meteorológicos diários. "Devemos isso aos telespectadores, temos de ligar o clima às previsões do tempo, quando houver alguma conexão significativa nas tendências gerais", diz Cullen, detentora de um Ph.D. em climatologia e dinâmica atmosférica e oceanográfica, concedido pelo Observatório Terrestre Lamont-Doherty, da Universidade de Columbia. "É um desserviço o meteorologista local não poder lhes dizer: 'Se continuarmos com essas emissões, teremos mais dez alertas de nevoeiro a cada mês, e os índices de ozônio e calor vão disparar.' Os meteorologistas locais são a interface entre o público e a comunidade científica. As pessoas acreditam neles. Portanto, é fundamental que eles façam essas conexões, baseadas na ciência. É uma oportunidade de educação ambiental."

O Weather Channel acompanha regularmente o número de altas recordes versus o número de baixas recordes. "Você pode pegar qualquer mês, atualmente, e o número de altas recordes ultrapassa o número de baixas recordes. Por exemplo, durante a terceira semana de março (15 a 21 de março de 2008), 185 altas recordes foram igualadas ou estabelecidas, enquanto 28 baixas recordes foram igualadas ou estabelecidas. Quando começamos a observar estes números, semana após semana, somos compelidos a fazer algumas perguntas bastante relevantes", diz Cullen. "Por que os meteorologistas não falam sobre isso? As pessoas sentem que o clima está esquisito, mas é raro ouvir algum apresentador de boletins meteorológicos utilizar a expressão 'aquecimento global' na tevê. Esta é uma oportunidade para dar informações sobre o clima, assim como são dadas informações sobre o tempo. Os termos 'baixa pressão' e 'alta pressão' tornaram-se parte de nosso vocabulário, mas não surgiram da noite para o dia. O furacão Katrina foi menos um exemplo de aquecimento global do que um alerta para as decisões que a sociedade terá de tomar com relação à sua infraestrutura para que possa sobreviver. O tempo é muito mais do que: 'Será que eu vou precisar de um guarda-chuva?' É também: 'Será que devo comprar uma casa de praia?' E: 'Será que esses diques estão altos o bastante?'"

A proposta de Cullen desencadeou uma reação reveladora, iniciada em dezembro de 2006, quando ela postou, num blog da Weather.com, uma matéria intitulada "Ciência genuína, controvérsia inconsequente" — sobre como alguns meteorologistas da mídia são reticentes ao noticiar mudanças climáticas. Por alguma razão, os meteorologistas — como grupo — tendem a ser céticos a respeito do assunto, embora a maioria deles tenha uma licença da American Meteorological Society (Sociedade Americana de Meteorologia), que publicou uma declaração muito clara, alertando que o aquecimento global se deve, em grande parte, à queima de combustíveis fósseis.

No final de 2007 fui a Atlanta, para visitar o olho do furacão desencadeado por Cullen: o quartel-general do Weather Channel, situado em um discreto prédio de escritórios. A escrivaninha de Cullen está enfiada na sala de imprensa do Weather Channel — onde ela é a única climatologista, em meio a uma centena de meteorologistas. Ela me mostrou o blog que dera origem à tempestade. Dizia:

> O Capitalweather.com, um website da área de Washington, D.C., dirigido aos verdadeiramente obcecados pelo clima, publicou recentemente uma entrevista com um meteorologista, que esclarece a desastrosa disputa existente hoje entre as comunidades do clima e do tempo. Sim, o motivo da disputa é o aquecimento global. Quando lhe perguntaram a respeito da ciência do aquecimento global, o meteorologista respondeu: "O aquecimento global, sem dúvida, gera manchetes na mídia e é tema de muitos debates. Tento ler sobre o assunto, para entendê-lo melhor, mas a questão é complexa. Há muita politização, e os argumentos dos que estão em posições opostas nem sempre estão baseados em fatos corretos. A história nos ensinou que os padrões climáticos são cíclicos e, embora tenhamos observado um padrão de aquecimento nos últimos tempos, não sei quais generalizações podem ser feitas a partir disto, devido à falta de dados científicos de longo prazo. Isso é tudo que vou dizer sobre esse assunto."

Em seguida, Cullen observou que a Sociedade Americana de Meteorologia (AMS, na sigla em inglês) havia publicado uma declaração a respeito das mudanças climáticas, que dizia: "Existem indícios convincentes de que, desde a Revolução Industrial, as atividades humanas, que acarretam um aumento nas concentrações de gases-estufa e outros componentes na atmosfera, se tornaram um agente importante nas mudanças climáticas." Cullen então escreveu:

> Se os meteorologistas têm um Certificado de Aprovação da AMS, utilizado para legitimá-los, têm a responsabilidade de estar informados sobre a ciência do aquecimento global. Eles estão entre as poucas pessoas com treinamento científico que têm acesso regular às salas de nossas casas. Assim, têm o dever de saber distinguir, diante de sua audiência, entre a ciência bem fundamentada, endossada pela maioria dos especialistas, e a controvérsia política inconsequente. Se um meteorologista não pode falar sobre a ciência das mudanças climáticas, uma coisa fundamental, talvez a AMS não lhes devesse conceder um Certificado de Aprovação. A AMS, claramente, não concorda que o aquecimento global deva ser atribuído a padrões climáticos cíclicos. É como permitir que um meteorologista apareça na televisão para dizer que os tornados giram no sentido horário e que os tsunamis são provocados pelo clima. Isso não seria uma declaração de ordem política... mas apenas uma declaração incorreta.

Vinte e quatro horas depois de postar a mensagem no blog, Cullen foi criticada nos websites destes famosos cientistas e peritos em climatologia: senador James Inhofe, republicano de Oklahoma e protetor das empresas petrolíferas e de gás de seu estado; e Rush Limbaugh. O website do Weather Channel foi bombardeado com cerca de 4 mil e-mails em um só dia, a maioria furiosos, dizendo a Cullen, segundo contou ela, "que fosse uma boa apresentadorazinha das previsões do tempo, que se limitasse a falar sobre sistemas de alta pressão — e calasse a boca a respeito de mudanças climáticas". A reação de Cullen: "Um monte de telespectadores escreveram para dizer: 'Pare de falar sobre política.

Eu não sintonizo o Weather Channel para ouvir falar de política.' É assim que eles veem o clima. Falar de clima é falar de política. Todos os cientistas têm medo de se transformar em militantes; mas os militantes não têm medo de se transformar em cientistas. Em vista do fato de que falei sobre mudanças climáticas, muitas pessoas passaram a me ver como militante de causas ecológicas. Mas a única coisa que eu defendo ativamente é a ciência. A ciência é o que interessa."

Uma das coisas que as pessoas sempre adoraram, no Weather Channel, é que o tempo "não é culpa de ninguém", raciocina Cullen, que trabalhou como pesquisadora no National Center for Atmospheric Research (Centro Nacional de Pesquisas Atmosféricas), em Boulder, Colorado. "Nós não acusávamos ninguém. Nossas notícias não eram políticas. Então veio o Katrina e, subitamente, o tempo já não era mais o tempo. Era outra coisa." Antes, as condições do tempo eram sempre vistas como responsabilidade da Mãe Natureza. Então, de uma hora para outra, "as condições climáticas passaram a ser, potencialmente, culpa nossa".

Posso entender por que um senador que defende os interesses da indústria do petróleo enterra a cabeça na areia. Mas não entendo, de modo nenhum, por que Rush Limbaugh e outros conservadores fazem da negação das mudanças climáticas uma plataforma dos conservadores republicanos. Eu achava que, de todas as pessoas, os conservadores seriam os primeiros a ser conservadores, a ser prudentes — tomando o partido daqueles que dizem que, mesmo se só houvesse 10% de probabilidades de uma destruição total, em função das mudanças climáticas, nós deveríamos fazer tudo para conservar o mundo que temos. O que poderia ser mais radical — mais trotskista e imprudente — do que enfrentar o consenso esmagador dos peritos em climatologia, dizendo: "Vou apostar tudo na minoria — minha fazenda, meu futuro e o futuro de meus filhos. Aposto que a minoria tem razão — e que se dane o resto"?

O governador da Califórnia, Arnold Schwarzenegger, que tenta impedir o Partido Republicano de aderir ao ceticismo a respeito das mudanças climáticas, comentou comigo uma vez: "Se 98 médicos disserem que meu filho está doente e precisa tomar remédios, e dois médicos disserem: 'Não, ele não precisa, ele está bem', eu ficarei com os 98. Isto é bom senso — e se aplica ao aquecimento global. Devemos ficar com a maioria, com a grande maioria."

Eu fico com os 98. Estou convencido de que as mudanças climáticas são reais. Mas não queremos que as pessoas apenas admitam que sejam reais, e sim que as coisas podem piorar muito — que os dados podem chegar a sessenta, se não agirmos agora no sentido de minimizar os efeitos do fenômeno e modificar nosso estilo de vida. Como diz Rob Watson, da EcoTech, precisamos "utilizar a única faculdade que nos distingue como seres humanos: a capacidade de imaginar. Precisamos entender totalmente os eventos não lineares e incontroláveis que podem ocorrer em nossas vidas. Pois se nos chocarmos contra o muro, não haverá cintos de segurança, nem air bags, e acabaremos nos tornando uma experiência biológica malsucedida do planeta".

A Mãe Natureza "é somente química, física e biologia", Watson gosta de dizer. "Tudo o que ela faz é a soma destas três coisas. Ela é completamente amoral. Não se importa com poesia, arte, ou se frequentamos a igreja. Não podemos negociar com ela, não podemos dobrá-la, nem fugir de suas regras. Tudo o que podemos fazer é nos ajustar enquanto espécie. Quando uma espécie não aprende a se ajustar à Mãe Natureza, é descartada." É simples assim, diz Watson. Por esse motivo, "sempre que você se olha no espelho, hoje em dia, está olhando para uma espécie ameaçada de extinção".

OITO

A era de Noé

BIODIVERSIDADE

A natureza é a arte de Deus.

— Thomas Browne, *Religio Medici*, 1635.

O desenvolvimento é como a virtude mencionada por Shakespeare, que se transformou em pleurisia e morreu por seu próprio excesso.

— Aldo Leopold, *A Plea for Wilderness Hunting Grounds* (Uma súplica pelos vastos campos de caça).

Certo dia, em dezembro de 2007, peguei o jornal e me perguntei se estava lendo a Bíblia. Na primeira página, havia uma história enviada da China por Jim Yardley, meu colega no *New York Times* (5 de dezembro de 2007). A reportagem informava que a última fêmea de tartaruga gigante de casco mole, do rio Yangtze, estava em um pequeno zoológico, em Changsha; e que o único macho da espécie vivia em outro zoológico, em Suzhou. O idoso casal constituía "a última esperança de salvar a espécie do que se acredita ser a maior tartaruga de água doce do mundo".

Descrevendo a fêmea, Yardley escreveu: "Ela come uma dieta especial de carne crua. Sua pequena piscina foi cercada por vidro à prova de balas. Uma câmera monitora todos os seus movimentos. À noite, um guarda vigia o local. A intenção é simples: a tartaruga não pode morrer... Ela tem cerca de 80 anos e pesa pouco mais de 40 quilos." Sobre seu futuro namorado: "Ele tem 100 anos e pesa cerca de 90 quilos." Em 2008, os dois foram alojados juntos no zoológico de Suzhou, na esperança de que gerassem filhotes. Eles chegaram a acasalar, mas os embriões morreram logo. Os cientistas esperam ter melhor sorte nas futuras épocas de acasalamento. Continua havendo uma só fêmea, mas foram descobertos outros dois machos no Vietnã.

"Para muitos chineses, as tartarugas simbolizam saúde e longevidade", observa Yardley, "mas a saga das últimas tartarugas gigantes de casco mole do rio Yangtze simboliza muito mais a ameaça de extinção que paira sobre a biodiversidade e a vida selvagem na China" — país onde a poluição, a caça desenfreada e o desenvolvimento econômico descontrolado vêm destruindo hábitats e extinguindo plantas e animais com alarmante velocidade.

Com um número cada vez maior de espécies ameaçadas de extinção pelo dilúvio da economia global, podemos vir a ser a primeira geração, na história humana, que terá de agir como Noé — para salvar os últimos pares de uma grande variedade de espécies. Ou, como Deus ordenou a Noé, no Gênesis: "E de cada ser vivo, de tudo o que é carne, farás entrar contigo na arca dois de cada espécie, um macho e uma fêmea, para conservá-los vivos."

Ao contrário de Noé, no entanto, nós — nossa geração e civilização — somos responsáveis pelo dilúvio, e temos a responsabilidade de construir a arca. Estamos provocando o dilúvio, à medida que mais e mais recifes de coral, florestas, bancos pesqueiros, rios e solos férteis são exauridos ou devastados em nome do crescimento; e somente nós somos capazes de construir a arca para preservar tudo isso.

Para começarmos a mostrar sabedoria, temos de entender que agir como Noé — criando arcas, não dilúvios — é nosso desafio e nossa responsabilidade. A Era da Energia e do Clima exige algo mais que o combate à crescente demanda de energia, às drásticas mudanças climáticas e à proliferação de ditaduras do petróleo. Exige o combate a outra das consequências de um mundo quente, plano e lotado — a ameaça à biodiversidade da Terra, à medida que um número cada vez maior de espécies vegetais e animais se tornam extintas ou ameaçadas de extinção.

Durante a última década, viajei pelo mundo com a Conservação Internacional, uma organização não governamental dedicada à preservação da biodiversidade. Minha mulher, Ann, faz parte do conselho dessa organização. Frequentemente peço orientação aos cientistas da CI, quando estou escrevendo sobre biodiversidade, como é o caso deste capítulo. Novas espécies estão sempre sendo descobertas, e outras acabam extintas — muitas vezes devido a circunstâncias biológicas. Mas também como resultado do desenvolvimento econômico, da caça e de outras atividades humanas. A Conservação Internacional calcula que, nos dias de hoje, uma espécie é extinta a cada vinte minutos, uma velocidade mil vezes maior do que a registrada durante a maior parte da história do planeta. Compreensivelmente, é difícil imaginar que nós, humanos, sejamos responsáveis pelo fato de que algum evento, na natureza, aconteça a um ritmo mil vezes mais rápido que o normal. Mil é um número alto.

"Imagine o que aconteceria a nós, ao nosso sustento e ao nosso planeta se outro ritmo natural se tornasse mil vezes mais alto que o normal", diz Thomas Brooks, diretor-geral do Centro de Ciências Aplicadas à Biodiversidade, da Conservação Internacional. "E se a incidência de chuvas aumentasse mil vezes mais que o normal? A Terra seria inundada. E se a queda de neve fosse mil vezes maior que o normal? Seríamos soterrados. E se as taxas de transmissão da malária ou da Aids fossem mil vezes mais altas do que são agora? Milhões morreriam. Pois é o que está ocorrendo hoje com a biodiversidade vegetal e animal."

Não se trata apenas de um problema para os zoológicos. Não fazemos ideia de quantas curas naturais, quantos materiais para a indústria, quantas descobertas biológicas, quanta beleza natural e quantas partes e peças de uma complexa teia de vida, que mal compreendemos, estão sendo perdidos.

"A biodiversidade do planeta é uma biblioteca incomparável e singularmente valiosa que temos queimado de forma sistemática — uma ala de cada vez —, antes de catalogarmos, e muito menos lermos, todos os livros", diz John Holdren, cientista ambiental de Harvard e Woods Hole.

Imagine que a tendência à extinção, rápida e abrangente, prossiga e se acelere. Imagine um mundo com pouca ou nenhuma biodiversidade — um mundo de cimento e aço inoxidável, destituído de todas as plantas, animais, árvores e encostas. Além de ser quase inabitável, sob o ponto de vista biológico, seria um mundo no qual dificilmente gostaríamos de viver.

Em quais paisagens e jardins floridos os futuros pintores iriam se inspirar? O que motivaria os poetas a escrever seus sonetos, os compositores a criar suas sinfonias, os líderes religiosos e os filósofos a meditar sobre o significado de Deus, examinando de perto os frutos de Seu trabalho? Passar a vida sem poder sentir o aroma de uma flor, nadar em um rio, colher uma maçã ou contemplar um vale nas montanhas durante a primavera é não estar vivo por inteiro. Sim, pode-se supor, encontraríamos substitutos, mas nada que se possa comparar às dádivas da natureza, sua beleza, suas cores e sua complexidade — sem isso somos, literalmente, menos humanos. Segundo alguns estudos, pacientes de hospitais que descortinam de suas janelas uma paisagem natural se recuperam mais depressa. Seria isso uma surpresa?

"Destruir uma floresta pluvial tropical e outros ecossistemas ricos em biodiversidade é como queimar as pinturas do Louvre para cozinhar o jantar", explicou o famoso entomologista Edward O. Wilson, quando visitei seu laboratório em Harvard, cujas paredes estão cobertas de arquivos com inúmeras gavetas repletas de milhares de diferentes espécies de formigas que ele e seus colegas recolheram no mundo inteiro. "É isso o que estamos fazendo. Damos de ombros e dizemos: 'Vou plantar dendês nesse terreno, preciso ganhar dinheiro — sinto muito pelas grandes florestas de Bornéu e pelos orangotangos.'"

Para quem não se sensibiliza com os valores estéticos, elegíacos, religiosos e espirituais da biodiversidade, existem alguns benefícios de ordem prática, muitas vezes negligenciados, que é preciso ter em mente. São chamados pelos ambientalistas de "serviços do ecossistema" — uma expressão um tanto seca e não descritiva. Os ecossistemas naturais oferecem uma ampla gama de benefícios e "serviços" às pessoas que não dispõem, nem têm condições de dispor, de supermercados ou de água encanada: os ecossistemas fornecem água potável, filtram poluentes dos cursos de água, proporcionam áreas de reprodução para peixes, controlam a erosão, protegem as comunidades humanas das tempestades e desastres naturais, abrigam insetos que polinizam as plantações e atacam as pragas e, naturalmente, retiram CO_2 da atmosfera. Estes "serviços" são essenciais para as pessoas pobres dos países em desenvolvimento, que dependem diretamente dos ecossistemas para sua sobrevivência.

"Os críticos do ambientalismo (...) geralmente deixam de lado o que é pequeno e pouco conhecido, que tendem a classificar em duas categorias: insetos e mato", escreveu Wilson em *A Criação*.

> É fácil, para eles, negligenciar o fato de que tais criaturas compõem a maioria dos organismos e das espécies na Terra. Esquecem-se, se algum dia souberam, de como as vorazes lagartas de uma obscura espécie de mariposa dos trópicos americanos salvaram os pastos da Austrália da propagação excessiva de cactos; de como um "mato" de Madagascar, o boa-noite, forneceu os alcaloides que curam a maioria dos casos de linfoma de Hodgkin e de leucemia aguda infantil; de como outra substância, obtida de um obscuro fungo norueguês, tornou possível a indústria de transplante de órgãos; de como uma substância química da saliva das sanguessugas permitiu a produção de um solvente que impede a formação de coágulos sanguíneos, durante e após as operações; e assim por diante — uma farmacopeia que vem desde as ervas medicinais usadas pelos xamãs da Idade da Pedra, até as curas da moderna ciência biomédica, sem nenhum efeito colateral. (...) Espécies selvagens também enriquecem o solo, purificam a água e polinizam a maioria das flores. Criam o próprio ar que respiramos. Sem essas dádivas, a história humana seria horrível e breve.

Se desestabilizarmos a natureza mediante sua degradação, segundo Wilson, "é provável que os organismos mais afetados sejam os maiores e mais complexos, entre eles os seres humanos".

Além de nos ajudar a viver, a biodiversidade nos ajuda em nossa adaptação. Não há nada mais funcional que o papel desempenhado pela biodiversidade ao tornar mais fácil para todos os seres vivos — inclusive nós, humanos — a adaptação às mudanças. Mark Erdmann, um biólogo marinho agregado à divisão Indonésia da Conservação Internacional, me fez uma pequena preleção sobre o assunto, em março de 2008, enquanto estávamos sentados à beira de uma praia, contemplando o estreito de Lombok, na ilha de Nusa Penida, na Indonésia. Eu havia ido até lá para me familiarizar com o trabalho de preservação da diversidade da vida marinha realizado pela CI no arquipélago indonésio.

"Mudanças são uma constante na vida e, sem a diversidade — de espécies, culturas, lavouras —, a adaptação a essas mudanças se torna muito mais difícil", explicou Erdmann. "Converse com o fazendeiro que se dedicou apenas a um tipo de cultivo, e viu uma praga devastar toda a sua plantação. Converse com o consultor financeiro que colocou todo o seu dinheiro nas ações de uma só empresa... Resumindo: a diversidade transmite resiliência — e vamos precisar de toda a resiliência que pudermos reunir, se quisermos enfrentar as mudanças globais que estão caindo rapidamente sobre nós." Quem sabe quais doenças catastróficas nos aguardam no futuro? Derrubar as florestas pluviais tropicais para plantar cana-de-açúcar e dendê, de modo a obter etanol e biodiesel, é como esvaziar nosso estojo de medicamentos naturais. "Precisamos da diversidade exatamente porque as mudanças são uma constante. A diversidade oferece a matéria-prima indispensável para nos adaptarmos às mudanças", acrescentou Erdmann. Em um mundo quente, plano e lotado, onde todas as coisas estarão se movendo e mudando de rumo de modo muito mais rápido do que no passado, a última coisa que podemos nos dar ao luxo de perder são os instrumentos necessários para nos adaptarmos às mudanças.

Quando falamos a respeito de preservação da biodiversidade, o que isso inclui, exatamente? Eu gosto da definição oferecida pelo dicionário Biologyreference.com, que define a biodiversidade como "a soma total da vida na Terra; o conjunto total de biomas e ecossistemas, e as espécies que neles habitam — plantas, animais, fungos e micro-organismos —, inclusive seus comportamentos, interações e processos ecológicos. A biodiversidade também está vinculada diretamente a componentes não biológicos do planeta — atmosfera, oceanos, sistemas de água doce, formações geológicas e solos —, que formam um grande sistema interdependente: a biosfera".

Segundo Russell A. Mittermeier, presidente da Conservação Internacional, os cientistas já descobriram e descreveram, até os dias de hoje, 1,7 a 1,8 milhão de espécies de plantas, animais e micro-organismos, "mas algumas estimativas sugerem que o número total de espécies esteja entre 5 e 50 milhões; e alguns cientistas acreditam que possa haver pelo menos mais 100 milhões de espécies que simplesmente ainda não identificamos, pois estão ocultas embaixo da terra e dos oceanos, ou em regiões remotas. De oitenta a noventa espécies de primatas foram identificadas nos últimos 15 anos", observa ele, "o que significa que 15 a 20% de todos os primatas foram descritos pela ciência apenas neste período".

Eis por que o Código Verde precisa incluir tanto uma estratégia para a *geração* de energia limpa — de modo a mitigar as mudanças climáticas e seus efeitos no clima, nas temperaturas, nas chuvas, no nível dos mares e nas secas — quanto uma estratégia para a *preservação* da biodiversidade do planeta, para que as espécies de plantas e animais que sustentam a vida não venham a ser destruídas por nós. Lembrem-se: as mudanças climáticas têm uma importância crítica, mas a perda da biodiversidade pode — tanto quanto as mudanças climáticas — desestabilizar a capacidade de nosso planeta para sustentar os sistemas vitais. Com toda a atenção que as mudanças climáticas têm recebido nos últimos anos, muito bem-vindas, a questão da biodiversidade ficou perdida. É por isso que o Código Verde enfoca tanto a *geração* de um novo tipo de energia quanto a *preservação* do mundo natural.

"O aquecimento global e a poluição são apenas duas das coisas que acontecem quando empobrecemos nossos recursos naturais", diz Glenn Prickett, primeiro vice-presidente da Conservação Internacional e especialista em economia e ecologia. "O que também acontece é que os recursos pesqueiros dos oceanos são explorados de forma predatória e as florestas são destruídas, assim como os recifes de coral — o que tem um impacto real, não apenas sobre as plantas e os animais que vivem nesses ecossistemas, mas também sobre as pessoas que vivem deles."

Temos de considerar o problema de modo abrangente. Se todo mundo pensar apenas em interromper as emissões de CO_2 na atmosfera, e ignorar o que está acontecendo em nossos ecossistemas, "muito da biodiversidade humana poderá ser extinta num abrir e fechar de olhos", acrescenta Prickett. "Não pense nem por um minuto que se pode ter um clima saudável, ou uma civilização saudável, em um planeta morto. Nosso clima é diretamente afetado pela saúde de nossas florestas tropicais e outros sistemas da natureza."

Ao longo da última década, viajei com Glenn para algumas regiões do planeta onde a biodiversidade corre extremo perigo, assim como para outras áreas ameaçadas em que a CI está atuando — do pantanal mato-grossense, no sudoeste do Brasil, à mata atlântica, na costa brasileira; das matas do sul da Venezuela, até a estação de pesquisas de araras, no coração da selva peruana; do planalto exoticamente chamado de Shangri-la, no Tibete, país hoje dominado pela China, às florestas tropicais de Sumatra e às ilhas cercadas de coral ao largo de Bali, na Indonésia. Para mim, estas viagens têm sido aulas de graduação em biodiversidade, assim como as viagens que fiz sozinho a Masai Mara, no Quênia, à cratera de Ngorongoro, na Tanzânia, e ao vasto Quadrante Vazio, no deserto da Arábia Saudita — e, antes de eu ter tido filhos, um rapel dentro dos domos de sal do mar Morto.

De muitas formas, no entanto, a primeira viagem que eu e Glenn fizemos me ensinou tudo o que eu precisava saber sobre o desafio que é a preservação da biodiversidade. Em 1998, fomos ao Brasil. A viagem começou com a entrevista mais incomum que já fiz — dada a sua locação. Foi com Nilson de Barros, então secretário do Meio Ambiente do estado do Mato Grosso do Sul, que insistiu para que conversássemos no meio do rio Negro.

O Mato Grosso do Sul está situado no coração do Pantanal, na região fronteiriça entre Brasil, Bolívia e Paraguai. O Pantanal é a maior região alagadiça do mundo (tem o tamanho do Winsconsin). Lá vivem onças e uma série de espécies ameaçadas. Glenn e eu voamos até lá em um pequeno monomotor, que aterrissou no pátio dianteiro da Fazenda

Rio Negro, uma fazenda-hotel às margens do rio Negro. Embarcamos em lanchas a motor e partimos para o local da entrevista em uma curva rasa do rio.

A reserva natural do Pantanal é o Jurassic Park sem os dinossauros. Descendo o rio, passamos por inúmeros jacarés, que tomavam sol nos baixios, e gigantescas ariranhas saltitando sem parar. Vimos garças, araras-azuis-grandes, tucanos, tapicurus, veados-galheiros, colhereiros, tuiuiús, raposas-do-campo, jaguatiricas e emas (parentes das avestruzes). Em diferentes pontos de nosso trajeto, todos esses animais colocaram suas cabeças para fora da cortina de florestas. Foi, pura e simplesmente, a mais espantosa cornucópia de biodiversidade — tanto plantas como animais — que já encontrei de uma só vez. Barros e sua equipe estavam nos esperando, mergulhados até a cintura no meio do rio Negro.

"Primeiro uma cerveja, depois um banho, depois nós conversamos", disse ele abrindo uma lata de Skol, enquanto a correnteza fluía ao seu redor.

E eu que pensava que tinha o melhor emprego do mundo.

A maior ameaça à biodiversidade e aos ecossistemas do planeta, hoje em dia, parte de duas direções, explicou Barros. A primeira, de regiões onde os pobres mais miseráveis tentam sobreviver no ecossistema natural onde estão inseridos. Quando muitas pessoas tentam fazer isso, destroem quaisquer florestas, recifes e espécies que estiverem ao seu alcance. Este é um grande problema nas terras alagadas nas florestas pluviais da Amazônia — mas não no Pantanal. O Pantanal, explicou ele, não está ameaçado por moradores pobres, que derrubam as árvores para vendê-las para madeireiras e escapar à pobreza. A cultura do Pantanal é um raro exemplo de homem e natureza prosperando em harmonia — através de uma economia baseada na criação de gado, pesca e, ultimamente, no ecoturismo.

Não, o maior desafio enfrentado pela biodiversidade do Pantanal vem de fora: da globalização. Uma tripla ameaça global tem convergido para o Pantanal: plantadores de soja, no planalto acima da bacia pantaneira, ansiosos por abastecer um mercado mundial de soja em rápido crescimento, estão ampliando suas áreas de plantio. Pesticidas e sedimentos, que escapam de suas fazendas, poluem os rios e prejudicam a vida selvagem. Ao mesmo tempo, os governos de Brasil, Argentina, Uruguai, Paraguai e Bolívia formaram um bloco econômico, na esperança de tornar suas economias competitivas em termos mundiais. Para facilitar a chegada da soja aos mercados, esses governos pensam em dragar e desencurvar os rios da área, o que poderia alterar muito o ecossistema. Finalmente, um consórcio internacional de companhias de energia estava construindo um gasoduto através do Pantanal, desde a Bolívia, rica em gás, até a cidade brasileira de São Paulo — enorme e ávida por gás.

O Pantanal é um laboratório da globalização, em seu aspecto positivo; e da perda da biodiversidade, em seu aspecto negativo. Por um lado, a globalização está retirando mais pessoas da miséria, e de modo mais rápido, do que em qualquer outra época da história mundial. Por outro lado, a globalização está possibilitando que mais países elevem seus patamares de produção e consumo. É o plano se encontrando com o lotado. Isto, por sua vez, está fomentando a explosão urbana no mundo inteiro, um aumento no número de autoestradas, tráfego e casas maiores, providas com mais aparelhos esbanjadores de energia. Para alimentar a voraz economia global, as empresas ficam tentadas, cada vez mais, a adquirir florestas nativas em países como a Indonésia e o Brasil, para convertê-las em plantações de dendê, soja e outros empreendimentos comerciais de larga escala, a uma velocidade e com uma abrangência que o mundo jamais viu antes.

Ao longo dos anos, segundo Glenn Pricket, ONGs como a Conservação Internacional, a Conservação da Natureza e o Fundo Mundial da Vida Selvagem desenvolveram instrumentos e iniciaram campanhas educativas para ajudar os pobres das áreas rurais a viver de modo mais sustentável, e a preservar o sistema natural do qual dependem. "Mas ainda não desenvolvemos instrumentos e escala de operações que possam fazer frente à ameaça da globalização para a biodiversidade, que está se tornando cada vez mais esmagadora", explica ele.

Sem dúvida, em anos recentes, temos visto muitas parcerias entre grupos conservacionistas e multinacionais como Wal-Mart, Starbucks e

McDonald's, para que estas empresas aprendam a reduzir o impacto de suas redes de abastecimento e processos de fabricação sobre o mundo natural. Mas tais esforços são apenas uma gota de água no oceano. O crescimento global está elevando os preços das commodities, levando as empresas a procurar mais terras para o cultivo de alimentos, fibras e biocombustíveis, mais florestas tropicais para fornecer madeira e mais minas para produzir carvão. O processo atinge também os recifes de coral, danificados com pesca predatória.

Sem governos extremamente atentos ao uso das terras e capazes de refrear as pressões do mercado global, as crescentes demandas de um mundo plano e lotado podem, simplesmente, devastar as últimas florestas e os últimos bancos de coral ricos em biodiversidade — o que tornará o mundo ainda mais quente, pois o desmatamento responde por 20% de todas as emissões de CO_2. Nos mesmos vinte minutos em que algumas espécies desaparecem para sempre, segundo estudos da CI, 500 hectares de florestas serão derrubados ou queimados por exigência do desenvolvimento. As emissões de CO_2 provenientes do desmatamento são maiores que a soma das emissões de todo o setor de transportes do mundo — todos os automóveis, caminhões, aviões, trens e navios combinados. Menos cobertura florestal significa menos hectares disponíveis para as diversas espécies, que se veem forçadas a mudar ou se adaptar. As que são capazes de fazer isso sobrevivem; as que não são acabam extintas. É bem simples — só que está acontecendo mais depressa do que nunca e em mais lugares do que nunca.

Eis por que precisamos de uma poderosa ética conservacionista. É preciso haver limites para a extensão de nossos avanços sobre o mundo natural. Sem esses limites, veremos áreas vitais para a sobrevivência das espécies serem pavimentadas, rios poluídos, corais destruídos e florestas arrasadas — para dar lugar à agroindústria. Continuaremos tentando resolver as coisas caso a caso — sem uma abordagem sistêmica, que possa combinar crescimento global com proteção à biodiversidade.

Em primeiro lugar, é preciso ligar os pontos. Para reduzir as emissões de gases-estufa e aumentar a segurança energética, a União Europeia estabeleceu, como meta, produzir 20% de sua energia a partir de fontes renováveis, por volta de 2020, inclusive com a utilização de biocombustíveis — combustíveis derivados de cultivos como milho, dendê, soja, algas ou cana-de-açúcar; ou de refugos vegetais, aparas de madeira, bagaço de cana ou gramíneas selvagens, como o painço-amarelo. A UE exige que os ingredientes para biocombustíveis vendidos na Europa — dendê e milho, por exemplo — não sejam procedentes de florestas tropicais, reservas naturais, pantanais ou pradarias com grande biodiversidade. Mas os combustíveis se misturam no mercado mundial, e nem sempre são fáceis de monitorar. É difícil acreditar que a resolução da UE não vá acelerar a conversão de florestas pluviais do sudeste da Ásia em plantações de dendê; algumas delas já foram convertidas. O dendê constitui a base mais eficiente para a obtenção de biodiesel, embora também seja usado na alimentação e na indústria cosmética. A ironia cruel é que o desmatamento resultará na liberação de mais gases-estufa, na atmosfera, do que o uso de biocombustíveis irá eliminar. Já sobrevoei plantações de dendê ao norte de Sumatra, na Indonésia. São como se alguém tivesse implantado 25 campos de futebol no meio de uma floresta tropical — um retângulo após outro.

Michael Grunwald escreveu um artigo para a revista *Time* (27 de março de 2008), no qual descreveu um voo sobre uma plantação similar, no Brasil, juntamente com um ativista ecológico.

> De seu Cessna, 1.500 metros acima do sul da Amazônia, John Carter contempla a destruição da maior joia ecológica do mundo. Observa homens munidos de retroescavadeiras e correntes converterem florestas pluviais em pastagens e plantações de soja. Vê as fogueiras que devastam nacos tão gigantescos da selva que os cientistas, agora, debatem sobre a "savanização" da Amazônia. O Brasil anunciou que o desmatamento deverá dobrar este ano. Carter, um caubói do Texas sutil como uma serra elétrica, diz que as coisas vão piorar rapidamente. "Chega a me dar arrepios", diz Carter, que fundou uma organização sem fins lucrativos para promover a exploração sustentável da floresta amazônica. "É como testemunhar

um estupro", acrescenta ele. "Você não pode fazer nada. Muito dinheiro vai ser obtido com a derrubada da mata. Aqui na Amazônia, nós realmente vemos o mercado em ação."

Os números contam a história. Nosso planeta tem 4 bilhões de anos de idade, e a vida apareceu na Terra há pouco mais de 2 bilhões. Ao longo deste período, o ritmo "normal" de extinções tem sido muito, mas muito lento. Em média, uma espécie vive um milhão de anos, antes de ser extinta. Essa progressão, suave, bem lenta, foi entremeada por cinco eventos de destruição maciça, que resultaram na perda extremamente alta de formas de vida. A mais recente extinção em massa, segundo Thomas Brooks, perito em biodiversidade da Conservação Internacional, ocorreu há 65 milhões de anos — a extinção dos dinossauros, aparentemente provocada pela queda de um asteroide na península de Iucatán, na região onde hoje fica o México. Acredita-se que esse asteroide levantou uma grande nuvem de poeira, que tomou conta da atmosfera, provocando um resfriamento global — que acabou aniquilando uma grande proporção das plantas e dos animais existentes no planeta.

Quando olhamos para a história mais recente — as últimas dezenas de milhares de anos em que os seres humanos têm estado na Terra — encontramos extinções em grande escala, à medida que grupos humanos se moviam de um lugar para outro: dos polinésios, no Havaí, aos navegadores indonésios, em Madagascar, passando pelos nossos predecessores do Plistoceno, que percorreram a ponte de terra que existiu no que é hoje o estreito de Bering, há pelo menos 12 mil anos, e eliminaram muitos dos grandes mamíferos da América do Norte, inclusive os peludos mamutes e os tigres-dentes-de-sabre.

À medida que ingressamos na idade moderna, entretanto, o impacto da globalização vai se propagando como metástase, provocando o que já está sendo chamado de sexta grande extinção em massa. Já não se trata de extinções localizadas. O fenômeno "está se ampliando em uma escala idêntica à do asteroide, ou das cinco outras extinções em massa combinadas, pelo que podemos inferir dos registros fósseis", diz Brooks.

Nós somos o dilúvio. Somos o asteroide. É melhor aprendermos a construir a arca. Já há mais de quarenta anos, a União Internacional para a Conservação da Natureza (IUCN, na sigla em inglês) vem acompanhando a situação da biodiversidade no mundo, avaliando a probabilidade de extinção de cada espécie de planta ou animal. Sua Lista Vermelha de Espécies Ameaçadas monitora as extinções em curso e nos oferece um quadro do que está acontecendo neste exato momento.

O que aprendemos com a Lista Vermelha da IUCN é que quando ocorreram extinções em massa provocadas por humanos, como foi o caso das ilhas havaianas, após a chegada dos polinésios, por volta de 400 d.C., "eram 'extinções de sistemas fechados' — terríveis em si mesmas, mas confinadas às áreas de ocorrência", diz Brooks. Mas, devido à globalização, agora estamos assistindo a extinções, antes restritas a uma ilha ou região, acontecendo no mundo inteiro simultaneamente.

"Sabemos que é possível recuperar os hábitats naturais", diz Brooks. Sabemos que podemos recuperar as populações desses hábitats, de modo a garantir a sobrevivência de espécies cuja sobrevivência está ameaçada, como o bisão. Sabemos que podemos acabar com a poluição, já fizemos isso em um rio muito poluído, como o Tâmisa. "Reverter as mudanças climáticas está ao nosso alcance", acrescenta ele. "Mas as extinções são irreversíveis. *Jurassic Park* é uma ficção: quando uma espécie desaparece, desaparece para sempre — perdemos para sempre milhões de anos de nossa herança planetária."

Mais tarde é tarde demais

Apesar das inúmeras coisas lindas que há para se ver nas florestas pluviais, eu realmente prefiro os sons aos cenários. Em junho de 2006, Glenn, minha família e eu subimos de barco o rio Tambopata, no Peru, para visitar uma estação de pesquisas, patrocinada pela CI, que se dedica à recuperação das araras-vermelhas. Eu gostava de ficar deitado dentro de uma rede de mosquitos, ouvindo a sinfonia da floresta pluvial em torno de mim. Soava como uma dessas peças dissonantes de música moderna:

uma cacofonia de pássaros, bugios-ruivos, caititus, rãs e insetos — todos produzindo estalidos bizarros, bufos, grasnidos, trinados, gemidos e assobios que lembravam alarmes de carros, ou estranhas campainhas. Havia um setor da orquestra que se perdera no concerto, mas prosseguia tocando assim mesmo. Ocasionalmente, essa sinfonia era entremeada com um grito desesperado de algum membro da espécie humana, em nossa cabana, que acabara de encontrar uma aranha no banheiro.

A área de floresta pluvial amazônica que estávamos visitando, no sul do Peru, um sertão quase desabitado (por humanos), é o lar de algumas das espécies selvagens mais ameaçadas do planeta, um dos maiores depósitos mundiais da argila preferida pelas araras. Todas as manhãs, araras azuis, vermelhas e douradas se reúnem para um café da manhã de argila. Olhe mais adiante, na floresta, e você poderá ver uma vespa picando uma lagarta, depositando seus ovos dentro dela. Olhe para o dossel verdejante e você verá um ninho de japus. Notará, no entanto, que os japus construíram seu ninho próximo a um ninho de vespas. Por quê? Porque, se algum predador tentar atacá-los, irão também irritar as vespas — um engenhoso sistema de segurança natural.

Olhe em volta, e você verá problemas se agigantando.

Subindo o rio Tambopata em nosso bote, vimos garimpeiros equipados com grandes barcaças motorizadas e utilizando mercúrio no processo de dragar e peneirar — e destruir — os barrancos do rio, à procura de ouro. Com os preços mundiais do ouro disparando, os incentivos para a dragagem do Tambopata são enormes. Alguns dos garimpeiros abrem clareiras na floresta, para montar acampamentos, e caçam animais raros para se alimentar. E o acesso se torna mais fácil a cada semana. A Rodovia Interoceânica, que ligará a costa do Atlântico, no Brasil, à costa do Pacífico, no Peru, está quase pronta. Mais rodovias significam mais agricultura, mais retirada de madeira, mais mineração, mais extração de petróleo e gás natural, mais florestas convertidas em lavouras, mais gases-estufa liberados e mais mudanças no clima — à medida que árvores são cortadas aos milhões.

Esse cenário me lembra a observação da climatologista Heidi Cullen de que nós, humanos, estamos tocando o instrumento principal

— uma estridente guitarra elétrica — na orquestra sinfônica da Mãe Natureza. Agindo assim, nos esquecemos de uma verdade fundamental: somos a única espécie, na ampla teia de vida, da qual nenhuma outra espécie depende para sua sobrevivência. Mas nós dependemos desta teia para nossa sobrevivência. Evoluímos nela. Enquanto nos adaptávamos a ela, ela nos moldou para ser o que somos. Nós, humanos, precisamos dessa teia para sobreviver — ela não precisa de nós. E ela só prospera quando todo o sistema trabalha em harmonia.

É por isso que, no final das contas, a questão da biodiversidade não envolve apenas a salvação da natureza — envolve, igualmente, a salvação da humanidade, segundo Edward O. Wilson. Envolve entendermos quem somos, enquanto espécie, e decidir como pretendemos continuar a viver neste planeta, e nos relacionar com nosso ambiente natural.

"Sem a biosfera que fez de nós o que somos, e na qual evoluímos, não somos plenamente humanos", explicou Wilson, enquanto estávamos em seu laboratório na Universidade de Harvard. "Quanto mais mudamos o clima e o mundo natural, com nossas ações", acrescentou ele, "mais destruímos plantas, animais, florestas, rios, oceanos e as geleiras, que regulam a vida no planeta e trazem grandes benefícios aos seres humanos sem cobrar nada — e mais seremos obrigados a controlar tudo nós mesmos". E qualquer pessoa que esteja acompanhando os debates políticos sobre mudanças climáticas deve assumir uma posição muito, mas muito cautelosa, com relação à nossa capacidade para administrar as coisas tão bem quanto a Mãe Natureza.

"Quanto mais destruímos o mundo natural", diz Wilson, "mais teremos de empregar nossa própria engenhosidade para mantê-lo, o tempo todo... Então — a menos que queiramos transformar a Terra, literalmente, em uma nave espacial onde todas as necessidades da vida humana sejam controladas por nós o tempo todo, onde controlemos a atmosfera o tempo todo —, é melhor que tratemos de devolver a manutenção da biosfera ao mundo natural, onde milhões de seres nos sustentam, alegremente e de graça".

Degradar o mundo natural de forma descuidada, como temos feito, é como se um pássaro degradasse seu próprio ninho, uma raposa degradasse sua própria toca, um castor degradasse sua própria represa. Não podemos continuar a fazer isso, presumindo que tudo está acontecendo "por aí". A escala em que a perda de biodiversidade está ocorrendo, hoje em dia, está tendo impactos globais. Como a equipe da Conservação Internacional gosta de dizer: "Perde-se lá, sente-se cá." Não podemos continuar a fazer o que temos feito, achando que vamos consertar tudo mais tarde.

Mais tarde é tarde demais. Já ultrapassamos a linha vermelha psicológica, no tocante à biodiversidade, quando entramos na Era da Energia e do Clima. "Mais tarde" era um luxo das gerações, eras, civilizações e épocas anteriores. Significava que você poderia pintar a mesma paisagem, observar os mesmos animais, comer as mesmas frutas, subir nas mesmas árvores, pescar nos mesmos rios, desfrutar do mesmo clima ou recuperar as mesmas espécies ameaçadas que existiam quando você era criança — mas faria isso mais tarde, quando tivesse tempo. As dádivas da natureza pareciam infinitas e tudo o que as colocava em risco pareceria limitado ou reversível. Na Era da Energia e do Clima, por força das crescentes taxas de extinção e desenvolvimento, a expressão "mais tarde" precisa ser removida dos dicionários. "Mais tarde" já não existe se você pretende desfrutar das coisas que a natureza lhe proporcionava, quando você era criança, durante o resto de sua vida. "Mais tarde", elas terão desaparecido — e você já não poderá desfrutar delas. "Mais tarde" é tarde demais. Portanto, temos de começar a salvar agora o que tiver de ser salvo.

Como notou Denis Hayes, cofundador do Dia da Terra: se o ambientalismo provar ser só uma moda, "será a nossa última moda".

NOVE

Pobreza energética

Quando iremos saber que a África, enquanto continente, tem chances de sair da pobreza de modo sustentável? Meu cálculo é simples: é quando vejo Angelina Jolie posando perto de um grande campo de painéis solares em Gana, ou em uma fazenda de vento repleta de turbinas, no Zimbábue. Em anos recentes, Jolie e outras celebridades têm feito um grande trabalho, atraindo as atenções do mundo para os tormentos da África. Enfatizando problemas como pobreza e doenças, conseguiram canalizar para a região uma ajuda global que se fazia bastante necessária. Obtiveram, também, algum alívio nas dívidas dos países africanos. Mas existe um problema na África que quase nunca sai nas manchetes: a falta de luz. Se você observar fotos tiradas por satélites, durante a noite, ficará espantado. Luzes cintilam na Europa, nas Américas e na Ásia, ao passo que vastas regiões africanas são, simplesmente, escuras como breu.

O combate à Aids tem seus defensores, assim como a purificação das águas, a preservação das florestas, o tratamento da malária e a redução da pobreza. Mas o problema da "pobreza energética" não tem nenhum defensor. Não é excitante. Não tem apoio internacional, não desperta comentários, não tem fitinhas para se amarrar no pulso, não tem um rosto humano. Ninguém quer defender usinas elétricas, politicamente antipáticas, ou poluidoras. Ou pior, elas levam anos para serem financiadas e construídas, e os resultados dos investimentos não são visíveis durante longo tempo.

A energia, na verdade, é o órfão mais velho da África. Como os problemas da pobreza, do HIV/Aids, da água não potável e da malária podem ser revertidos de forma definitiva, se não há energia suficiente nem ao menos para acender as luzes? Segundo estudos do Banco Mundial, a Holanda produz hoje tanta energia elétrica quanto toda a África subsaariana, com exceção da África do Sul: 20 gigawatts. A cada duas semanas, mais ou menos, a China incorpora tanta energia — um gigawatt de eletricidade — quanto os 47 países da África subsaariana, exceto a África do Sul, incorporam a cada *ano*.

Mas apesar dessa espantosa deficiência em eletricidade, a pobreza energética quase nunca é debatida. Acesso universal à eletricidade não estava entre os oito Objetivos de Desenvolvimento do Milênio estabelecidos pela ONU e pelos mais importantes institutos de desenvolvimento do mundo em 2000. Esses objetivos vão desde reduzir pela metade a pobreza extrema até proporcionar educação primária universal, por volta de 2015. Como poderemos erradicar a pobreza sem erradicar a pobreza energética?

Ouvi a expressão "pobreza energética", pela primeira vez, de Robert Freling, diretor-presidente do Solar Electric Light Fund (Fundo para a Energia Elétrica Solar; o website é SELF.org), que oferece energia solar e sistemas de comunicação sem fio para povoados rurais e remotos no mundo inteiro. O direito de cada pessoa de ter acesso à energia é tão fundamental quanto seu direito ao ar e à água, afirma Freling, "mas é muitas vezes negligenciado por pessoas muito inteligentes e dedicadas a solucionar os problemas do desenvolvimento".

É uma coisa difícil de acreditar, nestes dias e nesta época, mas o Banco Mundial calcula que cerca de 1,6 bilhão de pessoas no planeta — uma em cada quatro — não têm acesso regular a uma rede elétrica. As noites significam um blecaute para 1,6 bilhão de pessoas. Na África subsaariana, excluindo-se a África do Sul, ainda segundo o Banco Mundial, 75% das residências, ou 550 milhões de pessoas, não têm acesso à rede elétrica. No sul da Ásia — em lugares como a Índia, o Paquistão e Bangladesh —, 700 milhões de pessoas, 50% da população total, e 90% da população rural, não são atendidas pela rede elétrica. Se forem mantidas as atuais tendências, a Agência Internacional de Energia calcula que 1,4 bilhão de pessoas ainda não terão acesso à eletricidade em 2030.

Enquanto isso, a poluição do ar em ambientes domésticos, resultante do hábito de se cozinhar dentro de casa em fogões a lenha — a alternativa mais comum à eletricidade —, é responsável por 1,6 milhão de mortes a cada ano, principalmente de crianças pequenas e suas mães. O que significa que o uso de biomassa para cozinhar, como causa de morte, vem logo após a desnutrição, o sexo inseguro e a carência de água potável, segundo a Organização Mundial de Saúde.

Por que ainda há tanta pobreza energética no mundo? As razões variam nas diferentes regiões. Em alguns lugares, o crescimento econômico e a explosão populacional se combinaram para sobrecarregar o abastecimento. Em outros, os altos preços do petróleo e do gás natural forçaram os países pobres a racionarem o consumo. Em outros, ainda, secas prolongadas prejudicaram o funcionamento das hidrelétricas.

Mas se existe um denominador comum que afeta todos os países pobres em energia, é o simples fato de não possuírem empresas públicas capazes de financiar, construir e operar adequadamente usinas elétricas e redes de transmissão de energia. E o motivo é que esses países são assolados, sistematicamente, por governos ruins ou infindáveis guerras civis — ou as duas coisas. Ambas costumam estar inter-relacionadas, principalmente na África. Se um país não possui um governo funcional ou uma situação doméstica de relativa paz, que lhe permita conceber projetos de longo prazo, como o financiamento, a construção e a operação de usinas elétricas e redes de transmissão — coisas sempre dispendiosas —, para um número enorme de pessoas as luzes nunca irão se acender, ou permanecer acesas. Mesmo em lugares onde o governo funciona e a sociedade é estável, projetos energéticos muitas vezes não saem do papel, pois o governo não possui uma empresa pública capaz de operar como serviço comercial independente, cobrando os preços necessários à manutenção dos investimentos, ou porque a empresa pública acaba sendo transformada em cabide de empregos ou butim para líderes políticos. Grande parte das dívidas perdoadas à África, atualmente, foram, na verdade, empréstimos contraídos para a construção de usinas elétricas, que foram construídas, mas faliram em decorrência de corrupção ou má gestão.

Lawrence Musaba, gerente do Consórcio Sul-Africano de Energia, um consórcio formado por empresas de eletricidade de 12 países na extremidade sul do continente, declarou ao *New York Times* (29 de julho de 2007): "Não tivemos nenhuma injeção significativa de capitais para geração ou transmissão — de setores públicos ou privados — durante 15, talvez vinte anos." Meu colega Michael Wines, que escreveu a matéria, observou também que na Nigéria, o país mais populoso da África, o governo informou que, em abril de 2007, apenas 19 entre 79 usinas elétricas funcionavam. "A produção diária de eletricidade caiu 60%, em relação ao seu auge, e os blecautes têm custado um bilhão de dólares por ano à economia, segundo dados do Conselho de Energia Renovável da Nigéria."

A energia é como qualquer outro bem econômico. Precisa de uma administração decente, instituições que funcionem e mercados eficientes, para que os elétrons possam ser levados do produtor ao consumidor em bases sustentáveis. Sem uma fonte de energia confiável, qualquer aspecto da vida, praticamente, é afetado de forma negativa. Afinal de contas, a energia é, no mínimo, a capacidade para realizar trabalhos.

"Especificamente, nos vilarejos", explica Freling, "a pobreza energética significa que é impossível bombear água limpa regularmente, que não existe um sistema de comunicações, que não há como organizar turmas para a alfabetização de adultos e, com certeza, que não há como ter computadores nas escolas, nem ter acesso à conectividade". Isto perpetua a desigualdade social.

"Nas povoações rurais, as consequências da falta de energia recaem principalmente sobre as mulheres, pois são elas que têm de andar quilômetros para buscar água potável, ou para catar lenha. Meninas, muitas vezes, têm de deixar as escolas, para ajudar na luta diária pela subsistência."

Além disso, segundo Freling, como as mulheres nos povoados africanos são geralmente responsáveis pela cozinha da família, são as maiores vítimas da poluição do ar no interior das casas, provocada por lâmpadas a querosene e fogões a lenha em cozinhas mal ventiladas. Garotas adolescentes, em muitos países africanos, não vão à escola quando estão menstruando, se a escola não tiver água limpa, que costuma exigir alguma forma de energia para ser obtida.

Uso de energia e produto interno bruto guardam uma estreita relação. As fábricas que não têm acesso a alguma rede elétrica têm de utilizar geradores, cuja operação é normalmente mais dispendiosa, além de mais poluente. Segundo o Banco Mundial, as fábricas africanas registram uma média de 56 dias de blecautes por ano, que provocam a perda de 5 a 6% dos lucros. Na economia informal, essas perdas podem superar 20% de receita, a cada ano. Em Bangladesh, um estudo do Banco Mundial descobriu recentemente que o acesso à eletricidade tem um impacto cumulativo no aumento da renda das residências rurais, da ordem de 20% — que resulta em uma queda correspondente no nível de pobreza, em torno de 15%. Pesquisas realizadas naquele país, segundo outro estudo do Banco Mundial, revelaram que as crianças em idade escolar cujas casas possuem eletricidade estudam durante um tempo 33% maior que o tempo gasto pelas demais crianças.

Ou em outras palavras: todos os problemas dos países em desenvolvimento são também um problema de energia. O problema da educação diz respeito à falta de professores — e à falta de energia para abastecer as escolas. Os problemas de saúde, na África subsaariana, dizem respeito à falta de médicos e medicamentos — e à falta de energia para movimentar os equipamentos médicos e refrigerar os remédios. O desemprego nas áreas rurais da Índia diz respeito à falta de capacitação, à falta de investimentos — e à falta de energia necessária para manter as fábricas em funcionamento. A debilidade agrícola de Bangladesh diz respeito à falta de sementes, fertilizantes e terra — e à falta de energia para bombear água ou acionar equipamentos.

"A pobreza energética", conclui Freling, "penetra em todos os aspectos da existência, nesses países, e aniquila qualquer esperança de que suas populações saiam da pobreza econômica e entrem no século XXI".

É verdade que os pobres, tanto das áreas rurais quanto urbanas, sobreviveram durante muito tempo com acesso limitado à energia

— madeira e esterco para queimar, animais para puxar arados, água para transportar barcos. Quando a eletricidade se tornou difundida no mundo industrializado, há cerca de cem anos, os pobres continuaram a usar suas formas tradicionais de energia, incrementando-as, quando possível, com petróleo ou alguns aparelhos movidos a bateria, ou mesmo uma gambiarra ligada a um poste de eletricidade.

Mas a pobreza energética já não é como costumava ser — não em um mundo quente, plano e lotado. É muito mais prejudicial e desestabilizadora. Se o mundo se tornou quente e você não tem acesso à eletricidade, sua capacidade para se adaptar às mudanças climáticas é perigosamente limitada. Se o mundo se tornou plano e você não tem acesso à eletricidade, você não pode usar computadores, telefones celulares ou a internet — as ferramentas hoje fundamentais ao comércio, à educação, à colaboração e às inovações globais. Se o mundo está lotado e você não tem acesso à eletricidade, sua capacidade para prosperar em seu povoado é limitada; o mais provável é que você tenha de se mudar para uma favela, já superlotada, em alguma megacidade como Mumbai, Xangai ou Lagos.

Hoje, mais do que nunca, o crescimento econômico chega junto com o interruptor. A energia, nos dias de hoje, libera muito mais conhecimento, estimula muito mais potencial, proporciona muito mais proteção e, como consequência, cria muito mais estabilidade do que antes. Portanto, a pobreza energética não apenas mantém as pessoas mais vulneráveis mergulhadas no atraso, como também nos priva a todos de suas contribuições em potencial. A seguir, vamos examinar o assunto em mais detalhe.

Pobreza energética e o mundo quente

Em um mundo quente — um mundo cada vez mais afetado pelo aquecimento global — adivinhem quem sofrerá mais? Justamente as pessoas menos responsáveis pelo aquecimento — as pessoas mais pobres do mundo, que não têm eletricidade, carros, usinas elétricas e praticamente nenhuma fábrica, nada que lance CO_2 na atmosfera. Muitos dos 2,4 bilhões de pessoas que vivem com 2 dólares por dia, ou menos, moram em áreas rurais e dependem diretamente do solo, das florestas e das plantas ao redor para sua subsistência.

Os peritos em mudanças climáticas concordam, de modo geral, que crescentes aumentos nas temperaturas médias globais, na força dos ventos, nos níveis de evaporação e nos índices pluviométricos irão produzir variações meteorológicas extremas: chuvas mais abundantes e violentas, em algumas regiões, e secas mais prolongadas em outras. O que se tornará um pesadelo para os habitantes energeticamente pobres das áreas rurais. Chuvas mais abundantes e intensas significam que menos água é absorvida pelo solo; a maior parte escorre para o mar. Por conseguinte, os solos se tornam menos espessos e mais vulneráveis a maiores taxas de evaporação entre as chuvas. Esse ressecamento da terra também aumenta a possibilidade de incêndios florestais.

Sem eletricidade, a adaptação a esses extremos irá se tornar muito mais difícil. As reservas hídricas de diversas áreas habitadas por pessoas pobres já estão sobrecarregadas, devido à superexploração, ao desmatamento, à explosão populacional e à manutenção ineficiente da qualidade da água. Se as mudanças climáticas aumentarem a incidência de secas nessas áreas, como já acontece em algumas partes da África e do sul da Europa, quem não tiver acesso à eletricidade não poderá ligar um ventilador, nem dessalinizar a água, nem manter alimentos e remédios sob refrigeração. E quanto mais diminui o nível dos lençóis aquíferos subterrâneos, mais os pobres necessitam de bombas para extrair água de poços cada vez mais fundos.

Qualquer elevação significativa no nível dos mares irá forçar os pobres que vivem em comunidades costeiras, como Bangladesh, a se deslocarem terra adentro. Enquanto isso, as pessoas que vivem em maiores altitudes ficarão mais expostas a doenças transmitidas por insetos, pois as terras altas da África e da América Latina estão se aquecendo mais rapidamente do que as terras baixas. Assim, os mosquitos poderão levar a malária até pontos mais elevados. Se as temperaturas continuarem a se elevar, milhões de pessoas serão afetadas em ambos os continentes, e quem não tiver acesso à eletricidade não poderá simplesmente fechar as janelas e ligar o ar-refrigerado.

Vejamos o caso de Ruanda: a maior parte de suas áreas rurais não possui rede elétrica; os geradores são movidos a gasolina ou diesel e, a cada dia que passa, sua operação se torna mais dispendiosa. Como os ruandeses poderão conservar vacinas, obter água limpa, acionar ventiladores, ou operar um posto médico para melhorar as condições de saúde da população, ou apenas se adaptar às mudanças climáticas, sem um suprimento confiável de energia — seja limpa ou suja, barata ou cara?

(Enquanto as pessoas pobres aguardam o acesso à eletricidade, precisam de toda a ajuda que pudermos lhes dar, no sentido de preservar e recuperar as florestas, recifes de coral e outros hábitats naturais que as cercam — pois estes sistemas naturais ajudam a protegê-las de catástrofes climáticas, enquanto não dispõem de uma rede elétrica. Por exemplo, os manguezais protegem as comunidades costeiras de inundações e de elevações do nível do mar. No tsunami de 2004, na Ásia, as comunidades que preservaram seus bancos de coral e manguezais sofreram menos prejuízos do que as que os converteram em hotéis à beira-mar e fazendas de criação de camarões. As florestas de altitude, por sua vez, ajudam a reter suprimentos de água, num momento em que as secas se tornam mais fortes e as geleiras recuam, deixando menos água disponível. Existe, até mesmo, uma conexão com a malária. Pesquisas recentes demonstram que áreas desflorestadas são mais sujeitas à malária, pois as poças de lama deixadas pelas madeireiras oferecem novos hábitats para a proliferação de mosquitos. A adaptação às mudanças climáticas não é apenas uma questão de elétrons e defesas de litoral. É uma questão de conservação.)

Mesmo quem dispõe de rede elétrica está sendo afetado pelas mudanças climáticas. Em junho de 2006, visitei o Peru, onde, no Vale Sagrado dos Incas, me encontrei com José Ignacio Lambarri, proprietário de uma fazenda de 24 hectares. Ele não descreveu o que estava lhe acontecendo como "esquisitices globais", mas certamente descreveu os sintomas. Lambarri me disse que, durante a maior parte de sua vida, cultivara o milho branco gigante, que tem sementes enormes. Esse milho gigante, exportado para a Espanha e o Japão, crescia bem em seu vale graças a uma combinação única de água, temperatura, solo e solarização. Mas, recentemente, Lambarri começou a notar uma coisa: "O nível de água está caindo e a temperatura está subindo." Como resultado, as sementes gigantes já não estavam ficando tão grandes quanto antes, novas pragas começaram a surgir e já não havia água suficiente para irrigar os terraços do vale, que datam da época dos incas. Ele também reparou que a linha de neve, que ele contemplava havia 44 anos, estava começando a recuar. "Eu disse à minha esposa", contou-me ele, "que o dia em que a montanha perder a neve, nós teremos que sair do vale".

Assim como Lambarri, agricultores de todo o mundo dependem de geleiras, cujo degelo fornece água para alimentar seus rios e movimentar suas usinas hidrelétricas. Mas, com as temperaturas em elevação e os invernos mais curtos, as geleiras já não possuem tanta neve quanto antes — e o fluxo de água é menor. Esse fato já está causando conflitos. Lambarri me disse que, todos os anos, ele e outros fazendeiros costumavam organizar um comitê para decidir como dividiriam a água. Agora, "o pessoal está mais agressivo, porque há menos água para distribuir e a mesma quantidade de terras que precisam dela".

Quando contei essa história ao físico e climatologista Joseph Romm, ele se lembrou de que "a palavra 'rival' advém de pessoas que partilham o mesmo rio — olhe aqui". Eu olhei. O *Random House Webster's Unabridged Dictionary* dizia: "rivalis orig., alguém que usa um curso de água em comum com outra pessoa".*

Pobreza energética e o mundo plano

Cinquenta anos atrás, se você fosse uma pessoa pobre, vivesse em um país em desenvolvimento e não dispusesse de eletricidade, certamente estaria em uma posição desvantajosa. Mas, embora a distância entre você e alguém que vivesse em um mundo desenvolvido fosse grande, não era intransponível. Você ainda poderia escrever uma carta

* Rival; a etimologia em português, conforme o *Dicionário Houaiss*, é igual: "lat. *rivalis,is* 'rival (em amor); êmulo, concorrente', de *rivalis,e* 'de rio', por uma metáfora tomada da linguagem rústica." (N. da E.)

com lápis e papel, poderia enviá-la, andando até a agência de correios, ainda poderia encontrar uma biblioteca pública e ler um livro impresso em papel, mesmo que tivesse de andar 80 quilômetros para chegar até lá. Há cinquenta anos, as pessoas pobres ou de classe média, nos Estados Unidos, poderiam ter de andar até a biblioteca ou até a agência de correios, mas apenas um ou 2 quilômetros. Ao chegarem lá, também encontrariam livros e cartas escritos em papel.

Em outras palavras, havia uma distância, que era grande, mas não intransponível. Aceleremos até os dias de hoje. Se você não tiver acesso à eletricidade, você deixa de ter acesso a *todas as bibliotecas do mundo, a todas as agências de correio do mundo, a todas as lojas e fábricas do mundo.* Pois, sem eletricidade, você não tem acesso a um computador, a um navegador, à internet, à World Wide Web, ao Google, ao Hotmail, ou a qualquer forma de e-mail ou comércio eletrônico. Portanto, não pode pesquisar nas bibliotecas on-line, não pode procurar preços menores nas lojas, não pode enviar nem receber e-mails — para qualquer lugar e de qualquer lugar —, nem pode escrever uma carta, um livro ou um projeto de negócios em uma tela que lhe permite cortar e colar com um clique do mouse. O que significa que você não pode usar nenhum dos instrumentos básicos que as pessoas do mundo plano estão utilizando para se conectar, competir e colaborar. É por este motivo que, em um mundo plano, a distância entre os que dispõem e os que não dispõem de eletricidade cresce de forma exponencial, não aritmética.

Os estudiosos do assunto provavelmente sabem disso há muito tempo. Eu só descobri o fato de forma acidental, quando percorria um remoto conjunto de povoados na Índia, em outubro de 2007. (O passeio foi organizado pela instituição beneficente Byrraju, fundada por B. Ramalinga Raju, que também fundou e foi presidente da Satyam, uma das principais empresas de tecnologia da Índia. Conheci Raju quando ele entrou em contato comigo devido ao seu trabalho beneficente. Infelizmente, ele e o seu irmão Ramu foram acusados em 2008, depois que saiu a primeira edição deste livro, de malversação de fundos da Satyam. O caso está em andamento. O que surpreendeu os indianos foi que mesmo que Raju tenha fraudado a Satyam, o seu trabalho beneficente, que procurava aliviar a pobreza rural e criou o primeiro número telefônico de emergência da Índia, era real e muito bem visto.) Aquelas povoações foram uma pequena amostra, mas me apresentaram ao universo da pobreza energética.

Em Podagatlapalli, fui recebido com o tradicional banho de pétalas amarelas, e uma pequena marca vermelha foi pintada em minha testa. Depois de um rápido almoço, fui levado para conhecer uma das joias do povoado, o novo posto de saúde, fundado pela Byrraju. Ao entrar em uma pequena sala, fiquei espantado ao ver um homem muito velho, de pele morena, tufos de cabelos brancos sobre o peito e os braços, que, usando somente as roupas de baixo, estava estendido em uma mesa, ligado a uma máquina de eletrocardiogramas. De pé entre ele e um aparelho de televisão, estava uma técnica em enfermagem, de uniforme branco, que operava o monitor ECG. Na tela do televisor, via-se um cardiologista que estava em um hospital de Bangalore, cerca de 800 quilômetros ao sul. Ele observava o ECG via satélite e se preparava para ler os resultados do exame e dar um diagnóstico.

"Que maravilha", pensei comigo mesmo. "Essa telemedicina é o que a revolução tecnológica da informática tem de melhor. O mundo está mesmo plano!"

Mas, então, olhei para o canto direito da sala e o que vi acabou com meu entusiasmo. Todo o processo — o ECG e a TV — estava sendo alimentado por 16 baterias de automóveis, ligadas à aparelhagem eletrônica por um emaranhado de fios. Por quê? Porque na Índia, inúmeros vilarejos — onde residem 70% da população — não estão conectados a nenhuma rede elétrica. Era o pior aspecto da revolução tecnológica da energia.

Quando escrevi *O Mundo é Plano*, incluí um capítulo intitulado "O Mundo Não Plano". Eu sabia que as forças tecnológicas que estavam nivelando a economia global não haviam terminado seu trabalho. Muitas pessoas ainda não podiam se conectar à plataforma do mundo plano. Era igualmente claro para mim que, a cada dia, a situação estava mudando — cada vez mais pessoas que viviam com 2 dólares por dia estavam se tornando capazes de comprar telefones celulares com conexão à internet, ou laptops de cem dólares. Na Índia de hoje, a cada mês, cerca de 7 milhões de pessoas se tornam assinantes de telefones celulares, somando 200 milhões de assinantes em 2008, em um país com 1,1 bilhão de pessoas. No futuro, o custo desses instrumentos de conectividade cairá ainda mais — eis por que acredito que o "nivelamento" do mundo prossegue em ritmo acelerado.

Isso é verdade, mas comecei a entender que, embora os instrumentos de conectividade estejam cada vez mais baratos, as pessoas na base da pirâmide só estarão realmente conectadas quando o mundo se tornar plano e verde — ou seja, quando dispuserem de uma conectividade universal, alimentada por elétrons abundantes, limpos, confiáveis e baratos. Por que plano e verde? Porque é essencial que o mundo em desenvolvimento passe à frente do mundo desenvolvido no que se refere à energia, assim como fez no que se refere à telefonia. Muitos dos países em desenvolvimento passaram da ausência de telefones a telefones celulares — sem se dar o trabalho de erguer postes telefônicos e instalar fiações. Temos de desejar que muitos do 1,6 bilhão de indivíduos que não dispõem de eletricidade passem da ausência de rede elétrica para a distribuição de energia limpa — como a solar ou a eólica — sem se dar o trabalho de construir usinas elétricas centralizadas, alimentadas a carvão.

Sim, alguns países da África e do sul da Ásia necessitam da energia gerada a carvão. Alternativas ecológicas ainda não são viáveis. Mas se todos o 1,6 bilhão de indivíduos que atualmente não dispõem de eletricidade fossem conectados a uma rede elétrica alimentada por carvão, gás natural ou petróleo, a poluição e as alterações climáticas seriam devastadoras. Quando pensamos em quantas mudanças climáticas já provocamos, com apenas três quartos do mundo usando eletricidade produzida por combustíveis fósseis, o que aconteceria se adicionássemos mais um quarto? É por isso que precisamos desesperadamente de elétrons abundantes, limpos, confiáveis e baratos — e rapidamente. Quanto mais diminuímos os custos da energia solar, eólica e mesmo nuclear, e disponibilizamos essas tecnologias, de modo seguro, aos pobres do mundo, mais atenuamos um problema (pobreza energética) e prevenimos outro (mudanças climáticas e poluição atmosférica).

Durante as férias de inverno em sua faculdade, em janeiro de 2008, minha filha Natalie trabalhou por diversas semanas como interna no hospital de um centro comunitário em Bulawayo, no Zimbábue, especializado no atendimento de crianças cujos pais tinham morrido de Aids — ou que sofriam, elas mesmas, da doença. Enquanto esteve lá, ela mal conseguiu se comunicar conosco, por conta dos repetidos blecautes, que inutilizavam os computadores e muitos dos telefones da creche onde trabalhava. O Zimbábue depende da África do Sul para obter parte de sua eletricidade, e a rede elétrica está sempre sobrecarregada. "As constantes interrupções no abastecimento de energia põem em xeque a capacidade do governo para atingir sua meta de crescimento anual, da ordem de 6%", informou o website CNN.com em reportagem procedente da África do Sul (29 de janeiro de 2008). "Também prejudicam os esforços para combater o desemprego, hoje em torno de 25%." O que não é nenhuma surpresa: um computador que não pode ser ligado ou um telefone celular que não pode ser recarregado são menos úteis que uma caneta, uma folha de papel ou um pombo-correio.

Assim como se perde mais quando não se têm fontes confiáveis de energia elétrica em um mundo plano, ganha-se muito mais quando estas existem, e ganha também, potencialmente, o sistema global. Tive um vislumbre disso, também, no povoado de Podagatlapalli, em uma escola primária patrocinada pela Byrraju. A escola era uma despojada estrutura de cimento, mas as salas de aula que visitei estavam repletas de garotos indianos, que se revezavam em quatro coloridas estações de aprendizado "à prova de crianças", fabricadas pela Little Tikes em conjunto com a IBM — que são terminais eletrônicos equipados com um software educacional interativo. Cada um deles, contendo o Programa de Aprendizagem Básica KidSmart, era feito de plástico azul, com monitor *touchscreen*. Foram especificamente projetados para promover o aprendizado em áreas remotas, onde sempre faltam professores de alfabetização qualificados.

Mas do que me lembro acima de tudo é a imagem de duas crianças indianas, um garoto de shorts azuis e uma menininha de vestido branco, que se apertavam num único banquinho azul em um terminal KidSmart, interagindo com o monitor *touchscreen* e ouvindo as instruções em fones de ouvido. Os fones eram de tamanho adulto e escondiam as cabeças das crianças, como se fossem capacetes gigantes. Mas sentadas ali, operando aquele terminal KidSmart de forma tão concentrada, aquelas duas crianças pareciam bastante curiosas e ávidas para aprender.

Pensei nelas durante todo o caminho de volta, e o pensamento que me vinha à cabeça era o de que alguma daquelas crianças poderia muito bem ser o próximo Thomas Edison ou a próxima Marie Curie; a próxima Sally Ride ou o próximo A.P.J. Abdul Kalam, ex-presidente da Índia e o maior cientista espacial do país. Mas isso não iria acontecer, a menos que as crianças tivessem acesso constante à tecnologia energética, para complementar seu agora constante acesso à tecnologia da informação.

"As implicações de se levar computadores para as salas de aula das áreas rurais, e ligar estas salas de aula com o resto do mundo, através de satélites, são profundas", diz Robert Freling. "Os estudantes e os professores ficam entusiasmados com cada programa de educação a distância que é introduzido. Amizades virtuais são estabelecidas com pessoas de terras distantes. Música e dança são compartilhadas. A diversidade cultural é enfatizada, mesmo com o mundo se tornando menor."

A conectividade sem fios, que não precisa de cabos nem de postes telefônicos, e a energia que não precisa de linhas de transmissão nem de postes de eletricidade, fazem mais para curar a pobreza rural, nos países em desenvolvimento, do que quaisquer outras inovações. Em 2000, o Solar Electric Light Fund liderou uma iniciativa para criar a primeira escola secundária abastecida por energia solar. Isso aconteceu na África do Sul, a duas horas de Durban, no vale das Mil Colinas. A Myeka High School foi equipada com um sistema de energia elétrica solar que abastecia um laboratório de computadores, assim como uma antena de satélites conectada à internet. Mais tarde, o SELF incentivou os alunos a participarem de um concurso de redações (patrocinado pela Sociedade Internacional de Energia Solar) sobre o impacto da energia solar. O vencedor foi Samantha Dlomo, da 11ª série, que escreveu:

> Tenho 16 anos e vivo há 14 deles na área rural. Durante todos esses anos, usei uma vela para estudar e fazer meus deveres de casa. O

quadro-negro sempre foi o principal instrumento de educação na escola. Quando instalaram alguns painéis solares na escola, eu não tinha a menor ideia de como aquilo iria funcionar. Poucos meses depois, nós recebemos um projetor. Era o começo de uma nova experiência escolar. Mais tarde, recebemos os seguintes equipamentos: vinte computadores, dois aparelhos de televisão e um videocassete. Recentemente, fomos conectados ao Learning Channel Campus (campus do canal de aprendizagem) e à internet, através de satélites. Nosso aprendizado, agora, vai ser orientado para pesquisas. Isto é, vamos usar planilhas e utilizaremos a internet como principal fonte de informações. Antigamente, passávamos muito tempo copiando coisas do quadro-negro. Mas a própria escola estabeleceu uma nova visão para o milênio. Por volta de 2005, quer preparar alunos para seguir carreiras nas áreas de ciências, tecnologia, engenharia, medicina e outras. Isto seria um sonho inimaginável poucos anos atrás.

Imagine — *apenas imagine* — se pudéssemos canalizar a criatividade e a capacidade de inovação das pessoas mais pobres do mundo. Imagine se pudéssemos lhes proporcionar as ferramentas e a energia de que necessitam para realmente se conectar, competir e colaborar. Isto causaria uma explosão de inovações — da ciência e tecnologia à arte e à literatura — como o mundo jamais viu. Energia abundante, limpa, confiável e barata "criaria um mundo em que as oportunidades seriam realmente iguais", observa Curt Carlson, diretor-presidente da SRI International, um centro de pesquisas científicas no Vale do Silício. Com isso, "liberaria o poder de inovação das pessoas que nos ajudarão a resolver os últimos grandes problemas que restam (na saúde, educação e energia). Estas soluções precisam vir tanto de baixo quanto de cima".

Jeff Wacker, futurólogo da Electronic Data Systems, gosta de dizer que os inovadores são as pessoas que sabem os 99% que todo mundo sabe e, assim, são capazes de criar o 1% que ninguém sabe. Se você não sabe os 99%, ou não tem acesso a eles, você não terá a base necessária para criar o 1%. Mais provavelmente, você apenas recriará parte dos 99% que todo mundo já sabe. Se pudermos tornar o mundo não plano mais plano, levando eletricidade para o 1,6 bilhão de pessoas que não dispõem dela, poderemos conectar todos esses cérebros aos 99% que todo mundo sabe, e ter todas essas pessoas trabalhando no 1% que ninguém sabe. "Então teremos inovações em toda parte", diz Wacker.

A *Economist* chamou o fenômeno de "era das inovações em massa". Como seu redator Vijay Vaitheeswaran escreveu (11 de outubro de 2007):

> A história das inovações está repleta de elites e processos centralizados. Mas olhem em volta e verão que as pessoas comuns, silenciosamente, sempre desempenharam um papel importante nesta história. Em seu *A Culture of Improvement: Technology and the Western Millenium* (Cultura do aperfeiçoamento: tecnologia e o milênio do Ocidente), Robert Friedel demonstra como pequenos e incontáveis esforços individuais, em todos os degraus da sociedade, contribuíram para os assombrosos avanços que hoje partilhamos nas sociedades pós-modernas e pós-industriais. Imaginem como as empresas e os países poderiam inovar e aperfeiçoar as inovações se pudessem dispor do potencial criativo de todos os inovadores que aguardam uma oportunidade. (...) Em uma época de inovações em massa, o mundo pode até encontrar meios lucrativos de atender às grandes necessidades do século XXI, inclusive energia limpa e sustentável, tratamentos de saúde baratos e acessíveis a todos, em uma população cada vez mais idosa, e muito possivelmente novas indústrias. O único recurso natural que o mundo possui em quantidades infinitas é a engenhosidade humana.

Pobreza energética e o mundo lotado

A energia não se limita a tornar um mundo quente mais tolerável e um mundo plano mais justo; pode também tornar um mundo lotado mais confortável. Percebi isso em outra visita esclarecedora em

Andhra Pradesh. Foi no povoado de Ethakota, onde a Satyam — cuja principal atividade é organizar a retaguarda e as operações terceirizadas de grandes multinacionais — estabeleceu um centro de processamento de dados. No início de 2006, as operações mais simples que eram realizadas na sede da Satyam, em Haiderabade, passaram a ser efetuadas pelos habitantes de Ethakota. Entre palmeiras e bananeiras, 120 aldeões com grau universitário, treinados pela Satyam e conectados com o mundo através de satélites, começaram a processar dados para uma editora de revistas britânica, e a vender serviços para uma companhia telefônica indiana. O centro funciona em dois turnos de oito horas, mas poderia funcionar em três turnos — se a eletricidade não fosse cortada durante seis horas por dia!

Quando entrevistei os funcionários do centro de processamento de Ethakota, descobri algo que não esperava. Muitos deles eram cosmopolitas. Haviam nascido na região, migraram para as megalópoles indianas em busca de trabalho e, então, decidiram retornar a Ethakota, onde, embora o salário fosse menor, a vida era mais tranquila e satisfatória. Graças às instalações da Satyam, eles podiam viver no local e atuar globalmente — contanto que dispusessem de eletricidade. Suresh Varma, de 30 anos, um dos gerentes de processamento, trabalhava para uma empresa petrolífera em Haiderabade, mas decidiu voltar para seu vilarejo verdejante, onde seus pais tinham nascido. Foi como mudar do Vale do Silício para um vale de verdade, explicou ele: "Tenho uma qualidade de vida muito melhor aqui do que em qualquer área urbana da Índia... A cidade é feita de concreto. Você passa a maior parte do tempo no trânsito, apenas para ir de um lugar a outro. Aqui você caminha até o trabalho... Aqui estou em contato com o que acontece nas cidades e, ao mesmo tempo, realizo minhas aspirações profissionais."

Ao contrário das cidades grandes, onde é alta a rotatividade nos centros de terceirização que operam à noite, "nos vilarejos ninguém sai do emprego", diz Verghese Jacob, dirigente da Byrraju, que planeja, gradualmente, tornar os aldeões proprietários dos centros de processamento de dados. "As pessoas são inovadoras e confiantes. Como algumas delas jamais trabalharam antes em um computador, seu respeito pela oportunidade que estão tendo é muito maior do que o de alguém criado nas cidades, que acha que isso é coisa corriqueira."

Este fenômeno, se pudesse ser implementado em larga escala, poderia oferecer alívio para as congestionadas megalópoles indianas, como Mumbai (19 milhões de habitantes) e Calcutá (15 milhões), que, simplesmente, não podem continuar a crescer. As implicações sociais e ambientais de se espremer cada vez mais pessoas em áreas relativamente tão pequenas estão se tornando insuportáveis para os que estão na base da pirâmide.

A única solução é fortalecer os povoados. Jacob calcula que apenas um de seus centros de terceirização rural cria a mesma quantidade de empregos e renda que 160 hectares de áreas agrícolas indianas. Em outras palavras, a Índia poderia aumentar as áreas de cultivo criando esses centros de processamento de dados, cada um com cerca de duzentos empregos. A iniciativa poderia transformar os povoados em lugares mais viáveis que as grandes cidades, para que os jovens construam seu futuro. Mas, para isso, é preciso que haja eletricidade limpa, confiável e barata, além de conectividade — internet e telefones. Com conectividade, os aldeões poderão ter acesso a modernas tecnologias agrícolas a preços de mercado, o que os ajudará na obtenção de melhores preços para seus produtos. O acesso à internet possibilitará aos artesãos do vilarejo disponibilizar imagens da arte e do artesanato locais, e vender suas mercadorias diretamente, em um mercado globalizado.

As pessoas na Índia e na China deixam seus povoados e se espremem nas grandes cidades, juntamente com suas famílias, não porque realmente gostem de viver dessa forma, mas porque, em muitos casos, é lá que estão as oportunidades de emprego. As coisas sempre serão assim, até certo ponto, mas podemos melhorá-las, se pudermos fazer o que a Satyam fez: levar aos vilarejos um ecossistema formado por energia, mais educação, mais conectividade, mais investimento. Isto é o que garante a sustentabilidade de um vilarejo. E precisamos de muitos vilarejos sustentáveis. Se você torna um vilarejo funcional, não só ajuda os pobres, a maioria dos quais mora em vilarejos, como também cria um mundo mais equilibrado. Para tornar os vilarejos funcionais, no entanto, é preciso criar condições para que as pessoas vivam no local e atuem globalmente; é preciso lhes dar oportunidades de acesso. Mas, para isso, é preciso haver energia — energia elétrica.

"Pela primeira vez, na história do mundo, temos a chance de alcançar o equilíbrio entre localização e globalização", diz o indiano K.R. Sridhar, cofundador e diretor-presidente da Bloom Energy. Se os pobres das áreas rurais do mundo sentirem que já não precisam migrar para as cidades, para trabalhar em fábricas, dirigir carros ou se tornarem empregados domésticos — pois têm os instrumentos e a habilidade para se conectar globalmente, e energia abundante para sustentar essa conectividade —, "eles serão capazes de obter o melhor, tanto da localização quanto da globalização", diz Sridhar.

Eles poderão permanecer nas áreas rurais, desfrutar de seus benefícios, manter suas tradições, alimentação, modo de vestir, e ainda gerar a renda de que necessitam para prosperar. Além disso, quanto mais elevado for o padrão de vida das populações rurais, menos filhos as mulheres terão — outro modo de reduzir a superlotação.

"Quando se equilibram a localização e a globalização, o que se obtém é a humanização — uma era de humanização", argumenta Sridhar. "Quanto você tem raízes — locais — e conectividade — global — você estará junto de suas raízes sem abrir mão de suas aspirações." Você poderá realizar todo o seu potencial. Mas isto só poderá acontecer se a tecnologia da informação e a tecnologia da eletricidade andarem juntas, pois só assim tudo e todos poderão estar, ao mesmo tempo, espalhados e conectados. Se pudermos conseguir isso, diz Sridhar, "o mundo ganhará um novo sistema operacional".

DEZ

O verde é o novo vermelho, branco e azul

Temos exatamente o tempo necessário — a partir de agora.
— Dana Meadows (falecida), ambientalista, Dartmouth College.

Em 2006, fui convidado por alunos da Universidade de Stanford, dedicados ao estudo da energia e do meio ambiente, para fazer uma palestra no campus a respeito das inovações ecológicas. Enquanto eu aguardava minha vez nos bastidores, John Hennessy, diretor da universidade, fez a habitual apresentação, na qual ofereceu suas próprias ideias a respeito do assunto. Segundo Hennessy, a confrontação dos desafios que hoje existem na área da energia e do clima é o epítome do que John Gardner, fundador da Common Cause,* descreveu uma vez como "uma série de grandes oportunidades disfarçadas de problemas insolúveis".

Eu adoro esta descrição: *uma série de grandes oportunidades disfarçadas de problemas insolúveis*. Em poucas palavras, diz exatamente como devemos encarar o futuro.

Na primeira metade deste livro, tentei descrever os problemas, aparentemente insolúveis, que emergiram na Era da Energia e do Clima

* Common Cause: Uma organização apartidária, criada em 1970, dedicada a tornar as instituições americanas mais abertas e responsáveis. (N. do T.)

— desequilíbrio na demanda e oferta de energia, ditadura do petróleo, mudanças climáticas, pobreza energética e perda da biodiversidade — e que irão moldar nossas vidas e nosso planeta nos próximos anos. Na segunda metade do livro, tentarei mostrar que a resolução desses problemas representa, na verdade, uma grande oportunidade para qualquer país que estiver à altura do desafio.

Por que uma oportunidade? Por vários motivos. Para começar, porque a raça humana não pode mais sustentar seu crescimento com base nos combustíveis fósseis, um sistema que evoluiu a partir da Revolução Industrial e que nos levou à Era da Energia e do Clima. Se tentarmos mantê-lo, o clima, as florestas, os rios, os oceanos e os ecossistemas da Terra serão cada vez mais afetados. Precisamos de um novo Sistema de Energia Limpa para impulsionar nossas economias — de forma sustentável — e retirar da pobreza um número cada vez maior de pessoas — sem pilhar nosso planeta.

Estou convencido de que um Sistema de Energia Limpa não será uma opção por muito tempo mais. Durante anos falamos como se certos países pudessem ou não esverdear, segundo sua política e nível de desenvolvimento. Já não é assim. Estou convencido de que em um mundo quente, plano e lotado — onde a energia, a água, a terra, os recursos naturais e os recursos energéticos estão no limite de utilização — , todos, a seu tempo, serão forçados a pagar o verdadeiro preço do que estão usando, o verdadeiro preço das mudanças climáticas que estão provocando, o verdadeiro preço da biodiversidade que estão destruindo, o verdadeiro preço das ditaduras petrolíferas que estão subvencionando e o verdadeiro preço da pobreza energética que estão mantendo. A Mãe Natureza, a comunidade mundial, nossa própria comunidade, nossos próprios clientes, nossos próprios vizinhos, nossos próprios filhos ou nossos próprios empregados irão exigir que nós, nossa empresa ou nosso país paguemos "o custo total da posse" do que produzimos ou consumimos, afirma Andrew Shapiro, diretor-presidente da Green Order, uma firma de logística que ajuda outras firmas a se beneficiarem de inovações ambientais. O custo total da posse "inclui custos a médio e longo prazos, diretos e indiretos, visíveis ou ocultos, financeiros, sociais, geopolíticos e ambientais".

Teremos de arcar com esses custos porque já não existem amortecedores, já não há esconderijo; já não há campos verdes onde possamos despejar nosso lixo, oceanos para explorar de forma predatória, florestas infindáveis para derrubar. Chegamos ao ponto em que os efeitos do nosso modo de vida sobre o clima e a biodiversidade da Terra não podem mais ser negligenciados, ignorados ou confinados. O nosso saldo de poupança ambiental está zerado. Já não é questão de pagar agora ou pagar mais tarde. Trata-se de pagar agora ou não haverá mais tarde.

Além disso, não se pode mais ocultar o custo dos danos que causamos ao planeta. Os verdadeiros custos de tudo isso estão se tornando visíveis, mensuráveis, acessíveis e inescapáveis. Num mundo plano, todos veem aquilo que todos fazem, e todo mundo chega a saber dos prejuízos que são causados. Não há como evitar a responsabilidade pelo custo total de ser proprietário do que se produz e consome.

O quadro é triste, eu sei. *Precisamos* mudar. Simples assim. Mas desta necessidade surge a oportunidade. A empresa, comunidade ou país que apresentar a maior quantidade de elétrons baratos e limpos (sem emissão de CO_2) terá a resposta para os cinco grandes problemas que assolam o mundo no início do século XXI. Com elétrons abundantes, baratos, limpos e confiáveis seremos capazes de aumentar enormemente a oferta de energia e recursos naturais e pôr fim às limitações da demanda, minar as ditaduras do petróleo, diminuir a mudança climática, reduzir fortemente a perda de biodiversidade e eliminar a pobreza energética. Isso não é animador? Os cinco maiores problemas mundiais têm a mesma solução!

O que isso lhe diz? Para mim, isso significa que a busca por elétrons abundantes, baratos, limpos e confiáveis será a próxima grande indústria global. Tem de ser assim. Eu a denomino TE — tecnologia energética. A TE é a nova TI. Dado o tamanho da demanda futura por tecnologias energéticas limpas, ela será assim. Portanto, creio que o país que dominar a TE terá a melhor segurança nacional, a segurança mais econômica e a maior segurança energética; terá as empresas mais inovadoras (você não pode esverdear um produto sem torná-lo mais inteligente, com materiais, desenho e software inteligentes) e o meio ambiente mais saudável; este país terá o respeito e a confiança mundiais. Ele também será considerado o mais inspirador, pois resolverá mais problemas que afetam mais pessoas do que qualquer outro país.

Em outras palavras, energia limpa é poder. EL = P. Mas ela é muito mais do que energia elétrica. Ela representa poder econômico e político e o poder que conferem a inovação e a reputação. A capacidade de projetar, construir e exportar tecnologias verdes para a produção de elétrons limpos, água limpa, ar limpo e alimentos saudáveis e abundantes será a moeda de troca do poder na Era da Energia e do Clima — não a única, mas tão importante quanto a capacidade de produzir computadores, microchips, tecnologia da informação, aviões e tanques.

"A economia verde está destinada a ser a mãe de todos os mercados, a oportunidade de investimento econômico de uma época, porque já é tão fundamental", comentou Lois Quam, ex-diretora administrativa de investimentos alternativos na Piper Jaffray, uma firma de investimentos. "O desafio do aquecimento global nos coloca diante da maior oportunidade de retorno nos investimentos e de crescimento que já tivemos. Para encontrar uma transformação econômica equivalente a esta é preciso pensar na Revolução Industrial. E na Revolução Industrial o antes e o depois eram bem claros. 'Depois' tudo ficou diferente: indústrias surgiram e desapareceram, a sociedade mudou, surgiram novas instituições sociais e todos os aspectos do trabalho e da vida cotidiana foram alterados. Com ela apareceram os novos poderes globais. Este [a transformação da tecnologia limpa] será um momento similar na história."

Somemos tudo isso e veremos que, na Era da Energia e do Clima, o "verde" deixou de ser um modismo; o verde deixou de ser conversa fiada; o verde deixou de ser uma preocupação ecológica que você adotava para ser bonzinho, esperando lucrar alguma coisa em dez anos. Não: o verde significa o modo como crescemos, construímos, projetamos, fabricamos, trabalhamos e vivemos — "simplesmente porque é melhor", diz Andrew Shapiro. O verde se tornou o modo mais inteligente, mais eficiente e mais econômico de fazer as coisas — quando todos os custos verdadeiros são incluídos. Esta é a enorme transição que estamos começando a vislumbrar. O verde está se tornando assunto sério, deixando de ser uma escolha para se tornar uma necessidade, deixando de ser um modismo para se tornar uma estratégia vencedora, deixando de ser um problema insolúvel para se tornar uma grande oportunidade — econômica e geopolítica.

Muitos enxergam isso agora. Outros o farão brevemente. Até que se torne óbvio para todos. Espero que todos os países alcancem esse patamar o mais rápido possível, mas, como americano, gostaria de ter certeza de que meu país estará na liderança.

Redefinindo o Verde

Se há um método na minha loucura sobre esse tema, é o de tentar fazer os formuladores de políticas redefinirem o verde. Digo a eles: este não é o movimento verde do seu avô. Trata-se do Código Verde. É algo muito mais vasto que a eletricidade. O que um país puder fazer hoje para esverdear vai torná-lo mais forte, mais saudável, mais seguro, mais inovador, mais competitivo e mais respeitado. É importante redefinir o verde.

Acredito firmemente que nos apropriamos daquilo que nomeamos. Se você conseguir nomear uma questão, ela é sua. Durante muito tempo o problema com o "verde", pelo menos nos Estados Unidos, foi ter sido nomeado por seus oponentes. Eles o qualificavam como assunto de gente "liberal", "abraçadora de árvores", "maricas", "fresca", "impatriótica" e "vagamente europeia". Bem, aqui estou para dizer que quando se considera os problemas que enfrentamos, e as oportunidades e riquezas que afluirão aos países e empresas que tomarem a dianteira para resolvê-los, o verde não é nada disso. Não, o verde é "geopolítico", "geoestratégico", "capitalista", "patriótico". O verde é o novo vermelho, branco e azul.

Em resumo, o Código Verde é uma estratégia que pode nos ajudar a reduzir o aquecimento global, a perda da biodiversidade, a pobreza energética, as ditaduras do petróleo e as interrupções no abastecimento de energia — tornando os Estados Unidos mais fortes, ao mesmo tempo. Resolveremos nossos problemas ajudando o mundo a resolver seus problemas. Ajudaremos o mundo a resolver seus problemas resolvendo nossos próprios problemas.

Dependendo da plateia, podemos enfatizar um desses pontos, mas são verdades que se reforçam mutuamente. Para os ambientalistas, eu digo: "Vamos transformar os Estados Unidos no país mais verde do mundo, o líder no abrandamento das mudanças climáticas, na utilização da energia limpa e na proteção da biodiversidade — o subproduto disto será um país mais forte." Para os conservadores, eu digo: "Vamos transformar os Estados Unidos no país mais forte da Era da Energia e do Clima, concentrando-nos na energia limpa — e o subproduto irá nos ajudar a diminuir os efeitos de todas essas coisas de que Al Gore anda falando."

Mas é por isso, também, que, quando ouço americanos dizerem: "Como podemos nos dar ao luxo de transformar toda a nossa economia de modo a prevenir as mudanças climáticas, se as mudanças climáticas podem acabar se revelando um embuste ou um modismo, e o capital terá sido desperdiçado?", minha resposta é sempre a mesma: se as mudanças climáticas são um embuste, são o embuste mais maravilhoso que já foi perpetrado nos Estados Unidos da América. Pois transformar nossa economia, passando a utilizar energia limpa e tornando mais eficiente o uso de energia — de modo a enfrentar o aquecimento global e outros desafios trazidos pela Era da Energia e do Clima —, é o equivalente a treinar para o triatlo olímpico: se você tiver condições de competir nas Olimpíadas, suas chances de sucesso na vida serão muito maiores, pois você terá desenvolvido todos os músculos. Mesmo que não chegue às Olimpíadas, terá se tornado mais saudável, mais forte e mais preparado. Terá mais probabilidades de viver mais e de vencer qualquer competição na vida. Assim como no triatlo, você não desenvolverá apenas um músculo, ou apenas um talento, mas muitos deles, que se reforçarão mutuamente e melhorarão sua saúde como um todo.

Além de tudo isso, a organização de uma verdadeira revolução — o Código Verde — é uma "oportunidade quintessencialmente americana", acrescenta Lois Quam. Exige toda a nossa capacidade. Exige enormes quantidades de experimentos — do tipo que se encontra em nossos grandes centros de pesquisas e laboratórios nacionais; exige inúmeras empresas novas, que não tenham medo de tentar, arriscar, falhar e tentar novamente; exige muitos investidores com capital de risco, prontos a fazer grandes apostas em busca de grandes retornos; exige um aplicado trabalho de equipe e colaboração entre empresas, governo e universidades; exige milhares de pessoas trabalhando em suas garagens, tentando milhares de coisas. E, mais importante, é um desses projetos nacionais que propõem grandes lucros e grandes objetivos. Não se trata apenas de tornar os Estados Unidos mais ricos, mas, sim, de tornar o mundo melhor.

Se nós que nos preocupamos com as mudanças climáticas estivermos errados — mas tivermos levado os Estados Unidos a produzirem eletricidade limpa e os veículos, os aparelhos e os prédios mais eficientes do mundo, em termos de utilização de energia, e tivermos transformado os Estados Unidos em líderes mundiais da proteção às florestas tropicais e aos hábitats naturais —, o que poderia acontecer de ruim? Nosso país teria ar e água mais limpos, produtos mais eficientes, mais trabalhadores treinados para a próxima grande indústria global, preços de energia mais altos, mas — paradoxalmente — contas menores, maior produtividade, pessoas mais saudáveis e uma indústria exportadora de produtos baseada em energia limpa que o resto do mundo desejará comprar — para não falar do respeito e da gratidão das pessoas do mundo inteiro, como o país nunca teve. E teremos de travar menos guerras por recursos naturais — pois se a raça humana não conseguir criar mais abundância, teremos de lutar pelo que estiver em falta, o que será uma infinidade de coisas, em um mundo quente, plano e lotado.

E se os céticos e descrentes, que dizem que as mudanças climáticas não passam de um embuste, estiverem errados, mas dermos ouvidos a eles e não fizermos nada, o que acontecerá? Teremos um futuro cheio de secas, inundações, geleiras minguantes, níveis dos mares cada vez mais elevados, conflitos por recursos naturais, destruições maciças ao longo das áreas costeiras do mundo e, como diz o eco-consultor Rob Watson, "a raça humana será apenas uma experiência biológica malsucedida do planeta".

Esse é, em resumo, o motivo pelo qual acredito que precisamos redefinir o significado de verde e levar o país a se unir em torno do programa do Código Verde. Ele irá torná-lo mais forte e mais livre nesta era em que estamos ingressando.

Mas esse não é o único motivo. Temos, também, uma responsabilidade moral — por consumirmos a maior parte, per capita, dos recursos naturais do mundo, por termos mais recursos para inovar do que qualquer outro país, por termos capacidade para atingir mais pessoas no planeta do que qualquer outro país. Ao provermos mais pessoas em todo o mundo com os instrumentos de que necessitam para a utilização de energia limpa, estaremos sendo coerentes com nossa missão de expandir para todas as pessoas as fronteiras da liberdade.

O sistema capitalista e os centros universitários de pesquisas americanos, atuando em conjunto, ainda são a mais poderosa máquina de inovações já criada. Por isso, o mundo não poderá enfrentar efetivamente os grandes problemas da Era da Energia e do Clima — de forma rápida e abrangente — sem a participação dos Estados Unidos, seu presidente, seu governo, suas indústrias, seus mercados e seu povo, seja liderando a revolução, seja tentando promovê-la. A Califórnia já provou como apenas um estado pode ter uma enorme influência sobre os outros 49, ao reduzir drasticamente seu consumo per capita de energia, mediante inovações e regulamentação. Na verdade, como estado, a Califórnia administrou o seu orçamento lamentavelmente mal devido a uma longa revolta contra os impostos. Mas, no reino da política de eficiência energética, tem ditado os padrões — o mesmo tipo de atitude que os Estados Unidos deveriam ter diante do mundo. Precisamos fazer os investimentos iniciais em novas tecnologias energéticas limpas — como fizemos com os PCs, DVDs e iPods — e alavancar a economia de serviços de baixo custo da Índia e a plataforma industrial da China, para rapidamente baixar o preço dessas tecnologias ao "preço Chíndia", um preço que possa ser realmente adotado na China e na Índia. Se os Estados Unidos não aproveitarem esta oportunidade, outros o farão.

Sigam-me

Se os Estados Unidos se tornarem líderes na implementação de tecnologias de energia limpa e na conservação de energia, o mundo andará de forma decisiva nessa direção. Talvez estas palavras pareçam um tanto fora de moda ou chauvinistas. Mas não é minha intenção. Apenas continuo a acreditar que muitas coisas ruins acontecem no mundo, em grande escala, sem a liderança americana; mas poucas coisas boas acontecem, em grande escala, sem a liderança americana — seja a derrota do nazismo e do fascismo, ou o enfrentamento do totalitarismo comunista, ou a reconstrução da Europa após a Segunda Guerra Mundial.

E o mundo está esperando que os Estados Unidos assumam a liderança na questão da energia e do clima. Não sou contra tratados sobre o clima mundial, como o Protocolo de Kyoto, mas creio que têm poucas chances de terem a influência pretendida por seus defensores. Fazer com que todos os países signatários cumpram o que assinaram será um desafio interminável — uma coisa tão difícil quanto fazer com que assinem o tratado, para início de conversa.

Melhor seria, a meu ver, direcionar nossa energia no sentido de criar um modelo americano tão atraente que os outros países o sigam por vontade própria. Estou convencido de que, se os Estados Unidos assumissem a liderança na produção de energia limpa e no aumento da eficiência energética — e, consequentemente, se tornassem mais produtivos, saudáveis, respeitáveis, prósperos, competitivos, inovadores e seguros — muitos outros países e povos do mundo iriam nos emular de forma espontânea. E em número infinitamente maior do que se estivessem sob a imposição de algum tratado. Se os Estados Unidos se tornassem verdadeiramente verdes, valeria muito mais do que cinquenta Protocolos de Kyoto. A emulação é sempre mais eficaz do que a obrigação.

Parafraseando Arquimedes: Deem-me os Estados Unidos verdes e eu tornarei verde o mundo.

Os americanos se esqueceram, sobretudo nos últimos anos, com tanta gente nos criticando ao redor do mundo, de como seu país ainda é um modelo a ser seguido. Quando os Estados Unidos param de estabelecer tendências ou estabelecem tendências ruins, o mundo inteiro sente os efeitos. Recordem que os Estados Unidos têm sido também inovadores no tocante à conservação de recursos naturais. Podemos promover esses valores mundialmente, também. Há cerca de cem anos, inventamos o sistema de parques nacionais, e a ideia foi emulada em todo o mundo. Durante os últimos trinta anos, nossos programas de ajuda internacional ajudaram países em desenvolvimento, do Brasil à Indonésia, a preservar suas florestas, campinas, recifes de coral e espécies ameaçadas. Além de ajudarem outras nações a crescer de forma sensata, esses programas exprimem o que os Estados Unidos têm de melhor e mostram ao mundo nossos melhores aspectos.

Como observa o britânico Tom Burke, foi a Lei Nacional de Proteção Ambiental, instituída durante o governo Nixon, que formulou o conceito de "avaliação de impacto ambiental", hoje obrigatória para os projetos de grande escala que possam causar danos ao meio ambiente. "Todos os países da Europa copiaram isso. Agora está sendo copiado em todos os países do mundo", diz Burke.

Ouçamos o presidente da França, Nicolas Sarkozy, que fez sua primeira visita oficial a Washington em novembro de 2007. Durante um café da manhã com jornalistas, tive oportunidade de lhe fazer a seguinte pergunta: "O que aconteceria se os Estados Unidos se tornassem os líderes do combate às mudanças climáticas, em vez de continuarem a ser os últimos da fila?" Sarkozy começou falando sobre seu amor pela cultura americana: "Eu cresci ouvindo Elvis Presley... Eu cresci assistindo a filmes americanos... A história dos Estados Unidos é uma história de sucesso econômico sem precedentes, de sucesso democrático sem precedentes... Eu sempre amarei os Estados Unidos. Portanto, quando vejo os Estados Unidos odiados por todo mundo, isso realmente me machuca. E quando os Estados Unidos não estão na liderança de um assunto tão global quanto as mudanças climáticas, eu me pergunto: 'Onde está o sonho americano? O que aconteceu? Para onde ele foi?' Vocês são vaiados em todas as conferências mundiais, como o G8. Isto é o que aconteceu. Vocês são limitados por dois oceanos. Serão os primeiros a serem afetados pela elevação do nível dos mares. Vocês deveriam dar o exemplo. Vocês deveriam estar à frente da luta pelo meio ambiente... Vocês não podem liderar a luta pelos direitos humanos e ficar na retaguarda, quando se trata de responsabilidades e obrigações com relação ao meio ambiente."

Recebi uma resposta semelhante na Alemanha. A liderança europeia nessa questão tem sido imensamente importante, mas a Europa, simplesmente, não ocupa a imaginação do mundo como os Estados Unidos — quando estão em sua melhor forma. "Os Estados Unidos são o país mais dinâmico do mundo e constituem a maior economia do mundo", me disse Sigmar Gabriel, ministro do Meio Ambiente da Alemanha, em uma entrevista. "Precisamos do dinamismo de seus mercados e do dinamismo de seus inovadores. Precisamos do capitalismo americano aplicado a esse problema. Se os americanos se tornarem verdes, o resto do mundo se tornará verde."

Quando nos sentimos melhor como americanos? *É quando fazemos coisas pelos outros, com os outros.* A liderança da revolução tecnológica verde nos permitirá fazer exatamente isso. É uma das maneiras de reentrarmos nos trilhos, de recuperarmos nossa autoridade moral. Um país não pode esverdear, de fato, sem estar comprometido com a ideia de que exista algo além de si mesmo, de seus habitantes e de suas fronteiras — que a situação do mundo também tem muita importância. Jacqueline Novogratz, fundadora do fundo Acumen, uma organização de empreendedorismo social que opera no mundo em desenvolvimento, comentou comigo uma vez: "Quando eu era jovem e trabalhava no interior do Quênia, ouvi uma história contada pelas esposas mais velhas. Dizia que, se houvesse alguma mulher doente na aldeia, a primeira coisa que o curandeiro faria seria pedir à mulher doente que cozinhasse para toda a aldeia. A ideia era que as doenças, muitas vezes, provinham do coração — e se você desse alguma coisa de si mesmo, você também curaria a si mesmo."

Após o 11 de Setembro, o presidente Bush ofereceu bons exemplos de autoridade moral — mas, ao longo do caminho, durante a guerra contra o terrorismo, os Estados Unidos e o sr. Bush perderam bastante dessa autoridade. Instituir um exemplo no uso da energia limpa, na eficiência e na conservação energética seria um dos melhores meios de restaurar um pouco da autoridade perdida, pois o Código Verde é um símbolo de humildade. Ele diz ao mundo: mesmo que sejamos uma superpotência, mesmo que sejamos o país mais rico do planeta, não achamos que merecemos uma fatia maior dos recursos do mundo do que os demais.

Acreditar nisso não significa que devemos deixar de agir em nosso próprio interesse — nunca. Mas é exatamente por interesse próprio, às vezes, que devemos agir de modo mais altruísta — informando às pessoas que existem alguns problemas que abordaremos como americanos, e outros que só poderemos enfrentar em conjunto, como espécie, e que estamos prontos para agir de ambas as formas.

Como disse o governador Arnold Schwarzenegger: passar os Estados Unidos do último lugar para o primeiro, no combate às mudanças climáticas, "criaria um efeito colateral muito marcante". Aqueles que não gostam dos Estados Unidos por conta da guerra no Iraque, explica ele, poderão pelo menos dizer: "'Bem, eu não gosto deles por causa da guerra, mas gosto deles porque estão demonstrando uma capacidade de liderança incrível — não só com seus jeans e hambúrgueres, mas com sua preocupação com o meio ambiente.' As pessoas vão nos adorar por isso. Mas não é o que está acontecendo neste momento."

Em sua história dos Estados Unidos do século XIX, *What Hath God Wrought* (O que Deus fez), Daniel Walker Howe conta que Ralph Waldo Emerson, em um encontro na Associação da Biblioteca Mercantil, em 1844, disse que "os Estados Unidos são o país do futuro. É um país de inícios, de projetos, de vastos planos e expectativas".

Isto é verdade nos dias de hoje, tanto quanto era em 1844. O que é igualmente verdadeiro é que chegou a hora de outro recomeço, outro grande projeto, com planos grandiosos e expectativas ilimitadas. E não haverá empreendimento maior, no mundo em que estamos ingressando, do que a produção de energia limpa, o aproveitamento eficiente da energia e a proteção de nossas florestas, plantas e animais.

Plano A: Código Verde

Mas não devemos alimentar ilusões: o Código Verde é um grande projeto. *Precisamos de um sistema completamente novo para impulsionar nossa economia.* Temos um problema sistêmico, cuja única resposta será um sistema novo.

Desde a Revolução Industrial e a ascensão do moderno capitalismo, a economia global tem sido dirigida pelo que eu chamo de Sistema de Combustíveis Sujos. O Sistema de Combustíveis Sujos foi baseado em três elementos-chave: combustíves fósseis que eram sujos, baratos e abundantes; uso perdulário desses combustíveis durante muitos anos, como se estes nunca fossem se esgotar; exploração desenfreada de nossos outros recursos naturais — ar, água, terra, rios, florestas e bancos pesqueiros — como se estes, também, fossem infinitos. (Realmente, não é minha intenção falar mal dos indivíduos que extraíram carvão, petróleo e gás natural, combustíveis que produziram grande parte da energia que o mundo usou para crescer, durante os dois últimos séculos. Sei que só fizeram o que lhes pediram para fazer. Seu trabalho proporcionou o combustível que foi utilizado para elevar os padrões de vida em todo o mundo. Sei também que, hoje em dia, o carvão pode ser queimado de modo muito mais limpo do que no passado, e que o gás natural, agora usado amplamente, é muito mais limpo do que o carvão. Estou usando a palavra "sujo" apenas para descrever o impacto que esses combustíveis tiveram em nosso clima e meio ambiente.)

Ninguém, na realidade, projetou o Sistema de Combustíveis Sujos. Ele apenas evoluiu do século XVIII até os dias de hoje; no início, alimentando o crescimento do Ocidente industrial, e, mais recentemente, o rapidíssimo crescimento dos gigantes em desenvolvimento, como a Índia, a China, a África do Sul, a Polônia e o Egito.

Esse sistema funciona com bastante eficiência. Carvão, petróleo e gás natural são extraídos em todo o planeta. Navios petroleiros, trens e dutos distribuem os combustíveis fósseis a usinas elétricas e refinarias no mundo inteiro. Postos de gasolina e redes elétricas distribuem a energia diretamente aos consumidores, que nunca duvidam de que as lâmpadas continuarão acesas ou de que encontrarão um posto de gasolina na próxima esquina. O mesmo vale para madeira, água e peixe — tudo o que você puder consumir, o tempo todo, até que não reste mais nada. Trata-se de um sistema profundamente enraizado.

Mas não podemos continuar com este Sistema de Combustíveis Sujos. Se o fizermos, os efeitos sobre a energia, o clima, a biodiversidade, a geopolítica e a pobreza energética irão arruinar a qualidade de vida de todas as pessoas do mundo e, eventualmente, colocarão em risco a sobrevivência do próprio planeta.

Infelizmente, até o momento temos tentado resolver, aos poucos, os problemas acarretados pelo Sistema de Combustíveis Sujos, um de cada vez — em vez de criar um novo sistema para substituí-lo. O resultado é que agravamos os problemas que tentamos resolver, ou criamos outros.

Pensem nisto: pessoas dedicadas à preservação da biodiversidade estabelecem áreas protegidas para espécies ameaçadas de plantas e animais — cuja importância é vital. Mas as mudanças climáticas alteram as temperaturas e os índices pluviométricos do hábitat, tornando algumas das áreas protegidas inabitáveis para as próprias criaturas que deveriam ser preservadas. Enquanto tentarmos proteger a biodiversidade dentro de um Sistema de Combustíveis Sujos — que muda o clima de forma incontrolável — jamais obteremos sucesso.

Pensem nisto: os Estados Unidos invadiram o Iraque, em parte, para promover a democracia no Oriente Médio, o que é de vital importância. Mas mantêm um sistema de transporte baseado em dezenas de milhões de veículos movidos a petróleo do Oriente Médio — o que significa que nosso modo de vida está financiando, indiretamente, as forças que, naquela região, estão trabalhando para solapar os esforços americanos em prol da democracia. Enquanto tentarmos promover a democracia no Oriente Médio dentro de um Sistema de Combustíveis Sujos, que financia os mais poderosos inimigos da democracia, jamais obteremos sucesso.

Pensem nisto: estamos tentando minimizar a pobreza mundial — o que é de importância vital — enquanto mantemos um Sistema de Combustíveis Sujos que oferece enormes subsídios aos fazendeiros americanos e ao agronegócio, para que plantem milho e produzam etanol, um processo que está elevando os preços dos alimentos em todo o mundo, e que atinge principalmente os pobres. Enquanto tentarmos combater a pobreza com um sistema que encoraja as pessoas a usar alimentos para abastecer seus carros — em vez de levá-las a dirigir menos, a usar mais transportes coletivos ou a exigir veículos que apresentem uma drástica redução no consumo de combustível —, jamais obteremos sucesso.

Tudo isso são tentativas de solucionar um conjunto de problemas enormes e interligados — problemas sistêmicos — sem abordar o assunto de modo sistêmico. Os resultados não têm sido muito bons. Precisamos criar um novo sistema. Portanto, paremos por um momento e consideremos as duas características mais importantes de um sistema. Uma delas você pode perceber observando a natureza; a outra, dirigindo um Toyota Prius com sistema flex de combustível.

A primeira regra dos sistemas é que tudo está interligado, e ninguém nos ensina isso melhor do que a Mãe Natureza. O que John Muir, fundador do Sierra Club, escreveu sobre a natureza, em 1911, ainda vale para hoje: "Quando estudamos a natureza de alguma coisa, descobrimos que ela está ligada a tudo o que existe no universo."

Um dos meus exemplos favoritos dessa verdade é uma matéria publicada no *New York Times* (5 de agosto de 2007) sobre o misterioso desaparecimento — e súbito reaparecimento — de choupos no oeste dos Estados Unidos, particulamente do vale de Lamar, no Parque Nacional de Yellowstone. O autor da matéria, Chris Conway, explicou que o desaparecimento não foi nenhum mistério: os alces estavam comendo os brotos de choupo antes que tivessem oportunidade de crescer. Subitamente, nos últimos anos, os choupos voltaram a aparecer. O motivo surpreendeu os pesquisadores: o ressurgimento dos choupos foi "atribuído aos lobos, reintroduzidos no Yellowstone em 1995, após uma ausência de setenta anos".

Os lobos seriam benéficos aos choupos?

"Os lobos comem os alces à média de um alce por lobo no inverno, segundo as estatísticas disponíveis no parque", escreveu Conway.

> Mas o ressurgimento dos choupos no vale de Lamar não é simplesmente o resultado da antiga fórmula ecológica — predadores comem as presas. Pode ter alguma relação com o medo, segundo um novo estudo realizado por cientistas da Universidade Estadual do Oregon. Apesar da presença de lobos — mais de cinquenta, em pelo menos seis matilhas — 6.500 alces ainda perambulavam pela área de estudos, quantidade mais que suficiente para que a destruição de choupos prosseguisse. Mas o estudo descobriu que uma "ecologia do medo" ajudou a restaurar o equilíbrio no vale, protegendo os brotos de choupos pela primeira vez, em décadas.
>
> William J. Ripple, professor da Faculdade de Silvicultura daquela universidade, e um dos autores do estudo, disse que os choupos estavam se recuperando em áreas onde o alce teria dificuldade em escapar de um ataque de lobos. "Achamos que os alces aprenderam a pesar o risco de serem mortos contra o prazer de comer em seus lugares favoritos. É questão de escolher entre o alimento e o risco, em uma ecologia do medo", segundo ele. Outro dos autores, Robert L. Beschta, professor emérito da universidade, comparou a situação à pesquisa que ele realizou numa região de ursos-pardos. "Quando estou em uma região de ursos-pardos, mudo meu comportamento", diz ele. "Fico mais cauteloso ao entrar em lugares escuros, onde não consigo enxergar bem. Achamos que os alces fazem a mesma coisa. Em lugares apertados, onde um alce teria dificuldade em ver um lobo ou escapar dele, estamos verificando aumentos no crescimento da vegetação. É como se eles tivessem medo de entrar lá."

Quem diria? Mais lobos significam mais choupos no parque de Yellowstone, pois os alces temem comer brotos de choupos em desfiladeiros. O mesmo ocorre com a energia, o clima, a pobreza, a biodiversidade e a política do petróleo: para influenciá-los do modo mais eficiente, é preciso pensar e agir de modo sistêmico. Precisamos imitar a natureza — o sistema mais complexo e adaptativo.

Jonathan F. P. Rose, um construtor especializado em prédios e condomínios ecológicos, membro do Natural Resources Defense Council (Conselho de Defesa dos Recursos Naturais) e teórico de sistemas amadores, colocou-me as coisas nos seguintes termos: "A natureza sistêmica do planeta Terra é persistente e vigorosa. A natureza é um sistema e sempre responde sistemicamente. É uma coisa intrínseca. Não aumenta nem diminui. Sempre funciona assim, e de forma vigorosa."

A única coisa que varia, segundo Rose, é nossa capacidade de enxergar a índole sistêmica da natureza e agir em sintonia com ela. "Mas enxergar e pensar em termos holísticos exige que você expanda sua mente e realmente interligue as coisas. A intrínseca interdependência do universo natural é como a gravidade. Como construtor, eu não decido quais as partes de minhas edificações que irão obedecer às leis da gravidade e quais não o farão. Não é possível negociar com a gravidade. Ela apenas está lá. E a interdependência é uma qualidade tão intrínseca à natureza quanto a gravidade."

Os homens e mulheres modernos que vivem em ambientes urbanos estão tão desconectados da interdependência da natureza que precisamos reaprender esta verdade sistêmica. A única maneira de fazê-lo é se embrenhar na natureza. No verão de 2009 tive a oportunidade de fazer isto ao participar de um safári no delta do rio Okavango, no nordeste da Botsuana — onde não há estradas asfaltadas, televisão, conexão para internet nem antenas de celular. Mas havia jornais diários, ou mais ou menos isso. Claro que não eram os jornais normais. Eles são impressos nas estradas. As terras úmidas na planície Jao eram cortadas por trilhas de hipopótamos e sendas de areia branca do deserto Kalahari. Todas as manhãs, ao sair para explorar a mata, é normal o guia descer do jipe, inspecionar as trilhas de animais e insetos e anunciar que está "lendo as notícias do dia". Tivemos a sorte de ser acompanhados por Map Ives, 54 anos, diretor de sustentabilidade dos Wilderness Safaris, que apoiam o ecoturismo em Botsuana. Para ele é simples pensar na natureza de maneira sistemática, e é fascinante vê-lo ler os hieróglifos da Mãe Natureza. A "notícia" do dia, ele explicou depois de estudar um trecho de estrada quando nos embrenhávamos na mata, era que alguns leões haviam corrido por ali, segundo a profundidade e a distância anormal entre as pegadas. Eles haviam passado por ali correndo. O vento naquela manhã vinha do leste, afirmou apontando para o lado das pegadas

das patas que haviam sido ligeiramente apagadas. As águas da enchente permaneciam altas naquela manhã, porque havia pegadas de hienas ali perto seguidas de pequenas indentações — água que salpicou das suas patas. Os "esportes" do dia? Bem ali as hienas haviam arrastado uma presa, provavelmente um pequeno antílope ou um rafícero, o que era óbvio pela suave trilha de uns 40 centímetros de largura na areia que se estendia por aproximadamente um metro antes de se perder no matagal. A cada quilômetro havia um jornal diferente.

É um desafio acompanhar mentalmente uma pessoa como Ives, criado à beira do delta do Okavango. A cada dois segundos ele assinala as conexões e serviços gratuitos que a natureza oferece: as plantas limpam o ar; o papiro e os juncos limpam a água. As palmeiras crescem num monte originalmente construído por cupins. Sim, agradecemos a Deus pelos cupins. Todas as terras verdes elevadas foram iniciadas por eles. Os cupins mantêm seus montes aquecidos. Isto atrai animais cujo estrume traz sementes e fertilizantes que fazem brotar árvores e criam ilhas maiores. Ives fala sobre zebras e, de repente, um pássaro passa zunindo — "grande estorninho de olhos azuis", solta ele no meio da frase, e depois volta às zebras.

"Se você passar tempo suficiente na natureza, diminuir o ritmo e deixar os seus sentidos funcionarem, com o contato e a prática você começa a sentir os significados da areia, das gramíneas, dos arbustos, das árvores, o movimento da brisa, a espessura do ar, os sons das criaturas e os hábitos dos animais com os quais compartilha o espaço", disse Ives. Muito tempo atrás os humanos sabiam fazer isso.

Infelizmente, acrescentou, "a velocidade com que os humanos aperfeiçoaram a tecnologia desde a Revolução Industrial atraiu tanta gente às cidades e povoados e lhes ofereceu recursos naturais 'processados'" que a nossa capacidade inata de fazer todas essas conexões "pode estar desaparecendo tão rapidamente quanto a biodiversidade". Este é o problema. Estamos tentando lidar por separado com um conjunto de problemas integrados: mudança climática, energia, perda de biodiversidade, alívio da pobreza, e a necessidade de plantar comida suficiente para alimentar o planeta. Os que lutam contra a pobreza ficam ressentidos com o pessoal das mudanças climáticas; o pessoal das mudanças climáticas faz cúpulas sem se referir à biodiversidade; os que defendem a segurança alimentar resistem aos protetores da biodiversidade.

Todos precisam embarcar juntos num safári.

"Precisamos parar de pensar estas questões de modo isolado — cada um com sua campanha, seus princípios, sua agenda — e tratá-las de modo integrado, que é como as coisas realmente ocorrem", argumenta Glenn Prickett, da Conservação Internacional. "Temos a tendência a pensar mudança climática como uma questão energética, mas ela tem a ver com o uso da terra: um terço das emissões dos gases do efeito estufa provém do desflorestamento tropical e da agricultura. Então, precisamos preservar as florestas e outros ecossistemas para resolver a mudança climática, e não só salvar espécies."

Mas também é preciso duplicar a produção de alimentos para alimentar a população em expansão. "Precisamos fazer isso sem derrubar mais florestas e secar mais terras úmidas, o que significa que os agricultores necessitarão de novas práticas e tecnologias para cultivar mais alimentos nas mesmas terras que cultivam hoje — usando menos água. Florestas, pântanos e prados saudáveis não só preservam a biodiversidade e acumulam carbono como também ajudam a amortecer o impacto de mudança climática. Então, o nosso sucesso no enfrentamento da mudança climática, da pobreza, da segurança alimentar e da perda de biodiversidade dependerá de soluções integradas na Terra."

Em resumo — e como sabe qualquer leitor do jornal diário de Okavango — precisamos assegurar que as nossas soluções políticas estejam tão integradas quanto a própria natureza. E a única forma de fazer isto é voltarmos a mergulhar no pensamento sistêmico. Você não precisa empreender um safári na África para fazer isto. Só precisa caminhar num parque ou à beira de um rio — sem iPod, celular nem BlackBerry — com olhos e ouvidos atentos à paisagem, ao som e aos odores à sua volta.

A primeira regra dos sistemas é que tudo está conectado ao resto; a segunda regra é: é possível otimizar peças individuais somente até certo ponto. Se você não substituir o velho sistema por um novo, tudo o que você fizer será limitado. Mas se você montar um novo sistema, e o fizer bem feito, *tudo* começará a melhorar. O novo sistema acabará beneficiando as peças individuais, tanto quanto o todo. Como diz Rose: "Otimizar os componentes individuais só pode proporcionar aumentos graduais; otimizar o sistema pode proporcionar uma ecologia transformacional."

O Toyota Prius com sistema híbrido é um exemplo perfeito de um novo sistema substituindo um antigo sistema, criando uma nova função que é maior que a soma de suas partes. O Prius não é um carro melhor. É um sistema melhor! O Prius tem freios. Todos os carros têm freios. O Prius tem uma bateria. Todos os carros têm baterias. O Prius tem motor. Todos os carros têm motores. A novidade do Prius é que seus projetistas o conceberam como um sistema, que pode desempenhar mais de uma função — e não como um conjunto de peças, cuja função primordial é mover as rodas. Eles disseram a si mesmos: "Por que não armazenar a energia gerada pelas freadas na bateria e usá-la para rodar tantos quilômetros quanto possível, em vez de usar a gasolina do tanque? E quando o Prius estiver descendo uma ladeira, armazenaremos também a energia cinética criada pelo giro das rodas, para quando o carro estiver subindo uma ladeira."

Em outras palavras, utilizando uma abordagem sistêmica, a Toyota foi capaz de passar de um gradual aumento de quilômetros por litro para um avanço espetacular — um carro que pode gerar parte da própria energia que usa. A Toyota partiu de um problema definido (como fazer um carro rodar mais quilômetros por litro de combustível) e chegou a uma inovação transformacional (como fazer um carro que produza energia, além de economizar parte dela). Assim, criou um sistema cujo produto é tão maior que a soma de suas partes que permite que pessoas comuns — motoristas como eu e você — façam coisas extraordinárias, como dirigir 20 quilômetros por litro de gasolina. Quando se trabalha de modo sistêmico, os benefícios são infinitos — assim como as oportunidades.

Nosso desafio hoje, como países considerados individualmente e como civilização, é desenvolver um Sistema de Energia Limpa que possa fazer exatamente isso — *permitir que pessoas comuns realizem coisas extraordinárias* — em termos de geração de elétrons limpos, incrementando de forma segura a produção de energia e a eficiência energética.

Este é nosso maior desafio, pois apenas um sistema desse tipo nos permitirá crescer economicamente sem exacerbar questões de demanda e oferta de energia, as ditaduras do petróleo, as mudanças climáticas, a perda da biodiversidade e a pobreza energética — e ainda reduzindo a dimensão desses problemas.

Quando não há um sistema, não existe uma solução. Se você ouvir um político exigindo "energia renovável", vá embora. Se você ouvir um político exigindo um "sistema de energia renovável", preste atenção.

Em minha opinião, o Sistema de Energia Limpa consiste em cinco partes interligadas que se reforçam mutuamente: elétrons limpos inovadores, intensificação da eficiência energética, difusão de serviços de planificação familiar em todo o planeta, abraçar a ética da conservação e preparar-se para a adaptação às mudanças climáticas que nos esperam no futuro. Vejamos cada uma delas e como podemos conectá-las.

Elétrons Limpos

Começarei pelo princípio básico de que, como sociedade global, precisamos crescer cada vez mais, pois sem crescimento não há desenvolvimento humano — quem estiver na pobreza jamais escapará dela. Mas o crescimento não pode ter por base os combustíveis sujos "do inferno", que emitem CO_2. Tem de ser alimentado, tanto quanto possível, por combustíveis limpos, provenientes "do céu". Assim, para começar, precisamos de um sistema que estimule a inovação em doses maciças, assim como a distribuição abundante de elétrons limpos, confiáveis e baratos.

"A grande transformação do século ocorrerá quando passarmos de moléculas para elétrons, e de silos e chaminés para redes interligadas", diz Michael Totten, diretor-chefe da divisão de clima e recursos hídricos da Conservação Internacional. É exatamente essa passagem de moléculas para elétrons que permitirá conexões sistêmicas eficientes que resultarão em uma rede de energia limpa — de usinas elétricas a negócios, a residências, a carros elétricos e assim por diante. Essa rede — que descreverei em detalhes no capítulo 10 — permitirá que pessoas comuns façam coisas extraordinárias no que se refere à criação, ao uso e à economia de energia.

Nenhuma solução isolada neutralizaria os problemas da Era da Energia e do Clima de modo mais efetivo do que a criação de uma fonte de elétrons limpos, confiáveis e baratos. Deem-me elétrons abundantes, limpos, confiáveis e baratos, e eu lhes darei um mundo que poderá continuar a crescer sem desencadear incontroláveis mudanças climáticas. Deem-me elétrons abundantes, limpos, confiáveis e baratos, e eu lhes darei água no deserto, extraída de um poço profundo com uma bomba elétrica. Deem-me elétrons abundantes, limpos, confiáveis e baratos, e eu acabarei com a carreira de todos os ditadores do petróleo. Deem-me elétrons abundantes, limpos, confiáveis e baratos, e eu acabarei com o desmatamento nas comunidades desesperadas por combustível, eliminando os motivos que levam à destruição das imponentes catedrais erigidas pela Mãe Natureza. Deem-me elétrons abundantes, limpos, confiáveis e baratos, e eu possibilitarei que milhões de pobres do mundo se conectem à internet, mantenham seus remédios sob refrigeração, eduquem suas mulheres e iluminem suas noites. Deem-me elétrons abundantes, limpos, confiáveis e baratos, e eu criarei redes em que pessoas de todo o mundo começarão a contribuir com inovações para o setor energético — assim como os programadores criam *shareware* na rede mundial de computadores.

A capacidade para gerar elétrons limpos não é a solução de todos os problemas, mas, considerada isoladamente, permite soluções para mais problemas do que qualquer outro fator que eu possa imaginar. Assim, a primeira função do Sistema de Energia Limpa é estimular a *inovação* — já que ninguém ainda apareceu com uma fonte de elétrons que atenda a todos os critérios: abundante, limpa, confiável e barata.

Mas existem duas maneiras de se estimular a inovação — uma, a curto prazo e outra, a longo prazo — e ambas têm de ser muito trabalhadas.

Em primeiro lugar, existem as inovações que acontecem naturalmente, através da mobilização maciça das tecnologias de produção de energia limpa já existentes, seu aperfeiçoamento e sua rápida disponibilização. A história da tecnologia é uma sucessão de inventos aperfeiçoados — que se tornam menores, mais inteligentes, mais baratos, mais produtivos, mais abundantes e mais confiáveis, à medida que ganham importância e que aprendemos a produzi-los cada vez melhor. Pense no seu primeiro telefone celular e no que você tem hoje; pense no seu primeiro laptop e no que você tem hoje; pense no seu primeiro condicionador de ar e no que você tem hoje. Todos se tornaram melhores e mais baratos, graças à inovação — mas uma inovação gerada pela produção em massa, com pequenas melhorias a cada nova geração de produtos. Esta forma de inovação é muitas vezes subestimada, mas é exatamente o tipo de inovação que devemos — e podemos — estimular para superar as barreiras tecnológicas que hoje impedem os equipamentos de energia eólica e solar de se tornarem baratos, abundantes e confiáveis. O modo de se estimular esse tipo de inovação, decorrente de um conhecimento cada vez maior do produto, é mediante generosos incentivos fiscais, incentivos legais e o uso obrigatório de energia renovável — entre outros mecanismos reguladores de mercado que possam criar uma demanda permanente pelas tecnologias existentes de energia limpa.

Em segundo lugar, existem as inovações que ocorrem por meio de avanços repentinos e geniais, resultantes de pesquisas e experimentos realizados no laboratório de alguém. O meio de estimular essas inovações é aumentar as pesquisas financiadas pelos governos e também, mais uma vez, moldando o mercado no sentido de estimular a demanda por novas tecnologias de produção de energia limpa. Precisamos que muito mais gente, empresas e universidades tentem muito mais coisas, e de um mercado que absorva as ideias mais promissoras. Esse segundo tipo de inovação — por meio de avanços súbitos — é sempre difícil de prever, e o caso da energia não constitui exceção. "Nós não vamos perceber seu surgimento", Bill Gates me disse em uma entrevista. "O passo à frente decisivo deverá vir de onde menos se espera, e só saberemos como as coisas aconteceram quando olharmos para trás."

Apesar de necessitarmos desesperadamente de ambas as formas de inovação — e numa escala maciça — *tendemos a privilegiar a última delas*, no que diz respeito à energia. Somos propensos a buscar avanços geniais, quando avanços graduais estão bem à nossa frente. "Milhares de tecnologias para a produção de energia eólica e solar já são economicamente viáveis hoje em dia", diz Joseph Romm, físico e ex-funcionário do Departamento de Energia durante o governo Clinton. "Eliminar as barreiras para sua implementação, simplesmente, já teria um impacto muito maior do que procurar uma nova tecnologia de impacto para a produção de energia limpa."

Romm observa que um fato histórico decisivo foi levantado pela Royal Dutch Shell, em seus cenários hipotéticos, concebidos em 2001, a respeito de como a utilização de energia deverá evoluir durante as próximas cinco décadas: "Uma forma primária de energia costuma levar 25 anos, após sua comercialização, para obter 1% do mercado global." Segundo Romm, "esse pequeno avanço ocorre 25 anos depois da comercialização. A primeira transição — do avanço científico para a comercialização — pode levar décadas. Ainda não vimos a comercialização de carros movidos a células de hidrogênio e quase não existem células dessa natureza no mercado, cerca de 160 anos após seu princípio ter sido descoberto. Isso nos diz duas coisas importantes. Em primeiro lugar, novos avanços tecnológicos não chegam ao mercado rápido o bastante para produzirem um grande impacto no período de tempo que nos interessa. Nossos esforços são no sentido de obter, para a energia limpa, uma fatia de 5 a 10% — ou mais — do mercado global, o que significa uma implementação maciça por volta de 2050 (ou antes). Em segundo lugar, na pressa em que estamos, teremos que adotar medidas inusitadas para implantar as tecnologias — e de forma muito mais agressiva do que antes".

É por isso que temos de criar novas formas de produzir elétrons abundantes, limpos, confiáveis e baratos; e novas formas de tornar mais abundantes, confiáveis e baratas as tecnologias já existentes: solar fotovoltaica, eólica, solar térmica e geotérmica. No primeiro caso, teremos de descobrir algo que ainda não conhecemos; no segundo, precisaremos aprender mais sobre aquilo que já conhecemos — de modo a implementar rapidamente as tecnologias existentes, para que sejam beneficiadas pela curva de aprendizagem dos processos de fabricação. (Falarei mais sobre como estimular ambas as formas de inovação nos capítulos 13 e 14.)

A energia solar fotovoltaica, que aproveita a luz do Sol para produzir eletricidade, usando materiais como silicone, é limpa e está se tornando sistematicamente mais barata. Mas não se tornará abundante, até que inventemos uma bateria capaz de armazenar quantidades maciças de eletricidade, de modo que os elétrons estejam disponíveis quando o sol não estiver brilhando. A energia solar térmica — produzida por espelhos que concentram os raios de sol sobre um fluido que, aquecido, movimenta um gerador — é extremamente promissora, pois não precisa de bateria para ser estocada. (Em minha opinião é a mais promissora tecnologia para produção de energia limpa.) Este sistema produz eletricidade a partir de vapor, do mesmo modo que uma usina a carvão, mas sem nenhuma poluição. Mas a energia solar térmica, embora limpa e confiável — e já em fase de implantação, principalmente na Espanha —, ainda é cara. Precisa ser instalada em muitos outros lugares para que se torne abundante e possa competir com o carvão. A energia eólica é limpa e barata, mas só é abundante quando o vento sopra; e também requer melhores baterias recarregáveis para que seu uso se amplie.

A energia dos geradores a diesel é barata e abundante, mas não é limpa (pensem no cheiro que sentem quando estão ao volante atrás de um caminhão). E nem sempre é confiável em grande escala: geradores quebram. A energia geotérmica, obtida do vapor gerado pela natureza e rochas vulcânicas, é limpa e confiável, mas não muito abundante nem — ainda — barata. Usar o carvão, capturando e retirando o CO_2, poderia nos oferecer elétrons limpos e abundantes, mas o processo não seria barato (quanto mais CO_2 é retirado, menor é a energia obtida), e ninguém sabe até que ponto é seguro: uma parte do CO_2 poderia vazar. A energia nuclear é confiável e limpa, mas, com certeza, não é barata nem abundante, e ainda existe o problema da armazenagem do lixo nuclear, que pode vazar ou ser utilizado em bombas.*

* E o que dizer dos biocombustíveis — combustíveis obtidos de colheitas, refugos agrícolas, aparas de madeira ou capins especiais? Sou cauteloso com relação aos biocombustíveis: eles não podem oferecer uma solução em larga escala para nosso problema energético, e não devemos tentar transformá-los em solução. Somente os elétrons podem proporcionar energia à altura de nossas necessidades. Mas, enquanto passamos dos veículos movidos a gasolina para veículos movidos a eletricidade, os biocombustíveis podem ser uma solução transitória — sob quatro condições. Em primeiro lugar, têm de apresentar um equilíbrio

Essa ladainha de prós e contras explica por que, segundo a equipe que formulou os cenários para a Royal Dutch Shell, a energia eólica, em 2007, respondia por apenas 0,1% da produção total de energia primária — e a energia solar ainda não alcançara esse patamar. Considerando-se as atuais tendências de inovação e difusão tecnológica, a Shell prevê que, se fizermos tudo certo, as fontes de energia renovável irão responder por 30% da energia primária do mundo, por volta de 2050. Os combustíveis fósseis ainda produzirão 55%. Isto não representa um sistema novo — nem de longe. Precisamos fazer melhor, e, para fazer melhor, muito mais inovações serão necessárias.

Por vários motivos, a inovação é a única saída para a Regeração. Caso contrário, como pagar as dívidas que a Geração Gafanhoto deixou para trás? Para sustentar a crescente população mundial será preciso gerar mais riqueza com menos recursos, e isso só é possível com uma grande quantidade de inovações. Jeff Wacker, o futurista da EDS, gosta de pensar assim: se você fosse um mineiro de cobre há cem anos, pega-

energético positivo, considerados todos os insumos — água, fertilizante, gasolina e transporte — utilizados no plantio, colheita, processamento e distribuição do combustível. Biocombustíveis obtidos da cana-de-açúcar apresentam um equilíbrio energético positivo da ordem de oito para um. Biocombustíveis obtidos do milho apresentam, na melhor das hipóteses, um equilíbrio de um para um. Em segundo lugar, os biocombustíveis não poderão ser cultivados a partir de grandes empréstimos tomados à natureza. Se uma grande floresta tropical for derrubada para o cultivo de dendês, é verdade que os biocombustíveis deles extraídos lançarão menos carbono na atmosfera, em comparação com os combustíveis fósseis. Mas serão necessários de cinquenta a oitenta anos para que a substituição seja compensadora. Em terceiro lugar, a produção de biocombustíveis não pode destruir áreas ricas em biodiversidade; é preciso planejar com cuidado onde plantar. Em quarto, não se pode trocar, em grande escala, alimentos por combustíveis. De outro modo, estaremos solucionando um problema e criando outro. Para um país como o Brasil, com uma tremenda quantidade de terras cultiváveis e cana-de-açúcar em abundância, os biocombustíveis podem constituir uma solução para os transportes. O mesmo se pode dizer de outros países nos trópicos, da África ao Caribe. Afora isto — com a tecnologia hoje existente —, os biocombustíveis não são a melhor resposta. Tentar aumentar sua produção geraria reações adversas. Talvez alguma inovação possa mudar o quadro, mas deveríamos investir em processos para produzir biocombustíveis a partir de plantas não alimentícias e refugos. Mas o que hoje faz sentido para o Brasil não faz sentido para os Estados Unidos. Nosso futuro está nos elétrons limpos.

va uma pá cheia de terra e encontrava 20% de cobre e 80% de pedra. Hoje, em uma mina de cobre típica, é comum pegar uma pá cheia e encontrar 1% de cobre e 99% de pedra. "Separar o cobre da terra exige energia, e quando você tem de separar tanta terra para obter menos cobre precisa de mais energia. O mesmo ocorre com muitos outros recursos — recursos abundantes e facilmente processáveis que no passado exploramos para crescer" e que se extinguiram ou têm pouca oferta. No mundo plano, cada vez mais gente compete por estes recursos. Isto significa que a Regeração, ao menos nos Estados Unidos, precisa criar riqueza com base em outro modelo. Os nossos pais construíram riqueza com base em recursos obtidos com facilidade, cuja extração e processamento eram baratos; a Regeração precisa construir riqueza a partir de recursos disputados e difíceis e caros de extrair.

Neste tipo de mundo, se quisermos continuar a elevar os nossos padrões de vida, "podemos trabalhar o dobro, como os chineses, ou inovar duas vezes mais rapidamente", disse Wacker. Por isso a inovação na energia limpa — e em qualquer outro campo— é o futuro dos Estados Unidos. Passamos da economia agrícola à economia industrial e à economia da informação e, agora, à economia da inovação. Temos de extrair riqueza e energia das mentes, não das minas, de fontes de inovação e não das fontes de petróleo.

"Em termos de geração de riqueza, os próximos vinte anos serão drasticamente diferentes dos últimos duzentos anos", vaticinou Wacker. Prosperar na economia agrícola estava relacionado à propriedade de mais terras, prosperar na economia industrial equivalia a possuir mais matérias-primas, e na economia da informação prosperar significava reunir e aplicar informações mais rapidamente do que os competidores. A inovação hoje — aumentar a produtividade, criar mais conforto, habitações, mobilidade, poder e entretenimento com menos recursos — tem a ver com o modo como você faz crescer a economia e a mantém sustentável. Inovação é crescer sem danificar o planeta. A reciclagem terá de ser grande parte disso, porque se não pudermos mais minerar cobre precisaremos inovar na reciclagem do que temos. Quando a sua vizinhança consiste em casas verdes energeticamente positivas — que geram mais energia do que consomem — inteiramente feitas de material de construção reciclável, e os seus vizinhos dirigem carros movidos a bateria solar, feitos de plástico reciclado, então alcançamos uma forma de globalização sustentável.

Eficiência energética e produtividade dos recursos

Eis uma estatística assustadora (*Time*, 12 de janeiro de 2009): "Apenas 4% da energia utilizada para acender uma lâmpada incandescente comum produz luz; o resto é desperdiçado como calor nas linhas de transmissão ou na própria lâmpada, e é por isso que você queima os dedos ao tocá-la." Precisamos aprender a fazer coisas melhores com a energia de que dispomos. Isso me leva ao segundo elemento em qualquer Sistema de Energia Limpa: a eficiência — a habilidade de realizar a mesma função com menos energia, graças ao emprego de uma tecnologia melhor. O Departamento de Energia americano afirma no seu website: "Usar restos de alumínio reciclado para fabricar novas latas de alumínio, por exemplo, emprega 95% menos energia que fazer novas latas de alumínio a partir da bauxita, a matéria-prima empregada na fabricação do alumínio [...] No caso do papel, a reciclagem economiza árvores e água. Produzir uma tonelada de papel a partir de restos recicláveis economiza mais de 17 árvores e usa 50% menos água".

A nossa prioridade máxima deve ser promover a inovação de elétrons limpos, mas não podemos apostar o futuro neste avanço, então devemos aprimorar a eficiência energética e a produtividade dos recursos naturais já, e de forma radical. "Não podemos pôr o foco unicamente na inovação e no fornecimento de energia", diz Diana Farrell, diretora do McKinsey Global Institute. "Também precisamos enfocar o lado da demanda" — aprimorando a condução do crescimento com cada vez menos elétrons e menos produtos das florestas, da água e da terra. É isso o que significa produtividade energética e de recursos — mais crescimento baseado em menos coisas. O avanço na criação de elétrons abundantes, limpos, confiáveis e baratos pode estar muito distante no tempo, mas aprimorar agora a nossa produtividade energética e de recursos traz a possibilidade de diminuir significativamente o uso de energia e as emissões de CO2. Quanto mais produtividade energética e de recursos conseguirmos agora, menos elétrons limpos precisaremos gerar e menos recursos naturais precisaremos usar.

Um estudo do McKinsey Global Institute (fevereiro de 2008) concluiu que o mundo poderia cortar o crescimento da demanda global de energia entre hoje e 2020 "em pelo menos a metade, aproveitando as oportunidades de aumentar a produtividade energética — o nível de rendimento que obtemos com a energia que consumimos". Muito disso significa ser mais inteligentes ao projetar edifícios, veículos, refrigeradores, condicionadores de ar e sistemas de iluminação, e insistir sempre em padrões cada vez mais altos de eficiência em cada um deles, de forma a obter o mesmo conforto, mobilidade e iluminação com menos recursos.

Então, antes que a combinação de quente, plano e lotado nos force a diminuir o crescimento econômico, cozinhar um bolo menor e dividir pedaços menores, precisamos planejar muito bem como construir uma forma maior e mais sustentável mediante a inovação de elétrons limpos e a eficiência energética. Antes de nos resignarmos a um mundo de escassez e limitações impostas — o mundo que os nossos filhos irão herdar se continuarmos agindo desse modo — precisamos fazer tudo o que pudermos, como argumenta Jim Rogers, diretor-presidente da Duke Energy, "para expandir o mundo de possibilidades" e impulsionar todo tipo de inovação. "Não quero ser a primeira geração a dizer aos meus filhos que não podem levar uma vida tão boa como a que eu tive", disse K. R. Sridhar, americano de origem indiana que inventou a célula a combustível e fundou a Bloom Energy. "Vamos deixar que outra pessoa faça isso. Eu vou morrer tentando encontrar uma saída para isso."

Planejamento familiar

Sou entusiasta do poder da inovação e da eficiência, mas há limites para a capacidade de sustentação da Terra quando cada vez mais gente adota o estilo americano de vida, com grande uso de energia e alto consumo. A disseminação deste estilo de vida de alto consumo energético é um verdadeiro problema. Mas quando ele se soma ao aumento da população mundial a perspectiva é de desastre. É difícil imaginar que a Terra possa sustentar tantos "americanos" sem mais planejamento familiar, por mais pessoas, em toda parte.

Graças à implantação do planejamento familiar nos mundos desenvolvido e em desenvolvimento, tem havido uma diminuição dos índices de crescimento populacional. Mas, como escreveram os pesquisadores Paul e Anne Ehrlich, da Universidade Stanford — autores do clássico *A Bomba Populacional*, de 1968 —, num ensaio de 2009 (Powells.com), "O fato desanimador é que mesmo com as boas notícias dos índices de crescimento populacional, a humanidade ainda pode somar outros 2,5 bilhões de pessoas à população mundial antes que o crescimento se detenha e (esperamos) comece a declinar lentamente. Estas pessoas adicionais causarão impactos negativos desproporcionais nos sistemas de manutenção da vida. Naturalmente, nossos ancestrais cultivaram as terras mais ricas e usaram os recursos mais acessíveis. Agora, todos são cada vez mais forçados a usar terras marginais para cultivar mais alimentos; e em vez de extrair minerais ricos da superfície ou logo abaixo dela é preciso minerar e refinar depósitos cada vez mais profundos e pobres, com custos ambientais cada vez maiores. A água e o petróleo provêm de fontes de menor qualidade e mais profundas e são transportados por maiores distâncias. As consequências ambientais do crescimento populacional passado e futuro perseguirão a humanidade durante muito tempo e os efeitos serão determinados pelo modo como a atual população, e a futura, se comportarão com relação ao meio ambiente comum".

A diminuição do crescimento populacional facilita o funcionamento de todas as demais partes do sistema. Seria necessário inovar menos elétrons para menos gente; implementar menos eficiência energética em menos edifícios; haveria menos bocas para alimentar com a mesma quantidade de terra; então, a conservação teria um peso econômico menor.

Tem gente que fez as contas. O meu colega Andrew Revkin informou no *The New York Times* (15 de setembro de 2009) que "uma pesquisa da London School of Economics, encomendada pelo Optimum Population Trust, chegou à seguinte conclusão: 'A contracepção é a tecnologia "mais verde" que existe [...] Dados da ONU sugerem que atender a demanda não atendida de planejamento familiar reduziria os nascimentos indesejados em 72%, correspondentes a meio bilhão, e a projeção da população mundial para 2050 diminuiria para 8,46 bilhões. Seria possível cortar 12 bilhões de "anos-pessoas" entre 2010 e 2050 — seriam 326 bilhões contra 338 bilhões, segundo as atuais projeções. As 34 gigatoneladas de CO_2 economizadas deste modo custariam 220 bilhões de dólares — a aproximadamente 7 dólares a tonelada [métrica]. No entanto, a mesma economia de CO_2 custaria mais de um trilhão de dólares com o emprego de tecnologias de baixo uso de carbono'".

"Sabemos exatamente o que funciona", disse Gretchen Daily, ecologista da Universidade Stanford, que enumerou a lista para mim: primeiro, há uma enorme demanda não atendida de dispositivos de contracepção e de métodos e educação em planejamento familiar. Em segundo lugar, a educação de meninas e jovens tem um profundo impacto na fertilidade porque, quanto mais escolarizadas, mais as mulheres conseguem empregos, salários e podem sustentar a si mesmas e os seus filhos e, de maneira mais ampla, têm mais controle sobre seus corpos e escolhas sexuais. Isso as leva a gerar menos filhos. Mas não devemos esquecer os homens, acrescentou Daily. Envolver os homens nos programas de planejamento familiar, ajudá-los a aprimorar a sua educação e trabalhar com eles para mudar as atitudes sociais com relação ao tamanho da família também costuma trazer dividendos importantes. Em terceiro lugar, a melhoria da atenção à saúde em geral é extremamente importante, "porque, quando você diminui a mortalidade infantil, as pessoas não sentem necessidade de ter oito filhos para manter só dois sobreviventes para sustentar os pais na velhice, então as taxas de nascimento diminuem". Em quarto lugar, os sistemas de microcrédito podem exercer um forte impacto, explicou Daily, particularmente nas economias agrícolas em que "contar com uma força de trabalho doméstica infantil é útil quando não se tem dinheiro para contratar mão de obra migrante". O mesmo ocorre com a perfuração de poços e a eletrificação dos povoados; quanto mais isso acontece, menos as crianças se ocuparão de buscar água potável ou esterco e lenha para cozinhar. "Se o benefício econômico imediato das crianças diminui e há recursos para que as pessoas invistam numa prole menor, estas coisas têm um grande impacto na fertilidade." Junte tudo isso e a conclusão é uma só: para manter altos padrões de vida, preservar o mundo natural e um clima habitável, o tamanho da população mundial deve ser estabilizado, e já.

Na verdade, não podemos perder de vista o fato de que o tamanho da família é uma questão pessoal. Eu, por exemplo, não ficaria confortável ditando quantos filhos alguém pode ou não pode ter. Mas creio que deve ser a nossa meta, como pais e comunidade global, assegurar que todos os casais do mundo tenham educação básica em questões de saúde reprodutiva e serviços de planejamento familiar, de maneira que possam escolher o melhor tamanho de suas próprias famílias.

A verdade é que não estamos fazendo tudo o que podemos ou devemos fazer. Em consequência, o mundo pode ficar ainda mais lotado do que antecipamos para 2050. Segundo Geoff Dabelko, diretor do Programa de Segurança e Mudança Ambiental do Centro Woodrow Wilson for Scholars, por volta de 2050 o mundo terá 9,2 bilhões de habitantes. "Mas este número leva em conta um aumento considerável no uso de contraceptivos nos países mais pobres. Se as taxas de fertilidade permanecerem constantes, a população mundial pode chegar ao assombroso total de 11,9 bilhões [...] Há dez anos, em 1998, a ONU prognosticou que a taxa de fertilidade em Níger diminuiria de 7,4 para 6,3 filhos por mulher por volta de 2005. Em vez disso, hoje o país tem a maior taxa de fertilidade do mundo, de 7,4 filhos por mulher. Na previsão mais recente da ONU, a população total projetada para 2050 subiu de 32 para 58 milhões de habitantes — supondo-se que a fertilidade entrará em um declínio constante na próxima década, chegando a 4 filhos por mulher na metade do século." O impacto potencialmente enorme de uma parada nos esforços de planejamento familiar em apenas alguns países pode jogar pelo ralo muitas das nossas projeções para a população mundial em 2050.

"Atualmente, estima-se que mais de 200 mil mulheres não são atendidas por programas de planejamento familiar, e a demanda deve crescer em 40% no ano 2050. Para alcançar as estimativas populacionais mais baixas — em vez das mais altas — será preciso grande atenção política e muitos recursos financeiros", disse Dabelko.

Uma ética da conservação

O planejamento familiar, a inovação e maior eficiência energética podem operar em conjunto para ampliar o nosso bolo energético e reduzir as emissões, mas a verdade é que precisamos também aprender a consumir menos coisas e fazer o que consumimos durar mais tempo — seja construindo-os para durar ou tornando-os facilmente recicláveis. Nenhum Sistema de Energia Limpa vai funcionar se não infundirmos nos cidadãos uma ética conservacionista e os valores da sustentabilidade.

Não importa o que conseguirmos inventar, com tanta gente desejando elevar seus padrões de vida, é vital usar menos coisas por um período mais longo, especialmente aqueles de nós que já contamos com uma porção considerável. "Os níveis de consumo do mundo desenvolvido são tão insustentáveis quanto os níveis de fertilidade do mundo em desenvolvimento", afirmou Gretchen Daily. Por isso, hoje é essencial ter uma "ética de conservação", e ela será mais importante ainda amanhã — especialmente se inventarmos uma fonte de elétrons abundantes, limpos, confiáveis e baratos. Porque algo de que temos certeza sobre o Sistema de Combustíveis Sujos é que quando os recursos são gratuitos ou baratos — ar, água, terra, florestas, pesca, gasolina, elétrons — as pessoas usam e abusam deles. Sem uma ética de conservação — um hábito profundamente arraigado de tentar minimizar o nosso impacto no mundo natural — a disponibilidade de elétrons abundantes, limpos, confiáveis e baratos se converteria numa licença para violentar o mundo natural. Se a energia é abundante, limpa, confiável e barata, por que não comprar um jipe Hummer e rodar com ele na floresta tropical?

Para falar de outro modo: já vimos que as pessoas tendem a consumir excessivamente os combustíveis sujos, então imagine como seria com a licença dos combustíveis limpos? Gosto do modo como Paul e Anne Ehrlich colocam a questão no seu ensaio em Powells.com: "Nos últimos anos, a conexão entre o consumo excessivo e a degradação ambiental ficou cada vez mais clara, e muitos cientistas ambientais, inclusive nós, acreditam que o consumo excessivo será muito mais difícil de curar do que a superpopulação. Ainda não existem preservativos contra o consumo nem pílulas do dia seguinte para os impulsos consumistas."

O que é uma ética de conservação? Podemos começar a responder a esta pergunta dizendo o que a ética não é. A ética não é uma lei. Não é imposta pelo Estado. É um conjunto de normas, valores, crenças, hábitos e atitudes adotado voluntariamente — que nós, como sociedade, impomos a nós mesmos. As leis regulam o comportamento de fora para dentro. A ética regula o comportamento de dentro para fora. A ética é algo que você carrega consigo aonde for, para se guiar no que fizer.

Uma ética de conservação, explica Michael J. Sandel, filósofo político de Harvard, iria incorporar diversas normas, começando com "um sentido de responsabilidade, um sentido de zelo para com o mundo natural".

Uma ética de conservação, diz Sandel, "é uma ética de comedimento, segundo a qual temos a responsabilidade de preservar os recursos da Terra e suas maravilhas", pois estes constituem o verdadeiro tecido da vida, do qual dependem todas as criaturas do planeta.

Mas, além do zelo com o mundo natural, a ética de conservação também tem de incluir um espírito de gerenciamento, argumenta Sandel. "O zelo envolve a responsabilidade pelo mundo natural. Nasce do assombro e do encantamento com a diversidade da vida e a majestade da natureza. O gerenciamento envolve a responsabilidade pelas futuras gerações, para os que irão habitar o mundo depois de nós. É uma forma de solidariedade para com nossos filhos e netos", diz Sandel. "A ética da conservação requer tanto o zelo quanto o gerenciamento — hábitos de comedimento que expressam respeito pelo planeta que habitamos e respeito pelas futuras gerações."

Para nos tornarmos bons zeladores e bons gerentes, acrescenta Sandel, "teremos de refrear nossa tendência a achar que a Terra e todos os seus recursos naturais estão à nossa disposição para nossas necessidades e desejos imediatos. Temos de desenvolver novos hábitos e atitudes em relação ao consumo".

Caso contrário, quaisquer tecnologias que venhamos a desenvolver serão simplesmente usadas para estender nossos hábitos de consumo perdulário às numerosas e florescentes classes médias de um mundo quente, plano e lotado. Isto significa que a economia dos Estados Unidos, ou do mundo, deveria parar de crescer? Isto significa que nós, como indivíduos, teríamos de limitar nossos estilos de vida ao mínimo possível, ou viver com muito menos do que as famílias americanas ricas, ou de classe média, vivem hoje? Existe uma ala anticapitalista, anticonsumista do movimento ecológico que acha que sim, que devemos viver como as sociedades primitivas, e que adora defender esse ponto de vista. Que não deve ser descartado, falando nisso, pois pode estar certo. Meu ponto de vista é que ainda não sabemos, pois não tentamos fazer nem as coisas que obviamente trarão resultados efetivos, sem envolver mudanças fundamentais em nossos estilos de vida.

Dizer às pessoas do planeta que queiram comprar um carro que elas não podem fazer isso mudaria nosso estilo de vida. Mas banir carros acima de um determinado peso, ou determinada potência, ou estabelecer a velocidade máxima em 90 quilômetros por hora, ou banir táxis que não sejam veículos híbridos — esforços como estes, a meu ver, não limitariam drasticamente a vida de ninguém. Dizer às pessoas que teremos de racionar eletricidade (daqui por diante, só uma quantidade xis estará disponível por mês) acarretará, com certeza, mudanças no estilo de vida. Mas proibir que as empresas americanas deixem acesas as luzes de seus escritórios após o expediente, como fazem dezenas de milhares delas — e qualquer um pode observar isso dirigindo em qualquer grande cidade após a meia-noite —, não limitaria drasticamente a vida de ninguém. Dizer às pessoas que elas não poderão ter um iPod ou um laptop acarretaria, com certeza, mudanças no estilo de vida. Mas exigir que todos os iPods e laptops sejam fabricados com materiais recicláveis não limitaria drasticamente a vida de ninguém. Dizer às pessoas que elas não poderão morar em uma casa maior que 450 metros quadrados acarretaria, com certeza, mudanças no estilo de vida (pelo menos, no mundo desenvolvido). Mas dizer a alguém que queira morar em uma casa com mais de 450 metros quadrados que só poderá fazer isso se toda a eletricidade que consumir for gerada por fontes limpas — solar, eólica ou geotérmica — não limitaria drasticamente a vida dessa pessoa. Empurrar o crescimento urbano para os subúrbios e exigir que as cidades cresçam para cima, e não para os lados, certamente mudaria o nosso estilo de vida — mas talvez para melhor. Imagine como seria bom não precisar passar uma hora no trânsito indo e voltando do trabalho e, em vez disso, poder caminhar com seu filho até a escola e depois virar a esquina e chegar ao escritório. Forçar todo mundo a ir de bicicleta para o trabalho acarretaria mudanças no estilo de vida. Mas exigir que as prefeituras construam ciclovias não limitaria drasticamente a vida de ninguém (e ainda tornaria nossa sociedade mais saudável). Impor uma taxa de congestionamento em todas as grandes cidades, como já fazem Londres e Cingapura, pode acarretar mudanças no estilo de vida. Mas se a medida fosse acompanhada por maciços investimentos no transporte de massa, as coisas parariam de piorar e poderiam até começar a melhorar. No ano passado, comecei a tomar regularmente o metrô de Washington para ir trabalhar, em vez de usar o automóvel. Chego ao escritório com a mesma velocidade que antes, ou até mais rapidamente. Leio dois jornais durante o trajeto e chego ao trabalho me sentindo menos estressado. Muita gente em muitos países poderia, de boa vontade, abrir mão de um pouco de mobilidade pessoal, se seus governos gastassem mais dinheiro com transportes de massa, e menos com subsídios à gasolina.

Em resumo: não sabemos quantos milhões de barris de gasolina ou quilowatts de energia poderíamos poupar apenas pensando mais a respeito de como vivemos, e menos em manter as coisas como estão. Não sabemos quantos milhões de barris de petróleo ou quilowatts de energia poderíamos poupar se, e quando, as pessoas chegassem à conclusão de que o verde é melhor, não pior, e oferece mais, não menos. Como já sugeri, pode ser que uma mudança radical em nosso estilo de vida seja tudo o que é preciso para salvar o planeta e a nós mesmos. Eu não descartaria essa ideia. Mas não sabemos se teremos de optar pelo drástico, pois ainda não tentamos o óbvio.

"Conservação não é o contrário de consumo", argumenta Glenn Prickett, da Conservação Internacional. "Temos de consumir para viver e para desenvolver nossas economias. Mas podemos consumir mais e conservar mais, ao mesmo tempo. Temos de identificar os lugares e recursos que precisamos preservar em seu estado natural — e crescer em torno deles." E temos de identificar as práticas que são apenas perdulárias — por hábito ou ignorância, não por necessidade ou projeto — e eliminá-las. Ainda há muito espaço para a conservação e o consumo, "se formos inteligentes, projetarmos adequadamente e formos vigilantes na proteção do que deve ser preservado", diz Prickett.

Pessoas em ambos os lados do debate sobre conservação muitas vezes confundem a questão: muitos ambientalistas se opõem a *qualquer* crescimento, uma posição que condena os pobres à pobreza. Muitos críticos do ambientalismo definem qualquer conservação como uma brincadeira excêntrica e anticapitalista. Não percebem como a natureza — água limpa, ar limpo, florestas saudáveis, oceanos saudáveis e biodiversidade — é importante para nossa vida diária e nosso bem-estar individual, para não falar de nossa economia. E como é vulnerável.

"Nem todos os hectares de terra ou mar precisam ser protegidos", diz Prickett, "mas aqueles que precisam de proteção são os que abrigam os sistemas ecológicos essenciais à manutenção da vida, pois oferecem refúgio às espécies ameaçadas de extinção, protegem mananciais e cursos d'água, impedem que sedimentos poluam os rios, proporcionam bancos de alimentação para os peixes que comemos, mantêm o CO_2 fora da atmosfera, conservam a biodiversidade que torna as grandes áreas silvestres mais resistentes às mudanças climáticas e, finalmente, proporcionam riqueza espiritual à vida, que é parte essencial da natureza humana".

Então, devemos fazer o que for possível para produzir rapidamente elétrons limpos, baratos e confiáveis, e fornecê-los ao maior número de pessoas que for possível, de modo que mais gente possa desfrutar de vidas melhores e mais limpas — mas sem ilusões. "Algumas pessoas acreditam que energia barata e ilimitada é uma receita para o desastre, a longo prazo", diz Peter Gleick, climatologista do Pacific Institute. "Mas, a curto prazo, nosso problema é não termos energia limpa em quantidade suficiente. Isto constitui um perigo imediato, por força da ameaça de mudança climática. Mas, a longo prazo, teremos que pensar sobre as implicações da energia barata."

Adaptação

Infelizmente, um Sistema de Energia Limpa exige mais um elemento: uma estratégia de adaptação. Não importa o que faremos a partir de amanhã, o fato é que os humanos já emitiram suficientes gases do efeito estufa na atmosfera para provocar algumas mudanças climáticas e os transtornos que elas causam — derretimento do gelo, inundações, elevação do nível do mar, tormentas mais frequentes e mais severas, secas e ondas de calor ——, todos eles parte inevitável do nosso futuro. A mudança climática já está em andamento. Portanto, não podemos confiar unicamente na sua mitigação. Certas regiões, ecossistemas e grupos socioeconômicos terão que se adaptar à mudança do clima, que pode ser muito severa e surgir de maneira abrupta. O Painel Intergovernamental sobre Mudança Climática (2007) define a adaptação como "o ajuste nos sistemas naturais ou humanos em resposta aos estímulos atuais ou esperados ou aos seus efeitos, que amortece os danos ou explora oportunidades proveitosas".

Não é de surpreender que algumas pessoas que negam a mudança climática tenham tentado usar a adaptação para impedir os esforços de mitigação ou para justificar a inércia diante dos desafios da mitigação: "Esqueça a mitigação", dizem, "ponha o foco na adaptação". Claro que isso é absurdo. A adaptação não pode substituir a mitigação. Pense no que custou tentar preparar uma cidade como Nova Orleans para se "adaptar" ao próximo furacão de categoria 5 reconstruindo seus principais diques, e você entenderá por que a mitigação sempre será mais barata do que a adaptação.

A tarefa número um deve ser tentar evitar mais mudanças climáticas, ou seja, mitigar. Porque as ferramentas e estratégias que podemos inventar para mitigar a mudança climática seriam muitíssimo úteis na adaptação às mudanças inevitáveis e na redução da abrangência das mudanças climáticas às quais teremos de nos adaptar.

Na verdade, a adaptação ao clima é tão velha quanto a história humana. Plantas, animais e humanos sempre tiveram de se adaptar às flutuações climáticas, seja migrando para outros hábitats, seja plantando diferentes produtos segundo as estações. Contudo, no passado, nós e as plantas e animais em geral tivemos a sorte de fazer esta adaptação de modo gradual. Como aponta a Agência de Proteção Ambiental dos Estados Unidos no seu website, "a mudança climática provocada pelo homem representa um novo desafio e pode exigir estratégias de adaptação a mudanças potencialmente maiores e mais rápidas do que as experiências passadas da *variabilidade climática natural registrada* [...] Todos os sistemas da sociedade e do meio ambiente natural sensíveis ao clima, incluindo a agricultura, as florestas, os recursos aquíferos, a saúde humana, os assentamentos costeiros e os ecossistemas naturais precisarão se adaptar à mudança climática para que sua produtividade, seu funcionamento e sua saúde não sejam afetados [...] Para os humanos, a adaptação é uma estratégia de gestão de riscos que acarreta custos e não é infalível. A eficácia de uma adaptação específica exige comparar os custos esperados dos danos evitados com os custos de implementação da estratégia de adaptação".

Segundo um estudo de William Easterling, Brain Hurd e Joel Smith, feito em 2004, "Coping with Global Climate Change: The Role of Adaptation in the United States" [Lidar com as mudanças climáticas globais: o papel da adaptação nos Estados Unidos], "na visão otimista da adaptação, a sociedade americana em seu conjunto pode se adaptar com ganhos ou com algum custo, supondo-se que o aquecimento ocorra na faixa inferior da magnitude prevista e sem mudanças na variabilidade climática. Contudo, mesmo na perspectiva otimista da adaptação, muitos setores teriam grandes perdas e altos custos com uma magnitude mais ampla do aquecimento".

Com todas estas advertências em mente, a Agência de Proteção Ambiental fornece vários exemplos do que poderia constar na estratégia de adaptação. Por exemplo, o governo americano poderia mobilizar o Corpo de Engenheiros do Exército num vasto plano para fortalecer a proteção da costa — diques, espigões de contenção de areia e o engordamento artificial de praias — para "impedir que o nível do mar inunde propriedades à beira-mar, eroda as praias ou piore as inundações". A agência sugere também o plantio de árvores em áreas urbanas para moderar o aumento da temperatura; a criação de mapas dos condados descrevendo as áreas que requerem proteção costeira e quais serão deixadas a adaptar naturalmente; a promoção de técnicas de proteção costeira que não destruam todos os hábitats; a convocação dos governos estaduais e locais para definir respostas à elevação do nível do mar; o aperfeiçoamento dos sistemas de alerta e o mapeamento dos riscos de inundação durante tormentas; a proteção dos suprimentos de água da contaminação pela água do mar; o plantio de novas espécies de plantas e cultivos mais tolerantes às condições de mudança climática; o fomento de práticas de eliminação de fogo no caso de aumento do risco de incêndios causados pelo aumento da temperatura; e a diversificação da oferta de energia, para o caso de falhas nas usinas elétricas devido ao excesso de demanda gerada pelo calor extremo ou por eventos climáticos extremos.

Mas não devemos nos iludir e pensar que a adaptação é a panaceia. Como aponta a Agência de Proteção Ambiental, "a capacidade dos ecossistemas de se adaptar às mudanças climáticas é extremamente limitada pelos efeitos da urbanização, as barreiras aos caminhos migratórios e a fragmentação dos ecossistemas, os quais já se encontram criticamente afetados independentemente das próprias mudanças climáticas [...] Os sistemas biológicos possuem a capacidade inerente de se adaptar a mudanças nas condições ambientais, porém esta capacidade adaptativa provavelmente será excedida em muitas espécies devido ao rápido avanço das mudanças climáticas projetadas". Resultado: precisamos de um Sistema de Energia Limpa que tente otimizar estes cinco elementos: quanto mais elétrons limpos gerarmos, mais crescimento obteremos, e com menos emissões. Quanto mais eficiência energética conseguirmos, menos elétrons limpos serão necessários para crescer. Se mais gente optar por famílias pequenas, haverá menos bocas para alimentar e casas para serem construídas.

Quanto mais promovermos a conservação, menos elétrons limpos e menos eficiência energética serão necessários, e menos recursos

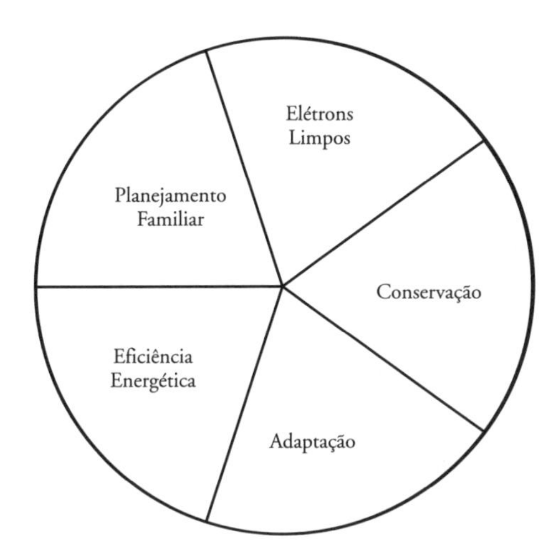

naturais consumiremos ao crescer. Quanto mais planos fizermos para a adaptação, mais gente será protegida dos piores efeitos da elevação do nível dos mares, das ondas de calor ou das tempestades violentas. Cada parte do sistema opera em conjunto para nos ajudar a evitar o que não pudermos controlar e para administrar o inevitável.

Sr. Verde

Vamos fantasiar por alguns momentos e perguntar: como seria uma fazenda no Brasil que operasse em um Sistema de Energia Limpa? Imaginemos que o sr. Verde possua uma fazenda de 400 hectares, cortada por um rio cheio de peixes, adjacente a uma floresta natural, com uma rica diversidade de plantas e animais. Eis como ele iria operar:

Começaria o dia usando um trator inteligente, do tipo já fabricado pela John Deere. Enquanto ara seu campo, seu trator mede, em tempo real, o nível de umidade e o conteúdo de cada metro quadrado e, automaticamente, insere apenas a quantidade exata de fertilizante necessária; assim, não sobram resíduos de fertilizantes que possam escoar para o seu rio e prejudicar a vida aquática. Menos fertilizantes de nitrogênio significam também menos emissões de óxido de nitrogênio — um poderoso gás-estufa. Graças a essa tecnologia, o sr. Verde aproveita de maneira constante as áreas mais produtivas de suas terras cultiváveis. Portanto, tem menos motivação para entrar na floresta pluvial, ou para cortar as árvores que margeiam o rio, apenas para obter mais alguns hectares de lavoura. De fato, ele e seus vizinhos trabalham junto a uma ONG para delimitar suas fazendas e cultivar apenas as áreas mais produtivas, enquanto as demais são deixadas de lado e devolvidas à sua vegetação nativa — o que protege os cursos de água e permite que a vida selvagem ocupe uma área maior de hábitat natural. O trator inteligente, a propósito, é um híbrido elétrico, com um motor sobressalente movido a biocombustível produzido a partir do painço, plantado no Brasil em terras degradadas, como parte de um programa nacional para proteger a Amazônia da invasão do biocombustível. Todas as informações reunidas sobre a quantidade de fertilizante introduzida em cada metro quadrado das terras do sr. Verde são armazenadas no computador do veículo, assim como o volume da produção, para que o sr. Verde possa tomar decisões ainda mais sábias e aumentar sua produção, no ano seguinte, enquando reduz os insumos. O aspersor que irriga as plantações é também um sistema inteligente e só adiciona o mínimo de água necessário por metro quadrado. A plantação foi projetada para utilizar a menor quantidade possível de fertilizantes, água e pesticidas; assim, é muito mais resistente e produtiva do que lavouras que não receberam os benefícios da bioengenharia. Também foi projetada para produzir vegetais mais nutritivos; assim, as pessoas se tornam cada vez mais saudáveis ingerindo menos alimentos.

Além disso, como o sr. Verde usa fertilizantes mais limpos e em quantidade menor, o impacto sobre o rio local é mínimo. A água pode ser reaproveitada com a utilização de menos energia e menos produtos químicos. Por outro lado, como nada é plantado nas margens do rio, para preservar as árvores, ele protege da erosão a terra arável que produz suas colheitas — seu bem mais valioso. O filtro natural formado pelas raízes das árvores e pela vegetação ribeirinha mantém os sedimentos fora do rio e evita a degradação das terras abaixo. Como o rio é saudável, ele pode pescar e nadar nele. Mas também o aluga a outros pescadores, para que pesquem tucunarés durante o verão, o que lhe proporciona outra boa fonte de renda. Na parte de sua terra que confina com a floresta tropical, ele construiu uma pequena pousada ecológica, cuja turbina eólica de um megawatt gera toda a eletricidade necessária, e atrai centenas de ecoturistas todos os anos.

A propósito, sr. Verde tinha dez irmãos. Seus pais o amavam, mas o viam como parte de sua rede de segurança social e como mão de obra. Em contraste, ele e a esposa, que é professora do ensino fundamental, fazem planejamento familiar, que conheceram por meio de um programa governamental no vilarejo vizinho pouco depois de se casarem. Eles só têm três filhos, e todos estão na escola.

Finalmente, o governo permitiu a construção da pousada ecológica com a condição de que o sr. Verde protegesse a floresta pluvial de suas terras e financiasse a proteção de um parque nacional vizinho. Para ele, fazia sentido financiar o parque, porque assim protegeria o hábitat das abelhas que polinizam suas plantações, e insetos que são predadores de pragas — o que lhe permite comprar menos pesticidas químicos, que são caros. A floresta virgem também constitui uma fonte confiável de água para sua fazenda, protegendo a bacia hidrográfica (que se torna mais importante, à medida que as mudanças climáticas ameaçam tornar o clima mais seco) e oferece hábitat para a vida selvagem que os ecoturistas de sua pousada pagam para ver. O resultado é um ecossistema muito mais saudável, mais agradável e mais produtivo do que o existente. Todas as partes se interligam, aumentando o crescimento das lavouras, protegendo a biodiversidade, gerando mais energia limpa e melhorando a eficiência com insumos mais limpos, mais inteligentes e em quantidades menores. Este é o ideal que devemos nos esforçar para atingir.

Efetuando a transição

Mas como chegaremos lá? Como passaremos do Sistema de Combustíveis Sujos, que temos hoje, para um sistema movimentado por energia limpa, poupador de energia e baseado na conservação? Temos de pensar de modo estratégico a respeito de como construir cada parte do sistema. Temos de começar com um plano global, em vez de oferecer projetos isolados, sem nenhuma concepção estratégica — como fizemos nos Estados Unidos, subsidiando maciçamente a produção de etanol a partir do milho.

Considerando a pequena contribuição do etanol obtido do milho para a economia de combustível e para a redução das emissões de CO_2, essa loucura me lembra a definição do falecido economista Ken Boulding para *suboptimal* (abaixo do ideal): fazer, da melhor forma possível, um trabalho que nem deveria estar sendo feito.

Como seria uma abordagem mais sistêmica? O Google nos dá um exemplo. Em novembro de 2007, o gigantesco site de buscas anunciou que iria se dedicar à busca de energia — energia limpa, obtida de fontes não fósseis. Sim, o Google estava entrando no negócio de inovações na geração de energia. Seu objetivo era produzir um gigawatt de energia limpa e renovável — o suficiente para abastecer São Francisco — o mais rapidamente possível. É um esforço corajoso, e o Google deve ser louvado por colocar seu capital e cérebros a serviço de uma iniciativa como essa. Só há um probleminha com ela: o Google resumiu sua meta revolucionária com uma equação: "ER < C — energia renovável mais barata que o carvão", para que sua energia limpa possa ser utilizada na China, na Índia e no resto do mundo em desenvolvimento.

É verdade que energia renovável mais barata que o carvão é uma coisa necessária, mas, como já argumentei, não é suficiente. Também precisamos da inovação para aumentar a produtividade da energia e dos recursos naturais; e precisamos de uma ética de conservação. Sem ela, ER < C poderá destruir enormes quantidades de biodiversidade. O coração do Google está no lugar certo — precisamos de um adesivo de para-choque para resumir nosso objetivo de modo sucinto. Eu apenas gostaria de propor um adesivo com dizeres mais longos. Na verdade, meu adesivo pode ter o comprimento do para-choque.

Brincando um pouco, eu sugeriria que estamos precisando é de um EERPIGDELEEPCRN < VCQCPG — um ecossistema de energia renovável que permita inovações na geração e distribuição de energia limpa, na eficiência energética, na produtividade e conservação dos recursos naturais < o verdadeiro custo da queima de carvão, petróleo e gás. Ou seja, precisamos de energia limpa cujo custo seja menor que o *verdadeiro custo*, para a sociedade, dos combustíveis fósseis, levando-se em conta as mudanças climáticas provocadas por esses combustíveis, a poluição que desencadeiam e as guerras por energia que acarretam.

A meu ver, a mudança para o Código Verde significa o estabelecimento de um *sistema* de políticas governamentais, financiamentos de pesquisas, regulamentações e incentivos fiscais que estimularia um *sistema* de inovações na geração e distribuição de energia limpa, na eficiência energética, na produtividade e conservação dos recursos naturais — juntamente com uma ética de conservação. É preciso uma abordagem sistêmica para que se obtenha um resultado sistêmico. Esta tem de ser nossa estratégia.

Mas não existem atalhos. Precisamos substituir o Sistema de Combustíveis Sujos por um Sistema de Energia Limpa — um EERPIGDELEEPCRN < VCQCPG. Em política e economia, existe um termo simples para descrever o processo de substituir um sistema por outro: *revolução*.

Algumas pessoas dizem que isto é o que está ocorrendo agora — uma revolução verde. Peço licença para discordar.

Terceira Parte

Como avançamos

ONZE

205 métodos fáceis para salvar a Terra

"Ai, meu Deus, lá vêm eles. Faça de conta que você é verde."

— Marido e mulher conversando, enquanto outro casal se aproxima deles em um coquetel. Cartum publicado na revista *New Yorker*, 20 de agosto de 2007.

Um estudo recente revelou que o golfista americano médio anda cerca de 1.500 quilômetros por ano. Outro estudo revelou que os golfistas americanos bebem, em média, 80 litros de álcool por ano. Isto significa que, em média, os golfistas americanos fazem cerca de 19 quilômetros por litro.

Faz a gente se sentir orgulhoso.

— Da internet.

O que você quer dizer com isso? Não está acontecendo nenhuma revolução verde? Mas é que eu apenas peguei um exemplar da revista *Working Mother* (Mães que trabalham) em um consultório médico e li a reportagem de capa: "205 métodos fáceis para salvar a Terra" (novembro de 2007). Isso aguçou de tal forma meu apetite por métodos fáceis de salvar o planeta que procurei, no Google, por mais livros e artigos sobre esse tópico — e de fato achei muitos: "20 métodos fáceis para ajudar a Terra", "Maneiras fáceis de proteger nosso planeta", "Maneiras simples de salvar a Terra", "10 métodos para salvar a Terra", "20 métodos simples e rápidos para salvar o planeta", "Cinco métodos para salvar a Terra", "Os 10 métodos mais fáceis para tornar sua casa ecológica", "365 métodos para salvar a Terra", "100 métodos para você salvar a Terra", "1.001 métodos para salvar a Terra", "101 métodos para curar a Terra", "10 métodos fáceis para salvar o planeta", "21 métodos para salvar a Terra e ganhar mais dinheiro", "14 métodos fáceis para se tornar um ambientalista", "Métodos fáceis para esverdear", "40 métodos fáceis para salvar o planeta", "10 métodos simples para salvar a Terra", "Ajude a salvar o planeta: maneiras simples para você fazer diferença", "50 métodos para salvar a Terra", "50 métodos fáceis para salvar a Terra e enriquecer fazendo isso", "As dez melhores maneiras de tornar mais ecológica a sua vida sexual" (preservativos verdes, vibradores solares — não estou inventando), "Maneiras criativas de salvar o planeta Terra", "101 coisas que os designers podem fazer para salvar a Terra", "Cinco coisas estranhas e malucas que podem ser feitas para salvar a Terra", "Cinco maneiras de salvar o mundo" — e para aqueles que têm tendências messiânicas, mas dispõem de pouco tempo e dinheiro: "10 maneiras de salvar a Terra (& dinheiro) em menos de um minuto".

Quem diria que salvar a Terra poderia ser tão fácil — e em menos de um minuto!

Há uma coisa boa nessa tendência. A ideia de viver e trabalhar de modo mais ecológico — com elétrons mais limpos, mais eficiência energética, maior produtividade dos recursos naturais, uma ética de conservação — está sendo popularizada e democratizada. Já não se trata de assunto de conversa entre elites das costas Leste e Oeste, ou dos bosques do Colorado e Vermont.

Nos dias de hoje, se você estiver no negócio de tecnologia e ainda não tiver sido convidado para uma conferência sobre tecnologia verde em algum lugar, você já deve ter parado de respirar, ou então todo mundo perdeu o seu e-mail. Dizer que o verde é a cor da moda é dizer pouco. "Verde", na verdade, foi o termo mais registrado em 2007 nos Estados Unidos, segundo o departamento de Marcas e Patentes. Repórteres ambientais, que costumavam se sentar no canto de redação mais afastado da mesa do editor, de repente entraram na moda.

As universidades estão oferecendo aulas sobre ambientalismo e tentando reduzir suas emissões de gás carbônico, assim como um número cada vez maior de empresas. Nenhum candidato pode ser eleito, atualmente, sem mencionar a trilogia: "Vou defender combustíveis mais limpos. Vou libertar os Estados Unidos da dependência do petróleo. Vou combater as mudanças climáticas."

A política a respeito desse assunto mudou tanto que até partidários da Al Qaeda, que estão sempre atentos às tendências mundiais, estão ingressando na onda verde. A *Newsweek* (10 de setembro de 2007) relatou que, em julho de 2007, "um grupo islâmico que advoga a implantação de um Estado dominado pela shaaria, na Indonésia — e cujos líderes já defenderam Osama Bin Laden publicamente —, ergueu cartazes com o nome da organização Amigos da Terra - Seção Indonésia, em uma passeata de protesto contra uma mina explorada pelos Estados Unidos e contra o governo Bush... A verdadeira Amigos da Terra denunciou a utilização não autorizada de seu logotipo, e negou qualquer ligação com o grupo. Mas não se surpreendam se os muçulmanos radicais fizerem outras tentativas de abrigar sua ideologia sob as roupagens do ativismo social".

Os judeus também estão entrando na onda verde. Em uma reportagem (5 de dezembro de 2007), a agência de notícias UPI relatou: "Um grupo de ambientalistas israelenses deflagrou, pela internet, uma campanha conclamando os judeus de todo o mundo a acender, no mínimo, uma vela a menos neste Chanuká... Os criadores da campanha Chanuká Verde dizem que cada vela queimada até o fim produz 15 gramas de dióxido de carbono", e que muitas velas distribuídas pelas casas judias do mundo se constituem numa contribuição negativa por parte dos judeus. "'A campanha pede aos judeus do mundo para que poupem a última vela e poupem o mundo, para que não precisemos de mais um milagre', declarou Liad Ortar, criador da campanha, ao *Jerusalem Post.*" (Eis uma resposta de blog que li: por que não pedir que todo mundo pare de fumar?)

Perdoem-me se me tornei um tanto cínico com relação a tudo isso. Tenho lido ou ouvido muita gente dizer: "Está ocorrendo uma revolução verde." Há, é claro, muita conversa sobre ecologia por aí. Mas, todas as vezes que escuto a ladainha de que "está ocorrendo uma revolução verde", não consigo deixar de rebater: "É mesmo? Uma revolução verde? Você já viu alguma revolução onde ninguém tenha sido prejudicado? Essa é a revolução verde que está ocorrendo." Nesta revolução, todo mundo é vencedor, ninguém tem de abrir mão de nada — e o adjetivo que modifica "revolução verde" com mais frequência é "fácil". Isto não é revolução. É uma festa. Na verdade, está ocorrendo uma festa verde. E muito divertida, reconheço. Sou convidado para todas as festas. Mas, pelo menos nos Estados Unidos, são bailes à fantasia. O importante é *parecer* ambientalista — e todos vencem. Não há perdedores. Os fazendeiros americanos vencem. São ambientalistas. Cultivam milho para produzir etanol e, para isto, recebem enormes subsídios do governo, embora a estratégia, na realidade, não seja eficaz no sentido de reduzir as emissões de CO_2. A Exxon Mobil diz que está se tornando verde e a General Motors também. A GM colocou tampas amarelas nos tanques de seus carros flex, assinalando que estes podem andar com uma mistura de gasolina e etanol. Durante anos, a GM nunca se preocupou em destacar que fabricava automóveis flex, nem em usar o fato como estratégia de vendas. A única razão que levou a GM a fabricar certa quantidade de carros flex foi que, assim fazendo, o governo lhe permitiria fabricar ainda mais Hummers e picapes, beberrões de gasolina, e ainda permanecer dentro dos parâmetros de conservação estabelecidos pelo Congresso, através dos padrões de economia de combustível para a indústria automobilística (CAFE); mas para que nos prendermos a detalhes?

As mineradoras de carvão estão se tornando verdes mudando o nome para companhias "de energia", e enfatizando como o sequestro de CO_2 — coisa que nenhuma delas jamais fizera — poderá nos proporcionar "carvão limpo". Eu tenho certeza de que Dick Cheney é ambientalista. Em sua casa no Wyoming, estado onde costuma caçar, utiliza carvão liquefeito. Somos todos verdes. "Olha aqui, senhoras e senhores, na revolução verde que está ocorrendo agora nos Estados Unidos, todo mundo tem vez, todo mundo é vencedor, ninguém sai prejudicado e ninguém tem de fazer sacrifícios."

Como eu disse, isso não é uma definição para revolução. É uma definição para festa.

Felizmente, muitas pessoas já se deram conta dessa festa verde. Um colaborador blogueiro do website Greenasathistle.com, que acompanha as questões ambientais, observou:

> Informar a respeito do aquecimento global, de produtos ecológicos e de pessoas que realizam boas ações na área do ambientalismo é ótimo — mas será que todas as revistas das bancas têm de publicar uma reportagem sobre ecologia? Estou começando a acreditar que, na verdade, pode estar havendo demasiada publicidade no que se refere a mudanças climáticas, principalmente no mundo da moda. Estou falando sério: na próxima vez que eu ler a palavra "ecochique" novamente, vou arrancar os olhos com minha caneta biodegradável... Receio que, tão logo essas revistas parem de publicar matérias sobre ecologia, as pessoas vão se esquecer do assunto, definitivamente, como de qualquer outro modismo passageiro. No mês seguinte, provavelmente, vão dizer que gastar gasolina a rodo é "in" e reciclagem é "out", e aparecerão manchetes como: "Espalhar lixo é a última moda!"

A quantidade de tempo, energia e palavreado que se gasta tentando "conscientizar" as pessoas a respeito dos problemas da energia e do clima, e lhes pedindo que façam gestos simbólicos, de modo a chamar a atenção a estes problemas, é totalmente desproporcional ao tempo, energia e esforços no sentido de se projetar uma solução sistêmica. Temos demasiados concertos Live Earth e catálogos distribuídos pela cadeia de lojas de departamentos Barneys, dizendo "Tenha um Natal Verde"; e pouquíssimos esforços no sentido de pressionar o Congresso a sancionar uma legislação verde realmente transformadora. Em 2008, se o dinheiro e a mobilização despendidos no Live Earth tivessem sido utilizados para pressionar o Congresso, com vistas à aprovação de incentivos fiscais mais generosos para a produção a longo prazo de energia renovável e outras leis de caráter ambiental, os efeitos teriam sido muito mais significativos. Passar do simbólico para o real não é uma coisa fácil. Eu vivo em Montgomery County, Maryland, município repleto de pessoas que se identificam como verdes, fazem reciclagem e outras coisas boas. Mas quando eu quis instalar dois conjuntos de painéis solares no meu pátio lateral, me disseram que isto era contra a lei. Muito feios. As leis de zoneamento urbano diziam que os painéis só poderiam ser instalados no quintal dos fundos. Nosso quintal dos fundos não recebe muita luz solar. A firma de energia solar que contratamos foi obrigada a recorrer a um advogado e a apelar para que a lei fosse mudada, o que conseguiu após quase um ano.

Os estrategistas do Pentágono gostam de dizer: "Um projeto sem recursos é uma alucinação." Até o momento, estamos tendo uma alucinação verde. Pois estamos oferecendo a nós mesmos e a nossos filhos um projeto verde sem recursos — sem uma resposta sistêmica moldada por uma concepção inteligente e apoiada por forças do mercado, maiores padrões de eficiência, regulamentações mais severas e uma ética de conservação que possam nos proporcionar uma oportunidade de transformar o projeto em realidade. Determinamos os fins, mas não os meios.

É verdade, se olharmos quanto avançamos nos últimos cinco anos, pode parecer que estamos atravessando uma revolução verde. Mas se olharmos quanto ainda teremos de avançar nos próximos dez anos, estamos dando uma festa. Ninguém definiu este fenômeno melhor que Michael Maniates, professor de ciência política e ambiental do Allegheny College, que escreveu no *Washington Post* (22 de novembro de 2007): "Nunca se pediu tão pouco a tantos em um momento tão crítico."

Muitos best-sellers "oferecem conselhos a respeito do que devemos pedir a nós mesmos e uns aos outros", observou Maniates.

> Seus títulos sugerem que não precisaremos suar muito: *É Fácil Ser Verde*, *O Ambientalista Preguiçoso*, ou mesmo *O Livro Verde: Guia Prático da Salvação do Planeta — Um Passo de Cada Vez.*
>
> Embora todos ofereçam conselhos bem conhecidos ("reutilize papéis e refugos de papel antes de reciclá-los" ou "tome duchas

mais rápidas"), o que não é dito é o que nos deixa intrigados. Três afirmativas permeiam as páginas: 1) Devemos procurar coisas fáceis e econômicas para fazer em nossas vidas particulares de consumidores, pois é onde temos mais poder e controle; estas são as melhores atitudes a serem tomadas porque (2), se todos nós agirmos assim, o efeito cumulativo das escolhas individuais será um planeta mais seguro; o que é uma coisa auspiciosa, pois (3), por natureza, não nos interessamos muito em fazer algo que não seja particular, individualista, proveitoso e, acima de tudo, fácil. Esta glorificação do que é fácil não se limita aos novos livros de autoajuda ambiental. Os websites das maiores organizações ambientais dos Estados Unidos, a Agência de Proteção Ambiental e mesmo a Associação Americana para o Progresso da Ciência oferecem listas bastante similares de ações, e nos dizem que poderemos mudar o mundo através de nossas opções de consumo — proveitosas, simples e até dentro da moda.

É claro que não iremos resolver o problema com opções de consumo. E não há um botão marcando "fácil" que possamos apertar para esverdear o mundo. Maniates prossegue:

A dura verdade é a seguinte: se somarmos todas as medidas ecológicas fáceis e proveitosas que podemos tomar, o máximo que conseguiremos é reduzir o crescimento dos danos ambientais. (...) A obsessão de reciclar coisas e de instalar algumas lâmpadas especiais não irá impedir esse crescimento. Precisamos contemplar mudanças fundamentais em nossos sistemas de energia, de transportes e de agricultura, em vez de pequenos ajustes marginais; isto significa mudanças e custos que nossos líderes atuais e futuros parecem ter medo de discutir. O que é uma pena, já que os americanos são melhores quando estão lutando juntos, e às vezes entre si, para atingir metas difíceis. (...) É claro que devemos fazer as coisas fáceis: elas reduzem os prejuízos e se tornam símbolos de uma causa para as futuras gerações. Mas não podemos permitir que nossos líderes nos subestimem. Fazer apenas o que é "fácil" significa dizer que o melhor que podemos fazer é aceitar uma política pouco inspirada, que gira em torno de ações não coordenadas.

O problema é que, tão logo deixamos os confortáveis domínios dos "métodos fáceis de esverdear", acaba todo o consenso superficial que existe em torno do assunto. A verdade é que, apesar de tudo o que falamos sobre o verde, "ainda não concordamos, enquanto sociedade, a respeito do que significa realmente ser 'verde'", declara Peter Gleick, climatólogo do Pacific Institute. Isto abre as portas para qualquer um que alegue ser verde, sem nenhum padrão de referência.

O que pretendo fazer no restante deste livro é expor o que seria uma estratégia sistêmica. Mas antes de chegarmos lá, temos de nos deter na balança durante alguns momentos.

Sabe quando engordamos alguns quilos e deixamos de nos pesar — eu, pelo menos, faço isso — porque simplesmente não queremos saber quantos quilos teremos de perder? Bem, a mesma coisa acontece com relação à questão ecológica. As pessoas tendem a falar sobre o assunto em termos abstratos, sem nenhuma conexão com a verdadeira dimensão do que teremos de enfrentar para reduzir as emissões de CO_2, de forma significativa, e nos tornarmos mais eficientes no aproveitamento da energia e dos recursos naturais. Portanto, antes de darmos mais um passo, precisamos colocar o desafio na balança, olhar para o mostrador e encarar, sem piscar, a enormidade real do projeto.

Para começar, vamos nos lembrar do que estamos tentando fazer: *Estamos tentando mudar o sistema climático — para evitar o incontrolável e controlar o inevitável!* Estamos tentando controlar o índice pluviométrico, a força dos ventos, a velocidade do degelo. Além disso, *estamos tentando preservar e restaurar os ecossistemas do mundo — que estão se exaurindo rapidamente* —, nossas florestas, rios, savanas, oceanos e a cornucópia de espécies vegetais e animais que vivem neles. Finalmente, estamos tentando curar o vício coletivo em gasolina, que, além de estar provocando profundas alterações no clima, também acarreta mudanças geopolíticas. Uma grande empreitada. Não é trabalho a ser feito como passatempo, e o adjetivo "fácil" nunca — jamais — deveria acompanhá-lo.

A verdade é que não só não existem 205 métodos fáceis para *realmente esverdear*, como também não existe *um método fácil para realmente esverdear!* Se pudermos conseguir isso, será o maior projeto já realizado pela humanidade em tempos de paz. Raro é o líder político, em qualquer lugar do mundo, que esteja disposto a falar com franqueza sobre o verdadeiro tamanho desse desafio.

Essa tarefa, por conseguinte, recai sobre os executivos das empresas de petróleo, gás e carvão. Eles ficam felizes em falar sobre a verdadeira dimensão do problema — geralmente com secreto prazer, pois querem nos fazer acreditar que uma verdadeira revolução verde é impossível. Portanto, não teríamos outra opção a não ser permanecer viciados em gasolina, gás e carvão. Querem quebrar nossa vontade de resistir. Sua mensagem oculta é: "Renda-se ao beberrão de gasolina que existe dentro de você; a dimensão do que teríamos de fazer para mudar alguma coisa, de fato, é grande demais. Renda-se agora, renda-se agora, renda-se agora..."

Instintivamente, sou cauteloso com as análises deles — mas abro exceções para as empresas que realmente fizeram investimentos substanciais em energia renovável, e que esperam criar um verdadeiro negócio no setor — se houver mercado. A Chevron, por exemplo, é o maior produtor mundial, privado, de eletricidade a partir de fontes geotérmicas limpas (vapor, calor e água quente produzidos no subsolo por material vulcânico do centro da Terra, que movimentam turbinas geradoras de eletricidade).

Eis como David O'Reilly, diretor-presidente da Chevron, avalia a extensão e a escala do desafio que nos impõe a produção de energia limpa:

"É preciso desenvolver a cultura energética", argumenta ele. "Se olharmos o consumo de energia no mundo, a cada dia, e o convertermos ao equivalente em petróleo, estamos consumindo 10 milhões de barris por hora — ou 1,6 bilhão de litros por hora. Pensem nisso. Significa que, se somarmos a energia proporcionada pelo carvão, petróleo, hidrelétricas, fontes renováveis — tudo —, esta é a quantidade que estamos utilizando. Para mudar o quadro, realmente, teremos que enfrentar três problemas: a quantidade da demanda, a quantidade de investimentos necessários para produzir alternativas em grande escala, e a quantidade de tempo que levaria para produzirmos essas alternativas. Muitas delas estão ainda em fase embrionária.

"Olhemos agora para a demanda crescente. Já ouvi gente falando a respeito do 'bilhão dourado' — o bilhão de pessoas no planeta que já têm uma qualidade de vida semelhante à que nós, americanos, estamos acostumados. Mas ainda há 2 bilhões a caminho e 3 bilhões ainda mergulhados na pobreza. Os 2 bilhões que estão a caminho querem chegar aonde estamos e os 3 bilhões de pobres também querem subir — sob o ponto de vista da prosperidade global, queremos que eles subam. Há mais 3 bilhões a caminho, que ainda nem nasceram, mas que estarão aqui por volta de 2050. A oferta de energia que temos hoje está concentrada em atender às demandas do bilhão estabelecido e dos 2 bilhões a caminho — mas não dos 3 bilhões ainda mergulhados na pobreza, e muito menos dos 3 bilhões que ainda nem nasceram. Assim, os 10 milhões de barris por hora que consumimos atualmente não são estáticos. Irão aumentar, pois há uma ligação inexorável entre uso de energia e bem-estar."

O'Reilly acrescenta: "Vamos analisar o desafio de criar novos métodos de produzir e usar energia. As pessoas superestimam a capacidade das alternativas hoje existentes para produzir em grande escala. Vamos falar de eficiência: se você paralisasse todos os sistemas de transportes — estou falando de todos os carros, caminhões, trens, navios e aviões, tudo o que voa ou que anda sobre rodas — e nunca mais nenhum veículo se movesse no planeta Terra, a redução global das emissões de dióxido de carbono seria da ordem de 14%. Se você paralisasse todas as atividades industriais, todas as atividades comerciais, todas as atividades residenciais — fechasse todas as residências —, a redução das emissões de dióxido de carbono seria da ordem de 68%... Portanto, a eficiência pode ajudar, mas não devemos fazer falsas promessas. Ainda precisamos de petróleo e gás natural. Precisamos fazer o carvão trabalhar, e precisamos fazer a eficiência energética trabalhar ainda mais."

Como se este cenário já não fosse perturbador o bastante, O'Reilly argumenta que, se não ocorrer algum avanço tecnológico inesperado, as alternativas energéticas levarão décadas para serem utilizadas em grande escala. "Eu quero que meus netos vivam em um mundo onde a energia, o ambiente e a economia estejam em equilíbrio. Mas não é possível chegar lá da noite para o dia", insiste ele. "O sistema que temos hoje é produto de cerca de cem anos de investimento, e o próximo exigirá outros cem anos de investimento. Assim, é bom tomar cuidado com essas promessas superficiais que escutamos em Washington e outros lugares. Minha previsão é que os índices de gases-estufa na atmosfera serão mais altos daqui a dez anos do que são hoje; mas, quando meus netos estiverem com a minha idade — na casa dos 60 anos —, esses índices poderão ser substancialmente mais baixos. Precisamos de líderes que venham a público e digam que a tarefa é árdua, enorme e exige quantidades maciças de investimentos."

"O que dizer dos 5 bilhões de dólares que, segundo tenho lido, entraram como capital de risco em empreendimentos ecológicos em 2007?", perguntei a O'Reilly. "Isto não pagaria nem uma refinaria de petróleo sofisticada", atalhou ele. "Se você quiser realmente mudar os caminhos que estamos seguindo, precisará de um número que tenha a letra T na frente — T de *trilhão*. De outra forma, continuaremos onde estamos."

Mas digamos que somos otimistas. Acreditamos que as tecnologias de energia renovável que existem hoje, assim como as oportunidades para aumentar a eficiência energética, estão adiantadas a ponto de ter um impacto decisivo nas mudanças climáticas e nos preços da energia. O que, exatamente, teríamos que fazer para mobilizar essas tecnologias de energia limpa e de eficiência energética — começando agora — de modo a concretizar seus benefícios?

A resposta a esta pergunta — e outro modo de considerar a dimensão do problema — é oferecida por Robert Socolow, professor de engenharia em Princeton, e Stephen Pacala, professor de ecologia também em Princeton, que dirigem a Iniciativa de Minimização do Gás Carbônico, um consórcio que tem por objetivo projetar soluções para os problemas climáticos, passíveis de aplicação em grande escala. Em um ensaio publicado na revista *Science* (agosto de 2004), hoje famoso, Socolow e Pacala afirmaram que os seres humanos só poderão continuar injetando tanto dióxido de carbono na atmosfera até que a concentração de CO_2 atinja um nível jamais visto na história recente do planeta, e que o sistema climático comece a enlouquecer. Assim como o Painel Intergovernamental sobre Mudanças Climáticas, eles acham que aumenta rapidamente o risco de que o clima se comporte de forma estranha e imprevisível, à medida que os níveis de CO_2 se aproximem do dobro da concentração que tinham antes da Revolução Industrial, que era de 280 partes por milhão (ppm).

"Pense nas mudanças climáticas como um armário. Atrás da porta, estão espreitando todos os tipos de monstros — e a lista deles é longa", diz Pacala. "Todos os nossos trabalhos científicos demonstram que os monstros mais destruidores começam a atravessar essa porta quando se atinge o dobro dos níveis de CO_2."

Então, para estabelecer uma meta simples, que qualquer um pode entender: o que desejamos evitar é a duplicação dos níveis de CO_2. Se não fizermos nada de efetivo, e as emissões de CO_2 continuarem a aumentar na proporção atual, iremos ultrapassar a duplicação em meados deste século — uma concentração de dióxido de carbono em torno de 560 ppm — e é possível que a concentração seja triplicada por volta do ano de 2075, diz Pacala. Você não gostaria de viver em um mundo com uma concentração de CO_2 em torno de 560 ppm, muito menos em um mundo com uma concentração de 800 ppm. Evitar que isto aconteça — e ainda deixar espaço para que os países desenvolvidos continuem a crescer, com menores emissões de CO_2, e para que os países em desenvolvimento, como a Índia e a China, continuem a crescer, emitindo o dobro ou o triplo do CO_2 que emitem atualmente, até que saiam da pobreza e utilizem a energia de modo mais eficiente — irá exigir um enorme projeto energético e industrial de âmbito planetário.

Para demonstrar as dimensões envolvidas no projeto, Socolow e Pacala criaram um gráfico circular, dividido em 15 partes. Algumas representam tecnologias para a produção de energia que não emite carbono, ou que emite pouco; outras, programas de eficiência para conservar grandes quantidades de energia e evitar emissões de CO_2. Socolow e Pacala argumentam que, a começar de hoje, de agora, o mundo precisaria mobilizar em grande escala oito dessas 15 partes — ou todas as 15 em quantidades suficientes — para gerar energia limpa, promover a conservação e aumentar a eficiência energética, de modo a suprir a economia mundial e ainda evitar a duplicação de CO_2 na atmosfera, em meados deste século.

Cada uma das partes, quando distribuída durante o período de cinquenta anos, evitaria a liberação de 25 bilhões de toneladas de dióxido de carbono, de um total de 200 bilhões de toneladas que devem ser evitadas entre hoje e meados do século — a quantidade que Pacala e Socolow acreditam que nos manteria abaixo da duplicação. Para entrar como uma das 15 partes, entretanto, a tecnologia deve existir atualmente, deve se prestar a uma mobilização em grande escala, e a redução das emissões de CO_2 que oferece deve ser mensurável.

Portanto, agora temos uma meta: queremos evitar a duplicação do gás carbônico em meados do século; para conseguir isto, temos de evitar a emissão de 200 bilhões de toneladas de CO_2, enquanto crescemos entre hoje e esse período. Vamos então às partes. Escolha suas oito mais "fáceis":

- Dobrar a quilometragem por litro de 2 bilhões de automóveis: de 13 quilômetros por litro de gasolina para 26 quilômetros por litro.
- Dirigir 2 bilhões de automóveis somente 8 mil quilômetros por ano, em vez de 16 mil, gastando 13 quilômetros por litro.
- Aumentar de 40 a 60% a eficiência energética de 1.600 grandes usinas elétricas a carvão.
- Substituir 1.400 grandes usinas elétricas a carvão por instalações abastecidas por gás natural.
- Prover oitocentas grandes usinas a carvão com a capacidade para capturar e sequestrar o dióxido de carbono, para que o CO_2 possa ser separado e armazenado no subsolo.

- Prover novas usinas a carvão com a capacidade para capturar e sequestrar dióxido de carbono, o que produziria hidrogênio para 1,5 bilhão de veículos movidos a hidrogênio.
- Prover 180 usinas de gaseificação de carvão com a capacidade para captura e sequestro de dióxido de carbono.
- Dobrar a geração de energia nuclear no mundo, para substituir a eletricidade produzida pelo carvão.
- Aumentar em quarenta vezes a produção de energia eólica, para substituir toda a energia produzida pelo carvão.
- Aumentar em setecentas vezes a produção de energia solar, para substituir toda a energia produzida pelo carvão.
- Aumentar em oitenta vezes a produção de energia eólica, de modo a fornecer energia limpa para carros movidos a hidrogênio.
- Dirigir 2 bilhões de automóveis movidos a etanol, usando um sexto das áreas cultiváveis do mundo para fornecer o milho necessário.
- Acabar com o corte e a queima de florestas.
- Adotar a agricultura de conservação, que emite muito menos CO_2 a partir da terra, em todas as áreas agrícolas do mundo.
- Cortar em 25% o uso de eletricidade em residências, escritórios e estabelecimentos comerciais, e cortar as emissões de dióxido de carbono na mesma proporção.

Se o mundo conseguisse dar apenas um desses passos, já seria um milagre. Oito seria o milagre dos milagres, mas esta é a amplitude necessária. "Nunca existiu um projeto industrial específico tão grande quanto este", diz Pacala. Mediante uma combinação de tecnologia para a produção de energia limpa e aumento da conservação "temos de nos livrar de 200 bilhões de toneladas de gás carbônico nos próximos cinquenta anos — e a quantidade de gás emitida continua a aumentar. É possível conseguir isso se começarmos hoje. Mas, a cada ano perdido, a tarefa se torna mais difícil. Para cada ano que perdermos, teremos que fazer muito mais no ano seguinte — e se perdermos uma ou duas décadas, evitar a duplicação, ou mais, acabará se tornando impossível".

Nate Lewis, do Instituto de Tecnologia da Califórnia, químico e especialista em energia, usa uma base de cálculos um tanto diferente da adotada por Socolow e Pacala, mas sua abordagem também ajuda a compreender o desafio. Lewis formula as coisas da seguinte forma: no ano 2000, a média mundial de utilização de energia estava em torno de 13 trilhões de watts (13 terawatts). Isto significa que, em qualquer momento, em média, o mundo estava utilizando cerca de 13 trilhões de watts. É o que diria o relógio de luz do mundo. Mesmo com uma campanha de conservação agressiva, esse número deverá dobrar por volta de 2050, para cerca de 26 trilhões de watts. Mas, se quisermos evitar a duplicação do CO_2 na atmosfera, deixando espaço para nosso próprio crescimento e o crescimento da Índia, da China e de outros países em desenvolvimento, teremos de cortar, por volta de 2050, perto de 80% das emissões globais de CO_2, com relação aos níveis atuais — se começarmos hoje.

Isto significa que, por volta de 2050, poderemos utilizar somente cerca de 2,6 trilhões de watts provenientes de energia produzida por fontes que emitam gás carbônico. Mas sabemos que a demanda global terá dobrado, nessa época, para cerca de 26 terawatts. Segundo Lewis, "isto significa que, entre hoje e o ano 2050, teremos de conservar quase tanta energia quanto usamos hoje, aumentando a eficiência energética; e teremos que produzir quase tanta energia limpa quanto o total que usamos hoje, desenvolvendo fontes de energia que não emitam gás carbônico".

Uma usina nuclear produz, em média, cerca de um bilhão de watts — um gigawatt — de eletricidade em qualquer momento. Assim, se tentarmos obter toda a energia limpa de que precisaremos entre hoje e 2050 (cerca de 13 trilhões de watts) apenas de usinas nucleares, teremos de construir 13 mil novos reatores, ou cerca de um novo reator por dia pelos próximos 36 anos — se começarmos hoje.

"Teremos de usar todo o nosso capital financeiro e intelectual para fazer frente a esse desafio", segundo Lewis. "Algumas pessoas dizem que isto arruinará nossa economia, que é um projeto que não podemos nos dar ao luxo de executar. Eu diria que é um projeto que simplesmente não podemos permitir que fracasse."

E não se iludam: estamos fracassando neste exato momento. Apesar de todas as conversas sobre revolução verde, diz Lewis, "as coisas não estão melhorando. Na verdade, estão piorando. De 1990 a 1999, as emissões globais de CO_2 aumentaram a uma taxa de 1,1% ao ano. De repente, todo mundo começou a falar sobre o Protocolo de Kyoto. Então, apertamos os cintos, levamos as coisas a sério e mostramos ao mundo o que éramos capazes de fazer: entre 2000 e 2006, *triplicamos* a taxa de emissões globais de CO_2, para uma média de 3% ao ano! Isso mostrou ao mundo que estávamos falando sério mesmo! Ei, olhem o que podemos fazer quando levamos as coisas a sério — podemos emitir dióxido de carbono ainda mais depressa".

Neste ponto, a política se encontra com o clima, que se encontra com a energia, que se encontra com a tecnologia. Teremos a energia política — alguém terá a energia política — para empreender e alavancar um projeto industrial dessa dimensão?

É claro que, em nível retórico, ser verde não entra em conflito com os princípios gerais professados tanto pelo Partido Democrata quanto pelo Partido Republicano. Mas implementar uma revolução verde com velocidade e amplitude significa entrar em confronto com alguns dos privilegiados interesses econômicos, regionais e corporativos que habitam os corações de ambos os partidos — dos fazendeiros de Iowa até os grupos que representam os interesses do carvão da Virgínia Ocidental. Portanto, sem uma ruptura real no seio dos Partidos Republicano e Democrata, no que diz respeito ao assunto, não haverá uma verdadeira revolução verde nos Estados Unidos.

"Quando todo mundo — democratas e republicanos, empresas e consumidores — afirma que partilha sua causa, você deve desconfiar de que você não definiu bem o problema, ou não o colocou como uma questão realmente política", diz Michael J. Sandel, filósofo de Harvard. "Mudanças sociais, econômicas e políticas são controversas. Sempre provocam discussões e oposição. A menos que você ache que se trata de uma dificuldade puramente tecnológica, enfrentar o desafio energético exigirá sacrifícios compartilhados e escolhas difíceis, não uma postura de bom-mocismo. Apenas quando for travado um debate real — entre partidos políticos ou no interior de suas fileiras — estaremos a caminho de estabelecer uma agenda ecológica politicamente séria."

Não podemos chamar uma coisa de revolução quando as mudanças políticas exequíveis ainda estão longe do mínimo necessário para provocar qualquer alteração no problema. Os desafios propostos pela Era da Energia e do Clima "não podem ser solucionados dentro do nível atual de pensamento político", diz Hal Harvey, climatólogo da Fundação William e Flora Hewlett. "Não se pode resolver um problema com o mesmo nível de pensamento que o criou."

Rob Watson, consultor ambiental, me disse um dia que enfrentar esse desafio, para valer, fazia com que se recordasse de uma experiência que tivera quando era escoteiro. "Eu era gordo. Havia algumas coisas que, na minha cabeça, eu achava que poderia fazer e que nem sempre eram possíveis na vida real", explicou ele. "Certa vez, minha tropa de escoteiros teve de fazer uma caminhada de 80 quilômetros. Para treinar, tivemos de fazer uma série de caminhadas. Então, comecei a caminhar por conta própria. Pensei que estava andando de 15 a 20 quilômetros por dia, mas na verdade estava andando apenas de 5 a 7. Quando, então, fui para o interior com minha tropa, desmaiei de insolação, pois não estava realmente em forma. Eu me arrisquei, e arrisquei a tropa toda, porque não estava sendo realista. Compreendo a necessidade de sentir que estamos fazendo alguma coisa benfeita — mas se não formos realistas a respeito de quem somos, não conseguiremos fazer o que precisamos fazer para sobreviver nesta região selvagem."

Segundo ele, parece que as pessoas não compreendem que não é como se estivéssemos no *Titanic* e tivéssemos que evitar o iceberg. Nós já colidimos com o iceberg. A água está entrando nos porões. Mas algumas pessoas simplesmente não querem sair da pista de dança; outras não querem desistir do bufê. Mas se não fizermos as escolhas difíceis, a natureza irá fazê-las por nós. No momento, a percepção das verdadeiras dimensões do problema e da velocidade com que se desenvolve permanece restrita, em grande parte, à comunidade científica. Mas logo se tornará amargamente óbvia para todo mundo.

Não me entendam mal: eu me consolo com o grande número de jovens preocupados com o assunto. É como o blogueiro do Greenasathistle.com observou muito bem: "No que se refere ao ambiente, é melhor ser hipócrita que apático" — contanto que tenhamos consciência do que estamos fazendo, que estejamos nos movendo na direção certa e que não cantemos vitória de modo prematuro. Cantar vitória prematuramente é o que nos trará os maiores problemas. E é o que temos feito nos últimos tempos: uma marca verde para algum produto, uma moda verde, um concerto verde — e estamos a caminho de resolver o problema. De jeito nenhum.

"É como se estivéssemos escalando o monte Everest e, ao alcançar o acampamento seis, o nível mais baixo da subida, decidíssemos arriar o equipamento, congratular os xerpas e abrir uma garrafa de champanhe para comemorar", diz Jack Hidary, empresário do setor energético. "Mas, enquanto isso, o monte Everest, com todos os seus 8.800 metros, assoma diante de nós."

Como seria uma verdadeira e transformadora revolução da energia limpa vista do topo do monte Everest? Qual seria o panorama? Vire a página.

DOZE

A internet da energia: quando a TI encontra a TE

Uma revolução não é um jantar de gala, não é um ensaio literário, não é uma pintura, não é um bordado; não pode avançar de modo suave, gradual, solícito, respeitoso, moderado, linear e modesto.

— Mao Tse-Tung

O panorama visto do topo do monte Everest não se pareceria com nada que você já tenha visto antes. E ser uma parte deste panorama também não se pareceria com nenhuma experiência que você já tenha tido. Seria como se todos os sistemas de energia de sua casa estivessem se comunicando com todos os sistemas de informação de sua casa, e todos tivessem se fundido em uma grande plataforma inteiriça destinada a utilizar, armazenar, gerar e, até mesmo, comprar e vender elétrons limpos. Seria como se a revolução da tecnologia da informação e a revolução da tecnologia da energia — a TI e a TE — estivessem reunidas em um só sistema. Seria como se você dispusesse de uma "Internet Energética".

Reconheço que isso pode soar como ficção científica ou mágica. Mas não é. Muitas das tecnologias que formariam uma Internet Energética — uma expressão cunhada pela revista *The Economist* para se referir à "rede elétrica inteligente" — já existem ou estão sendo aperfeiçoadas neste exato momento, em garagens e laboratórios. O que mais precisamos agora são políticas governamentais integradas — leis e normatizações, impostos e créditos, incentivos e decretos, mínimos e máximos — para guiar e estimular os mercados a impulsionar mais as inovações, para comercializar as novas ideias com mais rapidez, para trazer à vida essa revolução, o mais rápido possível.

Este capítulo é o primeiro de quatro que descrevem como seria um sistema que utilizasse eletricidade limpa, aumentasse a eficiência energética e conservasse os recursos naturais — e como poderemos implementá-lo. Descrevo aqui como uma Internet Energética possibilitaria que você, eu e nossos vizinhos realizássemos coisas extraordinárias no que se refere à poupança de energia e ao uso eficiente de eletricidade limpa, e fizéssemos isso o dia inteiro, o tempo todo, estivéssemos ou não pensando no assunto. Os próximos dois capítulos descrevem as políticas governamentais integradas que deverão estimular empresas e investidores a aplicar o capital necessário ao financiamento de novas tecnologias — com vistas à produção dos elétrons abundantes, limpos, confiáveis e baratos que alimentarão a Internet Energética. O capítulo seguinte é sobre preservação: como poderemos criar políticas para a preservação do mundo natural — plantas, animais, peixes, oceanos, rios e florestas que sustentam a vida.

Embora grande parte da matéria-prima necessária para formar o sistema de certa forma já exista, implementá-lo não será uma coisa fácil — nenhuma revolução é fácil. Mas, definitivamente, não se trata de ficção científica. Vamos então manter os olhos abertos e a mente aberta, lembrando-nos da frase famosa do grande escritor Arthur C. Clarke, falecido em março de 2008: "Qualquer tecnologia suficientemente avançada se confunde com mágica."

* * *

Antes de levantarmos a cortina para o show de mágica, tenho de fazer uma coisa mundana. Preciso explicar como funciona, de fato, o atual sistema elétrico dos Estados Unidos, distribuído por uma rede de empresas de utilidade pública, reguladas por órgãos governamentais. Provavelmente, a última vez que você pensou em uma empresa de utilidade pública foi quando parou em uma delas, no jogo de Banco Imobiliário, e teve de decidir se valeria a pena se desfazer de 150 dólares para comprar a de eletricidade. Foi o meu caso, com certeza, antes que eu começasse a pesquisar para este livro. Eu sabia como funcionava o meu carro e onde ficava o posto de gasolina mais próximo. Sabia onde estavam as torres de água e as estações de bombeamento locais. Mas não sabia absolutamente nada a respeito dessa coisa chamada companhia de eletricidade, que fornecia os elétrons que movimentavam minha vida todos os dias. Sabia que recebíamos uma conta de eletricidade uma vez por mês, e a pagávamos, mas isto era tudo. Bem, nossas companhias de eletricidade são mais interessantes do que se pensa — e são mais importantes para que o Código Verde dê certo do que muita gente imagina.

Você deve estar pensando que pode pular esta parte. Não faça isso. Amadas ou odiadas, as companhias de eletricidade locais ou regionais estarão no cerne de nosso sistema nacional de energia por longo tempo. Se vamos construir uma plataforma de energia limpa, isso será efetuado, em grande parte, por ações implementadas pelas companhias de eletricidade dos Estados Unidos. Elas possuem a base de clientes, a capacidade para movimentar grandes volumes de capital de baixo custo e a infraestrutura instalada de que precisaremos para impulsionar o desenvolvimento de uma Internet Energética. E o público acredita nas empresas de utilidade pública. Não é por acaso que, quando alguém pretende aplicar um golpe, uma de suas estratégias favoritas é bater à porta da vítima vestido como funcionário da companhia energética local. "Olá, pode entrar!"

Como esse sistema de utilidade pública tem funcionado até agora? O sistema de energia que existe hoje nos Estados Unidos e na maioria dos outros países, centrado em utilidades públicas de eletricidade, foi formado de acordo com um princípio dominante: a obrigação de fornecer energia. Isto resultou de um acordo no qual governos locais e estaduais, assim como seus órgãos reguladores, concederam monopólios às companhias energéticas ("de utilidade pública"), para que fornecessem eletricidade, ou gás natural, aos consumidores de determinadas regiões. Em troca, essas empresas de utilidade pública eram obrigadas a fazer três coisas: fornecer *energia elétrica a preços razoáveis*, fornecer *energia elétrica confiável* (com a qual se poderia contar 24 horas por dia, 7 dias por semana, 365 dias por ano) e fornecer *energia elétrica onipresente* (que estivesse disponível para qualquer consumidor que desejasse eletricidade na área de operações da companhia).

Foi um sistema desenvolvido há cerca de cem anos por Samuel Insull (encarregado dos empreendimentos comerciais de Thomas Edison), que o vendeu a agências governamentais. O sistema proporcionava benefícios tangíveis, tanto às companhias energéticas — que, sem grandes custos e com eficiência, podiam levantar os fundos a serem investidos em grandes usinas de energia e linhas de transmissão, pois tinham uma base de consumidores garantida — quanto aos consumidores, que durante décadas receberam energia barata, confiável e onipresente. A maioria dessas empresas de utilidade pública, reguladas por agências governamentais, deu conta do recado, impulsionando o crescimento dos Estados Unidos ao longo do século XX.

(Os órgãos reguladores que estabelecem as tarifas são, normalmente, conhecidos como comissões estaduais de serviços públicos. Seus dirigentes são, em regra, indicados pelo governador do estado ou pela assembleia legislativa. Mas a fiscalização do comércio interestadual de energia elétrica é controlada em Washington, pela Comissão Federal de Regulamentação da Energia.)

Mas havia aspectos negativos nesse sistema, em grande parte regulado pelos estados. Para começar, costuma-se dizer que a rede elétrica americana, que evoluiu ao longo dos anos, com todas as suas usinas e linhas de transmissão, é a maior máquina já feita pelo homem. Pode ser verdade ou não. Mas uma coisa posso dizer com certeza a respeito dessa rede: é a máquina mais burra já feita pelo homem, e não é burra em apenas um aspecto.

Sei que estou sendo um pouco injusto. Em termos de alcance, puramente, a eletrificação das casas, cidades e fábricas dos Estados Unidos, onde quer que estivessem, foi de fato um dos grandes feitos da engenharia do século XX. Nossa economia não estaria onde está, hoje, sem essa conquista. Mas, embora a rede fosse mesmo onipresente, confiável e fornecesse energia limpa, não foi construída com uma concepção inteligente. Apenas apareceu, empresa por empresa, região atendida por região atendida, balanço financeiro por balanço financeiro, regras locais de mercado por regras locais de mercado. Até hoje, os Estados Unidos não possuem uma rede elétrica nacional. Na verdade, trata-se de uma colcha de retalhos nacional, que faz os países dos Bálcãs parecerem unidos.

Atualmente, existem quase 3.200 companhias de eletricidade nos Estados Unidos, algumas das quais atendem enormes áreas que atravessam fronteiras estaduais; outras atendem a um município, somente, ou parte de um município. Essas companhias de eletricidade e suas linhas de transmissão acabaram se fundindo em três redes regionais: a Eastern Interconnection, que inclui a costa leste americana, as grandes planícies e as províncias orientais do Canadá; a Western Interconnection, que cobre a área restante, até o Pacífico, com exceção do Texas, que possui sua própria rede, a ERCOT, sigla em inglês para Conselho de Energia Elétrica do Texas. É isso. Este é o nosso sistema de fornecimento de eletricidade.

A integração entre essas redes regionais — e até entre as companhias de eletricidade de cada região — é surpreendentemente limitada. Imagine-se tentando dirigir através dos Estados Unidos, de Nova York a Los Angeles, sem nosso sistema de rodovias interestaduais — seguindo apenas pelas estradas estaduais e vicinais — e usando apenas mapas locais para se localizar. Tentar enviar elétrons de Nova York a Los Angeles seria a mesma coisa. O fato é que não valeria a pena enviar elétrons através do país, pois muita eletricidade seria perdida durante a transmissão. Mas a colcha de retalhos ainda apresenta um problema. É muito difícil movimentar elétrons, mesmo no âmbito das regiões. Imagine-se tentando dirigir de Phoenix até Los Angeles somente por estradas vicinais, e você terá uma ideia do que é movimentar elétrons gerados em fazendas eólicas, no norte do Arizona, até os consumidores do sul da Califórnia.

O sistema também é burro no que se refere a preços. Nossas companhias de eletricidade fornecem energia de modo muito confiável, mas os elétrons que vendem não têm nenhuma diferenciação. Ou seja, na maioria dos casos, você paga o mesmo valor pela eletricidade que chega à sua casa, independentemente de como foi gerada — carvão, petróleo, usinas nucleares, usinas hidrelétricas, turbinas eólicas, painéis solares ou gás natural — e independentemente da parte do dia em que foi gerada, seja nos períodos de pico ou nas horas de menor demanda. Não é possível diferenciar. Você paga um preço por quilowatt-hora e recebe uma conta, depois que a companhia de eletricidade lê o relógio de luz instalado em sua residência. Nos dias de hoje, não existe nada na indústria de energia elétrica que, mesmo remotamente, possa ser comparado com o detalhamento de uma conta telefônica.

Finalmente, o sistema elétrico é burro no sentido de que, na maioria dos casos, não existe comunicação nos dois sentidos entre você e a companhia de eletricidade. Como consumidor, você não pode solicitar, e a empresa não pode fornecer, um tipo específico de geração de eletricidade, por um preço específico, para uma máquina específica. Na maior parte dos Estados Unidos, quando falta luz, você telefona para a companhia de eletricidade e informa o fato. A empresa não tem outro meio de saber o que ocorreu.

Mas Deus abençoe a rede elétrica; embora seja realmente burra, a eletricidade que tem fornecido há muitos anos é barata, onipresente e confiável — tão confiável que a maioria dos americanos nunca se perguntou de onde vem, como foi produzida ou como está sempre disponível em qualquer tomada da parede. Simplesmente esperamos que ela esteja lá e, quando não está, mesmo que por 15 minutos, fazemos um escândalo.

Os órgãos reguladores estaduais dizem a cada concessionária quanto esta poderá cobrar por quilowatt-hora de eletricidade. Basicamente, dizem às companhias de eletricidade: "Vocês vão gerar eletricidade barata, confiável e onipresente, e nós vamos lhes dar um monopólio para fazer isso. Com intervalos de poucos anos, nós determinaremos a taxa que você poderá cobrar para fornecer energia na sua área, de modo a assegurar que suas despesas sejam cobertas e que vocês tenham um retorno adequado pelo capital que investiram no negócio — contanto que trabalhem direito."

Especificamente, os órgãos reguladores e as companhias de eletricidade elaboram um projeto — às vezes, chamado de projeto de recursos integrados; outras vezes, apenas de orçamento básico. Nesse projeto, a concessionária diz ao órgão regulador: "Eis como pretendo atender aos meus clientes e cumprir minhas obrigações para proporcionar energia onipresente de modo confiável e ao preço mais baixo possível — com essas tantas usinas e essas tantas linhas de transmissão, que custarão esse tanto." Uma vez aprovado o projeto, a concessionária diz ao órgão regulador: "Vou precisar desse tanto para cobrir todos esses custos."

Assim, o órgão regulador examina as necessidades monetárias declaradas pela companhia de eletricidade (chamadas de solicitação de rendimentos), faz alguns cortes — pois o requerimento inicial é sempre inflacionado — e o divide pelos quilowatts-hora que a companhia de eletricidade espera vender. O resultado se torna o preço do quilowatt-hora, que a concessionária passa a cobrar do consumidor. Esse valor é calculado para cobrir os custos fixos de operação das usinas existentes, os custos dos investimentos em novas instalações e os preços variáveis do combustível utilizado para gerar a eletricidade — ou seja, o carvão, o petróleo, o gás natural ou o urânio —, somados aos custos de mão de obra, impostos e seguros. E, finalmente, a cereja no alto do bolo: algum lucro líquido para os acionistas.

Para colocar as coisas de modo simples: as companhias de eletricidade constroem instalações — *mais usinas e mais linhas de transmissão, que lhes possibilitam vender cada vez mais elétrons para cada vez mais consumidores* — porque são recompensadas pelos órgãos reguladores com taxas crescentes, baseadas no capital investido. Quanto maior for o capital investido, mais dinheiro elas ganham. Como os novos investimentos têm de ser justificados pelo crescimento da demanda, as companhias de eletricidade têm interesse em incentivar o consumo — o que, por sua vez, cria a necessidade de investir e construir mais, o que, por sua vez, aumenta seus rendimentos. O ciclo se torna quase pavloviano.

"Pense em uma companhia de eletricidade", diz Ralph Cavanagh, o lendário perito em empresas de utilidade pública do Conselho de Defesa de Recursos Naturais, o qual tem incentivado inovações nas concessionárias da Califónia. "O negócio delas envolve enormes investimentos, que têm de ser recuperados, independentemente de quanta energia vendam. Se elas investirem em uma usina de gás natural, ou em uma fazenda eólica, os custos podem chegar a centenas de milhões de dólares, ou até bilhões. Esses custos não variam se você, o consumidor, usar mais ou menos energia. Portanto, as empresas têm interesse vital em aumentar suas vendas de eletricidade e de gás natural, para que possam recuperar seus custos fixos."

Sob muitos aspectos, sua companhia de eletricidade local é "como um bufê do tipo 'coma à vontade por cinco dólares'", explica Peter Corsell, diretor-presidente da GridPoint, que fabrica um equipamento para que você possa controlar todos os sistemas elétricos de sua casa. "Elas são pagas para nos fornecer energia confiável e barata, e nós podermos consumir à vontade." Frequentávamos esse bufê todos os dias e consumíamos quanto desejássemos. O restaurante estava sempre aberto. A vida era boa.

Um dos motivos que tornavam a energia barata, no entanto, era que os consumidores e os órgãos reguladores nunca pediram às companhias energéticas para oferecerem duas coisas adicionais em seu bufê de elétrons. Não pedíamos que a energia que elas geravam fosse livre de emissões de CO_2. (Pedimos que fossem removidos os poluentes tradicionais, especialmente mercúrio, óxidos de nitrogênio e óxidos de enxofre emitidos durante o processo de combustão do carvão, o que as empresas fizeram muito bem — mas não o dióxido de carbono.) E nós não as incentivamos a oferecer programas de eficiência energética. Não encorajamos as empresas energéticas a recompensar os consumidores por poupar energia ou com mudanças no fornecimento e nos preços — para que estes pudessem comprar mais eletricidade quando o custo de geração fosse menor, e menos quando o custo de geração fosse maior.

A ênfase no preço baixo ofuscou as possíveis considerações sobre a eficiência energética e o aquecimento global. E garantiu que as companhias energéticas recorressem, tanto quanto possível, às usinas a carvão. Durante muitos anos, enquanto as concessionárias forneciam eletricidade a um tostão por quilowatt-hora, poucas pessoas se importavam se as usinas a carvão cuspiam milhões de toneladas de CO_2; e poucas pessoas se importavam se os quilowatts-hora fossem utilizados de forma ineficiente, ou em aplicações perdulárias. É justo dizer que os órgãos reguladores pressionaram as companhias de eletricidade para manter os preços baixos e se concentrar, tanto quanto possível, em fontes de custo mais acessível, como o carvão.

As obrigações de "onipresença" e "confiabilidade" também trabalharam contra a eficiência. Por quê? Porque exigiam que as empresas possuíssem uma capacidade de fornecimento superior à demanda, para que estas sempre dispusessem de uma "margem de reserva" adequada — a um custo elevado, que nos era repassado — que pudesse atender picos de demanda nos dias mais quentes, o que ocorria uma ou duas vezes a cada verão. Aumentar a oferta foi sempre a resposta a qualquer problema, nunca se procurou controlar a demanda.

Mas, um belo dia, uma coisa engraçada aconteceu a caminho do bufê de elétrons "coma à vontade". Algumas pessoas — como Al Gore — começaram a ir até a cozinha. O que viram não foi bonito. Então voltaram até a sala de refeições e disseram ao restante de nós: "Vocês sabem o que está acontecendo lá nos fundos? Vocês sabem por que este bufê 'coma à vontade' custa só cinco dólares? É porque há diversos tipos de custos que não estão sendo repassados a nós, consumidores. Estão sendo pagos por mais alguém."

Esses custos estavam sendo pagos pela sociedade, como um todo, ou debitados nos cartões de crédito de nossos filhos. O carvão, o gás natural e o petróleo, que estavam gerando os elétrons baratos para o bufê "coma à vontade", estavam provocando aquecimento global, asma infantil, chuva ácida, desflorestamento, perda da biodiversidade e ditaduras do petróleo — e ninguém está incluindo esses custos no preço do quilowatt-hora que estamos pagando. Considerando que quando alguma coisa é grátis, ou praticamente grátis, as pessoas tendem a consumi-la em maior quantidade, mais elétrons baratos estavam sendo solicitados, e mais destruição estava ocorrendo nos fundos dos bufês.

As pessoas que dirigem esses bufês são nossos vizinhos. Não estão tentando prejudicar a sociedade. São parte dela. Mas o Sistema de Combustíveis Sujos foi estabelecido para fornecer elétrons à vontade, de modo confiável, e ao menor preço possível, para qualquer consumidor que os desejasse (e gasolina barata para qualquer motorista que a desejasse), mesmo que isso acarretasse a devastação de nossos ecossistemas e tivesse efeitos colaterais climáticos. Até recentemente, ainda não tínhamos correlacionado todos os elementos — e muita gente ainda não o fez.

A opinião pública, entretanto, está mudando. Estamos começando a entender que precisamos de um novo sistema — um Sistema de Energia Limpa. Ainda queremos que nossa eletricidade e nossos combustíveis sejam baratos, confiáveis e onipresentes; mas agora queremos que, tanto quanto possível, sejam produzidos por fontes que não emitam CO_2 através de um sistema que promova a eficiência energética e a conservação dos recursos naturais, não a poluição. Para ser mais específico, cerca de 40% das emissões totais de CO_2, nos Estados Unidos, provêm da produção de eletricidade destinada a residências, escritórios e fábricas. Outros 30% vêm do setor de transporte — basicamente carros, caminhões, barcos, trens e aviões. Por conseguinte, se conseguirmos eletrificar toda a nossa frota de transportes, com exceção dos aviões, tornando-a, ao mesmo tempo, muito mais eficiente no uso da energia, assim como nossos prédios — e suprir esses 70%, prédios e transportes, com energia limpa, abundante, barata e confiável, mediante uma rede elétrica mais inteligente —, isto seria uma revolução. Seria um passo gigantesco no rumo da redução de consumo dos combustíveis fósseis, por parte dos Estados Unidos, reduzindo igualmente nossas emissões de dióxido de carbono.

Essa é a verdadeira revolução verde que estamos buscando. Mas ainda é uma coisa abstrata demais para muitas pessoas. Vamos então entrar em uma máquina do tempo e ver como seria, realmente, vivenciar uma verdadeira revolução verde, no ano 20 da E.E.C. — a Era da Energia e do Clima.

Ano 20 da E.E.C.

O seu alarme soa às 6h37 da manhã, tocando Here Comes the Sun, *o clássico dos Beatles, tal como você programou na noite anterior, escolhendo entre 10 mil canções para despertar oferecidas pela sua concessionária de energia elétrica, em colaboração com a companhia telefônica e o iTunes. Você não possui despertador. A música estava tocando no seu telefone, que está integrado à Caixa-Preta de Controle de sua casa — ou CPC, como é conhecida. Todo mundo tem uma CPC, o painel pessoal de controle de energia. Assim como você ganha um decodificador quando contrata uma operadora de televisão a cabo — agora, quando contrata a Internet Energética de uma companhia de eletricidade progressista como a Duke Energy, se você vive nas Carolinas, ou como a Southern California Edison, se vive no Oeste, você ganha uma CPC.*

Trata-se de uma caixa-preta, do tamanho de um forno de micro-ondas, que integra, controla e assegura a interoperabilidade de sua energia, comunicação, aparelhos de entretenimento e de serviços. Isso inclui ajustes de temperatura e outras preferências em cada aposento — iluminação, alarmes, telefones, computadores, conexões de internet, todos os aparelhos, todos os dispositivos de entretenimento, seu carro elétrico híbrido com a respectiva bateria recarregável. O monitor touchscreen *da CPC pode lhe dizer exatamente quanta energia qualquer um desses aparelhos está consumindo a qualquer momento.*

Seu carro, aliás, já não é chamado de "carro". Agora se chama UMAE, unidade móvel de armazenagem de energia — e você poderia dizer "eu tenho uma UMAE Ford Mustang". O termo "carro", agora, é considerado muito século XX.

Não é a única coisa considerada fora de moda. No princípio da Era da Energia e do Clima, passamos de uma internet que conectava computadores e uma World Wide Web que interligava conteúdo e websites, para uma Internet de Coisas: uma Internet Energética na qual todos os dispositivos — de interruptores de luz a condicionadores de ar, a aquecedores, a baterias de carros, a linhas de transmissão, a usinas elétricas — incorporam microprocessadores capazes de informar à sua concessionária, diretamente ou através da CPC, em que nível o aparelho está operando; capazes de receber instruções, suas ou da concessionária, a respeito de como devem operar e em que nível de potência; e capazes de informar à concessionária quando desejam adquirir ou vender eletricidade. Você e sua concessionária dispõem de um sistema de comunicação em mão dupla. De repente, você tem um painel de controle que lhe permite ver e controlar todo o seu gasto de energia — e isso lhe permite responder rapidamente às mudanças nos preços e às condições ambientais.

Seus aquecedores e condicionadores de ar, sua iluminação e seus aparelhos — sua lavadora de pratos, sua geladeira e a bateria de seu carro — podem agora ser programados para funcionar em níveis mais baixos quando a demanda por eletricidade na rede estiver em seu ápice e os elétrons, mais caros, e podem ser instruídos a funcionar a toda potência durante a noite — ou, no caso do carro elétrico, para carregar e armazenar energia à noite, quando a demanda por eletricidade estiver no ponto mais baixo e a energia estiver mais barata.

Não tenham medo. A contratação desse sistema é totalmente voluntária. Não há nenhum ditador para forçá-lo a aderir. Se você não quiser ter uma CPC em sua casa, não precisa ter. Você ainda poderá receber sua eletricidade do modo antigo e burro. Mas não tenha ilusões: se optar por não aderir, você será relegado a uma vala comum. Suas taxas aumentarão, pois a companhia de eletricidade não poderá otimizar a quantidade de energia destinada à sua casa, ou proveniente dela, ou em seu interior. Os demais clientes não irão querer pagar taxas maiores para subsidiar seu comportamento perdulário e ecologicamente irresponsável.

Depois de ler o jornal e tomar seu café da manhã, você acessa sua CPC através do seu iPhone, ou do seu Blackberry, ou de seu computador doméstico. A tela colorida, de interface amigável, dirá a você quanta energia elétrica cada dispositivo de sua casa está consumindo e quanto custa cada quilowatt-hora naquela hora do dia, de acordo com seu plano energético.

É verdade: seu próprio plano energético. Sua companhia de eletricidade agora oferece uma diversidade de planos, assim como a companhia telefônica. Assim, você pode programar o consumo de energia em sua casa

— buscando os custos mais baixos, a energia mais limpa e o máximo de eficiência; ou regulando a energia segundo as horas em que você estiver em casa ou no trabalho, entre muitas outras opções.

A opção mais popular é a "Pechincha Elétrica — Noites e Fins de Semana". Este plano ajuda sua concessionária a equilibrar e reduzir a demanda total de energia mudando a transmissão de energia das horas de pico do dia — quando os elétrons são mais caros — para as horas mortas da noite, quando são mais baratos. Através de sua CPC, sua concessionária ajusta o termostato de sua casa para cima ou para baixo, ligeiramente, e instrui seu aquecedor de água, geladeira e condicionador de ar a desligar por curtos períodos de tempo — tão curtos que você nem nota. Os ajustes também permitem que a companhia de eletricidade ligue sua lavadora de roupas e de pratos durante a noite, e até que desligue todas as suas luzes externas durante alguns minutos de cada vez.

Como recompensa por permitir que a concessionária controle seu uso de energia dessa forma, você obtém um desconto de 15% em sua conta mensal de eletricidade. É um grande negócio para a companhia energética, que pode agora utilizar todas as suas usinas de modo mais eficiente — pois os picos de fornecimento estão sendo reduzidos, e as baixas de fornecimento, elevadas. Assim, a companhia não precisará construir novas usinas somente para atender às horas de pico.

Outro plano popular é o chamado "Elétrons mais Baratos". Neste plano, seus aparelhos se tornam seus compradores de energia. Você programa sua CPC para que suas máquinas (lavadora e secadora de pratos, aquecedor de água, condicionador de ar) trabalhem apenas quando os elétrons estiverem custando menos de 5 centavos de dólar por quilowatt-hora; e para que seu sistema de aquecimento ou refrigeração da casa (dependendo da estação) desligue quando o preço da eletricidade ultrapassar 10 centavos de dólar por quilowatt-hora. (Você poderá vestir um casaco ou abrir uma janela.) Ou seja, você carregou a lavadora de pratos antes de ir para a cama, mas a máquina só começou a funcionar às 3h36 da manhã, quando sua CPC detectou que o preço dos elétrons caiu para 4,9 centavos por quilowatt-hora. E seu condicionador de ar refrigerou a casa durante todo o dia, até cerca de seis da tarde, quando as taxas pularam para 12 centavos por quilowatt-hora — então, desligou-se automaticamente. Voltou a funcionar às nove da noite, quando o preço dos elétrons caiu para 9,9 centavos por quilowatt-hora.

Isso é muito diferente dos tempos de nossos avós — antes do ano I da E.E.C. —, quando a utilização da maioria dos aparelhos custava uma taxa fixa por quilowatt-hora, independentemente das flutuações da demanda e dos custos. Nesta nova era, tudo o que você tem de fazer é escolher o plano de "Elétrons mais Baratos", pois sua lavadora de pratos e seu condicionador de ar — com seus processadores inteligentes e trabalhando em conjunto com sua CPC — procuram os melhores preços para você no mercado, automaticamente, a cada cinco minutos.

A maioria dos consumidores não se dá conta disso, mas o mercado de eletricidade é um mercado spot, *instantâneo e em constante movimento. Os custos da eletricidade variam para cima e para baixo com diferenças de até dez vezes, para mais ou para menos, no decorrer de um dia. A conta mensal que você recebe, com uma taxa fixa por quilowatt-hora, mascara o mercado selvagem e rodopiante da eletricidade que existe a cada minuto do dia. Os preços mudam, dependendo da demanda em sua rede elétrica regional e da oferta disponível, proveniente das termelétricas a carvão, ou gás natural, das hidrelétricas, das fazendas eólicas e das usinas nucleares.*

Por exemplo, quando a demanda de sua rede elétrica regional supera a oferta disponível de elétrons baratos — aqueles gerados pelo carvão — sua companhia de eletricidade tem de recorrer a seus geradores alimentados a gás natural; isto significa que o custo dos elétrons para a concessionária imediatamente se equipara ao preço do gás natural. Quando a demanda cai, acontece o contrário, o preço pode abaixar até o preço da energia nuclear ou hidrelétrica. Tudo isso era oculto pelo Sistema de Combustíveis Sujos. Mas agora não é mais — não depois que você instalou sua CPC e adquiriu aparelhos inteligentes; e que a companhia de eletricidade instalou uma tecnologia mais inteligente em sua rede elétrica. Agora sua casa pode tomar conhecimento dos verdadeiros custos da energia, acionando os aparelhos apenas quando a eletricidade atingir os preços indicados por você. Além de estar usando a energia apenas quando é mais barata, você também está utilizando menos energia, graças aos crescentes padrões de eficiência. Ponto final. Seus aparelhos, atualmente, usam 1/3 da eletricidade que era necessária para fazer as mesmas tarefas há uma década.

Com a rede elétrica inteligente, controlar sua utilização da energia é tão simples quanto acender ou apagar as luzes. Com esses dois planos, você apenas pressiona o botão "dormir" no painel de controle da CPC quando sai de casa, e todos os aparelhos da casa se desligarão, ou trabalharão com uma quantidade mínima de energia, até ordens em contrário. Você pode telefonar para o painel de controle da sua CPC e instruir sua casa para "acordar", assim que seu avião aterrissar no aeroporto, após uma longa viagem. Ao chegar em casa, haverá água quente disponível no chuveiro e o condicionador de ar já terá refrigerado a casa.

A eletricidade é só uma questão de ligar/desligar. O propósito da rede elétrica inteligente é assegurar que a eletricidade seja o mais produtiva possível quando estiver acionada. Por que todos os seus aparelhos devem permanecer ligados, consumindo energia à toa, quando você não está em casa? Porque são burros demais para fazer outra coisa. Ligando e desligando os dispositivos nas horas certas, a rede inteligente pode, virtualmente, eliminar esse tipo de desperdício, que pode chegar a 10% de toda a eletricidade consumida em uma residência. (É claro que quando precisar ligar sua lavadora de roupas ou a lavadora de pratos em determinado momento, você pode simplesmente ignorar os controles automáticos; o sistema irá alimentar o aparelho com a energia mais barata naquele momento.)

O seu vizinho, um ambientalista fanático, aderiu ao plano "Combustíveis do Céu/Combustíveis do Inferno". Neste plano, o consumidor paga determinado valor por mês, e a companhia de eletricidade concorda em cobrir cada quilowatt-hora utilizado com energia limpa, proveniente de fontes eólicas, solares, geotérmicas ou hidrelétricas — sem a utilização de nenhum combustível do inferno. Isto não significa que a energia virá de fontes limpas a cada segundo do dia. Significa que, todos os meses, a concessionária adquiriu uma quantidade de energia limpa — vinculada a fontes específicas de geração — equivalente à demanda de todos os consumidores participantes do plano "Combustíveis do Céu/Combustíveis do Inferno". Se você aderir ao plano, poderá se sentir melhor no que se refere ao consumo de energia, pois estará levando a companhia energética a procurar mais fontes de energia limpa, tornando-as, por conseguinte, mais competitivas em termos econômicos.

Você e seus vizinhos também se reuniram e aderiram ao plano "Relógio de Luz Cada Vez mais Lento". Este funciona assim: onde os quatro cantos de seus respectivos quintais se juntam, vocês instalaram quatro conjuntos de painéis solares. Vocês os alugaram da companhia de eletricidade. A energia solar é encaminhada diretamente para as quatro casas e, de fato, torna mais lentos os relógios de luz — reduzindo a quantidade de energia a ser retirada da rede elétrica e fazendo com que você e seus vizinhos produzam sua própria energia. A manutenção desses painéis, conhecidos como URGAs — unidades regionais de geração e armazenagem —, é feita pela própria concessionária. No outro dia mesmo, a Duke Energy apareceu para consertar dois dos painéis solares, danificados por uma chuva de granizo. Ninguém precisou chamar a companhia. Cada painel é conectado pela rede inteligente ao supercomputador da Duke; dessa forma, este pôde alertar imediatamente, assim que os painéis deixaram de funcionar. Que contraste com as histórias que o vovô costumava contar, sobre aqueles dias em que uma tempestade forte varreu a vizinhança e sua casa ficou sem energia — e a companhia de eletricidade nem soube do fato, até que alguém telefonou para lá! Deve ter sido um grande aborrecimento, vovô!

A companhia de eletricidade ficou feliz em instalar os painéis solares, tanto por ser um modo de auferir rendimentos por novos serviços, quanto porque sua área de atuação é densamente povoada, e a rede elétrica fica sobrecarregada nas horas de pico. A utilização das URGAs alivia um pouco a pressão sobre a rede. Quanto mais consumidores puderem gerar sua própria energia eólica, ou solar, para acender suas luzes e aquecer sua água de modo seguro e constante — melhor.

Alguns dos seus parentes que vivem em Los Angeles foram até mais arrojados. Reuniram-se com representantes de sua companhia de eletricidade e criaram seu próprio plano: o "Plano Verde para Famílias e Amigos". Alugaram, então, três vagas de estacionamento atrás da escola primária, na mesma rua. Depois, alugaram da Southern California Edison uma célula a combustível reversível, fabricada pela Bloom Energy, e a conectaram a suas casas. Trata-se de uma grande caixa-preta, do tamanho de uma van, que

— de muitas formas — poupa dinheiro, energia e o ambiente. Ela retira eletricidade da rede durante a noite, quando a energia é mais barata. Em seguida, mediante um processo de eletrólise, converte água em hidrogênio, que armazena em um tanque; e o converte novamente em eletricidade para alimentar todas as casas e carregar os carros, durante as horas de pico, quando a eletricidade é duas vezes mais cara. A célula também pode converter energia solar em eletricidade. O único "lixo" que produz é água limpa. Você pode até alimentá-la com refugos agrícolas; ela usará um pequeno forno para converter os refugos em hidrogênio e, então, em eletricidade. As turmas da escola primária — que compartilha a eletricidade com os vizinhos — competem para ver quem consegue arranjar mais biomassa para alimentar a caixa da Bloom Energy, de modo a gerar mais elétrons.

Sua companhia de eletricidade ficará feliz em oferecer esses serviços, pois está ganhando dinheiro com cada um deles — em vez de apenas vender elétrons baratos e burros no bufê "coma à vontade". Os órgãos reguladores estão felizes com isso, pois acreditam que os serviços beneficiam os clientes, ajudam a preservar o ambiente e aliviam a pressão sobre a rede elétrica. A construção de usinas caras já não é mais necessária.

O que não se vê, mas que é extremamente importante, é que a rede elétrica da Internet Energética permite à concessionária utilizar mais energia renovável. Nos velhos tempos, como observei antes, as concessionárias sempre dimensionavam seus sistemas de geração de modo a garantir que poderiam alimentar todos os condicionadores de ar ligados nos quatro dias mais quentes do ano, quando a demanda por eletricidade chegava ao máximo. Faziam isso, em parte, prevendo a demanda e programando a oferta um dia ou dois antes da época. Ficaram muito, mas muito boas nisto. Mas, para o caso de calcularem mal, ou de ocorrer uma onda de calor inesperadamente longa e intensa, elas também superdimensionavam suas redes — assim, se tudo corresse bem, ninguém ficaria sem energia elétrica nos dias mais quentes. As companhias de eletricidade faziam isso construindo usinas extras. Pode parecer uma medida sensata, mas não eficiente. Imagine que você possua uma fábrica que produza cartões comemorativos. Se você agisse como as concessionárias de energia, construiria uma fábrica de 10 milhões de dólares que trabalharia no máximo de sua capacidade todos os dias, para atender ao ritmo normal de negócios. Depois, construiria outra fábrica de 10 milhões de dólares apenas para lidar com o aumento de negócios na semana antes do Natal, e nos três dias antes do Dia das Mães, do Dia dos Pais e do Dia dos Namorados. No restante do ano, essa segunda fábrica não produziria nada, mas todas as máquinas estariam em stand-by, para o caso de haver um súbito aumento na demanda de cartões de aniversário. Trata-se de um modo muito ineficiente de aplicar o capital, mas foi como dirigimos nossa rede elétrica durante longo tempo.

Agora que a rede inteligente está instalada, no entanto, podemos controlar a demanda. Como tanto as companhias de eletricidade quanto os clientes estão aptos a otimizar o consumo de energia, muitas pessoas ligam seus aparelhos tarde da noite, quando as taxas estão mais baixas, e poucos aparelhos durante o dia, quando estão mais altas. A Internet Energética sabe tão bem quando deve lhe vender eletricidade e quando pode adquirir eletricidade da bateria de seu carro ou de seu sistema doméstico de energia solar, que a transmissão de energia ficou muito mais constante durante os 365 dias do ano. Quanto mais estável a transmissão de qualquer rede elétrica — de modo que os picos não sejam muito altos, ou tenham sido eliminados —, menos usinas sobressalentes precisam ser construídas ou operadas. Isto é, na verdade, substituir a eficiência energética por um novo tipo de geração de energia.

Foi o que a Internet Energética tornou possível. Mas ela não se limitou a aumentar a eficiência no aproveitamento da energia. Também tornou prática, pela primeira vez na história, a produção em larga escala de energia renovável. Por quê? Porque quanto mais estável é a transmissão de energia, mais recursos sobram para que as companhias de eletricidade comprem ou produzam energia renovável para vender a você e a seus vizinhos, em vez de recorrer ao carvão e ao gás. No ano 20 da E.E.C., a Southern California Edison obtém mais da metade de sua eletricidade de duas enormes fontes de energia renovável — eólica e solar —, e utiliza, no restante, uma combinação de usinas a gás natural, nucleares e de carvão (com sequestro de CO_2*). A SoCalEd construiu imensas fazendas eólicas no Wyoming e em Montana, e contratou os serviços de muitas outras fazendas menores. A fazenda do Wyoming é tão grande que se transformou em atração turística, assim como a represa Hoover, e suas turbinas se estendem até o horizonte.*

A rede inteligente possibilitou a produção em larga escala de energia renovável. Nos velhos tempos, a grande desvantagem das energias eólica e solar era serem inconstantes. O sol aparecia durante o dia, mas não à noite. O vento, em muitas partes do país, tende a soprar com mais força durante a noite e no início da manhã — ou seja, nas horas em que a demanda é mínima. A energia produzida por essas fontes limpas e renováveis não poderia ser armazenada de modo econômico e eficiente com as tecnologias então existentes. O mecanismo mais viável de armazenagem usado pela indústria energética era utilizar a energia para bombear água para o alto de uma colina, durante a noite, e gerar eletricidade com a queda da água durante o dia. O problema era que existiam relativamente poucos projetos desse tipo no país, pois sua construção era dispendiosa e, além disso, três unidades de energia eram gastas movendo a água morro acima, durante a noite, para cada unidade produzida no dia seguinte. Esses fatos impediam que as energia eólica e solar constituíssem mais que 20% da produção das companhias de eletricidade, pois tinham de ser apoiadas por usinas sobressalentes, alimentadas a gás natural, para os dias em que o sol não brilhasse e o vento não soprasse.

Mas agora que ingressamos na era da Internet Energética — a rede elétrica inteligente — as concessionárias podem controlar sua geladeira e ajustar seu termostato para quando o vento estiver soprando ou o sol brilhando. Podem equilibrar a oferta com a demanda. Assim, podem utilizar mais fontes de energia renovável a um custo muito menor. Quando as nuvens bloquearem o sol, ou o vento amainar, a rede inteligente reduz a demanda aumentando os preços (e sua CPC decide não lavar a roupa nesse período), ou ajustando o termostato de sua casa. Quando o sol estiver brilhando intensamente e o vento, uivando, a rede aciona sua lavadora a um preço menor. Agora, há uma correlação direta entre a inteligência de sua rede elétrica, sua eficiência e quanta energia renovável ela pode usar.

Como todas as revoluções, entretanto, esta mudou muitas coisas ao mesmo tempo. Quando a rede elétrica inteligente se estendeu às casas e aos carros inteligentes, criou um novo mercado de energia do lado de fora de seu relógio de luz. Nos velhos tempos, não havia mercado além dos elétrons obtusos que entravam em sua casa. Tudo terminava no relógio de luz, e você simplesmente pagava o preço calculado no final do mês. Mas quando seus aparelhos se tornaram inteligentes, e uma Caixa-Preta de Controle foi introduzida em sua casa, um mercado se formou além do seu relógio de luz, através de sua casa e, numa escala mais ampla, dentro de cada fábrica e empresa do país.

Algumas companhias de eletricidade decidiram ingressar nesse mercado, para ajudar o consumidor a otimizar sua casa inteligente, de modo a obter o máximo de refrigeração, aquecimento e outros serviços elétricos, com elétrons limpos, baratos e na menor quantidade possível. Muitas concessionárias, no entanto, decidiram funcionar como facilitadoras para a nova indústria, e formaram as empresas de serviços de eficiência energética — as ESEEs. As ESEEs surgiram — assim como os provedores de internet que brotaram à sombra das companhias telefônicas tradicionais — para ajudar você, o consumidor, a otimizar a rede inteligente para sua casa. As companhias de eletricidade criaram esse mercado dizendo que lhe dariam grandes descontos, e até subsídios, para instalar aparelhos eficientes no uso da energia, ou para climatizar sua casa, de modo a diminuir seu consumo de elétrons. Isto porque os órgãos reguladores negociaram um novo acordo com as concessionárias, no qual estas seriam pagas pela quantidade de energia que ajudassem seus clientes a poupar — em vez de consumir! (Explicarei isto com mais detalhes no Capítulo 14.) Para ajudar os consumidores a fazer isso, as ESEEs entraram no jogo.

No outro dia mesmo, um vendedor da empresa de serviços de eficiência energética da General Electric bateu à sua porta. Sua residência já tem 20 anos. O vendedor propôs o seguinte negócio: em primeiro lugar, a ESEE da General Electric faria gratuitamente, em sua casa, um check-up completo de eficiência energética. A empresa traria equipamentos para pressurizar toda a casa e lhe mostrar por onde o ar-condicionado estava escapando — dutos mal conectados, por exemplo. Então lhe emprestaria o dinheiro para vedar todas as frestas nos canos e fissuras no teto que, em silêncio, drenavam energia de sua casa, elevando em 30% sua conta de luz. Depois, instalaria aparelhos mais eficientes no uso de energia. Você não precisaria pagar nada à vista. A ESEE dividiria com você o dinheiro economizado na sua conta mensal de gás e eletricidade e o dinheiro que receberia com os créditos de carbono no mercado mundial — por ajudá-lo a reduzir sua contribuição às emissões de dióxido de carbono. A ESEE da General Electric ficaria com 75% do montante, usando 50% para amortizar o empréstimo e mantendo 25% como margem de lucro. Você ficaria com os outros 25%. Sua casa, agora, se tornou mais eficiente no aproveitamento da energia e se valorizou no mercado. Enquanto isso, a ESEE da Sears deixou um folheto em sua casa, oferecendo o mesmo negócio, mas com uma divisão de 60-40%! Como o fluxo de caixa de todos esses acordos de eficiência energética é muito previsível, as ESEEs podem vendê-los a bancos de investimento, que os transformam em títulos de poupança verde.

Depois de uma ducha e de tomar o café da manhã, você decide se dirigir ao escritório, para sua primeira reunião do dia. Isto exige uma pequena caminhada pela sala — cerca de vinte passos — até seu home office, com seu cartão Smart Card em mãos. Seu Smart Card, patrocinado pela Visa e pelo programa de milhagem da United Airlines, parece um cartão de crédito comum, apenas um pouco mais espesso. Você começa o dia de trabalho colocando-o no terminal eletrônico da Sun Ray, fabricado pela Sun Microsystems, que está sobre sua escrivaninha.

O terminal da Sun Ray utiliza apenas 4 watts, comparado aos 50 watts ou mais dos PCs comuns. O motivo é que não existe hard drive para sugar energia. O terminal da Sun Ray é somente um monitor, com uma abertura por baixo. Mas, quando você insere o Smart Card na abertura, ele se conecta com a chamada "nuvem de rede", onde estão todos os seus programas, e-mails, aplicações de internet e arquivos pessoais. A "nuvem" é um centro de dados repleto de servidores, situado perto de uma represa no rio Columbia — onde é gerada a energia hidrelétrica limpa que alimenta e refrigera os servidores que processam todos os seus programas (e os de milhões de outras pessoas).

As luzes inteligentes do seu escritório, acionadas por sensores de movimento, foram ligadas tão logo você entrou no aposento, assim como o condicionador de ar. Nenhuma eletricidade é consumida no aposento quando você não está presente. Todos os aparelhos, todas as novas casas e todos os novos prédios são agora construídos com padrões de eficiência cada vez maiores. No decreto sobre energia que promulgou em 2007, o presidente George W. Bush praticamente marginalizou as lâmpadas incandescentes, determinando sua retirada de circulação em 2014. Essas lâmpadas convertem em calor 90% da energia que recebem — o que todos nós podíamos perceber quando tentávamos retirar uma delas do bocal, antes que tivesse esfriado. Foram substituídas por lâmpadas fluorescentes, compactas e inteligentes. Com um quarto do consumo de eletricidade, não só reduzem a energia necessária para produzir luz, como também a energia necessária para refrigerar os aposentos, antes aquecidos pelo calor excessivo — e desperdiçado — das lâmpadas incandescentes.

Em sua escrivaninha, próximo ao terminal da Sun Ray, há uma lâmpada de mesa de 6 watts. Sim, é isto, apenas 6 watts — pois esta lâmpada utiliza um diodo emissor de luz e pequenos espelhos, que lhe proporcionam uma luz intensa e concentrada, equivalente a 100 watts, mas consumindo apenas 6% da energia. O mesmo acontece com os aparelhos de sua casa. A geladeira é tão eficiente que gasta o equivalente a uma lâmpada de 20 watts. O televisor, a unidade de TiVo e a esteira se desligam automática e completamente, deixando de desperdiçar energia quando não estão em uso.*

Normalmente, a firma em que você trabalha o encoraja a trabalhar em casa tanto quanto possível. Mas hoje, no terminal da Sun Ray, você encontrou uma mensagem do seu patrão informando que, às 10h30 da manhã, haverá uma teleconferência no centro da cidade, entre os administradores locais e seus colegas de Chennai, Índia, onde a empresa está envolvida em um enorme projeto de construção civil. Às 9h45, você entra em sua UMAE Ford Mustang. É um carro elétrico recarregável e híbrido, que roda o equivalente a 43 quilômetros por litro de gasolina. Veículos elétricos recarregáveis e híbridos são como híbridos comuns, mas possuem baterias maiores e podem ser recarregados em qualquer tomada. Por conseguinte, todos os seus trajetos locais são movidos a eletricidade; mas você dispõe de um

---

* TiVo é um aparelho que permite aos usuários nos Estados Unidos gravarem programas de televisão para assisti-los posteriormente. (N. do T.)

tanque de gasolina sobressalente. A bateria é recarregada todas as noites, ou quando necessário. Assim como sua lavadora automática e outros aparelhos, o carro interage automaticamente com sua companhia de eletricidade, de modo a comprar energia mais barata durante a noite.

Quando você estava a caminho do escritório, o mapa GPS do carro exibiu uma mensagem informando que ocorrera um acidente na estrada que você usa normalmente, e propôs uma rota alternativa.

Para circular no centro da cidade, você teve de passar por um portão eletrônico, que, automaticamente, lhe cobrou 12 dólares por entrar na cidade entre dez da manhã e duas da tarde. (Na hora do rush, o preço é de 18 dólares.) Esta é mais uma razão pela qual você trabalha em casa sempre que pode, faz transporte solidário com os vizinhos ou toma o ônibus. Tudo é parte do novo sistema de taxas de congestionamento, que reduziu drasticamente o número de carros no centro da cidade, criando mais espaço para os ônibus elétricos e outras formas de transporte de massa — que, agora, podem levar mais pessoas a mais lugares e de forma mais rápida do que nunca. O novo prefeito de sua cidade venceu a eleição com o lema "Cobre pelas ruas e melhore o trânsito". Segundo o prefeito, ninguém precisa ser um físico nuclear para entender a equação. "Se você quiser reduzir as emissões de CO_2*, cobre das pessoas por emitir* CO_2*. Se quiser menos carros nas ruas em determinadas horas, cobre das pessoas por usar as ruas." O sistema funcionou em todos os lugares onde foi testado.*

Ao chegar ao prédio do escritório, você estacionou seu carro em um edifício-garagem onde pode, ao mesmo tempo, carregar a bateria de seu carro e vender eletricidade para a rede. Agora, em todas as casas e estacionamentos dos Estados Unidos existe uma tomada universal, de mão dupla. Você decidiu estacionar nesse edifício-garagem depois que o proprietário venceu a concorrência contra outro edifício-garagem ali perto. Tais concorrências são hoje muito comuns. O seu edifício-garagem venceu ao oferecer quatro dias de estacionamento grátis por mês e uma lavagem de carro todas as sextas-feiras.

Por que o proprietário do estacionamento queria tanto que você estacionasse no prédio dele? Porque você dividirá com ele o dinheiro que ganha vendendo eletricidade extra de volta para a rede. Todo o telhado do edifício-garagem está ocupado por painéis solares que produzem elétrons limpos, que são então vendidos para as baterias de todos os carros no prédio. O proprietário chama isso de "internet de gasolina". O estacionamento se chama Poço de Petróleo Artificial do Bill. Portanto, o proprietário do edifício-garagem está tanto no negócio de estacionamentos quanto no de geração de energia. Às 14h32, quando a temperatura chegou a 30°C, seu carro, que ainda estava com quase toda a carga elétrica da noite passada, calculou que seria lucrativo vender alguns elétrons para a rede elétrica inteligente, pois os preços da energia tinham subido. Depois, calculou quantos elétrons seu carro precisaria para você se desincumbir de suas tarefas normais de quarta-feira — levar os filhos à escolinha de futebol e fazer compras no mercado —, e acrescentou mais 10% como margem de segurança, caso a rotina fosse um pouco modificada. Então, fez uma oferta de venda à companhia de eletricidade, no valor de 40 centavos de dólar por quilowatt-hora. Através da tomada universal, a SoCalEd comprou 5 quilowatts-hora da bateria de seu carro. Isto contribuiu para que a concessionária atendesse aos picos de demanda e mantivesse estável sua transmissão de energia, enquanto você e o proprietário do estacionamento ganhavam dinheiro. No caso, você arrecadou 2 dólares. A operadora do estacionamento, que instalara os painéis solares e as tomadas universais, também ganhou um pequeno percentual. Neste mês, a bateria do seu carro arrecadou 24 dólares, vendendo e armazenando eletricidade. Ao mesmo tempo, você gastou apenas 47 dólares para carregar seu carro com eletricidade, pois o carregou em casa, durante a noite, quando os preços estavam mais baixos — e vendeu eletricidade durante o dia, quando estavam no pico. O que você está gastando para dirigir equivale a cerca de 40 centavos de dólar por litro de gasolina. Além disso, as pessoas passaram a dirigir menos e a usar mais os transportes de massa — induzidas pela taxa de congestionamento. Com isso, os preços dos combustíveis se mantêm baixos e o petróleo deixa de financiar ditadores.

No escritório, seu patrão reuniu todo o pessoal da administração responsável pelos projetos de construção de residências inteligentes para um novo subúrbio em Chennai. Durante três horas, você conversou a respeito de diversos assuntos com seis colegas indianos, de financiamentos a problemas arquitetônicos. Antigamente, um negócio assim teria de ser discutido frente a frente — pelo menos alguns dos administradores teriam de voar até Chennai, gastando uma quantidade considerável de tempo, dinheiro e energia. Não mais.

O encontro de três horas foi realizado na rede da Cisco Systems, de forma virtual, através do sistema TelePresença. Você e sua equipe se sentaram em um estúdio, face a face com a equipe indiana — mostrada de forma bastante realista por um enorme monitor de TV, com imagens em 3-D. No sistema TelePresença, criado pela *Cisco Systems, as pessoas agem e falam como se estivessem presentes, as imagens de cada participante são em tamanho natural, em alta definição e som espacial — que dá a impressão de que a voz vem diretamente de quem está falando. É tudo tão realista que todos se sentem como se estivessem à mesma mesa, na mesma sala, embora estejam a meio mundo de distância. Tão realista, na verdade, que, ao final da reunião, você se levantou e tentou apertar as mãos das pessoas na tela, arrancando risos de todo mundo.*

Depois do encontro, você voltou para casa e estacionou seu carro na garagem, por volta de quatro horas da tarde. Enquanto aparava a grama do jardim, com seu aparador totalmente elétrico, seus filhos retornaram da escola no ônibus escolar elétrico e híbrido, outra grande unidade móvel de armazenagem de energia, que, assim como você, também economiza dinheiro para a escola do bairro, armazenando e vendendo elétrons limpos.

A escola do bairro, hoje, é um centro bifuncional de educação e de comércio — um CBEC. Assim que termina de servir o almoço, a cozinha escolar é assumida pela Einstein Bros. Bagels. Em vez de construir uma padaria nova, a empresa de bagels *utiliza a cozinha da escola, das três da tarde até as seis da manhã seguinte, para fabricar os* bagels *que serão distribuídos às suas lojas e a padarias em toda a cidade. O uso bifuncional entrou em moda, poupando enormes quantidades de eletricidade, terra e novas construções — e, a propósito, proporcionando às escolas um dinheiro extra para contratar mais professores. A Domino's Pizza também utiliza as cozinhas ociosas das escolas, depois do horário de almoço, para fabricar suas pizzas, que entrega por toda a cidade. Há anos, a Domino's não aluga nem constrói uma nova cozinha comercial.*

O prédio da escola foi projetado e construído para que todas as suas partes — paredes, janelas, sistemas de iluminação, água corrente e ventilação — aproveitem a energia de modo superefíciente, tanto no sentido individual quanto no coletivo. O telhado e as paredes externas do prédio formam uma miniusina — uma combinação de painéis solares para a geração de eletricidade e para o aquecimento de água. As janelas, concebidas com inteligência, deixam passar o máximo de luz durante o dia, de modo a economizar iluminação artificial. Por conseguinte, durante as horas de trabalho, a escola produz energia, cujo excedente vende à rede elétrica. À noite, na cozinha, quando a Einstein está preparando os bagels *do dia seguinte, a escola compra da rede toda a eletricidade de que necessita, a preços baixos. No final de cada mês, sua conta de energia é praticamente igual a zero. Não é mais possível a obtenção de uma licença para construir um prédio, em sua cidade, se este não for autossuficiente em energia.*

Por que os prédios autossuficientes em energia e bifuncionais constituem um negócio tão bom? Bem, eis um fato divertido: a produção de cimento em todo o mundo — que requer enormes quantidades de calor para calcinar o calcário — libera tanto CO_2 *na atmosfera quanto todos os carros de passeio do mundo. A edificação de prédios burros, portanto, além de gerar todo esse gás carbônico, é um grande desperdício de energia. Quando percebemos quanto poderíamos poupar com a construção de prédios inteligentes, os padrões de construção civil se tornaram tão importantes quanto os padrões de quilometragem dos automóveis.*

Como diz a norma, "medir para controlar". Ao somar tudo, você percebe que a Internet da Energia deu às pessoas e suas concessionárias a capacidade de medir e, portanto, conhecer, administrar e reduzir como nunca o uso de energia.

Tenho certeza de que a descrição acima parece fantasiosa — como algo extraído dos desenhos dos *Jetsons*, ou de um romance de ficção científica. Mas não é tão irreal assim. Um protótipo simples dessa Internet Energética foi apresentado na península Olímpica do estado de Washington, em um experimento organizado pelo Departamento de Energia do Laboratório Nacional do Noroeste do Pacífico, em conjunto com a Bonneville Power Administration (Administração de Energia de

Bonneville) e companhias de eletricidade locais. Em 26 de novembro de 2007, o website da MSNBC veiculou uma matéria sobre os resultados preliminares, com o título de "Aparelhos inteligentes aprendem a poupar energia". A história revelou que "como parte da experiência, os pesquisadores descobriram que era possível cortar pela metade os picos de eletricidade, durante três dias consecutivos". A seguinte declaração de Rob Pratt, diretor de programa do Laboratório para uma colaboração de várias agências, chamada GridWise, foi citada no artigo:

> "Foi incrível"... Jerry Brous, proprietário de uma casa em Sequim, Washington, que aderiu ao programa assim que ouviu falar dele, em uma estação de rádio local, disse que seu consumo de eletricidade caiu 15%. Ele organizou sua própria planilha, no Excel, para determinar o percentual de energia destinado ao aquecedor de água, à bomba térmica e à lavadora automática, de modo a verificar se poderia poupar ainda mais. Ele também recebeu, do programa, relatórios trimestrais com os valores poupados. Um dos mais recentes indicava uma economia de 37 dólares. Nas diversas vezes em que saía para acampar, Brous mandava sua casa "dormir" ou "acordar", apenas se conectando com um site da internet e a distância, ligando ou desligando o aquecimento.

O artigo explicou que

> na casa de Brous e em outras na península Olímpica, aquecedores de água e termostatos inteligentes informavam os preços da eletricidade, atualizados a cada cinco minutos, além da quantidade que estava disponível e a que era necessária. Os proprietários das casas podiam ajustar seus controles para diminuir o consumo de energia, e poupar dinheiro, durante os horários de muita demanda; ou ignorar os controles a qualquer momento, como quando estivessem recebendo convidados para jantar, ou algum parente ranzinza... Richard Katzev, perito em comportamento social e ambiental, e presidente da firma Public Policy Research (Pesquisas de Políticas Públicas) — sediada em Portland, Oregon — declarou que seria

> ineficaz apenas informar os consumidores; deveria haver incentivos para agir.

O artigo prosseguiu dizendo que

> pesquisadores gastaram uma média de 1.000 dólares em aparelhos, equipamentos e técnicas de monitoramento para cada uma das cerca de 200 residências que participaram de dois estudos correlatos. Quando o uso de tudo isso se tornar massificado e rotineiro, Pratt espera que os custos à vista fiquem em torno de 400 ou 500 dólares, talvez menos se os microprocessadores puderem ser integrados aos aparelhos antes que saiam das fábricas. "Se isso ficar barato o bastante, até sua cafeteira elétrica pode fornecer energia para a rede", disse Pratt. Se forem adotados em todo o país, esses aparelhos poupadores de energia poderão economizar cerca de 70 bilhões de dólares, ao longo de vinte anos, em novas usinas e linhas de transmissão que deixarão de ser construídas.

Por falar em cafeteiras elétricas que fornecem energia à rede, Pratt e seus colegas Mike Davis e Carl Imhoff, do Laboratório Nacional do Noroeste do Pacífico (PNNL, na sigla em inglês), sediado em Richland, Washington, fizeram a seguinte demonstração, quando os visitei: me levaram até um aposento, montado como uma combinação de cozinha e área de serviço, onde havia uma lavadora automática, aquecedor de água, geladeira e cafeteira elétrica. Cada aparelho estava equipado com um microprocessador especial projetado pelo PNNL, um controlador "de aparelhos amigável para redes elétricas", ou GFA, pela sigla em inglês. Trata-se de um circuito impresso, de 5 por 6 centímetros, que pode ser instalado em geladeiras, condicionadores de ar, aquecedores de água e vários outros aparelhos domésticos. Ele monitora a rede elétrica e pode desligar os aparelhos por alguns segundos, ou minutos, sem danificá-los — em resposta a sobrecargas da rede elétrica, ou comandos dela recebidos. Quando as usinas elétricas não conseguem gerar energia suficiente para atender às necessidades dos clientes, os GFAs reduzem um pouco da carga do sistema, para equilibrar a demanda e a oferta.

Quando cheguei à cozinha simulada, todos os aparelhos estavam funcionando, inclusive a geladeira com a porta aberta. Um mostrador digital pendurado na parede indicava quantos quilowatts os aparelhos utilizavam em sua força máxima. Faziam muito barulho. Então, eles reduziram em 70% a eletricidade sendo fornecida para a cozinha. O mais espantoso é que os aparelhos continuaram a funcionar, fazendo quase o mesmo barulho. Mas eles estavam usando 70% de eletricidade a menos. Como isso era possível? Os GFAs sentiram a queda de energia e cortaram parte da carga. Por exemplo, o secador desligou o calor, mas manteve o tambor rodando. O aquecedor de água se desligou, mas havia bastante água; se você estivesse no chuveiro, nem teria percebido. Na geladeira, o ciclo de descongelamento foi interrompido, mas, com a porta aberta, a luz permanecia acesa; e seus alimentos poderiam permanecer perfeitamente refrigerados durante os dois ou três minutos em que a rede elétrica estava sobrecarregada e a energia foi reduzida. Os circuitos amigáveis custam apenas 25 dólares cada, um preço que certamente despencaria com a produção em massa.

A beleza dessa tecnologia, que agora está sendo testada em comunidades maiores, tem muitos aspectos. Em primeiro lugar, esse tipo de queda de energia ocorre em sua rede elétrica algumas vezes por semana. Você simplesmente não percebe o fato. A razão disto é que as companhias de eletricidade protegem a rede mantendo uma usina sobressalente, ou duas, trabalhando o tempo todo, mesmo sem necessidade — e recorrem a elas quando ocorre uma queda de energia. Isto é chamado de "reserva obrigatória". Se a usina sobressalente for uma usina a carvão, está sempre emitindo CO_2, apenas para que você não se aborreça com uma queda de energia na rede elétrica.

Se pudéssemos controlar essas quedas de energia monitorando a demanda — simplesmente controlando os aparelhos elétricos, em vez de acrescentar energia sobressalente — poderíamos poupar energia e dinheiro, e reduzir as emissões de gás carbônico. "Desde que a rede elétrica foi instalada, sempre tentamos resolver os problemas pelo lado da oferta, com novas tecnologias; nunca tentamos solucioná-los pelo lado da demanda, com novas tecnologias", diz Mike Davis, diretor-associado da Diretoria de Ciências e Tecnologias da Energia do PNNL. "Agora temos tecnologia para fazer isso. Se alguém quiser desligar a unidade de aquecimento da minha cafeteira elétrica durante alguns minutos por dia — e fazer a mesma coisa em milhões de outras residências —, para que a gente não precise de mais usinas elétricas a carvão, fico feliz." O modelo que eu imaginei acima e o modelo que Davis e seus colegas testaram envolveriam mudanças revolucionárias nas companhias de eletricidade, que já não restringiriam sua área de atuação unicamente às usinas e aos relógios de luz das residências. Seu universo se estenderia à geração de energia limpa, de um lado, até os aparelhos domésticos de nossas casas, de outro lado, além das baterias de nossos carros elétricos e dos painéis solares de nossos telhados. Em vez de apenas venderem elétrons burros e sujos, tornariam possível a existência de todo o sistema da Internet Energética. E ganhariam dinheiro com a otimização do sistema.

Jim Rogers, diretor-presidente da Duke Energy, baseada em Charlotte, Carolina do Norte, gosta de dizer que, em vez de gastar 7 bilhões de dólares construindo uma nova usina nuclear, preferiria que os órgãos reguladores lhe permitissem gastar a mesma quantia para construir uma rede de transmissão inteligente e ajudar seus clientes a instalar painéis solares em seus telhados, Caixas-Pretas de Controle em suas casas, baterias inteligentes em seus carros e chips GFA em seus aparelhos domésticos. Depois disso, a Duke Energy se encarregaria de cuidar de todos os aspectos dessa rede.

"Durante cem anos, estabelecemos os limites do mercado entre nosso gerador e o relógio de luz de sua casa", diz Rogers. "Eu gostaria que esse mercado se estendesse a todas as aplicações elétricas existentes nas casas de nossos clientes, dos telhados aos aparelhos domésticos, bem como aos seus carros e escritórios. A verdadeira economia energética virá daí — da otimização das redes de energia e dos aparelhos elétricos... Eu tenho que tornar inteligentes a minha rede elétrica, as casas e as fábricas — e otimizar tudo, para que todos tenham o melhor atendimento, com gastos menores e menores emissões de CO_2."

Isso seria um trabalho muito diferente para as companhias de eletricidade — da administração de um bufê de elétrons "coma à vontade por cinco dólares" para a otimização da Internet Energética. Mas este é o futuro.

Como diz Jeff Wacker, estrategista da EDS: "O futuro está conosco; só não está amplamente distribuído ainda." Ele tem razão, no sentido de que já podemos enxergar hoje como o futuro poderia ser. Podemos observar tomando forma as tecnologias que poderiam concretizá-lo, mas ainda precisamos de alguns avanços decisivos para que esse futuro possa ser distribuído de forma ampla.

Aplainando os picos e os vales da demanda, a Internet Energética tem potencial para nos proporcionar maior desenvolvimento com menos usinas, maior eficiência energética e maior utilização de energia renovável, como a eólica e a solar. Se pudéssemos adicionar mais um avanço tecnológico a tudo isso — descobrindo uma fonte que nos fornecesse energia abundante, limpa, confiável e barata para alimentar a Internet Energética, reduzindo drasticamente o uso do carvão, do petróleo e do gás natural —, a revolução seria completa. Estaríamos fornecendo elétrons limpos a redes elétricas inteligentes, a residências inteligentes e a carros inteligentes.

Quando isso ocorrer, haverá uma grande transformação energética. Será como o encontro de dois grandes rios — a revolução da TI com a revolução da TE. Quando isto *realmente* acontecer, mais potencial humano será liberado, mais inovações surgirão e mais possibilidades de retirar pessoas da miséria de modo sustentável estarão disponíveis — muito mais do que se possa imaginar. Eu gostaria de viver o bastante para ver esse dia raiar. Os próximos capítulos descrevem como podemos contribuir para torná-lo possível.

TREZE

A idade da pedra não terminou por falta de pedras

Alguns jornais vêm publicando, com frequência, relatos informando que o sr. Thomas A. Edison, o inventor, finalmente aperfeiçoou uma bateria recarregável, e que, dentro de alguns meses, chegarão ao mercado veículos movidos a eletricidade, de preço baixo e custos de manutenção quase inexistentes. Esta história tem aparecido regularmente há anos, mas as coisas parecem não ter avançado muito.

— *International Herald Tribune*, 1º de novembro de 1907

Se eu tivesse perguntado a meus clientes o que eles querem, eles me diriam que querem um cavalo mais rápido.

— Henry Ford

A cidade de Tianjin, na China, é a sede de várias grandes montadoras de automóveis chinesas. Em setembro de 2007, fui convidado a fazer uma palestra no "Congresso dos Carros Verdes", realizado nessa cidade. Sim, a China, que tem reduzido a emissão de poluentes e aumentado os padrões de quilometragem por litro de seus carros, agora organiza uma conferência para debater as últimas tecnologias para carros verdes. Quem diria? O evento foi realizado no hotel Marriott, em Tianjin, e o público era composto, em sua maior parte, por executivos da indústria automobilística chinesa — alguns caras de aspecto durão —, que ouviam minhas observações em tradução simultânea, através de fones de ouvido. Pensei exaustivamente e com antecedência sobre o que falaria a eles, algo que pudesse estimular seu modo de pensar e lhes proporcionasse uma perspectiva que ainda não conhecessem. No final, decidi ir direto à veia jugular. O ponto principal de minha palestra foi o seguinte:

"Todos os anos, eu venho à China e jovens chineses me dizem: 'Sr. Friedman, vocês, americanos, cresceram com energia suja por 150 anos — vocês fizeram sua Revolução Industrial com base no carvão e no petróleo —, agora é a nossa vez.' Bem, em nome dos americanos, estou aqui hoje para lhes dizer que vocês têm razão. É a vez de vocês. Por favor, fiquem à vontade e cresçam com energia suja como quiserem e por quanto tempo quiserem. Demorem o quanto acharem necessário! Por favor! Porque eu acho que meu país vai precisar de apenas cinco anos para inventar todas as ferramentas para produzir energia limpa e aperfeiçoar a eficiência energética, que vocês, chineses, irão necessitar para não sufocarem na poluição. Então, nós viremos aqui e venderemos as ferramentas para vocês. Vamos ter uma vantagem de pelo menos cinco anos sobre vocês, na implementação das próximas grandes indústrias globais: produção de energia limpa e aumento da eficiência energética. Vamos dominar vocês totalmente nessas indústrias. Portanto, por favor, não tenham pressa, trabalhem com energia suja por quanto tempo quiserem. Se quiserem continuar a fazer isso por mais cinco anos, ótimo. Se quiserem nos dar uma vantagem de dez anos nas próximas grandes indústrias globais, melhor ainda. Por favor, fiquem à vontade."

No início, pude ver muitos daqueles chineses grisalhos ajustando os fones, para se certificarem de que estavam ouvindo bem: "Que diabos ele acabou de dizer? Os Estados Unidos vão nos passar para trás nas próximas grandes indústrias mundiais? Que indústrias são essas?" Mas, à medida que prossegui, pude ver algumas cabeças assentindo e alguns sorrisos contrafeitos de reconhecimento, por parte daqueles que tinham entendido meu ponto de vista: energia limpa *vai* ser o padrão mundial da próxima década, e as ferramentas para a produção de energia limpa serão a próxima grande indústria global. Os países que as tiverem em maior número e as exportarem em maior quantidade levarão grande vantagem competitiva. E terão tanto o ar mais limpo quanto as indústrias de crescimento mais rápido — o que não é uma combinação ruim.

Esse era o ponto que eu estava tentando enfatizar em Tianjin, transformando-o em uma questão competitiva: quanto mais a China se concentrar em obter uma parte de um mundo que já não mais existe — um mundo em que as pessoas podiam usar combustíveis sujos impunemente —, e quanto mais adiar a implantação de políticas, preços e regulamentações no país, de modo a estimular um parque industrial que utilize energia limpa em grande escala, mais feliz eu ficarei, na condição de americano.

Os Estados Unidos venceram! Os Estados Unidos venceram! Os Estados Unidos venceram!

Isso se ao menos...

Isso se ao menos nosso país entendesse este momento e estivesse fazendo o possível para implementar a fórmula vencedora: EERPIGDELEEPCRN < VCQCPG — um ecossistema de energia renovável que permite inovações na geração e distribuição de energia limpa, na eficiência energética, na produtividade e conservação dos recursos naturais < o verdadeiro custo da queima de carvão, petróleo e gás. Então, realmente, seríamos capazes de superar a China. Mas não estamos entendendo o momento, e não estamos fazendo o possível. Por esse motivo, a China pode acabar nos suplantando.

A Internet Energética que descrevi no capítulo anterior estaria no centro de um sistema revolucionário de energia limpa. A rede inteligente é de interesse vital para controlar a eficiência energética, reduzir a demanda e refrear as emissões de gás carbônico. Mas, por si só, não é o bastante. Também precisamos de elétrons abundantes, limpos, confiáveis e baratos para alimentar a rede inteligente e criar um *Sistema* de Energia Limpa completo — da usina elétrica à linha de transmissão, à sua residência, à sua empresa, ao seu carro.

Infelizmente, como observei antes, ainda não descobrimos a fórmula mágica — a tecnologia de produção que nos proporcionará eletricidade abundante, limpa, confiável e barata. Todos os avanços que fizemos até agora, nas energias eólica, solar e geotérmica, nas células a hidrogênio e na produção de etanol, são graduais; não houve nenhuma descoberta decisiva. *Melhoramentos graduais são tudo o que temos tido, mas uma descoberta decisiva é do que precisamos desesperadamente.*

Por esse motivo, a revolução verde constitui, antes de mais nada, um desafio a ser enfrentado com inovações — não com regulamentações. "Em última instância, esse problema será resolvido por engenheiros", diz Craig Mundie, chefe de pesquisas e estrategista da Microsoft. Mas como é possível que, apesar de todo o falatório sobre ecologia e de toda a propaganda verde, os engenheiros ainda não tenham feito nenhuma descoberta exponencialmente inovadora e decisiva?

Há duas respostas. Em primeiro lugar, um verdadeiro avanço na área de energia é uma coisa difícil de se obter. Estamos esbarrando nos atuais limites da física, da química, da termodinâmica, da nanotecnologia e da biologia. Precisamos alargar as fronteiras de cada uma dessas disciplinas.

Em segundo lugar, e mais importante: ainda não tentamos realmente, o que é o tema deste capítulo e do próximo. É isso: *ainda não tentamos realmente.*

Ainda não implementamos o requisito indispensável para a tentativa: um conjunto de políticas, incentivos ou desincentivos fiscais e regulamentações que estimulem o mercado a produzir uma Internet Energética. Isto permitiria um domínio mais amplo das tecnologias já existentes — como a eólica e a solar — e incentivaria, sem restrições, as pesquisas realizadas em laboratórios ou garagens, que produziriam as inovações necessárias à descoberta de novas fontes de elétrons limpos.

Como me disse uma vez Steven Chu, secretário de Energia: queremos trocar um sistema dominado por lobistas "que só desejam preservar o que se fazia antes" por um sistema dominado por engenheiros que "nos indicarão o modo como será no futuro".

Não consigo deixar de enfatizar esse ponto. Se você quiser aproveitar só uma coisa deste livro, por favor, aproveite esta: nós não conseguiremos resolver os problemas da Era da Energia e do Clima com regulamentações, mas apenas com inovações. E o único meio de fazer isso é mobilizar o sistema mais eficiente e prolífico de inovações transformadoras e de comercialização de novos produtos já criado na face da Terra — o mercado norte-americano. Só existe uma coisa maior que a Mãe Natureza: o Pai Lucro. E nem ao menos começamos a engajá-lo na luta.

Nós não precisamos de um Projeto Manhattan para a energia limpa; *precisamos de um mercado para a energia limpa*. É o que nos falta. Não precisamos de uma iniciativa secreta do governo, envolvendo uma dúzia de cientistas em um esconderijo remoto, para produzir uma única invenção. Precisamos de 10 mil inovadores, todos colaborando entre si, para produzir todos os tipos de avanços no sentido de obter, com abundância, energia limpa, confiável e barata, para ser usada com eficiência. E precisamos criar demanda, uma demanda enorme — *uma demanda louca, frenética e jamais vista* —, pelas tecnologias de energia limpa já existentes, como a solar e a eólica, de modo a reduzir o custo dessas tecnologias e torná-las competitivas em relação aos combustíveis fósseis — carvão, petróleo e gás natural. Poderíamos torná-las muito mais baratas e eficientes hoje, se gerássemos o impulso mercadológico que exigisse sua distribuição em todo o país. Não demoraríamos a conhecê-las ainda melhor, descobrindo novos meios de implantá-las a um custo cada vez menor. Faríamos pelas energias solar e eólica o que a China fez pelos tênis e brinquedos.

Mas a única coisa que pode estimular tanto novas tecnologias quanto o aperfeiçoamento radical das que já existem é o livre mercado. Somente o mercado pode gerar e alocar capital suficiente para mobilizar 10 mil inventores trabalhando em 10 mil empresas, 10 mil garagens e 10 mil laboratórios, de modo a produzir as inovações transformadoras; somente o mercado pode selecionar as melhores entre elas, e aperfeiçoar as que já existem na velocidade e na escala que precisamos.

Mas os mercados não são campos sem cultivo, onde simplesmente jogamos água e depois nos sentamos em uma espreguiçadeira para ver o que vai brotar, presumindo que será sempre uma coisa muito boa. Não, os mercados são como jardins. Você tem de planejá-los com inteligência e saber como fertilizá-los — com os impostos, regulamentações, incentivos e desincentivos adequados — para que produzam as colheitas abundantes e saudáveis de que você precisa para prosperar.

Até agora não projetamos nosso jardim energético para obtermos o máximo possível de inovações na produção de energia limpa — de modo nenhum. Nós o concebemos para produzir energia a partir de combustíveis baratos e sujos, principalmente o petróleo, o carvão e o gás natural. Então nos sentamos e permitimos que os beneficiários do uso desses combustíveis, no Congresso e na iniciativa privada, irrigassem e adubassem o jardim à vontade, usufruindo de incentivos governamentais — sem prestar muita atenção a mais nada. Tomando de empréstimo uma expressão cunhada pelo economista britânico Paul Collier, só havia uma regra em nosso jardim energético: "a sobrevivência dos mais gordos" — aqueles com os maiores lobbies e os bolsos mais recheados determinam a política.

Agora, nosso jardim energético está coberto com um amontoado de carvão, petróleo, tubulações de gás natural, refinarias e postos de gasolina — que torna muito difícil alguma coisa nova crescer ali sem ser sufocada. Não tenha dúvida: nosso jardim foi projetado para favorecer os interesses do petróleo, do carvão e do gás natural — para manter esses combustíveis baratos e abundantes difíceis de serem suplantados. E o jardim global foi projetado pelo cartel da Opep e pelos ditadores do petróleo também para atender aos seus interesses. Não existe "mercado livre" de energia, no qual todos possam competir igualmente dentro de campo. Isto é fantasia.

Em que mercado livre você encontraria um governo como o dos Estados Unidos, que taxa em 4 centavos de dólar o litro do etanol de cana-de-açúcar produzido no Brasil, um aliado democrático dos Estados Unidos, enquanto impõe uma tarifa de apenas 33 centésimos de centavo sobre o litro do petróleo importado da Arábia Saudita, pátria da maioria dos sequestradores que atuaram no 11 de Setembro? Só mesmo em um mercado onde o lobby do etanol americano, extraído do milho, tem influência suficiente no Congresso para impedir que o etanol brasileiro concorra com o americano — embora o etanol de cana possua sete ou oito vezes mais energia. E só mesmo nos Estados Unidos, onde pelo menos alguns integrantes do lobby das grandes empresas petrolíferas estão tão determinados a nos manter na dependência da gasolina como combustível de transporte, que dificultam quaisquer alternativas que possam oferecer melhores preços. Em que mercado livre concederíamos bilhões de dólares a título de incentivos fiscais, permanentes ou de longo prazo, para as indústrias de petróleo, carvão e gás natural — mas, ao longo de três décadas, ficaríamos concedendo e cancelando pequenos incentivos fiscais para os produtores de energia eólica e solar, tornando precários os investimentos a longo prazo do setor? Só mesmo em um mercado *projetado* para manter os combustíveis fósseis baratos e os combustíveis renováveis, dispendiosos e pouco atraentes. Não é de admirar que, como escreveu Jad Mouawad, meu colega no *New York Times* (9 de novembro de 2007), quando o petróleo estava se aproximando de 100 dólares o barril "mesmo assim, é mais barato que a água mineral importada, que custaria 180 dólares o barril, ou que o leite, que custaria 150 dólares o barril".

Não se pode obter inovações em grande escala, no campo energético, quando um barril de petróleo custa menos do que um barril de água mineral engarrafada ou de leite.

Se quisermos realizar as inovações necessárias na área dos elétrons limpos, redes elétricas inteligentes e eficiência energética, teremos de reprojetar o jardim — isto é, o mercado. No que se refere ao desenvolvimento da nova geração de energia limpa, "não acredito em evolução — só acredito em projetos inteligentes", diz Amos Avidan, principal diretor da Bechtel Corporation e perito na construção de grandes sistemas elétricos. "Precisamos de políticas concebidas com inteligência, para termos as melhores oportunidades possíveis, que gerem os avanços necessários."

As pessoas costumam me perguntar: "Qual é sua energia renovável favorita? A solar fotovoltaica? Eólica? Geotérmica? Solar térmica?" Minha resposta hoje é muito simples: "Minha energia renovável favorita é um ecossistema que favoreça inovações no setor energético. Torço por inovações no ecossistema." Isto é do que precisamos acima de tudo — um *sistema* inteligente de políticas, incentivos e desincentivos fiscais e regulamentações que desenvolverão as fontes já existentes de energia limpa e aumentarão a eficiência energética, e ajudarão a colocar em prática, com muito mais rapidez, todas as novas ideias para a geração de elétrons limpos desenvolvidas em laboratórios. Somente esse tipo de ecossistema pode dar origem à Internet Energética — uma rede inteligente, alimentada por eletricidade abundante, limpa, confiável e barata. É preciso um sistema para gerar outro sistema.

Um novo Projeto Manhattan não conseguiria fazê-lo — não chegaria nem perto. "O governo precisa estimular grandes inovações através da reformulação do mercado", diz Curt Carlson, presidente e diretor-executivo da SRI, uma empresa de pesquisas em Silicon Valley, coautor de *Innovation: The Five Disciplines for Creating What Customers Want* (Inovação: cinco preceitos para criar o que os consumidores desejam). "Se o governo fizesse o que é razoável, tudo se ajustaria." Muitos outros grandes países industrializados do mundo parecem entender isso e já começaram a tomar algumas medidas inteligentes no sentido de promover e disseminar inovações no setor energético. Os Estados Unidos não acompanharam o ritmo. "O único setor para o qual existe uma política industrial neste país é a agricultura — uma indústria do século XIX", acrescenta Carlson. "Com certeza, não temos uma estratégia nacional concebida com inteligência para criar e comercializar inovações no setor energético."

Segundo Carlson, o governo não deve ficar elegendo favoritos (foi assim que nos enrolamos com o etanol). Deve estabelecer políticas fiscais, reguladoras e educacionais adequadas, e financiar as pesquisas básicas, que alargam as fronteiras da química, da física, da biologia, da nanotecnologia e da ciência dos materiais — preparando o solo para que o mercado e os investidores de risco possam colher os brotos que lhes pareçam mais capazes de efetuar a difícil transição de projetos para mercado. Este é um projeto inteligente. A curto prazo, um avanço transformador é pouco provável, diz Carlson "mas a longo prazo, se fizermos as coisas certas, a energia limpa é um problema solucionável e que fará do mundo um lugar melhor... Mas isto não acontecerá sem um projeto inteligente".

Este capítulo tratará da sinalização de preços, que deve fazer parte de um projeto assim.

Mas antes de começar a discutir o tipo de sistema de preços de que necessitamos, eu gostaria de enfatizar como o sistema americano tem se mostrado fraco, nos últimos cinquenta anos, quando se trata de estimular inovações no setor de energia limpa. Comecemos com uma estatística. O investimento total em pesquisas e desenvolvimento realizado pelas companhias de eletricidade americanas em 2007 foi cerca de 0,15% do total das receitas. Na maioria das indústrias competitivas, o montante é de 8 a 10%. Se o seu investimento total em pesquisa e desenvolvimento é de 0,15% da receita, isto não comprará muita coisa mais do que algumas assinaturas das revistas *Popular Mechanics* e *Scientific American*. De fato, a indústria americana de ração para animais domésticos gasta mais em pesquisa e desenvolvimento do que as companhias de eletricidade.

Outra maneira de enfatizar esse ponto é com uma pergunta: quando ocorreu o último grande avanço tecnológico, nos Estados Unidos, na produção de energia limpa? Resposta: 1957 — com a inauguração do primeiro reator nuclear do mundo com finalidades comerciais, situado em Shippington, na Pensilvânia. Pois é: não temos um avanço tecnológico significativo na produção de energia limpa desde a época dos cigarros sem filtro e da segregação racial.

Outra prova de como temos inovado pouco no setor energético? Basta perguntar a Jeffrey Immelt, diretor-presidente da General Electric — um dos maiores fabricantes mundiais de sistemas de energia —, que me contou a seguinte história: ele trabalha na General Electric há 26 anos. Nestes 26 anos presenciou, na empresa de equipamentos médicos da GE, "oito ou nove" gerações de inovações nas tecnologias médicas — em equipamentos de raios X, por exemplo, ou de ressonância magnética, ou tomografia computadorizada — pois o governo e o mercado de saúde criaram preços, incentivos e competição que impulsionaram um fluxo constante de invenções. Foi muito proveitoso inovar nessa área, e muito fácil entrar nela. "Mas no setor elétrico?", pergunta Immelt. Uma — somente uma geração de verdadeiras inovações foi tudo o que ele presenciou.

"Atualmente, no setor elétrico", diz o presidente da GE, "ainda estamos vendendo as mesmas usinas movidas a carvão que existiam quando cheguei. Estão um pouco mais limpas e mais eficientes agora, mas, basicamente, são do mesmo modelo". Nove gerações de inovações na área de saúde — uma no setor elétrico. O que isto nos diz? Diz que temos um mercado que, simplesmente, não foi estruturado para produzir inovações nas tecnologias de produção de energia limpa. "Você não pode olhar para os últimos trinta anos", conclui Immelt, "e dizer que o mercado de energia tem funcionado".

As companhias de distribuição de energia e gás natural, que operam em ambiente exclusivista, e as companhias petrolíferas, que formam um oligopólio tácito no transporte de combustíveis, são os principais atores no mercado de energia. Estas empresas têm pouca motivação para inovar, e novos atores encontram pouco espaço para emergir. "A energia, basicamente, tem recebido poucos investimentos, do ponto de vista tecnológico", diz Immelt. De fato, o setor de saúde basicamente aloca 8% de seu faturamento anual em pesquisa e desenvolvimento, enquanto toda a indústria energética — consórcios, empresas de tecnologia, além das indústrias de petróleo, gás, carvão e nuclear — investem menos de 2% e, segundo algumas estimativas, menos de 1% ao ano em pesquisa e desenvolvimento. Seu investimento certamente não chega nem perto de 8%, observou Immelt.

Edward Goldberg, presidente do Grupo Annisa, de consultores empresariais, e professor-adjunto na Escola de Negócios Zickin, na Faculdade Baruch, da Universidade de Nova York, relatou a história em um ensaio sucinto que publicou no jornal *The Baltimore Sun* (23 de fevereiro de 2007). "O moderno capitalismo americano", observou ele,

> tem sido a inveja do mundo, pois alia, com sucesso, a competitividade humana com a necessidade humana de criar e inovar. A Apple faz sucesso com o iPod, e a Microsoft trabalha dia e noite para criar uma versão melhor. Mas quando a competição é refreada e as inovações não são consideradas essenciais para o mercado, a cornucópia que chamamos de capitalismo moderno fica paralisada, em prejuízo da sociedade. Foi exatamente o que aconteceu com nossos gigantes do setor da energia. O modo mais eficiente de desenvolver novos recursos energéticos é através da iniciativa privada. Mas nossas maiores companhias de eletricidade não foram pressionadas pelas forças do moderno capitalismo de mercado a contribuir com mais do que elogios superficiais para o desenvolvimento de novas fontes de energia. Embora o capitalismo americano esteja em constante evolução, criando instrumentos mais eficientes e inovadores, a indústria energética parece marcar passo em um modelo mercan-

tilista. (...) Se isto acontecesse com uma indústria pequena, poucas pessoas iriam se importar realmente. Mas, quando o mercado deixa de lado seu papel inovador e se torna complacente com nossa indústria mais vital, o governo, como guardião da independência de nosso país, tem de se tornar o elemento catalisador das inovações. (...) Na indústria energética, a necessidade de competir por consumidores — e, portanto, de inovar — não é obrigatória há anos. Qual foi a última vez que alguém viu uma companhia petrolífera anunciar na TV que seus produtos, ou serviços, são melhores que os dos concorrentes? Embora não sejam monopólios, as empresas de energia são, na verdade, grandes empresas privadas que prestam serviços públicos. Sob a justificativa de que a energia é tão importante para o país que deve receber tratamento diferenciado, estas empresas, como nenhuma outra, são subvencionadas pelos militares americanos com maciços investimentos para proteger suas fontes e linhas de abastecimento. Ao contrário das modernas empresas de alta tecnologia, as empresas de energia são livres para ignorar a máxima do professor Clayton Christensen, de Harvard, que fala sobre "tecnologias transformadoras": que as novas tecnologias substituem as existentes porque são mais baratas e mais palatáveis para o consumidor. Como podiam ignorar a necessidade de criar "novidades" no mercado, as empresas de energia, basicamente, investem no crescimento e na manutenção de seus sistemas de abastecimento. Estas empresas oferecem poucos benefícios à sociedade, já que não sofrem pressão do mercado para inovar e criar fontes alternativas de energia. (...) Se a Toyota toma fatias de mercado da Ford, por estar fabricando veículos híbridos, enquanto a Ford ainda fabrica SUVs, a Ford é punida pelo mercado. Mas, como obtêm a maior parte de seus lucros da extração de recursos naturais, as empresas de energia não precisam de inovações competitivas para sobreviver. Como seus lucros têm sido extraordinários, não são punidas pelo mercado por falta de inovação; na verdade, são recompensadas — enquanto, ao mesmo tempo, têm liberdade para ignorar as mudanças impostas pelo mercado, que impulsionam o capitalismo americano. As grandes empresas de energia sabem que

> se o petróleo permanecer mais barato que os outros recursos energéticos, haverá pouca pressão para que invistam em novas formas de energia. E quando os preços do petróleo caem, reforçam essa estagnação. (...) Em um mundo com escassez de energia, os Estados Unidos não podem mais se dar ao luxo de permitir um capitalismo antiquado e não inovador no coração de seu sistema industrial, distorcendo e ameaçando o sistema como um todo.

Para mudar essa situação e gerar as inovações necessárias no setor energético, é preciso reformular o mercado, permitindo que as tecnologias de energia limpa concorram com os combustíveis fósseis hoje dominantes. Só há um meio de concretizar isso: impostos e incentivos que estimulem mais demanda pelas tecnologias de energia limpa já existentes, como a eólica e a solar, aperfeiçoando-as e levando-as até o patamar de preços da "Chíndia"; que estimulem mais pesquisas por parte das empresas e das universidades; e que estimulem mais investidores a comercializar mais rapidamente quaisquer avanços produzidos pelos laboratórios das universidades, do governo e do setor privado.

"Por mais que você diga ao mercado o que deseja que ele faça, o mercado só responde à sinalização de preços", diz Dan Kammen, perito em inovação energética da Universidade da Califórnia, Berkeley. Portanto, "qualquer um que invoque a ajuda do mercado e não ofereça uma sinalização de preços está condenado ao fracasso, isto é ciência econômica básica. Se você deseja que o mercado produza alguma coisa, mas não oferece uma sinalização de preços, você não terá a ajuda do mercado. Você tem de oferecer uma sinalização de preços". Nós invocamos a ajuda do mercado e não fizemos isso.

Preços e inovação

A pessoa que melhor expressou a importância fundamental dos preços relativos, no estímulo a inovações no setor de energia renovável, foi ninguém menos que o xeque Ahmed Zaki Yamani, o falecido grande ministro do Petróleo da Arábia Saudita. Nos anos 1970, quando a Opep estava começando a sentir o próprio poder, Yamani costumava alertar os colegas para que não elevassem demais, nem muito rapidamente, os preços do petróleo — por medo de provocar nos governos e mercados do Ocidente uma reação que poderia desencadear inovações maciças na produção de energia eólica, solar e outras formas de energia renovável.

Yamani, segundo se diz, colocou as coisas nos seguintes termos: "Lembrem-se, rapazes, a Idade da Pedra não terminou por falta de pedras." Terminou porque as pessoas inventaram instrumentos feitos de bronze e, depois, de ferro. Yamani sabia que se os países consumidores de petróleo decidissem produzir energia renovável em grande escala, ou aumentassem exponencialmente a eficiência energética, a idade do petróleo terminaria, com milhões de barris ainda no subsolo, assim como a Idade da Pedra terminou com uma infinidade de pedras ainda no chão. Yamani sabia que a sinalização de preços — o preço do petróleo versus o preço da energia renovável — era a coisa mais importante. A Opep precisava manter seus preços exatamente no nível em que o cartel poderia obter o máximo de retorno, sem induzir o Ocidente a inventar meios de produzir — em grande escala — alternativas para o petróleo.

Nosso objetivo é tornar realidade o pesadelo de Yamani.

A melhor maneira de fazer isso é criar nossa própria sinalização de preços, de um modo que leve o mercado a gerar milhares de inovações na produção de energia limpa, em milhares de garagens e milhares de laboratórios. O mercado nos dará o que desejamos, mas somente se lhe oferecermos a sinalização de que ele precisa: uma taxação sobre a emissão de gás carbônico, um aumento na tributação da gasolina, a obrigação de utilizar energia renovável, um sistema que recompense reduções nas emissões de CO_2 — ou uma combinação de tudo isso.

Nate Lewis, químico da Caltech, utiliza uma analogia muito útil quando quer explicar por que, exatamente, a taxação dos combustíveis sujos desempenha um papel tão decisivo no estímulo às inovações maciças na produção de energia limpa, bem como na ampliação de seu aproveitamento. É assim: digamos que eu tivesse inventado o primeiro telefone celular. Então vim até você, caro leitor, e disse: "Tenho um bom negócio para você! Acabei de inventar um telefone que você pode levar no bolso!"

Você provavelmente diria: "Uau, um telefone que eu posso levar no meu bolso? Puxa! Isso vai mudar minha vida. Vou comprar dez, para distribuir também entre os meus funcionários."

Eu diria: "Está bem, dez! Mas eu tenho de lhe avisar uma coisa: este é um modelo de primeira geração. Cada um custa mil dólares." Sem dúvida, você diria: "Parece caro, mas acho que vale a pena — como eu disse, um telefone que eu posso levar no bolso vai mudar minha vida."

Então, eu lhe vendo dez, vendo dez ao próximo leitor, e mais dez ao próximo... Seis meses depois, adivinha? Estou de volta com uma nova versão do meu pequeno telefone celular. É menor, mais leve, e custa somente 850 dólares. Estou a caminho da produção em massa.

Estou tendo sucesso. Assim, volto ao meu laboratório e, desta vez, invento uma lâmpada alimentada a energia solar. Volto até você, caro leitor, e digo: "Você se lembra daquele telefone celular que lhe vendi? Funcionou muito bem, não foi? Bem, agora tenho outro negócio. Está vendo aquela lâmpada ali no teto? Posso fazer com que ela seja alimentada com elétrons gerados pelo sol. Mas é uma tecnologia novíssima e não é barata: alimentar a lâmpada desse jeito vai lhe custar 100 dólares por mês."

E o que você vai me responder, caro leitor? Provavelmente: "Tom, hum, lembra aquele telefone celular que você me vendeu? Bem, ele mudou minha vida. Nunca tive nada assim antes. Mas, se você ainda não notou, já tem luz saindo daquela lâmpada no teto. E trabalha muito bem. Francamente, eu não me importo com a procedência dos elétrons. Desculpe, Tom, mas essa eu passo."

Só há um modo de mudar isso. O governo precisa lhe dizer, caro leitor, que de agora em diante você irá pagar pelas emissões de CO_2 e por toda a poluição provocada por sua lâmpada incandescente, alimentada a carvão — e isso lhe custará mais 125 dólares por mês. Então, minha lâmpada solar a 100 dólares por mês vai parecer uma pechincha. Você comprará dez delas, e todos os outros leitores farão o mesmo. Seis meses depois, adivinhe. Eu volto com o mesmo sistema de alimentação a energia solar a um custo de apenas 75 dólares por mês. Estarei a caminho da produção em massa. Sendo as inovações como são, eu acabarei tornando a energia solar mais barata que a produzida pelo carvão. Poderei produzir minha invenção em grande escala.

Todos dizem que a produção de uma infraestrutura de energia renovável é o grande objetivo de nossa geração, assim como enviar o homem à Lua foi o grande objetivo da geração passada. Espero que sim.

"Construir uma estrutura energética que não emita poluentes não é como enviar um homem à Lua", explica Nate Lewis.

> Para chegar à Lua, dinheiro não era problema — e tudo o que tínhamos de fazer era chegar lá. Mas, hoje, já temos energia barata, obtida do carvão, do petróleo e do gás natural. Fazer com que as pessoas passem a usar combustíveis limpos, pagando mais por isso, seria como tentar financiar a Nasa para ir à Lua novamente — numa situação hipotética em que a Southwest Airlines já pudesse fazer isso e ainda distribuísse amendoins torradinhos! "Eu já posso ir à Lua pagando pouco, uma viagem é uma viagem." Para a maioria das pessoas, eletricidade é eletricidade, não interessa como foi gerada. A energia limpa não oferece nada de mais. Assim, você está pedindo às pessoas para que paguem por alguma coisa que já têm e que faz exatamente a mesma coisa. Ninguém compraria iPods nas quantidades em que estão sendo vendidos, se seus telefones celulares já pudessem fazer downloads de músicas.

A coisa mais importante que devemos lembrar é que a energia limpa nos oferece um novo ambiente, mas não uma nova função "Elétrons são elétrons — não são elétrons azuis ou verdes", observa Lewis. "Todos iluminam as lâmpadas. Não fazem pesquisas em nossos e-mails, nem corrigem nossa ortografia."

Portanto (repito), se quisermos obter em larga escala ambas as formas de inovação — avanços estratégicos que criem novas formas de se gerar elétrons limpos e avanços que tornem possível a massificação das tecnologias de energia limpa já existentes —, precisamos do governo para equilibrar o jogo, taxando o que não queremos (eletricidade obtida de fontes poluidoras) e subsidiando o que queremos (produção de energia limpa). Isto é o que criará o mercado de que precisamos na escala necessária.

No ano 2000, a Agência Internacional de Energia produziu um relatório chamado "Curvas de Experiência para uma Política de Tecnologia Energética", que enfatizava que, se os governos incrementassem a demanda utilizando sinalizações de preços, poderiam massificar rapidamente as tecnologias existentes, a custos cada vez menores. "Com um crescimento anual histórico de 15%, os módulos fotovoltaicos atingirão seu ponto de equilíbrio no ano 2025", diz o estudo da AIE. "Dobrar o ritmo de crescimento irá antecipar o ponto de equilíbrio para 2010... Se quisermos que as tecnologias de redução de CO_2 tenham um custo acessível durante as primeiras décadas do novo século, estas tecnologias devem ter oportunidade de se adaptar ao mercado."

Para comprová-lo, basta observar a queda contínua nos preços dos painéis solares e da energia eólica nos Estados Unidos em resposta ao aumento da demanda. Os fabricantes aproveitam a economia de escala e aprendem formas mais eficientes de produzir painéis solares e turbinas eólicas. Mas eles ainda têm muito a fazer para chegar a competir com o carvão. Por isso querem expandir ainda mais o mercado para as energias renováveis existentes. E é por isso que eu me concentro no mercado, e não no Projeto Manhattan.

"A analogia com um gigantesco programa governamental, como o Apollo ou o Projeto Manhattan, é muito fraca", argumenta Joseph Romm, físico especializado em energia. "Tais programas eram destinados a criar produtos únicos e não comerciais para um único cliente, com um orçamento ilimitado. Jogar montes de dinheiro no problema era uma abordagem óbvia. Para mantermos o clima habitável precisamos produzir em massa produtos comerciais para diversos tipos de clientes com orçamentos limitados." Apenas um mercado adequadamente constituído pode oferecer isto, acrescenta Romm, e temos de criar este mercado "agora mesmo" — em vez de apenas aguardar, rezar e apostar tudo em algum avanço tecnológico mágico na produção de eletricidade limpa. Eu adoro mágica. Precisamos de uma descoberta mágica. Feche os olhos e reze para que alguma aconteça logo. Mas, enquanto isso, vamos abrir os olhos. Veremos que os elétrons limpos, que podem ser gerados com as tecnologias existentes, estão bem à vista — se criarmos as sinalizações de preços adequadas, para que o mercado os produza em grande escala.

A sinalização de preços que podemos usar não tem de ser, necessariamente, uma taxação. Pode ser apenas um preço mínimo. Quando o petróleo estava a 50 dólares o barril, o Congresso americano não teria ousado impor uma taxa que elevaria o preço para 100 dólares. Mas, agora que está a 100 dólares, o que está estimulando investimentos em outras alternativas, o governo poderia estipular um preço mínimo de 100 dólares para o barril. Se o petróleo se mantiver acima disto, ótimo. Se cair para 90 dólares o barril, o governo acrescentará uma taxa de 10 dólares. Poderia fixar, também, um piso semelhante para a gasolina — em 1,20 dólar por litro.

Isto removeria uma grande fonte de incertezas dos ombros dos investidores em energia. Com os inventores e os investidores de risco achando que os preços de suas invenções na área de energia limpa serão sempre mais altos que os preços das velhas e sujas alternativas, não iremos obter inovações na escala necessária. E não iremos massificar as tecnologias de energia limpa na amplitude necessária. Depois que a elevação dos preços do petróleo, nos anos 1970, estimulou enormes inovações tecnológicas na produção das energias solar e eólica, o desmoronamento dos preços praticados pela Opep, uma década mais tarde, acabou com os investimentos no setor, e o governo perdeu o interesse em apoiá-los. Empresas e investidores já viram esse filme muitas vezes. Eles ainda estão temerosos de fazer uma grande aposta em energia renovável. Se o preço do petróleo caísse, o mercado de energia alternativa iria desaparecer, deixando uma empresa, aos olhos dos acionistas, com uma imagem de ingênua.

Consideremos a Toyota. Quando comecei a escrever esse livro, em 2007, a gasolina estava chegando a 1,18 dólares o litro. Quando fui comprar um novo carro Prius híbrido em Bethesda, no estado de Maryland, onde vivo, a lista de espera na concessionária Toyota era tão longa que havia sido fechada. Em outras palavras, quando a gasolina custa 1,18 dólares o litro, você não consegue comprar um Prius em Bethesda, Maryland. Quando estava trabalhando na edição de bolso deste livro, na primavera de 2009, o preço da gasolina estava em 0,92 o litro, e era impossível vender um Prius em Bethesda, Maryland. Claro que isso é um exagero. Você consegue vender um, mas é muito mais difícil com a gasolina a 0,92 de dólar o litro do que a 1,18 — e a Toyota vende muito menos. Em março de 2009, as vendas do Prius caíram em 55% comparadas a março de 2008 — de 20.635 Prius sedans híbridos gás-eletricidade para 8.924.

Repita comigo: quando se trata de inovação energética o que conta é "preço, preço, preço". Se você quiser criar um movimento de massa em prol de carros, janelas, edifícios, sistemas de geração de energia, iluminação e aquecimento energeticamente mais eficientes, o método mais fácil é garantir que o verdadeiro custo do uso de qualquer combustível — os verdadeiros custos climáticos, ambientais e geopolíticos — esteja embutido no preço ao consumidor. "Ponha um preço verdadeiro às coisas de maneira durável e previsível, e a formação de capital, a inovação e o empreendedorismo se encarregarão de encontrar alternativas energéticas eficientes", afirma Marc Porat, presidente da Serious Materials, que produz janelas de grande eficiência energética, para residências e escritórios. Os consumidores também irão se ajustar e exigirão casas, escritórios, escolas e transportes de maior eficiência energética. Como resultado, o nível de emissões de carbono diminuirá. É pura e simplesmente economia, não é ciência espacial. A porcaria barata de plástico que você compra em grandes lojas só é barata porque as externalidades da produção não foram contabilizadas — os efeitos sobre a qualidade do ar, da água e do clima. Calcule-os para cada produto e o mercado fará o resto.

Bem, e por que o Mercado não reflete o verdadeiro custo das coisas que estão à venda? Quando se trata de energia, a razão, pelo menos nos

Estados Unidos, é que o governo não conseguiu moldar o mercado com preços honestos. Não se trata de um "fracasso do mercado". Os mercados não contabilizam as externalidades se não precisam fazê-lo. Trata-se de um fracasso de liderança.

Se a Casa Branca e o Congresso tivessem instituído um Imposto Patriota sobre a gasolina após o 11 de Setembro, ou tivessem estabelecido preços mínimos para a gasolina e o gás, hoje os carros híbridos seriam a norma nos país — além disso, o Tesouro americano, e não os ditadores do petróleo, teria conseguido um ou 2 dólares extra por cada galão de gasolina. Bob Lutz, vice-presidente da General Motors, disse isso da melhor forma que já ouvi: eis o Congresso e o governo mandando Detroit fabricar veículos mais leves, menores e mais eficientes no consumo de combustível, mas quando se trata de impor uma taxa sobre a gasolina para moldar o mercado, para que haja muitos consumidores exigindo esses carros, bem, diz Washington, "isso está fora de questão". Lutz diz que é como dizer a todos os fabricantes americanos de camisas que só podem fazê-las no tamanho pequeno, mas nunca exigir que as pessoas façam dieta. Você não vai vender um monte de camisas tamanho pequeno. As pessoas simplesmente vão procurar os tamanhos médio e grande em outras lojas. O mesmo vai ocorrer com os automóveis e caminhões.

Essa incerteza permanente a respeito dos preços do petróleo a longo prazo explica por que nossas maiores empresas energéticas, que gostaríamos de ver apostando tudo na invenção de novas tecnologias de energia limpa, não estão fazendo isto. Você já deve ter visto esses jogos de pôquer, na TV, quando o cara de Las Vegas, com seus óculos escuros e boné de beisebol virado ao contrário, pega todas as suas fichas e diz: "Aposto tudo", e todo mundo na sala prende a respiração. É o que gostaríamos que as melhores indústrias americanas de inovação industrial fizessem — apostassem todas as suas fichas em inovações tecnológicas para a geração de energia limpa e aumento da eficiência energética. Sim, o capital de risco é importante, mas igualmente importantes são as apostas feitas por essas empresas gigantescas; quando elas perceberem que existe um mercado duradouro e lucrativo para a energia renovável, poderão mobilizar milhares de engenheiros, cientistas e pesquisadores

— e, com sua capacidade de fabricação e comercialização global, produzir elétrons limpos em uma escala maior e mais ampla, e de modo mais rápido do que qualquer um.

A General Electric, a DuPont e a Microsoft são as empresas líderes nos setores de engenharia, ciências químicas e biológicas, e de software. Mas se você entrevistar os executivos das três empresas, eles lhe dirão que, no caso da energia renovável — ou, no caso da Microsoft, da criação de software para aumentar a eficiência energética —, não estão apostando tudo. É pena. Apenas o orçamento da Microsoft para pesquisa é de 6 bilhões de dólares — o que é mais do que todo o capital de risco investido em tecnologias de energia limpa no ano de 2007, e o *triplo* dos investimentos feitos pelo governo federal em pesquisas e desenvolvimento de tecnologias para o aumento da eficiência energética e aperfeiçoamento da energia renovável.

As três empresas estão apostando em inovações no setor da energia limpa e da eficiência energética, mas ainda não tanto quanto poderiam. Embora, sem dúvida, estejam se sentindo tentadas a investir mais, até certo ponto, por conta do preço máximo atingido pelo petróleo — 140 dólares o barril —, o que as fará apostar tudo será uma taxação sobre o petróleo ou sobre as emissões de dióxido de carbono, que sinalizaria a elas e a seus investidores que o preço dos combustíveis fósseis jamais voltaria a cair abaixo de determinado nível. Como Kenneth Oye, perito em inovação do Massachusetts Institute of Technology, o MIT, gosta de dizer: "Flutuações de preço não são a mesma coisa que preços altos." Apenas porque o petróleo atingiu 140 dólares o barril não significa que uma boa recessão ou uma boa descoberta no litoral do Brasil não possa derrubar os preços novamente, e dissipar investimentos em energia alternativa. Por esse motivo, empresas como a GE e a DuPont não prestam atenção no limite máximo dos preços do petróleo — mas no limite mínimo.

Jeffrey Immelt, da GE, explica tudo muito bem: os grandes protagonistas do setor energético não vão fazer "uma aposta multibilionária, com duração de quarenta anos, com base em um sinal emitido pelo mercado durante 15 minutos. As coisas simplesmente não funcionam dessa forma". Grandes indústrias como a GE precisam de alguma estabilidade nos preços, para fazerem grandes apostas de longo prazo em energia limpa. Aos dogmáticos que dizem que o governo não deveria fixar preços mínimos ou estabelecer outros incentivos para estimular a produção de energia limpa, Immelt diz: caiam na real. "Não adorem falsos ídolos. O governo tem influência em todas as indústrias. Se temos de aceitá-la, prefiro que seja produtiva, em vez de destrutiva."

Os governos que perceberam isso já se beneficiaram enormemente. A única área de produção de energia limpa em que a GE está presente, hoje, é na terceira geração de turbinas eólicas, "graças à União Europeia", diz Immelt. Países como Dinamarca, Espanha e Alemanha impuseram normas para suas companhias de eletricidade — exigindo que produzissem determinada quantidade de energia eólica por ano — e ofereceram subsídios a longo prazo. Isto criou um grande mercado para os fabricantes de turbinas de vento na Europa, durante os anos 1980, quando os Estados Unidos tinham abandonado a energia eólica, por conta da queda nos preços do petróleo. "Nosso negócio de turbinas eólicas cresceu na Europa", diz Immelt. Dá para ver. Segundo o congressista Ed Markey, membro sênior do Comitê de Energia e Comércio, em 2008 Portugal, Espanha e Dinamarca geraram, respectivamente, 9%, 12% e 21% da eletricidade que consumiram a partir do vento. Os Estados Unidos produziram 1%.

Neste exato momento, cerca de metade dos estados americanos decretaram que suas companhias de eletricidade adquiram certa quantidade de energia de fontes solares, eólicas, hidrelétricas e geotérmicas, ou de biocombustíveis. Mas cada estado possui um padrão diferente!

O Congresso tentou, sem sucesso, aprovar um padrão nacional. O governo Obama e o Congresso liderado pelos democratas estão tentando de novo em 2009. Um mandato sério para energia renovável estimularia uma grande quantidade de inovações, porque usaria tecnologias existentes, como a energia eólica e solar, e empurraria rapidamente a curva de aprendizagem, criando um mercado nacional enorme e sólido que atrairia investidores. O político que melhor provou isso foi um ex-governador do Texas chamado George W. Bush. Ele apresentou e assinou o Mandato do Portfólio Renovável do Texas em 1999. O mandato estipulava que, em 2009, as empresas energéticas texanas deveriam produzir 2 mil novos megawatts de eletricidade a partir de recursos renováveis, principalmente energia eólica. O que ocorreu? Uma dúzia de novas empresas entrou no mercado texano, inclusive uma irlandesa, e construiu turbinas eólicas para cumprir o mandato — foram tantas que a meta de 2 mil megawatts foi alcançada em 2005. Então, a legislatura do Texas elevou o mandato para 5 mil megawatts em 2015, e todos sabem que vão alcançar essa meta. Os mandatos de energia renovável funcionam.

"Se tivéssemos uma legislação nacional que obrigasse todos os cinquenta estados a utilizar energia renovável, isto me diria que haverá muita demanda por energia eólica, solar e geotérmica — e que é possível fazer uma grande aposta nelas", diz Immelt.

> Quando o ministro da Energia e do Ambiente da União Europeia me disse, em 2000, que a Europa teria de obter 10% de sua energia de fontes renováveis, isto foi o que movimentou a indústria de energia eólica lá. É preciso haver certeza de que não faltará demanda. Assumiremos os riscos técnicos, financiaremos grandes avanços tecnológicos, mas preciso ter certeza de que, se eu fizer as coisas funcionarem, haverá um mercado de 20 bilhões de dólares à minha espera. Isto não existe no setor energético, mas existe no setor de saúde e na aviação — você sabe que tem um mercado. (...) Segurar a energia nuclear nos causou um grande problema. Nosso receio é o de fazermos essas grandes apostas em pesquisa e desenvolvimento, e não saber se iremos receber alguma encomenda.

Não importa muito em que ponto o governo decida estabelecer o preço mínimo para o petróleo ou para a gasolina — seja 80 dólares o barril, ou um dólar o litro, segundo Chad Holliday, diretor-presidente da DuPont. O importante é que seja um piso confiável.

> Assim, meus investidores dirão: "Sei que você não está desperdiçando meu dinheiro — o mercado é uma certeza." Se o mercado for estabelecido, tudo o que eu terei de fazer é mostrar ao investidor que a tecnologia existe. Isto elimina metade do problema. Eu falo com os investidores o tempo todo. Eles costumam me dizer: "E se tudo for por água abaixo?" Nós precisamos ter um nível razóavel de certeza... Tínhamos uma empresa petrolífera, a Conoco, mas chegamos à conclusão de que não poderíamos ser uma exitosa empresa petrolífera e uma exitosa empresa de empreendimentos científicos. Portanto, decidimos vender a Conoco. Paguei a três das melhores firmas de consultoria do mundo para que me dissessem qual seria o preço do petróleo. Elas me asseguraram que não poderia ser maior que 24 dólares o barril — ou que esta probabilidade seria muito pequena. Hoje, o mercado não sabe com certeza para onde vai o preço do petróleo. Assim como subiu em 2008, ninguém pode garantir o quanto pode vir a cair de novo. É por isso que Jeff Immelt e eu estamos insistindo em que deve haver um custo para as emissões de carbono, não importa como sejam produzidas. Tem de haver uma sinalização de preços, mesmo que simples.

Em 2007, Holliday me ofereceu um exemplo concreto: "Temos uma centena de cientistas trabalhando no etanol extraído da celulose", que é o etanol produzido a partir de aparas de madeira ou painço, não de cultivos alimentares. "Meu palpite", acrescenta ele, "é de que poderíamos dobrar o número de cientistas e acrescentar mais cinquenta, e eles encontrariam um modo de comercializar esse etanol. Produzi-lo em massa, provavelmente, iria nos custar menos de 100 milhões de dólares. Mas, realmente, não estou preparado para fazer isso. Posso ter uma ideia dos custos que terei e do preço a ser cobrado. Mas será que existirá mercado? Qual será a legislação? Os subsídios ao etanol vão ser reduzidos? Vamos taxar o petróleo para que o etanol seja competitivo? Se eu tivesse essas informações, teria um preço para servir de meta. Sem elas, não sei como vai estar o mercado, e meus acionistas não poderão avaliar o que estou fazendo... É preciso haver algumas certezas, na área dos incentivos e do mercado, pois estamos falando de investimentos ao longo de muitos anos, bilhões de dólares que levarão muito tempo para serem recuperados, e nós não iremos acertar em tudo o que fizermos".

Algumas pessoas irão classificar isso como choradeira de empresários. Eu não. Inovações no setor energético são imensamente dispendiosas, e estamos sempre competindo com uma alternativa — suja — já existente. Coloque um preço mínimo para o petróleo, o gás natural e a gasolina nos Estados Unidos, ou uma taxação permanente sobre as emissões de carbono, de modo a elevar o preço do carvão, e você verá que os obstáculos que existem para as inovações no setor energético irão desaparecer. "O governo é um grande parceiro do sistema de saúde, com imensos subsídios", diz Immelt. "O câncer será curado ainda durante nossas vidas por causa disso. Por que não fazem o mesmo com a energia renovável?" Outros países, com certeza, já perceberam isso.

"Gostaríamos de passar rapidamente para a nova geração de células fotovoltaicas de energia solar", diz Holliday. "Os governos de Hong Kong e Cingapura já descobriram isso e estão destinando pesados incentivos para produzi-las em suas cidades. Por que os Estados Unidos não estão fazendo isso? Quando eu estava numa reunião em Hong Kong, o novo governador da cidade apareceu antes da hora e sem ser convidado, só para nos dizer: 'Isso é muito importante. Vocês têm de vir para Hong Kong. Eu sei que Cingapura está conversando com vocês, mas vocês precisam vir para cá.' A burocracia americana simplesmente não está fazendo esse tipo de coisa."

Para resumir: os Estados Unidos precisam de uma bolha tecnológica no setor energético, semelhante à bolha tecnológica que houve no setor de informática. Para conseguir isso, no entanto, o governo precisa tomar medidas para que os investimentos em energia renovável sejam uma coisa corriqueira. É claro, desperdiçaremos algum dinheiro; sim, muitas pessoas irão à falência ao longo do caminho; mas, no final, transformaremos nossa economia e nos protegeremos de muitos outros problemas.

Neste exato instante, temos uma bolha de "histórias" sobre energia limpa, mas não temos uma bolha de energia limpa. Os investimentos de risco em energia limpa, em 2007, foram inferiores a 5 bilhões de dólares. Investimentos de risco em negócios na internet no ano de 2000, quando atingiram o auge: 80 bilhões de dólares.

Aprendi sobre o valor das bolhas com Bill Gates, em 1999, no Fórum Econômico Mundial, realizado em Davos. Em meu livro *O Lexus e a Oliveira*, escrevi sobre a aula ministrada por ele naquela oportunidade. Gates dava sua palestra anual à imprensa sobre a situação da Microsoft e sobre inovações tecnológicas. Na época, a febre da internet estava no auge. Todas as perguntas que os repórteres faziam eram variações sobre o mesmo tema: "Sr. Gates, essas ações e fundos de investimento da internet são apenas uma bolha, não são? Claro que são uma bolha. Devem ser uma bolha?" Até que um Gates exasperado declarou aos repórteres reunidos à sua volta: "É claro que são uma bolha. Mas vocês estão deixando de ver o que é importante. Essa bolha vai atrair tanto capital para a indústria da internet que isso vai impulsionar inovações tecnológicas cada vez mais rápidas." De fato, foi exatamente a exuberância da bolha ponto-com que levou aos megainvestimentos de bilhões de dólares para o desenvolvimento de fibras óticas no final dos anos 1990 e início dos anos 2000, o que acidentalmente interligou — e nivelou — o mundo, tornando a conectividade da internet praticamente gratuita para todos. Essa infraestrutura foi financiada, em grande parte, pelos investidores americanos e europeus. Muitos deles acabaram perdendo até a camisa quando a bolha estourou, mas o mundo interligado que permaneceu permitiu que indianos, chineses, brasileiros e habitantes de outros países em desenvolvimento passassem a se comunicar, competir e colaborar de um modo mais fácil e barato do que nunca. A bolha ponto-com financiou tantas inovações durante os anos 1990 que, em apenas uma década, gerou o ecossistema internet-World-Wide-Web-comércio-on-line — que se transformou na revolução da TI.

Os economistas sabem há muito tempo que bolhas, apesar do dinheiro que desperdiçam e das mágoas que causam, podem impulsionar inovações e pavimentar o caminho para a próxima febre, bolha e explosão da bolha. Daniel Gross, repórter de economia da *Newsweek*, escreveu um livro sobre este fenômeno, chamado *Pop!: Why Bubbles Are Great for the Economy* (Bum!: por que as bolhas são ótimas para a economia), no qual destaca a lógica econômica das bolhas e argumenta que elas têm, na verdade, desempenhado um papel fundamental no "notável desenvolvimento econômico e nas inovações tecnológicas dos Estados Unidos". É verdade que a maioria dos primeiros investidores nas estradas de ferro e no telégrafo quebrou, argumenta ele, mas a infraestrutura que permaneceu impulsionou nossa economia para a frente. Não é de se admirar que Gross também afirme que a melhor maneira de promover avanços decisivos na produção de energia alternativa é criar uma verdadeira bolha no setor energético. Isto funcionou com a TI. Pode funcionar com a TE.

Os preços como freio ao mau comportamento

Mas existe outra razão, além da necessidade de inovações, para que uma sociedade sadia reformule seu mercado de energia com taxas e regulamentações. Chama-se vida e morte, ou estabilidade e instabilidade. Isto está se tornando uma questão de sobrevivência. Colocando as coisas em termos simples: continuar com o Sistema de Combustíveis Sujos, em um mundo quente, plano e lotado, levará as cinco tendências que moldam a Era da Energia e do Clima — demanda e oferta de energia, mudanças climáticas, ditaduras do petróleo, perda da biodiversidade e pobreza energética — a extremos incontroláveis. É preciso que o mercado emita sinais diferentes. Lester Brown, o lendário ambientalista, em seu excelente livro *Plan B 3.0*, cita Oystein Dahle, ex-vice-presidente da Exxon para a Noruega e o mar do Norte, como tendo observado que: "O socialismo desmoronou porque não permitia que o mercado dissesse a verdade econômica. O capitalismo pode desmoronar porque não permite que o mercado diga a verdade ecológica."

Ele queria dizer, é claro, que o paradigma básico do capitalismo moderno, da idade industrial, que floresceu nos séculos XIX e XX, considerava que poluição, desperdício e emissões de CO_2 eram "externalidades" irrelevantes, que poderiam ser ignoradas. Como qualquer manual de economia lhe dirá, uma externalidade é qualquer custo ou benefício resultante de uma transação comercial, que recai sobre partes não envolvidas diretamente na transação. Uma fábrica que despeja poluentes e CO_2 na atmosfera e lixo tóxico em um rio constitui um exemplo clássico. Digamos que a fábrica produza brinquedos. Os preços desses brinquedos serão fixados de acordo com o custo do trabalho e dos materiais, acrescidos de uma margem de lucro. As duas partes envolvidas na transação são o fabricante e o consumidor. Mas existe uma "externalidade" a ser paga por terceiros — a sociedade e o planeta Terra — que são os efeitos na saúde, a curto, médio e longo prazos, da poluição do ar, do envenenamento do rio e da intensificação do aquecimento global — decorrentes da fabricação dos brinquedos com substâncias tóxicas e energia obtida do carvão.

Temos enganado a nós mesmos com uma contabilização fraudulenta, ao não incluir essas externalidades nos custos. Como diz Lester Brown, enquanto sociedade "temos nos comportado exatamente como a Enron, a gigante energética embusteira, no auge de sua insensatez". Todos os anos, contabilizamos PIBs e lucros espantosos, que parecem maravilhosos no papel "porque temos mantido alguns custos fora dos livros". Mas a Mãe Natureza não se deixou enganar. É por isso que estamos sofrendo mudanças climáticas. O que não tem preço não é valorizado. Se campos, ar limpo, água limpa e florestas saudáveis não forem valorizados, a Terra, que já está tão plana e tão lotada, logo irá se transformar em um aterro de lixo muito quente, de custo zero. Quando os mercados avaliam por baixo seus bens e serviços, deixando de contabilizar suas externalidades — e o impacto dessa avaliação menor tem implicações altamente negativas na economia, na saúde e na segurança nacional — o governo tem o dever de entrar no jogo e formatar o mercado, de modo a corrigir a falha.

"Como a mão invisível do mercado poderia ser um distribuidor racional de recursos, se não enxerga as externalidades?", pergunta Ray Anderson, fundador e presidente da Interface Inc., uma empresa fabricante de carpetes que leva em conta os problemas ecológicos.

O governo usou uma combinação de taxas e educação para levar milhões de pessoas a parar de fumar cigarros e beber álcool. Precisa fazer a mesma coisa para levar a economia a parar de fumar gás carbônico e beber gasolina. Nossa saúde física, econômica e geopolítica depende disso.

Que tipo de sinalização de preços?

Se essas são as razões para que seja criada uma sinalização de preços, quais são as vantagens e defeitos de cada opção? As opções mais discutidas são a de uma taxação sobre as emissões de gás carbônico, de uma taxação sobre a gasolina, "*feebates*"* e taxações indiretas através de um sistema de recompensas às reduções nas emissões de CO_2, além de uma legislação sobre energia renovável. Eu ficaria feliz se nos movêssemos em qualquer dessas direções, contanto que as taxas fossem altas o bastante e tivessem um prazo longo o bastante para realmente acarretar mudanças de comportamento.

Em um programa *cap-and-trade* (teto-e-troca) o governo estabelece um limite para as emissões de CO_2 que a economia dos Estados Unidos injetará na atmosfera em determinada data. Esse limite definiria a quantidade máxima de CO_2 que poderia ser emitida nos Estados Unidos. Esse limite seria reduzido gradativamente, resultando em um índice menor de emissões de CO_2 e maiores custos para as emissões. Cada empresa receberia créditos negociáveis iguais ao seu nível máximo permitido de emissões de CO_2. As firmas que conseguissem reduzir as emissões de modo mais barato e eficiente poderiam vender seus créditos não utilizados a outras empresas. O sistema *cap-and-trade* foi o que per-

---

* *Feebates* — Neologismo criado nos anos 1990, nos Estados Unidos, pela combinação das palavras "*fee*" (taxa) e "*rebate*" (desconto). Trata-se de um programa destinado a transferir os custos das "externalidades", produzidos por apropriação indébita ou destruição de bens públicos, para os responsáveis por esses custos. No programa "Desconto do Carro Limpo", por exemplo, proposto e não aprovado na Califórnia, seria instituída uma taxa de 2.500 dólares para cada carro novo que emitisse grandes quantidades de gases-estufa. A taxa seria repassada aos compradores de carros novos com baixa emissão de gases-estufa. (N. do T.)

mitiu aos Estados Unidos controlarem a poluição por chuva ácida — embora, neste caso, houvesse muito menos participantes envolvidos.

Eileen Claussen, presidente do Centro Pew de Estudos de Mudanças Climáticas Globais, afirma que, por uma série de motivos, o sistema *cap-and-trade* é preferível a uma simples taxação sobre emissões de gás carbônico. Para começar, "enquanto uma taxa oferece certeza de custos, o *cap-and-trade* oferece certeza ambiental", diz ela. O teto é estabelecido pelo governo com base no nível de emissões que os cientistas nos dizem que precisamos atingir para preservar o clima. O perigo da taxação, segundo Claussen, é que algumas pessoas apenas irão pagá-la, como hoje pagam valores mais altos pela gasolina, e continuam a comprar Hummers, que injetam mais CO_2 na atmosfera. E, como todos sabem, é muito difícil o Congresso aprovar novos impostos — principalmente se forem altos o bastante para fazer diferença nas emissões de CO_2. Além disso, um sistema *cap-and-trade* proporciona mais flexibilidade ao governo, que, inicialmente, poderia restringir a compra de créditos às empresas e companhias que forem extremamente dependentes do carvão — e que seriam mais afetadas — para facilitar a transição delas para uma economia com menos emissões de gás carbônico. Para um sistema *cap-and-trade* funcionar, entretanto, é preciso estabelecer um preço adequado para as emissões, de pelo menos 30 dólares por tonelada de CO_2 emitido.

Defensores das taxações veem as coisas de modo diferente. (Tenho tendência a concordar com eles.) Eles argumentam que uma taxação funciona melhor do que um sistema de *cap-and-trade* por ser mais simples, mais transparente e mais fácil de calcular. Alcançaria toda a economia e poderia ser ajustada, com mais facilidade, para aliviar a carga sobre os trabalhadores de baixa renda, reduzindo ou eliminando as taxas de suas folhas de pagamento. Os defensores dos impostos afirmam que um amplo sistema *cap-and-trade* seria mais complicado de implementar, e daria margem a todo tipo de pressão por isenções especiais.

"O *cap-and-trade* é um Templo da Ruína para a vida no nosso planeta, adorado pelos legisladores que temem confrontar os grupos de interesse especial de fósseis", argumenta Jim Hansen, climatologista da NASA, um dos cientistas mais corajosos e eloquentes da atualidade, num ensaio em que alerta para as mudanças climáticas no *Yale Global Online* (14 de maio de 2009).

> Precisamos de um imposto escalado sobre o conteúdo de carbono da gasolina, do gás e do carvão, cuja soma seja dividida inteiramente entre o público. Isso vai estimular inovações em eficiência e na energia livre de carbono, e oferecer ao público os fundos necessários para a transição em direção ao mundo de energia limpa do futuro.
>
> O "*cap-and-trade*" supostamente lida com a mudança climática ao estabelecer metas para as emissões, ou limitá-las mediante licenças para as indústrias emissoras. Para começar, *cap-and-trade* não é um bom nome. Um "*cap*" aumenta o preço da energia, assim como um imposto. É equivocado e desonesto tentar ocultar o fato de que um *cap* é um imposto. [Outra característica] da abordagem do "*cap*" é que, devido à volatilidade imprevisível dos preços, ele faz milionários em Wall Street e em outros mercados, mas oferece pouco ao público. As compensações costumam ser permitidas e geralmente são pouco fiscalizadas, o que cria mais incerteza. A questão é a experiência europeia: eles gastaram 50 bilhões de dólares na comercialização de carbono, suas emissões de CO_2 na verdade aumentaram e o maior pagamento foi para um consórcio de energia alemão que queima carvão! O *cap-and-trade* está coalhado de oportunidades para os interesses especiais, a troca política, a ocultação do escrutínio público, os erros de contabilidade e a fraude deslavada. Como ocorre com qualquer lei, os *caps* podem e serão transformados, diversas vezes, antes de 2050 [...].
>
> A realidade econômica é que não chegaremos a uma era livre das emissões de combustíveis fósseis enquanto um preço substancialmente mais alto não for aplicado a todos os combustíveis de carbono, de forma que a eficiência e a energia livres de carbono cresçam rapidamente. Além disso, argumento que a aceitação pelo público da necessidade de elevar o preço do carbono exige absoluta transparência e lisura.
>
> É fácil falar do planeta em perigo. Outra coisa é mostrar ao público o que é necessário, inclusive se as ações são do interesse de

todos a longo prazo. Parece que eles não sonham em ser honestos e admitir que o aumento do preço dos combustíveis fósseis é essencial para nos conduzir a um mundo livre dos combustíveis fósseis [...].

É necessário elevar o preço do carbono para transformar as escolhas e o modo de vida dos consumidores, tornar a energia de carbono zero e a eficiência energética mais baratas do que os combustíveis fósseis, estimular investimento, inovação e a atividade econômica a elas associada e conduzir o país à era livre dos combustíveis fósseis. O preço do carbono deve ser significativo e o público e as empresas devem compreender que ele aumentará no futuro. Ele deve ser aplicado a todos os combustíveis fósseis — gasolina, gás e carvão — de maneira uniforme, na fonte (na primeira venda na mina ou no porto de entrada).

Devo dizer que concordo com tudo o que Hansen escreveu, de "a" a "z". Além da queixa sobre a complexidade, o que me incomoda no *cap-and-trade* é que parece uma estratégia de "esconder a bola", que é precisamente o tipo de estratégia que nos meteu nesse problema. Todos precisam saber que estamos numa nova era que vai exigir mudanças sistêmicas. Mas a questão no regime do *cap-and-trade* é disfarçar a dor e fingir que não se está impondo uma taxa. Aos meus ouvidos, é como tentar acabar com a segregação racial na Universidade do Mississippi em 1962 deixando James Meredith frequentar as aulas noturnas. Isso nunca teria funcionado. Ele precisou entrar direto pela porta da frente, em plena luz do dia — e as pessoas precisaram vê-lo fazer isso. Vê-lo entrar mudou tudo. O mesmo ocorre com a taxa de carbono. O sinal de preço de que necessitamos no carbono não é só engenharia financeira para mudar comportamentos econômicos. Significa também mudar a percepção do desafio que estamos enfrentando como país e como espécie. Ele não pode ser disfarçado. Precisamos sair do "isto é o melhor que podemos fazer" para "assim é como faremos melhor".

Algumas pessoas têm alegado que uma taxação sobre as emissões poluentes iria prejudicar a economia americana, tornando nossas exportações mais caras e menos competitivas. Eu discordo. Para começar, existem muitos itens que entram no preço das exportações. O principal deles é o valor da moeda. Em segundo lugar, diversos países europeus, como a Dinamarca e a Noruega, há muito tempo impuseram impostos sobre as emissões de CO_2. A Dinamarca é hoje o maior exportador mundial de turbinas eólicas, e apresenta uma taxa de desemprego em torno de 2% — em parte porque o modo como taxou a energia ajudou a estimular todo um parque industrial que utiliza energia limpa. Portanto, se os Estados Unidos impusessem impostos sobre as emissões de gás carbônico e, digamos, a China não o fizesse, não levaria muito tempo para que o Congresso aprovasse uma "tarifa do gás carbônico" sobre as exportações chinesas fabricadas com combustíveis sujos.

Quanto à gasolina, existem diversas abordagens sensatas. Uma delas é o preço mínimo sugerido acima. O economista Philip Verleger, Jr., especialista em energia, propôs a aplicação gradual de um imposto sobre a gasolina — 1,30 ou 2,60 dólares por litro, que poderiam ser usados para reduzir os impostos incidentes sobre as folhas de pagamento e também para criar um fundo a ser administrado pelo governo, com a finalidade de adquirir veículos beberrões de combustível e reduzi-los a ferro-velho. Muitos consumidores, hoje, possuem automóveis grandes por não terem condições de trocar por um carro menor e mais econômico. "O melhor monumento que poderíamos erigir ao 11 de Setembro seria uma montanha de veículos beberrões de combustível, esmagados", diz Verleger.

Amory Lovins, famoso ambientalista e cofundador do Rocky Mountain Institute, propôs um sistema de *feebates* sobre os automóveis, para que as pessoas se sintam desencorajadas de comprar beberrões de combustível, e para encorajá-las a comprar carros eficientes no uso de combustível. "De acordo com a categoria do carro, os novos proprietários pagariam uma taxa ou obteriam um desconto — que dependeria da eficiência energética do veículo. As taxas pagariam os descontos", diz Lovins. "O preço mais alto estimularia o comprador a comprar o modelo mais econômico na utilização de combustível. O comprador poupa; os fabricantes de automóveis lucram mais; a segurança nacional melhora."

No momento, contudo, o único preço que parece ter alguma chance de aprovação na Câmara e no Senado é o *cap-and-trade*. Nem o presidente nem qualquer outro político graúdo parecem estar prontos para pressionar por um imposto sobre o carbono ou sobre a gasolina, precisamente por se chamar "imposto". Em 26 de junho de 2009, o Congresso aprovou o Projeto de Lei de Energia Limpa e Segurança, defendido pelos congressistas Henry Waxman, democrata da Califórnia, e por Edward Markey, democrata de Massachusetts. Pela primeira vez, o projeto estabelece limites domésticos para as emissões de carbono que causam o aquecimento global, cria um padrão nacional de energia renovável para as concessionárias estatais, institui diversas novas regulamentações para a eficiência energética, particularmente para edifícios e aparelhos domésticos, e determina o investimento de quase 200 bilhões de dólares nos próximos 15 anos para tornar os Estados Unidos líderes nas tecnologias energéticas. Contudo, no cerne do projeto de lei de 1.300 páginas consta a criação de um mecanismo nacional de *cap-and-trade* para reduzir em 17% as emissões de gases do efeito estufa nas principais fontes emissoras até 2020 e em 83% até 2050, com relação aos níveis de 2005. O projeto consegue isso dando poder ao governo para emitir licenças de emissão, denominadas "concessões", cada uma valendo uma tonelada de dióxido de carbono ou seu equivalente. Com a pressão dos fabricantes, porém, 85% das concessões serão distribuídas sem custo e só 15% serão leiloadas no primeiro ano. A ideia é que, com o tempo, mais e mais concessões sejam leiloadas, levando consumidores, empresas e comunidades a fontes de energia mais limpas, mas mais dispendiosas.

Muitos ambientalistas, inclusive eu, ficaram profundamente tristes com a forma final do projeto de lei, porque houve tanta troca para obter a maioria que nenhuma molécula de CO_2 sofrerá ameaça. Mas, se é tudo o que conseguimos, prefiro isso a nada. O melhor que se pode dizer do projeto é que, pela primeira vez, se estabelece um preço para o carbono, ainda que fraco e indireto. E isso pode ter importantes implicações a longo prazo. Penso que quando o governo americano puser um preço nas emissões de carbono, ainda que fraco, produzirá um novo entendimento aos consumidores, investidores, fazendeiros, inovadores e empreendedores que fará grande diferença — como os primeiros alertas de que o cigarro causava câncer. Na manhã seguinte àquele alerta ninguém mais encarou o fumo da mesma maneira. O mesmo acontecerá se esse projeto de lei sobre *cap-and-trade* algum dia virar lei. Daí em diante, qualquer pessoa que tome decisões sobre investimentos nos Estados Unidos — o modo de construir as casas, de fabricar os produtos e gerar a energia — procurará a opção mais barata com menos carbono. Entrelaçar as emissões de carbono às decisões de negócios levará a um novo patamar a inovação e o uso de tecnologias limpas, e tornará a eficiência energética muito mais acessível. No outono de 2009 o projeto de lei estava sendo debatido pelo Senado e não estava claro quando, se, ou de que forma ele será aprovado.

Gostaria que um projeto de lei assim fosse aprovado junto com um aumento do imposto federal sobre a gasolina, que ainda é de 4,84 centavos por litro. Na maioria dos países europeus o imposto sobre a gasolina é de 1,05 a 1,31 dólares por litro. É difícil imaginar algo com um impacto mais positivo sobre o transporte limpo do que o aumento no imposto da gasolina. As taxas sobre a gasolina ajudam a reduzir o consumo, motivam as pessoas a comprar veículos mais eficientes no aproveitamento do combustível, diminuem a quantidade de dinheiro que enviamos aos ditadores do petróleo, melhoram a qualidade do ar, fortalecem o dólar e a balança de pagamentos, ajudam a reduzir o aquecimento global e fazem os cidadãos sentir que estão contribuindo de alguma forma na guerra contra o terrorismo.

"Esta não é apenas uma situação de vencer ou vencer", diz Michael Mandelbaum, especialista em política externa da Johns Hopkins. "É uma situação de vencer ou vencer ou vencer ou vencer."

Outra sinalização de preços eficiente, como observou Jeffrey Immelt, seria um decreto nacional — *nacional* — sobre energia renovável. Um decreto informando às empresas de eletricidade de todos os estados que, a partir de determinada data — digamos 2020 —, elas seriam obrigadas, por lei, a gerar 20% de sua energia a partir de fontes renováveis: solar fotovoltaica, solar térmica, eólica, hidrelétrica, maremotora, ou qualquer outro processo limpo. Um decreto assim estimularia quantidades maciças de inovação, pois aproveitaria tecnologias existentes, como a eólica e a solar, e as massificaria rapidamente, criando um imenso mercado nacional que ofereceria segurança aos investidores. O político que melhor demonstrou isso foi um cara chamado George W. Bush, quando governou o Texas. Bush pressionou pela aprovação e assinou o Decreto de Energia Renovável em 1999. O decreto estipulava que as empresas de energia do Texas teriam de produzir 2 mil novos megawatts de eletricidade, em sua maioria provenientes de fontes eólicas, até 2009. O que aconteceu? Uma dúzia de novas empresas entrou no mercado texano, inclusive uma da Irlanda, e construíram usinas eólicas para atender ao decreto. Foram tantas que a meta foi alcançada em 2005. Então, o Congresso do Texas aumentou o limite para 5 mil megawatts por volta de 2015. Todo mundo sabe que a meta será atingida antes deste prazo. Decretos para energia renovável funcionam.

Para finalizar, nós construímos cerca de cem usinas nucleares no quarto de século que precedeu 1979, quando o acidente em Three Mile Island interrompeu a construção de novas usinas nucleares nos Estados Unidos. Precisamos retomar este empreendimento, além de empreender um esforço concentrado para estender a vida útil das usinas nucleares que já construímos. A ameaça de vazamentos de material nuclear, com as novas tecnologias hoje existentes, é muito menos séria que a ameaça de mudanças climáticas. Mas a construção de uma nova usina nuclear custa, no mínimo, 7 bilhões de dólares, e leva oito anos, provavelmente, desce a concepção até a conclusão. A maioria dos principais executivos de empresas permanece cerca de oito anos no cargo, e não há muitos presidentes de empresas que apostariam 7 bilhões de dólares — quantia que pode representar mais do que a metade do valor de mercado da empresa — em um projeto nuclear. Em décadas anteriores, a construção de usinas nucleares se tornou, para muitas empresas de eletricidade, um negócio do tipo "aposte tudo", que provocou o fechamento ou o enfraquecimento de empresas de eletricidade como a Companhia de Força e Luz de Long Island e a Companhia de Serviços Públicos de Indiana. Por conseguinte, em função dos riscos de processos judiciais e atrasos, o relançamento da indústria nuclear nos Estados Unidos poderá receber pouco incentivo do governo.

Leiam meus lábios

A melhor maneira de observarmos a envergadura do desafio que enfrentamos na transição para um Sistema de Energia Limpa, em toda sua plenitude, é relermos Maquiavel. Minha passagem favorita de *O Príncipe* é a seguinte: "É preciso lembrar que não existe nada mais difícil de empreender, mais perigoso de conduzir ou de êxito mais incerto do que liderar a implantação de uma nova ordem. O reformador terá como inimigos todos aqueles que prosperavam no antigo regime, e defensores pouco empenhados nos que acham que podem prosperar com a nova ordem. Esta frieza deriva, em parte, do medo despertado pelos oponentes — que têm as leis a seu favor — e, em parte, da incredulidade dos homens, que não acreditam realmente em coisas novas, até que tenham uma longa experiência com elas."

Este é mais um motivo para que o governo estabeleça uma sinalização de preços, de modo a estimular inovações no setor energético. Quando estamos mudando de um sistema para outro, o primeiro passo é sempre árduo e mais dispendioso do que manter o *status quo* — e, em um mundo quente, plano e lotado, irá se tornar cada vez mais doloroso, a cada ano que esperarmos. Uma sinalização de preços estimularia a população e as empresas a efetuarem a transição mais cedo, em vez de mais tarde. Mas nossos líderes têm se mostrado receosos de liderar. Assim, só nos movemos realmente quando forças externas — como o embargo petrolífero promovido pelos árabes nos anos 1970 — provocam aborrecimentos suficientes (e longas filas nos postos de gasolina) para que nossos líderes sintam que têm cobertura política para fazer as coisas certas, decretando a duplicação da economia de combustível dos automóveis americanos.

Quem dirá a verdade ao povo? Sim, sei que os especialistas costumam dizer que pagar impostos sem contrapartida de benefícios a curto prazo é uma impossibilidade política. Entretanto, no passado, em grandes questões como o voto feminino e os direitos civis, a população esteve à frente dos políticos — e os políticos podem subestimar a vontade do povo, mesmo quando está claro o que se deve fazer e quais são os verdadeiros custos e benefícios das alternativas.

É tudo uma questão de enquadramento. Imaginemos uma campanha eleitoral em que um dos candidatos defenda uma taxação sobre a gasolina e o outro se oponha a ela. O candidato contra a taxação dirá o que candidatos desse tipo vêm dizendo há décadas:

"Lá vem meu oponente liberal — querendo criar mais um imposto. Ele adora impostos. Agora quer aumentar a taxação sobre a gasolina, ou impor uma taxação maluca sobre dióxido de carbono. Muito obrigado, mas o povo americano já tem sido bastante taxado!"

Mas há uma resposta para esses argumentos, e um candidato realmente engajado nas questões ecológicas não se furtará a respondê-los. Ele, ou ela, diria isto: "O povo americano, de fato, já tem sido bastante taxado. Concordo inteiramente. Neste exato momento, está sendo taxado pela Arábia Saudita, pela Venezuela, pela Rússia, pelo Irã. Se você não acha que um preço global da gasolina controlado pelo maior cartel do mundo não equivale a um imposto, então você não está prestando atenção. Portanto, vamos deixar uma coisa bem clara: meu oponente e eu somos ambos a favor de um imposto. Ele está a favor do imposto da Opep, e eu estou a favor de um imposto criado pelo governo americano. Porque eu tenho esta opinião, esquisita e fora de moda, de que meus impostos devem ir para o Tesouro dos Estados Unidos, não para o Tesouro saudita, o Tesouro iraniano, o Tesouro venezuelano e o Tesouro russo. É uma mania que eu tenho. Eu quero que os dólares dos impostos que pago sejam aplicados no meu próprio país, na construção de estradas, hospitais, infraestrutura, pesquisa. O meu oponente, por outro lado, não liga para onde vão seus impostos em energia."

"Pensem nisto", diria um candidato verde: "O preço da gasolina na manhã do dia 11 de Setembro de 2001, nos Estados Unidos, estava entre 43 e 48 centavos de dólar por litro. Se o presidente Bush tivesse imposto uma 'Taxa Patriótica' de 25 centavos de dólar por litro no dia seguinte, o preço da gasolina ficaria em torno de 80 centavos por litro. O governo americano embolsaria o aumento, a demanda por gasolina cairia e a demanda por veículos mais econômicos no uso de combustível iria disparar. Não seria um disparate especular que, mesmo com a crescente demanda da China e da Índia nos últimos sete anos, a gasolina custaria hoje, nos postos americanos, entre 80 centavos e um dólar o litro, mas já teríamos passado pelo processo de transição. Um número muito maior de americanos estaria dirigindo carros mais econômicos em combustível, assim como os europeus, de modo que a quilometragem destes por litro seria muito maior. E o Tesouro americano estaria recebendo o valor a mais embutido no preço da gasolina — não o Tesouro iraniano. Mas, como não tivemos coragem para iniciar a transição no dia 12 de setembro de 2001, o preço da gasolina, no dia 12 de setembro de 2008, era superior a um dólar por litro, a economia de combustível dos carros americanos ainda era desprezível e os bilhões de dólares que temos pagado, por conta da duplicação dos preços da gasolina desde o 11 de Setembro, foram todos para os países produtores de petróleo, inclusive governos que desenharam um alvo em nossas costas."

Nosso candidato diria: "Precisamos parar de nos enganar: ao rejeitar o aumento do imposto sobre a gasolina ou um preço sério no carbono não economizamos o dinheiro dos cidadãos. Isso é completamente ilusório — a síntese do pensamento míope. A Opep e o mercado estão impondo os seus próprios impostos. Americanos, vocês pagam impostos hoje. Há imposto cada vez que aquece a sua casa, põe a sua pequena empresa para funcionar ou dirige o seu carro. É um peso em cada transação que você faz como ser humano. Quero cortar os seus impostos. Leia os meus lábios: quero cortar os seus impostos."

"Claro, sei o que você está pensando: se o mercado vai subir o preço de qualquer modo, isso não equivale a um imposto? Por que isso não estimula a inovação? Por que acrescentar algo mais? Porque existe uma diferença entre um preço alto e um imposto sobre o carbono, fixo e de longo prazo. Claro, os mercados empurram para cima os preços do carvão, do petróleo e da gasolina, mas também podem empurrá-los para baixo, como já vimos várias vezes. Por isso não há suficientes investidores dispostos a aplicar em alternativas de longo prazo, porque nunca têm certeza de qual será o preço mínimo do petróleo, do carvão ou da gasolina nem quando suas energias renováveis, mais caras, serão substituídas por esses combustíveis sujos mais baratos. E os consumidores temem que ao pagar mais pela eficiência de suas casas ou carros terão desperdiçado dinheiro se o mercado baixar os preços, como aconteceu durante a Grande Recessão. Portanto, quando simplesmente deixamos o mercado estabelecer os preços da energia, temos o pior dos mundos — preços altos e baixo investimento em energias alternativas."

"Então proponho deixar de ficar à mercê da Opep e do mercado. Vamos oferecer algo diferente às pessoas— uma forma de vida sustentável. Isso significa construir edifícios com o mesmo nível de conforto, mas com menor consumo de energia. Significa fabricar carros que vão tão longe e tão rápido quanto os outros, mas com menor consumo de energia. Significa construir fábricas que produzem mais bens, mas consomem menos eletricidade. Se pudermos fazê-lo, isso será equivalente a um grande corte nos impostos, não é mesmo? Sim, ao contrário do meu oponente, que quer nos escravizar à Opep e às flutuações do mercado de commodities, eu quero devolver dinheiro aos pequenos empreendedores que trabalham duro e pagam uma conta de energia alta para manter suas pequenas lojas acesas e as fábricas funcionando. E isso seria um corte de impostos permanente. Um presente permanente. Não seria bom? Eu acho que sim", diria o candidato verde.

"Então, como chegaremos lá? Precisamos fazer a transição para uma nova economia energética, e isso significa moldar o mercado para nos fornecer bens e serviços diferentes. Portanto, proponho fixar um preço durável e de longo prazo para os combustíveis fósseis baseados em carbono. Quando fizermos isso, todo construtor, fabricante de ar-condicionado, refinador de gasolina, carpinteiro e fabricante de carros vai se adaptar e fornecer produtos energeticamente mais eficientes, porque os consumidores vão exigir isso. Sim, o preço da energia por litro de gasolina ou do quilowatt-hora subirá no curto prazo. Mas, no longo prazo, as contas e gastos diminuirão, porque os carros, os eletrodomésticos e a fábrica ao lado serão cada vez mais eficientes energeticamente e permitirão mais produtividade, mobilidade e conforto com menos gasto de energia."

"Chamo isso de 'Corte no Imposto de Carbono'. Você não vai receber dividendos na primeira semana nem no primeiro mês. Precisa haver uma transição — uma transição que há tempos tentamos evitar. Mas, uma vez feita, já que o preço do carbono forçará todos a investir em maior eficiência, teremos, na verdade, um corte permanente de impostos: as casas funcionarão com menos eletricidade, os carros com menos gasolina e as fábricas com menos carvão ou gás natural. Então, não preste atenção ao que diz o meu oponente. Ele só diz bobagem. Estamos tentando do jeito dele há 35 anos e o que aconteceu foi que nos tornamos mais dependentes da energia fornecida por alguns dos piores regimes do mundo, e não houve um desenvolvimento dos recursos energéticos renováveis nem de eficiência energética na escala em que precisamos."

"Caros eleitores, a cada década olhamos para trás e dizemos 'Se apenas... Se apenas tivéssemos feito a coisa certa há dez anos'. Bem, tudo o que precisamos fazer para lentamente nos tornarmos um país de segunda categoria é continuar procrastinando mais dez anos. A geração nascida no pós-guerra cresceu numa era em que tudo o que precisava fazer para manter o nosso estilo de vida era usar e explorar os abundantes recursos naturais que herdamos. Para seguir em frente, se quisermos manter o nosso estilo de vida, precisaremos alavancar e explorar os nossos recursos intelectuais mediante a inovação e a tecnologia. E só é possível fazê-lo remodelando o mercado. Estou convencido de que a maioria dos americanos pagará mais pela energia se for convencida de que temos um plano que irá pesar em todo o país de um modo equitativo e que, quando isso terminar, os nossos custos por litro ou por quilowatt poderão ser mais altos, mas as contas de energia serão mais baixas. Além disso, seremos mais fortes e saudáveis, mais seguros e inovadores como nação. Sim, haverá uma transição durante a qual teremos que pagar mais. Não há como evitá-lo. Mas quanto mais cedo fizermos a transição, mais cedo desfrutaremos dos cortes nos impostos. Quanto mais esperarmos, mais ficaremos sujeitos às oscilações do mercado e outros se adiantarão a nós na próxima grande indústria global."

Se não for possível vencer uma eleição nos Estados Unidos com estes argumentos, então estamos realmente perdidos.

CATORZE

Se não for chato, não é verde

Eis uma brincadeira sobre o noticiário:

Qual é a cidade da Pensilvânia que tem superávit comercial com a China, o México e o Brasil?
RESPOSTA: Erie.

Como pode uma cidade com um parque industrial antiquado como Erie apresentar superávit comercial com a China, o México e o Brasil?
RESPOSTA: Com uma empresa, a GE Transportation.

Bem, o que a GE Transportation fabrica de tão exportável em Erie?
RESPOSTA: Grandes locomotivas no velho estilo — aquelas enormes máquinas a diesel que puxam trens enormes!

Mas como a GE Transportation, localizada no antigo cinturão industrial dos Estados Unidos, hoje um cinturão enferrujado, tornou-se o mais lucrativo fabricante de locomotivas do mundo?
RESPOSTA: Com uma combinação de excelente engenharia, desenvolvida por uma empresa americana tradicional em

> uma tradicional cidade americana, de um mercado global à procura de locomotivas menos poluidoras e de um governo americano que estabeleceu padrões de eficiência energética cada vez mais altos. Normas mais exigentes ajudaram a impulsionar inovações nos motores das locomotivas, visando reduzir a poluição e, ao mesmo tempo, aumentar a economia de combustível, reduzindo mais ainda as emissões de CO_2. Precisamos dessa interação entre órgãos do governo, dirigentes de empresas e engenheiros — dessa interação obscura, cinzenta e enfadonha em torno de normas —, se quisermos estimular as inovações necessárias a uma verdadeira revolução verde.

É claro, todos querem ser astros da ecologia. Astros bem informados como Al Gore são essenciais; eles chamam a atenção e despertam paixão por um assunto. Mas só farão diferença se forem seguidos por "burocratas revolucionários" — homens e mulheres que estabeleçam normas para as emissões de poluentes e para a eficiência energética, e que, com uma canetada, possam mudar a quantidade de energia consumida por 50 milhões de condicionadores de ar, ou a quantidade de óleo diesel consumida por mil locomotivas no período de um ano. Isto é revolucionário.

Quando se fala em implementar uma revolução verde, quanto mais enfadonho o trabalho, mais revolucionário será o impacto. Se não for chato, não é verde. Chamo isso de regra "Corra que a Polícia Vem aí 2 1/2", por causa do filme homônimo, brilhante mas amalucado, estrelado por Leslie Nielsen. Nielsen interpreta o tenente Frank Drebbin, um desastrado policial que descobre um plano para sabotar a política energética dos Estados Unidos. O filme começa com um jantar oferecido na Casa Branca pelo presidente George Herbert Walker Bush. Entre os convidados estão os líderes da indústria energética americana: representantes da Sociedade dos Líderes da Indústria do Petróleo (cuja sigla, em inglês, é SPILL), da Sociedade para Mais Energia Derivada do Carvão (SMOKE) e o grupo representante dos Benefícios Atômicos para a Humanidade (KABOOM)*. O presidente decide nortear a política energética dos Estados Unidos tomando por base recomendações de um importante perito independente, o dr. Albert S. Meinheimer. A energia solar também está competindo e tem boas chances de sair vitoriosa. Os representantes das indústrias de petróleo, carvão e energia nuclear planejam sequestrar o dr. Meinheimer e substituí-lo por um pateta, para que este recomende petróleo, carvão e energia nuclear — em vez de energia solar — para o futuro americano. Nielsen descobre o plano. Defrontando-se com o chefe da indústria petrolífera, diz a ele: "Você é parte de um gênero em extinção, como as pessoas que sabem os nomes de todos os cinquenta estados." O dr. Meinheimer é salvo e, no final, recomenda ao presidente Bush uma política baseada em "eficiência energética e fontes limpas de energia renovável". (O Conselho de Defesa dos Recursos Naturais foi um dos consultores do filme!)

Minha cena favorita é a conclusão. Em uma palestra no Clube Nacional de Imprensa, o dr. Meinheimer está em um palco, explicando os detalhes da política energética recomendada por ele, apontando para diversos mapas, gráficos e estatísticas que fundamentam suas análises. Mas todos os presentes — plateia e garçons — caíram no sono e estão roncando.

Se não é chato, não é verde...

Regulamentações e padronizações são importantes — mesmo que façam dormir. A imposição de uma sinalização de preços é absolutamente necessária, tanto para massificar as tecnologias de geração de energia limpa que já temos, quanto para estimular o mercado a procurar novas formas de nos oferecer elétrons abundantes, limpos, confiáveis e baratos, que alimentem uma Internet Energética com redes inteligentes, residências inteligentes e carros inteligentes. Mas a sinalização de preços, por si só, não é suficiente. E os próximos avanços revolucionários na produção de energia limpa podem demorar anos para serem viabilizados.

---

* As siglas em inglês são trocadilhos: SPILL — "Derramamento"; SMOKE — "Fumaça"; KABOOM — onomatopeia para "explosão". (N. do T.)

Por conseguinte, precisamos de avanços decisivos no uso eficiente da energia e dos recursos naturais, que nos proporcionem, imediatamente, maior crescimento, maior mobilidade, mais calor, mais luz e mais eletricidade — consumindo menos recursos energéticos e naturais. Isto nos permitiria reduzir as emissões de CO_2 *agora*, antes mesmo de obtermos elétrons abundantes, limpos, confiáveis e baratos. E isto nos permitiria usar menos elétrons limpos, à medida que fossem se tornando disponíveis.

Portanto, nos dias de hoje, a política energética se resume ao seguinte: precisamos incentivar toda a eficiência energética que pudermos obter neste momento — pois isto é sempre mais barato do que gerar novos elétrons. Ao mesmo tempo, precisamos promover elétrons limpos para suprir o restante de nossas necessidades econômicas, de modo a crescermos da maneira mais limpa possível.

Assim como o último capítulo focalizou a relevância da sinalização de preços no desenvolvimento de uma política energética, este capítulo analisará como podemos utilizar padronizações e regulamentações para estimular inovações na geração de elétrons limpos e a massificação das tecnologias já existentes; para aumentar a eficiência energética em nossas casas, aparelhos domésticos, prédios, veículos, lâmpadas e condicionadores de ar, que formarão a rede inteligente; e para reformular o modo como as empresas de eletricidade se relacionam com seus clientes, para que essas empresas se transformem em otimizadoras da Internet Energética, em vez de serem apenas operadoras de bufês baratos, do tipo "coma à vontade".

Quando se trata do papel das regulamentações no estímulo às inovações que aumentem a eficiência energética, não há melhor exemplo do que a GE Transportation, que tem 5.100 funcionários, muitos deles engenheiros, na sua sede em Erie, e em outra fábrica na localidade de Grove City, nas proximidades. O diretor-executivo da GE Transportation, John Dineen, descreve sua fábrica de locomotivas como um "campus tecnológico", pois "parece uma área industrial com cem anos de idade, mas dentro desses prédios centenários existem engenheiros de categoria internacional, trabalhando no desenvolvimento de tecnologias da próxima geração. As pessoas olham para o nosso grande prédio e o tomam por uma fábrica tradicional, quando o que realmente movimenta este negócio é a tecnologia".

Os operários da GE Transportation ganham quase o dobro do salário médio pago em suas respectivas cidades — graças, principalmente, às exportações da locomotiva a diesel Evolution Series (EVO para encurtar), que pesa quase 109 toneladas e custa 4 milhões de dólares. A GE Transportation, que terá exportado cerca de trezentas delas para a China, ao final de 2009, também as vende para ferrovias do mundo inteiro, inclusive para México, Brasil, Austrália e Cazaquistão. Seria de se esperar que um país tão dependente de ferrovias como a China fabricasse suas próprias locomotivas, e isto é verdade. A China realmente fabrica suas próprias locomotivas, milhares delas, muito mais baratas do que as fabricadas pela GE. Mas acontece que estas são as mais eficientes do mundo, em termos de eficiência energética, com as mais baixas emissões das tradicionais partículas de fuligem, de CO_2 e de óxido de nitrogênio — e apresentam o melhor índice de quilometragem por tonelada deslocada. É por isto que a China as compra. O novo motor de 12 cilindros da EVO tem a mesma potência de seu predecessor de 16 cilindros. O melhor de tudo é que essas locomotivas são confiáveis. "Elas não enguiçam nos trilhos", diz Dineen.

Um dos fatores decisivos que levou a GE Transportation a projetar a EVO como o fez foi a edição das normas para as emissões de poluentes, estabelecidas pela Série II da Agência de Proteção Ambiental dos Estados Unidos para locomotivas e outros veículos de transporte. As novas normas, implantadas em 2004, exigiam grandes reduções nas emissões de óxido de nitrogênio e partículas poluentes. A GE não teve escolha, a não ser se adequar às novas regras, mas a questão era como. Sempre que um fabricante de locomotivas se depara com uma padronização desse tipo, tem uma série de opções. Pode fabricar motores mais limpos, por exemplo, às custas da redução da quilometragem por litro, por hora, ou às custas da confiabilidade. O presidente da GE, Jeffrey Immelt, decidiu que, em vez de simplesmente adaptar os motores existentes — que estavam dentro das normas estabelecidas pela Série I — para adequá-los às exigências da Série II, seria melhor começar tudo de novo.

"Sabíamos que teríamos de reduzir as emissões", recorda-se Dineen. "E sabíamos que poderíamos conseguir isso através da redução do desempenho e da confiabilidade; mas, em vez disso, resolvemos apostar no desenvolvimento das três variáveis através da tecnologia, refazendo todo o motor... Quando se opta por mover todas as variáveis na direção correta, ao mesmo tempo, é preciso começar do zero. Adotamos um motor maior e mais robusto, capaz de suportar maiores pressões nos cilindros, com novos materiais, novos projetos e novos pistões. Procuramos maior confiabilidade, menores emissões de poluentes *e* mais quilômetros por litro — tudo ao mesmo tempo." Sim, em última análise foram os engenheiros da GE que descobriram como fazer isso. E a GE influenciou a agência norte-americana de proteção ao ambiente no sentido de encontrar um ponto de equilíbrio. Mas o início de tudo, definitivamente, foram as normas para as emissões de poluentes estabelecidas pela Série II, segundo Dineen. "A agência pode receber o crédito de ter forçado a necessidade de implantar novas tecnologias nas locomotivas."

As emissões de gás carbônico possuem uma relação direta com a quilometragem que uma locomotiva percorre por litro de diesel. Quando a quilometragem por litro aumenta, as emissões diminuem. Portanto, quando a GE decidiu construir um novo motor que não só estivesse dentro das normas para as emissões de óxido de nitrogênio, estabelecidas pela Série II, mas que também percorresse mais quilômetros por tonelada deslocada, foi capaz de reduzir tanto as emissões de óxido de nitrogênio da EVO, quanto as emissões de CO_2.

Em 2004, esta última melhoria pareceu apenas um toque a mais. As emissões de CO_2 não faziam parte da agenda da Série II. Mas, nos últimos dois anos, as emissões de gás carbônico, principalmente em um país como a China, se tornaram uma questão importantíssima. Assim, as ferrovias estatais chinesas e muitos outros clientes se sentiram estimulados a comprar uma locomotiva que utilizava o combustível com mais eficiência, produzia menos óxido de nitrogênio *e ainda emitia menos* CO_2. "Não sabíamos ao certo se os chineses estariam interessados em emissões mais baixas, mas estão", diz Dineen. Na verdade, considerando-se o fato de que a China, em 2008, tirou dos Estados Unidos o papel de líder mundial nas emissões de gás carbônico, com todo o opróbio que acompanha o título, não foi nenhuma surpresa o fato de as grandes estatais chinesas estarem ansiosas para reduzir suas emissões de um modo econômico. A chave de tudo, entretanto, foi fazer das emissões mais baixas um algo mais quase gratuito para as ferrovias chinesas. Quando a redução nas emissões de CO_2 ocorre como resultado da redução no consumo de combustível, diz Dineen, "a procura aumenta rapidamente, não só no mercado americano, mas também nos mercados de países que não possuem legislação específica".

A questão das emissões de gás carbônico, acrescenta Dineen, "surgiu para nós mais depressa do que jamais poderíamos ter imaginado... Assumimos a liderança por causa de nossas próprias regulamentações. As regulamentações nos levaram até esse patamar, e chegamos antes. Quando os outros se interessaram, já estávamos em situação de vantagem no setor".

A nova EVO era 5% mais eficiente na utilização de combustível do que sua predecessora. O que significa 5%? No período de vinte anos, que é o ciclo de vida útil de uma locomotiva, esse percentual economiza mais de um milhão de litros de diesel, e as correspondentes emissões de gás carbônico. E quando uma ferrovia compra centenas dessas locomotivas de uma só vez, isto pode representar enorme quantidade economizada, tanto de combustível quanto de gás carbônico.

"Agora já estamos profundamente envolvidos nas discussões a respeito das normas das Séries III e IV", diz Dineen. "Quanto mais o gás carbônico for taxado, e os preços dos combustíveis aumentarem, mais eficientes nos tornaremos no aproveitamento de combustível. A GE e a Agência de Proteção Ambiental aprenderam com a Série II, e estão procurando soluções tecnológicas para reduzir os poluentes tradicionais, como o óxido de nitrogênio, aumentando, paralelamente, a eficiência do combustível e reduzindo as emissões de gás carbônico. A propósito, quanto mais altos são os padrões das normas, mais tecnologia se faz necessária para atingi-los e mais competentes devem ser os engenheiros que precisaremos contratar."

De fato, a GE Transportation tem um enorme apetite por engenheiros talentosos, mas o sistema escolar de Erie estava encontrando dificuldades para manter um bom nível no ensino de matemática e ciências. Assim, a Fundação GE destinou 15 milhões de dólares à melhoria dos programas de matemática e ciências das escolas locais. Não é que a GE esteja contratando engenheiros recém-graduados do ensino secundário, mas, se quiser atrair engenheiros conceituados para Erie, e conservá-los na cidade, precisa ajudar a manter um sistema escolar de qualidade.

"Estamos no oeste da Pensilvânia", diz Dineen. "Aqui não é o Vale do Silício. Passo um bocado de tempo com os líderes do governo local, tentando fazê-los entender que nossa vantagem competitiva é baseada em avanços tecnológicos, e não em fundições de baixo custo. Portanto, estamos desafiando esta cidade a melhorar constantemente o ensino de matemática e ciências."

Em resumo, as empresas gostam de se situar em lugares onde os engenheiros são mais qualificados e mais numerosos, e onde os padrões de qualidade motivam o progresso. Tudo está interligado: normas mais rigorosas com relação ao clima e às emissões de combustível exigem produtos mais inteligentes; produtos mais inteligentes requerem funcionários mais inteligentes; e funcionários mais inteligentes gostam de viver em ambientes limpos, com boas escolas para os filhos, e acabam exigindo padrões de qualidade ainda maiores. Se os Estados Unidos desejam prosperar na Era da Energia e do Clima, o governo federal, os governos estaduais e os governos locais precisam movimentar o tempo todo esse círculo virtuoso.

A teoria mais citada a respeito do relacionamento entre regulamentação ambiental e inovação é a "hipótese de Porter", exposta pela primeira vez em 1991 por Michael Porter, professor da Escola de Negócios de Harvard. Porter afirmou que "regulamentações ambientais adequadamente planejadas estimulam inovações tecnológicas, que levam a reduções nas despesas e melhorias na qualidade. Em decorrência disso, as empresas de um país possuem condições de alcançar uma posição de maior competitividade no comércio internacional, assim como uma produtividade industrial mais elevada".

Outra maneira de colocar a questão, Porter me explicou, é mostrar que a poluição é simplesmente um desperdício: desperdício de recursos, desperdício de energia, desperdício de materiais. As empresas que conseguirem eliminar esse desperdício poderão utilizar seu capital, tecnologia e matéria-prima com mais produtividade, de modo a gerar o máximo de valor agregado e se tornarem mais competitivas. Assim, regulamentações ambientais adequadamente concebidas podem matar dois coelhos com uma só cajadada — podem melhorar o ambiente *e* a competitividade de uma empresa ou de uma nação.

Uma vez estabelecidas as normas e padrões, a mensagem é: "Tirem do caso os advogados e lobistas, e ponham os engenheiros." Isso é muito bem ilustrado pela história do governo Bush e pela manobra que tentou realizar envolvendo os padrões de eficiência dos condicionadores de ar. O governo Clinton, ao final de seu segundo mandato, determinou que os padrões de eficiência dos condicionadores de ar fossem elevados de SEER 10 para SEER 13 (SEER é a sigla, em inglês, para "coeficiente sazonal de eficiência energética", que é definido como a refrigeração — medida em BTUs — proporcionada pelo aparelho durante um ano dividida pelo consumo de energia — medido em watts-hora — durante o mesmo período). Se o decreto fosse implementado, resultaria em uma melhoria de 30% no SEER: mais refrigeração com menos eletricidade.

Mas, como escreveu Andrew Leonard, o sempre incisivo colunista de tecnologia do website Salon.com, em um ensaio divulgado em 17 de setembro de 2007, citando uma pesquisa realizada por Ann Carlson, o SEER foi transformado em jogo político: pouco depois de assumir o poder, o governo Bush decidiu reverter os padrões para o SEER 12, que representava uma melhoria de apenas 20%. A equipe de Bush tomou essa decisão, apesar das objeções de sua própria Agência de Proteção Ambiental. Segundo a agência, a reversão proposta era baseada em uma análise que subestimava a economia trazida pelo SEER 13, e exagerava seus custos para os fabricantes.

O Conselho de Defesa dos Recursos Naturais e mais dez estados entraram com um processo para reverter a medida, e venceram. Em 2004, a Corte de Apelações dos Estados Unidos para o Segundo Circuito determinou que o Departamento de Energia retornasse aos padrões do SEER 13 para condicionadores de ar central. No dia 1º de janeiro de 2007, seis anos depois de serem instituídos, os padrões originais concebidos pela equipe de Clinton entraram em vigor.

"Qual seria a diferença entre um padrão de eficiência energética de 20% e outro de 30%?", pergunta Leonard. "Apenas cerca de 12 usinas de 400 megawatts."

Steven Nadel, diretor-executivo do Conselho Americano para uma Economia Eficiente no Setor da Energia, que trabalhou duro pela implementação do SEER 13 durante o governo Clinton, fez uma declaração sobre o impacto do SEER, após a decisão da corte de apelações: "Esta importante legislação irá poupar o dinheiro dos consumidores, reduzirá o risco de blecautes e a emissão de gases poluentes e gases-estufa... Uma análise realizada pelo Conselho demonstra que os consumidores americanos pouparão cerca de 250 bilhões de quilowatts-hora e 21 bilhões de dólares nas contas de eletricidade até 2030. Durante o mesmo período, as empresas de eletricidade deixarão de construir usinas para a produção de 20 mil megawatts, economizando bilhões de dólares em custos e reduzindo as futuras tarifas. A energia poupada evitará a emissão de cerca de 50 milhões de toneladas métricas de CO_2 — o equivalente a tirar 34 milhões de automóveis das estradas durante um ano."

Estou certo de que alguns fabricantes de condicionadores de ar lutaram vigorosamente e promoveram lobbies contra a adoção de padrões mais altos de eficiência, mas os benefícios para o país e para a atmosfera foram tão obviamente grandes, numa época de elevação dos preços da energia, que o presidente Bush fez um papel ridículo ao se intrometer no assunto.

Esse caso demonstra cabalmente como uma pequena modificação em uma norma, um ou dois graus, quando aplicada a toda a economia, pode ter um impacto enorme na geração de energia, na eficiência energética e nas emissões de gases. E também desmascara um dos truques mais comuns usados pelos que se opõem ao aumento dos padrões de eficiência energética: exagerar os custos das mudanças e subestimar seus benefícios. Isto foi habilmente demonstrado por Roland Hwang, do Conselho de Defesa dos Recursos Naturais, e por Matt Peak, da CALSTART (empresa que se dedica a soluções não poluentes no setor de transportes), no estudo que redigiram em abril de 2006, sobre as relações entre regulamentações e inovações. Eles fizeram uma pergunta muito simples, mas fundamental: "Antes que o estado da Califórnia impusesse certos regulamentos para as montadoras de automóveis, o que estas diziam? Que os regulamentos seriam muito difíceis de cumprir. Mas, no final, qual foi o verdadeiro impacto dos regulamentos sobre os preços, e que inovações acarretaram?" Hwang e Peak descobriram que as indústrias envolvidas, de forma exagerada e sistemática, superestimaram os custos impostos pelas regulamentações, e subestimaram, de forma exagerada e sistemática, os benefícios e as inovações que acarretariam.

Em meados dos anos 1970, os fabricantes de automóveis se opunham fortemente à introdução de conversores catalíticos nos motores, para reduzir a toxicidade das emissões. "Os executivos da indústria automotora alegavam que as regulamentações não eram exequíveis e poderiam causar sérios transtornos a suas fábricas", observaram Hwang e Peak.

> Por exemplo, em 1972, durante um depoimento ao Congresso, Earnest Starkman, vice-presidente da General Motors, declarou que se os fabricantes de automóveis fossem obrigados a introduzir conversores catalíticos nos modelos de 1975, "é possível que ocorra uma paralisação de toda a produção, acarretando, obviamente, tremendas perdas para a empresa, para os acionistas, funcionários, fornecedores e comunidades". O presidente da Ford, Lee Iacocca, alegou que "se a Agência de Proteção Ambiental dos Estados Unidos não suspender as normas que impõem os conversores catalíti-

> cos, a Ford terá de fechar as portas, o que resultaria em: (1) redução do produto interno bruto, da ordem de 17 bilhões de dólares; (2) desemprego de 800 mil pessoas; e (3) redução de 5 bilhões de dólares nos impostos recebidos por todos os níveis de governo, sendo que alguns governos municipais iriam se tornar insolventes". Apesar destas alegações, a Califórnia implementou as regulamentações. (...) exigindo que os primeiros conversores catalíticos fossem introduzidos em 1975, e os primeiros conversores catalíticos de três vias, em 1977 (...) a Chrysler alegou que a padronização prevista para 1975 elevaria em 1.300 dólares o preço de cada carro. Em valores atuais, isto representa 2.770 dólares. A Ford calculou que a elevação de preço, no caso do Pinto, seria de 1.000 dólares (2.130 dólares, em valores de 2004.) Entretanto, um relatório do Gabinete de Ciências da Casa Branca, publicado em 1972, estimou o custo em 755 dólares (equivalentes a 1.600 dólares, em valores de 2004). O custo real da implementação dos conversores catalíticos, que foi adiada até 1981, é estimado entre 875 e 1.350 dólares, em valores de 2002.

Ficou evidenciado que a redução na poluição atmosférica foi enorme, o céu não caiu e a economia americana não foi paralisada — como fora previsto.

Hwang e Peak revelam que esse comportamento se repetiu muitas outras vezes, com relação a diversas regulamentações ambientais: as indústrias e, frequentemente, até órgãos reguladores superestimam os custos da adoção de padrões mais elevados. Até certo ponto, sem dúvida, é uma atitude intencional; mas até certo ponto, observam os autores, decorre do fato de que as indústrias e os órgãos reguladores subestimam o papel de "inovações inesperadas".

Uma retrospectiva da história de regulamentação no setor automotivo, escrevem eles,

> indica que os fabricantes, muitas vezes, utilizam tecnologias e implementam métodos diferentes dos previstos inicialmente, o que resulta em custos mais baixos que os estimados. Uma coisa fica

clara, no estudo da história de regulamentação sobre a poluição do ar: uma regulamentação rigorosa estimula inovações. Uma regulamentação rigorosa elimina incertezas e proporciona um forte incentivo competitivo para que os fabricantes de automóveis e seus fornecedores promovam inovações e, frequentemente, reduzam radicalmente seus custos.

Uma clara sinalização de preços e uma clara regulamentação sempre criam um ambiente muito mais propício a inovações.

Antes de 1969, segundo Hwang e Peak, era comum pensar que o único meio de se reduzir a poluição provocada pelos automóveis era o uso de tecnologias "de fim de tubo", com os conversores catalíticos. "Porém — enquanto os novos padrões de emissão eram implantados na Califórnia, influenciando a política nacional, o que culminou com a Lei do Ar Limpo, de 1970, que exigia a redução das emissões poluentes em 90% — um fabricante de automóveis, a Honda, pesquisava métodos alternativos para a redução da poluição automotiva", observam os autores.

> O fundador da empresa, Soichiro Honda, disse a seus engenheiros que "tentassem limpar os gases dentro do próprio motor, sem contar com conversores catalíticos". Os engenheiros conseguiram combinar tecnologias já existentes de uma nova forma, de modo a obter uma queima mais limpa. Seus esforços culminaram no motor de Combustão Controlada por Vórtex Composto (CVCC, na sigla em inglês), projetado com uma pequena câmara de "pré-queima" antes de o combustível chegar aos cilindros. A Honda descobriu que, queimando a mistura de gasolina e ar antes que entrasse no tubo de escape, mais impurezas eram removidas. Essa tecnologia permitiu que a Honda se adequasse às normas da Lei do Ar Limpo sem o uso de conversores catalíticos. E também se mostrou benéfica para a Honda, pois todos os fabricantes de Detroit, que inicialmente zombaram das conquistas da Honda, acabaram comprando licenças para o uso da tecnologia em 1973. A implantação da tecnologia de CVCC no Honda Civic, durante os anos 1970, desmentiu a

alegação das indústrias de Detroit de que a adequação aos padrões da nova lei — que exigia, simultaneamente, a redução das emissões poluentes e o aumento da economia de combustível — era impossível. E o governo americano classificou o Civic em primeiro lugar no ranking dos modelos que mais economizavam combustível.

O presidente George W. Bush e sua equipe alegavam que estavam protegendo as empresas americanas, ao não impor padrões de eficiência mais rigorosos, como os que foram propostos para os condicionadores de ar e para os automóveis. Era uma reação compreensível de uma administração que se via como protetora das empresas. Mas também era burra. Quando você está no país mais inovador do mundo, com os melhores centros universitários de pesquisa, os melhores laboratórios e a melhor base tecnológica, você deve exigir padrões mais altos — *porque suas empresas podem alcançá-los, enquanto empresas mais fracas não podem*. Por que um fabricante americano de condicionadores de ar pressiona para tornar nossas normas menos rigorosas? Os únicos beneficiários são os chineses, com seus condicionadores de ar menos eficientes e mais baratos, que assim podem competir em melhores condições dentro dos Estados Unidos.

Mas a reação de lutar contra a normatização está profundamente enraizada no país, sobretudo entre as elites industriais, que perdem a visão da batalha maior, diz Kenneth Oye, professor do MIT e especialista em políticas de regulamentação e inovação. "Normalmente", explica Oye, "as empresas não conseguem perceber como, na verdade, são beneficiadas por uma regulamentação mais rigorosa sobre eficiência energética e economia de combustível — portanto, não se mobilizam para mudar a legislação de modo a obterem vantagens. A Exxon Mobil seria a maior beneficiária de padrões de pureza realmente altos para os combustíveis, se as demais empresas, em sua maioria, não possuíssem a tecnologia ou a capacidade inovadora para se adequar a eles. Mas as empresas, simplesmente, estão acostumadas a lutar contra a regulamentação — em vez de vê-las como um meio de derrotar os concorrentes. Estão acostumadas a ver a regulamentação apenas como o custo imposto a suas fábricas, não percebem os efeitos diferenciais que a regulamentação pode ter sobre a qualidade da tecnologia, em relação à concorrência".

É impossível deixar de frisar como é importante aumentar a eficiência energética e como é grande o efeito que isto pode ter no abrandamento das mudanças climáticas e na redução de nossas contas de luz — agora. Como Dan Reicher, o principal especialista em energia da Google.org gosta de dizer em relação à eficiência energética: "é a fruta que sempre volta a brotar." O que ele quer dizer é que, assim que a indústria se ajusta a um padrão de eficiência, o governo pode estabelecer outro, um pouco mais alto. "Temos de cobrar eficiência mais do que nunca", acrescenta Mike Davis, cientista do Laboratório Nacional do Noroeste do Pacífico. "Precisamos de trinta a cinquenta anos para solucionar os problemas envolvidos na geração de elétrons limpos; mas, pelo lado da demanda, podemos pôr mãos à obra logo agora."

A eficiência energética foi sempre o meio mais rápido e barato de se criar energia limpa, pois a melhor forma de energia é a que deixa de ser gerada por não haver demanda por ela. Quando o plano se junta ao lotado, isto se torna ainda mais verdadeiro. Por quê? Porque tudo o que somos capazes de construir para expandir a geração de energia limpa — turbinas de vento, painéis solares, sistemas termais solares, sistemas geotérmicos e usinas nucleares — está se tornando cada vez mais caro. A matéria-prima para a construção de lâminas para as turbinas eólicas, o silicone para os painéis solares, o equipamento especial para as usinas nucleares ou linhas de transmissão — tudo isso está escasso hoje, e existem longas listas de espera. Mesmo quando conseguem os materiais, as grandes firmas especializadas estão sempre muito ocupadas. E os preços estão subindo. Portanto, a possibilidade de economizar elétrons em determinado lugar para poder usá-los em outro, sem precisar gerar elétrons adicionais, está se tornando mais valiosa a cada dia que passa.

Num abrangente informe de 2009 sobre a eficiência energética, intitulado "Destravando a eficiência energética na economia americana", a firma de consultoria McKinsey concluiu que, se os Estados Unidos enfocassem para valer no melhoramento da eficiência energética, poderiam reduzir as atuais emissões de carbono e, simultaneamente, poupar ao público e às empresas gastos consideráveis de dinheiro. Por exemplo, a McKinsey descobriu que o consumo de eletricidade nos prédios residenciais dos Estados Unidos em 2020 poderia ser reduzido em mais de 1/3 se as lâmpadas compactas fluorescentes fossem adotadas, além de padrões mais altos de eficiência energética para geladeiras, *boilers*, eletrodomésticos de cozinha, janelas e isolamento térmico dos aposentos. "A eficiência energética", escreveu a McKinsey, "fornece à economia americana um vasto recurso a baixo custo — mas só se o país puder forjar uma abordagem ampla e inovadora para empregá-la. Barreiras significativas e persistentes devem ser vencidas em múltiplos níveis para estimular a demanda de eficiência energética e administrar a sua distribuição a mais de 100 milhões de edifícios e a literalmente bilhões de aparelhos. Executada em escala, uma abordagem holística permitiria uma enorme economia de energia, no valor de mais de 1,2 trilhões de dólares, muito acima dos 520 bilhões de dólares necessários até 2020 para fazer frente aos investimentos em medidas eficazes (sem incluir os custos dos programas). Estima-se que um programa assim reduziria o consumo de energia em 2020 em 9,1 quatrilhões de BTUs, aproximadamente 23% da emissão anual de gases do efeito estufa, com uma diminuição anual potencial de 1,1 gigatoneladas destes gases". Num estudo de 2008 sobre o mesmo assunto, a McKinsey concluiu que a quantidade de energia economizada seria equivalente à produção de 110 novas usinas a carvão de 600 megawatts. Alguns especialistas argumentam que essas estatísticas são exageradas, mas pelo menos assinalam o sentido correto de uma tendência. Poderíamos conseguir tanto apenas ao estabelecer padrões mais altos para o isolamento das casas para conservar calor e refrigeração e para a quantidade de energia que os condicionadores de ar e refrigeradores podem consumir — e claro, ao apagar as luzes nas nossas casas e escritórios quando não são necessárias. "Se fizermos o bastante para aumentar a eficiência energética, o dinheiro poupado seria suficiente para financiar a limpeza — a descarbonização — dos elétrons em uso. Assim, poderíamos movimentar nossa economia, de um modo consistente com a contenção das mudanças climáticas", diz Rick Duke, diretor do Centro para Inovações Mercadológicas do Conselho de Defesa dos Recursos Naturais. Provavelmente, iremos precisar dos próximos trinta a cinquenta anos para massificar a produção de energia renovável, as tecnologias para sua armazenagem e as técnicas de captura de CO_2, até um ponto em que possam proporcionar elétrons limpos a preço razoável para toda a economia. Poderíamos preencher esse vácuo de duas maneiras: criando uma "incrementada onda de eficiência", segundo Duke, que absorveria o crescimento da demanda energética durante as próximas duas décadas — sem acrescentar uma só molécula de CO_2; ou é provável que teremos que recorrer à energia obtida dos combustíveis sujos.

Sabemos que isto funciona. Depois do choque dos preços do petróleo, em 1973-74, a Califórnia começou a instituir padrões de eficiência energética mais altos que os de qualquer outro estado do país para prédios e aparelhos elétricos, como geladeiras e condicionadores de ar. O resultado: o consumo per capita de eletricidade permaneceu quase inalterado durante os últimos trinta anos, embora a economia do estado tenha crescido enormemente. O consumo per capita de eletricidade no restante do país, durante o mesmo período, cresceu 50%, segundo um estudo realizado pelo Conselho. Se o consumo de eletricidade na Califórnia tivesse aumentado na mesma proporção que no resto do país, revela o Conselho, cerca de 25 mil megawatts adicionais teriam sido necessários — o equivalente à produção de cinquenta grandes usinas elétricas de 500 megawatts.

Um estudo conduzido em 2005 por Walter Reid, professor da Universidade de Stanford, e por uma equipe de profissionais da Secretaria de Meio Ambiente do Estado de São Paulo — patrocinados pela Fundação William e Flora Hewlett — descobriu que políticas inteligentes de apoio à eficiência energética na Califórnia e em São Paulo reduziram as emissões per capita de gases-estufa durante as duas últimas décadas.

Segundo o sumário distribuído pela Fundação Hewlett no dia 1º de dezembro de 2005,

> cada californiano gera menos da metade dos gases-estufa produzidos por seus concidadãos americanos. Isto se deve, em grande parte, à política de encorajar o uso de gás natural e de recursos renováveis, em vez do carvão, adotada na Califórnia, assim como uma agressiva promoção da eficiência energética. As emissões poluentes per capita no estado caíram em quase 1/3, desde 1975, enquanto as emissões per capita do país permaneceram inalteradas. O estudo observa que cada californiano, normalmente, economizou cerca de 1.000 dólares por ano, entre 1975 e 1995 (em contas de luz), mediante padrões de eficiência energética aplicados a prédios e aparelhos. A eficiência energética ajudou a economia do estado a crescer mais 3% — um ganho de 31 bilhões de dólares — em comparação aos estados que não adotaram os mesmos padrões. O aumento da oferta de empregos, decorrente da indústria de eficiência energética, irá gerar cerca de 8 bilhões de dólares em salários, durante os próximos 12 anos.

Isto significa que, quando alguém quer causar um impacto positivo ao meio ambiente, a primeira coisa que deve fazer, e a mais importante, é aprender as regras do jogo. É o que fazem as gigantes dos combustíveis fósseis. Elas sabem a diferença entre conversas amigáveis e conversas sérias. Elas não perdem tempo defendendo seus pontos de vista em salas de bate-papo na internet; se concentram em jogar pesado nos bastidores do Congresso, ou das câmaras estaduais, ou dos órgãos reguladores, de modo a influenciar aqueles que formulam as regras — pois são estes que definem como o jogo deve ser jogado e acabam ganhando o ouro.

Uma de minhas histórias favoritas a esse respeito é contada por Frances Beinecke, presidente do Conselho de Defesa dos Recursos Naturais, sobre o "famoso" burocrata Noah Horowitz:

> Uma de nossas maiores estrelas no Conselho é um incansável engenheiro chamado Noah Horowitz, que trabalha no escritório de São Francisco. Não são muitas as pessoas que conhecem seu nome.

> Mas as impressões digitais de Noah estão por toda parte. As humildes máquinas de vendas automáticas, por exemplo. Poucos anos atrás, Noah percebeu que elas estavam se disseminando em um número cada vez maior de lugares: supermercados, postos de gasolina, hospitais, escolas e até playgrounds. Hoje em dia há uma máquina de refrigerantes para cada centena de americanos. Algo como 3 milhões delas por aí, trabalhando 24 horas por dia, sete dias por semana. E mais: esses equipamentos utilizavam dez vezes mais energia do que uma geladeira média. Não somente para gelar os refrigerantes, mas também para iluminar botões e painéis, e acionar o dispositivo de fazer troco. Ninguém nunca pensou em aperfeiçoá-las. Noah foi até os fabricantes de bebidas. Mas eles não estavam interessados em falar com nenhum ambientalista barbudo. Além disso, não pagavam pelas máquinas. O custo recaía sobre os donos de lojas, diretorias de escolas e outros proprietários de ambientes em cujas tomadas essas máquinas eram ligadas. Então, Noah foi conversar com eles. Perguntou: "Vamos trabalhar juntos nisso?" Eles concordaram. Isto atraiu a atenção dos grandes fabricantes de refrigerantes. Então, todos concordaram em se reunir para procurar soluções. Coisas como compressores e ventiladores mais eficientes, e luzes aperfeiçoadas. Eles também repensaram algumas coisas simples, como não deixar as máquinas instaladas ao ar livre funcionando a noite toda durante o inverno. O resultado foram novas máquinas que usam metade da energia das antigas. Assim que a Coca-Cola e a Pepsi terminarem os novos projetos, esperamos uma economia de 5 bilhões de quilowatts-hora por ano. Isto é suficiente para fazer funcionar as geladeiras de 10 milhões de residências.

Noah também trabalhou com os fabricantes para tornar mais rigorosos os padrões de desempenho dos monitores de computador. Por volta de 2010, a Agência de Proteção Ambiental calcula que o acordo obtido irá economizar 14 bilhões de dólares em custos de eletricidade, e manterá quase 20 bilhões de quilos de dióxido de carbono fora dos céus. Noah Horowitz é um de meus heróis.

É o projeto, boboca

Digamos que certo dia, alguns anos atrás, seu chefe o tivesse chamado para lhe dizer: "Tenho um ótimo negócio para você! Estamos decidindo onde iremos construir nossa nova fábrica de *wafers* para a produção de microprocessadores de última geração — que está prevista para 2005. China, Taiwan e Cingapura já nos ofereceram subsídios e incentivos fiscais tentadores para nós construirmos a fábrica nos países deles. Mas gostaríamos de permanecer aqui, na região de Dallas, perto da nossa central de projetos e outras instalações. Mas, para onde quer que a gente vá, você — e o resto da equipe de construtores — terá de erguer a nova fábrica por 180 milhões de dólares a menos do que gastamos na fábrica que construímos em 1998."

"Ah, claro", você respondeu. "Construir um novo edifício que custe 180 milhões de dólares a menos que a fábrica que construímos em 1998."

Parece coisa de louco, mas foi exatamente o que os executivos da Texas Instruments propuseram à equipe de construção da empresa, no início dos anos 2000. E o que é realmente coisa de louco: a equipe de construção foi em frente e fez o que foi proposto. E o que é ainda mais louco: a estratégia adotada pela equipe de construção foi erguer um edifício tão ecológico e energeticamente eficiente quanto possível — foi assim que eles atingiram a meta. Projetar com critérios ambientais *foi o modo como economizaram dinheiro*, e esta é uma lição importante.

Além de residências e carros, há um filão de eficiência energética esperando para ser explorado através de projetos ecológicos: edifícios comerciais — como bem ilustra a história da fábrica de chips da Texas Instruments, que foi construída em Richardson, Texas. A chave desse sucesso foi a constatação de que um prédio eficiente no aproveitamento de energia pode custar menos que um prédio convencional, tanto para ser construído quanto para ser operado. Os edifícios absorvem cerca de 40% da energia total consumida nos Estados Unidos, e 70% da eletricidade. Quando a maior parte da população começar a acreditar que o modo verde é o modo mais barato de se *edificar e operar* uma construção, a revolução verde estará realmente a caminho.

Visitei a nova fábrica de *wafers* da TI em 2006, quando realizava um documentário sobre energia para o canal Discovery Times. (A propósito, o que é um *wafer*? Segundo o website de dicionário de tecnologia Webopedia.com, é uma fatia de material semicondutor, geralmente silicone, utilizada para fazer microprocessadores. Transformado em grandes cilindros, o silicone é cortado em fatias finíssimas, que recebem transistores, e depois são cortados em pedaços ainda menores — que são os *wafers.*) As fábricas de *wafers* costumam ter um mínimo de três andares, por conta dos complicados sistemas de refrigeração e do equipamento de apoio que cerca a linha de montagem. A equipe de projetistas da TI descobriu um meio de construir a fábrica de Richardson com apenas dois andares — uma considerável economia de área e materiais de construção, além da energia que seria necessária para alimentar mais um andar. Mesmo assim, o prédio ainda teria mais de 100 mil metros quadrados de área construída. Os engenheiros da TI também procuraram aconselhamento com Amory Lovins e os peritos em construção verde do Rocky Mountain Institute, para ajudá-los a projetar outras partes da fábrica, de modo a reduzir seu consumo de energia, um gasto que, ao longo da existência de uma fábrica, pode exceder os gastos com a construção. Em conjunto, os engenheiros da TI e a equipe do Instituto projetaram canos de água e dutos de ar-condicionado com menos ângulos, o que reduz o desgaste produzido pela fricção e permite o uso de bombas menores, que utilizam menos energia. Para reduzir os custos com a refrigeração, no ensolarado Texas, os engenheiros projetaram uma membrana plástica que reflete 85% da radiação solar incidente sobre o telhado. Além disso, as janelas da área administrativa foram projetadas com saliências especiais que refletem a luz para o interior das salas, reduzindo a necessidade de iluminação artificial. Água reciclada foi usada para abastecer os equipamentos de refrigeração e irrigar os jardins externos — cujo impacto ambiental foi minimizado pelos projetistas, com a utilização de plantas nativas. Todas essas medidas, somadas a inovações introduzidas na circulação e no esfriamento natural do ar, reduziram tanto o aquecimento do prédio que a TI pôde dispensar um dos grandes condicionadores de ar industriais, que, de outra forma, seria necessário.

"Só precisamos de sete condicionadores de ar, em vez de oito", Paul Westbrook me disse; ele é supervisor de projetos sustentáveis da equipe de engenheiros civis da TI, que convenceu os executivos da empresa acerca das vantagens da construção verde, ao levá-los para conhecer sua casa solar. "Esses condicionadores pesam cerca de 1.600 toneladas, e o custo de aquisição e instalação gira em torno de um milhão de dólares para cada aparelho." Uma construção verde não significa que você terá de produzir sua própria energia com moinhos de vento e painéis solares, segundo ele. "Significa que você utilizará um projeto criativo para eliminar o desperdício e reduzir o consumo de energia. Esta é a próxima revolução industrial. A fábrica ecológica exigiu alguns gastos especiais, mas, de modo geral, gastamos 30% menos do que gastamos com a fábrica anterior, a 10 quilômetros de distância."

O segredo, explicou Westbrook, foi transformar a fábrica de Richardson "no Prius das fábricas de *wafers*". Como? "Não nos limitamos a pegar o projeto anterior e mexer aqui e ali, para economizar um pouco de dinheiro. Pegamos uma folha de papel em branco, vimos como as diferentes partes interagiam entre si, e concebemos um projeto totalmente novo, que não só foi mais barato para construir, como também mais barato para operar."

A principal lição disso tudo, segundo Westbrook, é que, se você repensa cada processo e todas as suas interligações — por exemplo, como o calor desperdiçado em um sistema pode ser utilizado em outro, em vez de apenas ser refrigerado com mais um condicionador de ar, ou o modo como o Prius usa a freagem para gerar eletricidade e recarregar as baterias —, você pode unir duas metas que pareciam antagônicas (economizar dinheiro e construir e funcionar ecologicamente) e concretizá-las com sucesso.

Mas isso não é fácil. Você terá que pensar muito mais, no caso de um projeto original. Terá de pensar em uma casa, ou um prédio, não apenas como paredes, janelas e pisos, com luzes e ar-condicionado, mas como um sistema de sistemas. E então repensar em como tudo isso irá interagir. Historicamente, o aquecimento e a refrigeração do ar nunca conversaram com as janelas. As janelas nunca conversaram com a iluminação. A iluminação nunca conversou com as portas. Dessa forma, tudo era ligado ao mesmo tempo e nada tinha relação com nada, muito menos com a rede elétrica ou com o mercado de energia. Em um prédio inteligente, com sensores de ocupação em cada aposento, o auditório, a sala de aula ou o escritório só precisariam estar aquecidos e iluminados quando estivessem sendo utilizados. E mais: janelas inteligentes podem deixar entrar mais luz e calor quando está frio e menos, quando está quente e ensolarado. Essas janelas estarão sempre em sintonia com as lâmpadas e os condicionadores de ar. Paredes solares podem ser usadas para iluminar a escola ou recarregar a bateria do ônibus escolar. Quando se começa a pensar em uma construção como um sistema de sistemas, e não um monte de tijolos, todas as coisas se tornam possíveis. Imagine todos esses prédios inteligentes e eficientes integrados a uma Internet Energética inteligente, em que a disponibilidade de cada prédio é utilizada para atender às necessidades de outros prédios — e não apenas às próprias.

Embora sua construção tivesse sido concluída em 2006, a fábrica da TI ainda não entrou em operação por conta do declínio no negócio de microprocessadores. Mas o prédio está pronto para funcionar e todos os sistemas já foram testados. Os testes demonstraram que, quando começar a funcionar, "economizaremos cerca de um milhão de dólares nas contas de água e energia durante o primeiro ano, e cerca de 4 milhões por ano, quando o prédio estiver funcionando plenamente", em valores atuais, diz Westbrook. Isso representa uma economia de 20% na conta de luz e 35% na de água, em comparação com o prédio precedente, acrescenta ele. "Iremos aumentando nossa produção ao longo dos anos — e o valor que economizaremos nas contas de água e energia aumentará paralelamente."

A Texas Instruments está orgulhosa de "provar que é possível, ao mesmo tempo, ser ecológico, reduzir os custos com energia e aumentar os lucros", disse-me Shaunna Black, vice-presidente mundial de Engenharia e Arquitetura da TI, quando o prédio já estava sendo terminado.

"Coisas incríveis acontecem quando as pessoas assumem a responsabilidade de fazer o impossível."

Este é o desafio que devemos propor aos Estados Unidos — assumir a responsabilidade de criar o impossível. Se eu tivesse uma varinha mágica e pudesse impor uma lei para acelerar a concretização deste objetivo, a lei exigiria que todos os estudantes de engenharia e arquitetura, no primeiro ano do curso, tivessem aulas de LEED (a sigla em inglês para Leadership in Energy and Environmental Design, ou Liderança em Projetos de Energia e Meio Ambiente) aplicada à construção de prédios e planejamento de sistemas. O Sistema de Classificação para a Construção de Prédios Ecológicos, adotado pela LEED, incentiva práticas ambientais sustentáveis mediante um programa de avaliação para o projeto, a construção e a operação de prédios verdes de alto desempenho. A LEED, cuja implantação foi liderada em meados dos anos 1990 por Rob Watson, consultor de ecologia, é controlada hoje pelo Conselho de Construções Ecológicas dos Estados Unidos, que distribui três certificados básicos: prata, ouro e platina. São considerados cinco critérios para a concessão desses certificados: desenvolvimento sustentável do local, economia de água, eficiência energética, seleção de materiais e qualidade ambiental dos espaços interiores. A fábrica da TI em Richardson recebeu o certificado LEED de prata.

A LEED é um perfeito exemplo de padrão energético/ambiental que não foi imposto a partir de cima, pelo governo, mas de baixo, pela sociedade — quando esta começou a valorizar ambientes de trabalho mais sustentáveis. O padrão se espalhou como se fosse um vírus — de forma tão ampla, tão rápida e tão atraente que, segundo estudos feitos recentemente, o valor imobiliário e o valor dos aluguéis é mais alto para os prédios com o certificado LEED do que para os prédios convencionais.

Não há nada mais importante para o futuro energético dos Estados Unidos do que dotar todas as estruturas de maior eficiência energética e construir os novos edifícios com emissão zero — edifícios que geram tanta energia quanto a que consomem. Quase a metade da energia do país vai para edifícios. A operação de edifícios consome 40%: aquecimento, refrigeração, iluminação e utilização de aparelhos elétricos, e outros 12% são necessários para fabricar cimento, aço, vidros, alumínio, vedação *drywall* e tijolos. "Se pudéssemos zerar a emissão no ambiente construído", disse Marc Porat, presidente da Serious Materials, "o que fazemos do lado da oferta seria muito mais fácil. Um 'negawatt' é sempre mais barato do que um megawatt. Um watt poupado é sempre mais barato que um watt produzido. Simplesmente não há como encarar os cinco grandes problemas que afligem hoje o mundo sem zerar a emissão dos novos edifícios o mais rápido que pudermos. E agora temos a ciência da construção para fazer avanços no design que não estavam disponíveis há uns três anos".

Ele prosseguiu: "Agora, graças aos bons desenhos e materiais, sabemos projetar e construir novos edifícios que desde o início usarão 2/3 a menos de energia", afirmou Porat, que também fundou a ZETA Communities, que constrói casas de emissão zero, e a CalStar Products, que fabrica tijolos com 85% menos energia e emissões de CO2 que os tijolos convencionais. "Depois de reduzir a demanda de elétrons em 2/3, você pode fornecer o resto com energia solar, eólica, iluminação passiva e geotérmica. Idealmente, no futuro os edifícios produzirão mais elétrons dos que o necessário, e o excedente irá para os carros elétricos."

Também precisamos transformar os edifícios existentes. A tecnologia já está disponível e, a um preço razoável, pode-se reduzir em 50% a demanda de energia num edifício médio ao fazer isolamento térmico e usar portas e janelas altamente eficazes, aquecimento e ar-condicionado eficientes, nova iluminação (preferentemente com LED) e novos eletrodomésticos, afirmou Porat. Este processo é denominado em inglês *deep energy retrofitting*, ou "modernização energética profunda", e ao seu redor surge toda uma nova indústria. "Se fizermos apenas 6 milhões de casas por ano — há 126 milhões de casas nos Estados Unidos — podemos transformar todas as casas americanas em vinte anos. A um custo médio de 20 mil dólares por casa, isso significaria uma indústria de 120 bilhões por ano, que empregaria mais de um milhão de pessoas. Então faríamos o mesmo nos escritórios, escolas e hospitais", afirmou Porat. Até agora tem havido demasiada ênfase na invenção de novidades de energia renovável, e muito pouco na fabricação de janelas que simplesmente conservem a casa mais quente ou mais fresca. É mais rápido e barato reduzir a quantia de energia suja e desperdiçada nos ambientes já construídos, do que produzir energia limpa e renovável.

Mas não podemos depender apenas do voluntarismo. Os proprietários dos edifícios costumam investir pouco na eficiência energética de seus prédios e instalações, pois seus inquilinos pagam as contas de luz. Quando o inquilino paga, o proprietário não se incomoda com futuros gastos de operação e minimiza todo o investimento inicial. Quando é o proprietário que paga, os inquilinos não se incomodam com a eficiência energética, nem se preocupam em otimizar e minimizar o consumo de energia. E, muitas vezes, as pessoas simplesmente não sabem que esta lâmpada ou esta lavadora de pratos são melhores do que outras, em termos de eficiência energética; assim, não farão as escolhas certas, mesmo que sejam economicamente incentivadas a prestar atenção. É por isso que o governo precisa entrar no jogo para orientar o mercado.

Isto pode ser feito de muitas formas, inclusive com o banimento de certos tipos de lâmpadas gulosas de energia, ou estabelecendo padrões para carros, prédios e aparelhos — para que as pessoas, sem outra opção, sejam obrigadas a se tornar energeticamente eficientes. Como disse o climatologista Stephen Schneider em uma entrevista a Katherine Ellison, publicada em 2 de julho de 2007, na revista virtual Salon.com: "O voluntarismo não funciona." Eu já disse isso 85 mil vezes. Funciona tanto quanto limites de velocidade voluntários nas estradas. Sem policiais e sem juízes: carnificina. Sem regras, sem multas: gases-estufa. Sem nenhuma política específica, iremos triplicar ou quadruplicar as emissões de CO_2 na atmosfera.

A União Europeia já está no caminho certo, e os Estados Unidos precisam saltar adiante da UE. Em 2009, a UE anunciou que, a partir de 2018, todos os novos edifícios nos países membros devem zerar as emissões! Eles produzirão localmente toda a energia que consomem, mediante painéis solares, mecanismos de bombeamento de calor e outras tecnologias. A União Europeia define os edifícios de energia zero como edifícios "onde, como resultado do altíssimo nível de eficiência energética da construção, o consumo total anual de energia primária é igual ou menor do que a produção local de energia a partir de fontes renováveis".

Embora novas regulamentações sejam importantes para estimular inovações técnicas que se traduzam em prédios e aparelhos mais eficientes, seu maior potencial é o de estimular inovações financeiras em uma de nossas indústrias mais antigas e antiquadas, mas também uma das mais importantes: as empresas de eletricidade. É verdade que não podemos nos dar ao luxo de substituir nossas empresas de energia por algo radicalmente diferente — elas têm muita infraestrutura já sedimentada. Mas também não podemos nos dar ao luxo de permitir que nossas empresas de eletricidade continuem a vender energia da forma como vêm fazendo, como um bufê do tipo "coma à vontade". Os Estados Unidos, como um todo, têm de reescrever o contrato social e econômico entre as empresas de serviço público, órgãos reguladores e clientes, de modo a transformar as companhias de eletricidade em motores que otimizem a eficiência energética no lado consumidor da rede elétrica, e impulsionem a geração de elétrons limpos no lado produtor da rede.

Como observei, quando analisei a Internet Energética, as empresas de eletricidade são pagas de acordo com a quantidade de energia que vendem e quantas usinas constroem. Mas, à medida que os consumidores começaram a desligar as luzes quando saíam de um aposento, ou a instalar aparelhos que consomem menos energia, as empresas de eletricidade foram afetadas pela queda nas vendas e pelo adiamento de novos investimentos, pelos quais poderiam obter retorno. Portanto, era de interesse fundamental para elas que todos nós fôssemos esbanjadores de elétrons. Sua mãe e seu pai tinham razão de dizer, quando você se esquecia de apagar a luz do quarto: "Ei, você é acionista da companhia de luz?" Era bom para a companhia de luz quando você deixava as luzes acesas.

"Sempre houve uma divergência fundamental entre os interesses dos consumidores, que desejavam reduzir suas contas usando menos energia, e os interesses das empresas de eletricidade e seus acionistas, que desejavam aumentar seus lucros levando as pessoas a consumir mais energia", diz Ralph Cavanagh, especialista em energia do Conselho de Defesa dos Recursos Naturais. "É como dirigir com um pé no freio e outro no acelerador." Mas é exatamente o que temos feito. Isso tem de mudar. Não podemos pedir às empresas de eletricidade que vendam alguma coisa — eficiência — que apenas diminui seus lucros, no atual modelo de negócios, assim como não poderíamos pedir à Nike para estimular as pessoas a não comprar tênis. Temos de tornar a eficiência energética um meio de enriquecer as empresas, não de empobrecê-las.

Como faremos isso? Devemos começar pela introdução de uma nova regulamentação, chamada, no jargão industrial, "desacoplamento positivo", ora em uso nas empresas de eletricidade da Califórnia, Idaho e outros estados. A ideia básica é acabar com a noção de que o único meio de uma empresa de utilidade pública recuperar seus investimentos e obter lucros é vendendo cada vez mais eletricidade ou gás natural. Lucros e vendas crescentes têm de ser "desacoplados". Em vez de pagar à empresa com base em quanta energia ela vende e em quantas usinas constrói, o desacoplamento funciona assim: ao final de cada ano, os órgãos reguladores comparam as vendas reais de energia com as vendas previstas. Um auditor independente determina a economia líquida que os programas de conservação de energia adotados pela empresa proporcionaram aos consumidores. Se as vendas caíram inesperadamente, os órgãos reguladores reembolsam a empresa pelos prejuízos e, ao mesmo tempo, acrescentam um prêmio proporcional às reduções trazidas pelos programas de conservação de energia. O valor do prêmio é estabelecido pelo auditor independente, que informa aos órgãos reguladores o que acredita ser a poupança líquida proporcionada aos consumidores pelos programas. Desempenhos fracos acarretam uma pena; se as vendas crescerem de forma inesperada, a empresa terá de restituir os rendimentos extras através da redução de aumentos futuros. Como resultado, o foco da direção da empresa passará do incentivo ao uso de energia para o aumento da produtividade energética, por parte dos consumidores.

Por exemplo, uma empresa de eletricidade pode ajudar um cliente a comprar um condicionador de ar mais eficiente, ou subvencionar um projetista a reduzir o consumo de energia em um prédio novo — a reduzi-lo até mesmo além do exigido pelo código "verde" de edificações do estado. O auditor, então, calculará quanto custam essas medidas conservacionistas e quanto elas pouparam em termos de energia que deixou de ser gerada. Digamos que o novo condicionador de ar, mais eficiente, custe 500 dólares a mais do que o modelo comum, mas durante sua vida útil poupará 1.000 dólares em quilowatts-hora que não precisarão ser gerados. Isto significaria, na prática, a substituição de uma geração de energia, que custaria 1.000 dólares ao longo do tempo, por um gasto com conservação de apenas 500 dólares. A economia de 500 dólares poderia ser, então, repartida entre a empresa de eletricidade e o cliente.

Em 2007, as empresas de eletricidade da Califórnia investiram cerca de um bilhão de dólares na promoção de programas de eficiência energética, em vez de gastá-los com novas usinas. O objetivo da Califórnia é suprir pelo menos metade do crescimento previsto da demanda por eletricidade, entre hoje e 2020, mediante o aumento da eficiência energética, em vez da construção de novas usinas.

"Esse sistema acaba com os antigos incentivos para que as empresas vendessem mais energia e resistissem à imposição de padrões de eficiência para prédios e aparelhos elétricos — pois se sentiam prejudicadas a cada novo aprimoramento na eficiência energética", diz Cavanagh. "Mas esse sistema as transforma em aliadas na busca de todos os caminhos possíveis para a obtenção da eficiência energética, pois lucram com isso. Obtendo incentivos baseados no desempenho, se sentem motivadas a proporcionar reduções mensuráveis em seu varejo energético. Assim, os administradores das empresas de eletricidade irão procurar os projetistas de prédios comerciais e lhes dizer: 'Vamos lhe pagar 20 dólares a mais por metro quadrado em que você consiga superar, pelo menos em 30%, o padrão estabelecido pelo código de construção do prédio.'"

Assim, as empresas de eletricidade pagarão aos moradores das casas para que se livrem de suas velhas geladeiras esbanjadoras de energia e comprem geladeiras eficientes em termos energéticos. Os moradores, de modo geral, não têm ideia de quanta energia suas geladeiras consomem, e se faria sentido, em termos econômicos, comprar novos modelos que sejam eficientes no aproveitamento da energia. As empresas podem calcular facilmente os custos e os benefícios envolvidos na transação. Quando as empresas de utilidade pública se sentirem motivadas a usar seu conhecimento para beneficiar tanto seus clientes quanto seus acionistas, as coisas poderão mudar. Assim, investirão em uma rede elétrica inteligente, relógios de luz inteligentes e aparelhos domésticos inteligentes em cada residência, de modo a estimular e acompanhar os ganhos trazidos pela eficiência energética.

É por isso que Jim Rogers, diretor-presidente da Duke Energy, chama a eficiência energética de "o quinto combustível — depois do carvão, do petróleo, das fontes renováveis e da energia nuclear". Segundo Rogers, "quando houver uma luta por recursos naturais no mundo, por volta de 2040 ou 2050, nossa eficiência energética nos permitirá manter nosso estilo de vida e continuar a crescer".

John Bryson, presidente e diretor da Edison International, matriz da rede à qual pertence a Southern California Edison, me disse que sua empresa calcula que o custo médio de poupar um quilowatt-hora mediante o aumento da eficiência é de 1,7 centavo de dólar; o custo de gerar novos quilowatts, atualmente, é de 10 centavos de dólar por quilowatt-hora — portanto, os custos economizados pela eficiência energética são espetaculares. A eficiência energética "é um negócio de que queremos participar", diz Bryson.

Larry Kellerman, um dos maiores especialistas do país em empresas de eletricidade, que trabalha para a a Cogentrix Energy, subsidiária de geração de energia da Goldman Sachs, diz que usará grandes lucros futuros "como isca" para incentivar as empresas de eletricidade a impulsionar a eficiência energética. A situação ideal é aquela em que a empresa ganhe mais levando o consumidor a economizar eletricidade — aumentando seus lucros e diminuindo as contas do consumidor, pois a redução do consumo mais do que compensará os custos mais altos da eletricidade. Se uma empresa de eletricidade produz valor social (menores emissões de CO_2 e eficiência energética), mas não produz valor financeiro (maior economia para os consumidores e lucros para si mesma), jamais irá decolar. É preciso produzir as duas coisas. Muitas pessoas, durante muito tempo, enriqueceram no negócio de energia fazendo as coisas erradas. Eu ficaria feliz em vê-las enriquecer fazendo as coisas certas.

Também precisamos usar iscas, e muitas, para impulsionar ganhos de eficiência na geração de energia. Kellerman sugere que um órgão regulador instrua as empresas de eletricidade para que, se quiserem construir mais uma usina a carvão, sem sequestro de CO_2, elas terão de arranjar o capital por conta própria. Os órgãos reguladores não permitirão que elas incluam o custo da nova instalação em sua taxa básica — o que significa que não há garantias de recuperação dos investimentos. Mas, se quiserem investir em usinas que utilizem energias solar, eólica, hidrelétrica, geotérmica e nuclear — ou energia produzida por combustíveis fósseis desde que se enquadre nos padrões predeterminados, ou os exceda, para eficiência, emissões de CO_2 e outras variáveis —, o órgão regulador lhes garantirá um retorno mais que generoso — uma isca das mais atraentes.

As próprias empresas de eletricidade não terão a responsabilidade de construir todas as novas estações solares ou fazendas eólicas. Há muitas empresas independentes que já estão mergulhando no negócio da energia limpa. Seria interessante estimular as empresas de eletricidade a contratá-las para construir as linhas de transmissão inteligentes que poderiam conectar os novos fornecedores de energia limpa. Então contrataria esses fornecedores, que concorreriam entre si mediante licitação — de modo que os consumidores obtivessem energia limpa a preços mais baixos. Os geradores independentes precisam acessar a rede da empresa de eletricidade para chegar aos consumidores, e a empresa de eletricidade tem interesse nas fontes de energia limpa dos geradores independentes.

Kellerman acredita também que os órgãos reguladores poderiam melhorar, de modo criativo, a eficiência das tecnologias mais antigas.

Poderiam dizer às empresas de eletricidade: "Vocês têm todos os tipos de usina. Aqui está o limite para as emissões de CO_2 de todas elas. Se continuarem a emitir gás carbônico no mesmo patamar, só poderão cobrar a taxa-padrão. Se obtiverem uma boa redução — queimando o carvão de modo mais eficiente e desperdiçando menos energia no processo —, vamos autorizar uma taxa extra." Metade de toda a eletricidade gerada nos Estados Unidos provém do carvão. Acene com esses incentivos para todas as usinas a carvão e seus executivos tentarão gerar muito mais megawatts com menos carvão e, portanto, menos CO_2.

Eu também criaria incentivos para que todas as empresas de eletricidade ajudassem seus clientes a comprar, e até instalar, painéis de energia solar ou turbinas de vento em suas casas, escritórios, telhados e estacionamentos, especialmente nos pontos mais sobrecarregados da rede energética, onde essas fontes de energia trariam maiores benefícios. Se pudermos conseguir que mais casas e escritórios — nos pontos mais congestionados da rede ou de acesso mais difícil — instalem seus próprios geradores de energia eólica e solar, isso poderá aliviar a pressão sobre a rede. À medida que as tecnologias para a produção de energia solar ou eólica sejam aperfeiçoadas, e seu preço caia, não há razão para as empresas de energia não incluírem em seus serviços a distribuição desses tipos de energia.

"Hoje, eu olho para os telhados das casas dos meus clientes e vejo futuras unidades de produção de energia", diz Jim Rogers, da Duke Energy, sugerindo que as empresas de eletricidade poderiam instalar painéis solares nos tetos dos consumidores e incluir a despesa em seus custos totais de geração de energia — se os órgãos reguladores permitissem que fosse incluída nas contas de luz.

Mas isto tem de ser feito de forma inteligente e judiciosa. Por enquanto, considerando-se o atual nível de tecnologia, a energia limpa produzida de forma centralizada ainda é mais eficiente para os consumidores.

"A quantidade de recursos e incentivos empregada para facilitar a produção de energia nas casas dos próprios consumidores tem de ser temperada pela realidade econômica, segundo a qual a geração de energia disseminada entre pequenos fornecedores é normalmente mais cara, em uma base de quilowatts-hora, do que a geração centralizada", observa Kellerman. "Considerando-se o preço por quilowatt, custa mais instalar e manter um painel solar fotovoltaico, de 5 quilowatts, lindamente colocado no telhado de uma mansão em Beverly Hills, do que uma estação solar térmica de 100 megawatts instalada em Death Valley. Além disso, a quantidade de energia produzida no deserto é imensamente maior, por quilowatt instalado, devido ao fato de que o sol brilha com mais intensidade no deserto, em uma altitude maior e com menor umidade — e é óbvio que os recursos da sociedade devem, em primeiro lugar, estar focados em aplicar tecnologia onde esta possa produzir a energia de forma mais eficiente e, portanto, mais barata."

Outra inovação na esfera de regulamentação seria incentivar as empresas de eletricidade a contribuir para a formulação e aprovação de leis, em nível estadual ou federal, concernentes à edificação de prédios e fabricação de aparelhos. "Se a South California Edison ou a Pacific Gas & Electric puderem demonstrar que contribuíram substancialmente para a adoção de padrões mais altos de edificação e fabricação, que realmente poupam o dinheiro dos consumidores, elas também merecerão ser recompensadas pelos órgãos reguladores", diz Cavanagh.

Mas produzir maiores lucros com mais eficiência energética e completar a rede inteligente da Internet Energética exigem que mais uma grande peça do quebra-cabeça seja encaixada no lugar: a eletrificação dos transportes, para que carros, caminhões, ônibus e trens deixem de ser movidos exclusivamente por motores de combustão e passem a utilizar motores híbridos ou exclusivamente elétricos. Carros elétricos alimentados diretamente pela eletricidade de suas baterias ou híbridos de gasolina-eletricidade, que podem gerar e armazenar sua própria eletricidade, ou recarregar as baterias em qualquer tomada, podem provocar, potencialmente, um enorme impacto na redução da demanda energética, promovendo a energia renovável e reduzindo as emissões de gás carbônico.

Alguns fatos: aproximadamente 30% de nossas emissões de gases-estufa provêm do setor de transportes. Tornar nossos veículos independentes da gasolina, portanto, pode fazer uma grande diferença, se a eletricidade que vier a substituí-la tiver origem em fontes limpas. Atualmente, mais da metade da eletricidade consumida nos Estados Unidos advém do carvão, 20% de usinas nucleares, 15% do gás natural, 3% do petróleo, 7% de hidrelétricas — e 2% de biomassa, fontes geotérmicas, solares e eólicas. A França obtém cerca de 75% de sua eletricidade de usinas nucleares. (Os Estados Unidos, na verdade, produzem duas vezes mais eletricidade em usinas nucleares do que a França; mas isto, em nossa economia, maior, representa uma pequena parcela do total.) Um barril de petróleo contém 159 litros. Os Estados Unidos consomem mais de 21 milhões de barris de petróleo por dia, mais da metade importados. Cerca de 14 milhões, desses 21 milhões, são consumidos por carros, caminhões, aviões, ônibus e trens. Os 7 milhões de barris restantes destinam-se ao aquecimento de prédios, à produção de substâncias químicas e à fabricação de plásticos.

Como já observei, os carros híbridos usam uma combinação de motor a gasolina, bateria recarregável e um sistema de geração que converte em eletricidade a energia produzida pela frenagem ou pela locomoção com roda livre, normalmente desperdiçada — que fica armazenada em uma bateria até ser solicitada pelo motor elétrico. Como esses veículos rodam parte do tempo com a eletricidade armazenada na bateria, e parte do tempo com a propulsão gerada pela gasolina, viajam mais quilômetros com menos gasolina — portanto, desprendem menos CO_2 por quilômetro rodado. E assim reduzem as emissões de gás carbônico. O próximo grande avanço virá quando substituirmos completamente os motores de combustão e passarmos a usar carros elétricos, com baterias grandes o bastante para serem alimentadas pela rede de energia.

Esses carros seriam ainda mais limpos que os híbridos de hoje, pois os quilômetros percorridos a eletricidade emitem menos CO_2, já que não utilizam gasolina, ainda que sejam abastecidos por eletricidade obtida através da queima de carvão. É mais limpo e mais verde, além de mais barato, gerar eletricidade — mesmo oriunda do carvão — e convertê-la na força motriz necessária para propulsionar seu carro, do que queimar gasolina no motor de combustão interna do veículo. O motivo é que, da fonte até o carro, um sistema movido a eletricidade sofre menos perda de energia durante o caminho que um sistema movido a gasolina, se incluirmos todas as perdas sofridas no processo de produção da gasolina — extração do petróleo, transporte, refino e distribuição —, somadas à menor eficiência de um motor de combustão interna.

"Quanto mais limpa se tornar nossa rede elétrica, mais limpos ficarão os carros elétricos, o que não se pode dizer dos carros a gasolina", observa Felix Kramer, presidente da California Cars Initiative (calcars.*org*), que promove os veículos híbridos. "Mas isso é apenas o começo. O que se faz necessário, e estamos buscando, é a eletrificação de todos os meios de transporte. Isto é fundamental, pois combina dois grandes setores industriais: transportes e geração de energia. Isto proporcionará às empresas de eletricidade algo que nunca tiveram: potencial para o armazenamento da energia distribuída, usando as baterias dos carros — o que contribuirá para reduzir os custos de ambas as indústrias, tornando-as mais eficientes e mais limpas."

Durante a noite, quando os carros elétricos serão recarregados, cerca de 40% da capacidade de geração de energia, nos Estados Unidos, está hoje ociosa ou opera com carga reduzida, e num nível de eficiência aquém do ideal. Isto significa que dezenas de milhões de carros poderão ser recarregados todas as noites, sem que precisemos construir usinas adicionais; a utilização de veículos a eletricidade, na verdade, permitirá que as usinas já existentes operem de modo mais eficiente, em termos econômicos. (Temos de nos lembrar, no entanto, de que grande parte da energia produzida durante a noite provém de antigas usinas a carvão; portanto, quanto antes tornarmos mais limpo o processo produtivo dessas usinas, ou mesmo as aposentarmos, mais depressa obteremos os benefícios da eletrificação dos transportes.) Um estudo conduzido pelo Laboratório Nacional do Noroeste do Pacífico descobriu que 73% de nossos carros, caminhões e veículos SUV poderiam ser substituídos por híbridos sem que houvesse necessidade de construir novas usinas ou linhas de transmissão de energia, pois os veículos seriam recarregados durante a noite, fora dos horários de pico.

O estudo do Laboratório indica que essa mudança poderia reduzir em 52% nossa dependência do petróleo importado, e reduzir em 27%, em média, a emissão de gases-estufa. Mike Davis, cientista do Laboratório, calcula que se todos os nossos automóveis fossem movidos a eletricidade, com baterias que lhes proporcionassem uma autonomia de 48 quilômetros, poderiam produzir energia suficiente para abastecer a rede elétrica de todo o país durante seis a oito horas, se tivéssemos uma rede elétrica inteligente e dispositivos que pudessem usar as baterias dos carros como fontes de energia. John Bryson, da Edison International, explicou para mim: "Nossos preços de energia elétrica, nos períodos de baixa demanda, representam 25 a 50% do preço da gasolina, por quilômetro."

Para que a eletrificação dos veículos funcione, e seja integrada a uma casa e a uma rede elétrica inteligentes, precisaríamos de regulamentações que padronizassem todo o sistema. Isto significa que o microprocessador integrado à sua lavadora automática GE teria de operar com o mesmo sistema de comunicações e os mesmos protocolos de transmissão utilizados por sua secadora Whirlpool, por seu sistema de controle de temperatura Honeywell e pela bateria de seu carro elétrico — para que esses aparelhos possam conversar com a Caixa-Preta de Controle e, através dela, com o supercomputador da empresa de eletricidade, de modo a receber ordens para ligar, desligar, recarregar, operar em baixa frequência e responder a outros aparelhos que queiram se recarregar ou vender energia à rede.

As empresas de eletricidade também precisam investir em mais dispositivos como os medidores de fase — que medem as características da voltagem em diferentes pontos das linhas de transmissão, com extrema precisão, assim como um medidor de água mede a pressão ou a temperatura da água em um cano —, para que possam saber, a cada trinta ou sessenta segundos, quanto da capacidade de transmissão está disponível em cada quilômetro de sua rede. Atualmente, poucas empresas de eletricidade possuem essa capacidade.

Além da padronização dos aparelhos que se comunicam com as empresas de eletricidade, precisaremos também de uma padronização para as tomadas, carregadores e baterias — de modo que, se eu dirigir meu carro elétrico de Washington até Minneapolis, eu possa recarregá-lo em qualquer motel ou posto de abastecimento ao longo do caminho e, se quiser, vender energia para as redes e aparelhos desses estabelecimentos. "Existem mais de 3 mil empresas de eletricidade na América do Norte, e 14 grupos estão tentando estabelecer padrões para redes inteligentes", diz John Bryson. "Não é possível obter consenso. O governo precisa interferir para esclarecer as coisas."

A revolução da informática, sobretudo o PC, a internet e a World Wide Web, só decolou depois que surgiram os protocolos de transmissão e os padrões de linguagem para e-mails e documentos. Bits e bytes puderam então fluir livremente. A Internet Energética exigirá o mesmo procedimento para que os elétrons fluam livremente. Quando houver uma plataforma comum, os consumidores terão mais capacidade para ajudar a desenvolver programas que aumentem a eficiência energética, do mesmo modo que hoje criam programas de software, que compartilham com o mundo inteiro. "Isso vai requerer muita colaboração criativa", diz Joel Cawley, um dos principais estrategistas da IBM. "O trabalho do governo vai ser coordenar todas as partes envolvidas, para que possam participar da rede com o mínimo de riscos, com investimentos controláveis e a garantia de um bom retorno."

O que explica por que o provérbio africano que Al Gore mais gosta de citar é de fato apropriado para o desafio da energia limpa: "Se você quiser ir depressa, vá sozinho. Se quiser ir longe, vá acompanhado."

Vamos sumir com o termo "verde"

O propósito da sinalização de preços e das mudanças na regulamentação é, de fato, ir longe. É tanto viabilizar a criação da Internet Energética quanto possibilitar que as empresas de eletricidade deixem de ser apenas vendedoras de elétrons em restaurantes energéticos do tipo "coma à vontade", e passem a obter seus lucros pela otimização de todos os aspectos da nova rede, desde a construção da rede inteligente até a transmissão de energia limpa a preços baixos para mais casas, empresas e veículos — e destes de volta à rede — e a elevação da eficiência energética a patamares cada vez mais altos e de modos cada vez mais diversos. Como poderemos saber se fizemos tudo certo? Saberemos que criamos um Sistema de Energia Limpa no dia em que acordarmos, olharmos em volta e notarmos três coisas novas.

Em primeiro lugar, teremos criado novos incentivos e concorrência suficiente — tanto no lado da geração de energia quando no lado da eficiência energética — para que as empresas de eletricidade e as grandes empresas distribuidoras de energia finalmente sintam que têm de *mudar ou morrer*. Na revolução da TI, em que as inovações foram rápidas e agressivas, as empresas sentiram que teriam de dominar a informática, de modo a usá-la para superar as empresas concorrentes — ou estariam a caminho do desastre. Todos na selva eram leões ou gazelas, que só sabem uma coisa. O leão sabe que, se não correr mais que a gazela mais lenta, irá passar fome; a gazela sabe que, se não puder correr mais que o leão mais rápido, irá se transformar em refeição. Assim, quando o sol se levanta todas as manhãs, ambos sabem que é melhor começar a correr. Esse tipo de psicologia nunca existiu no tradicional negócio de energia e só existirá se o governo utilizar seus poderes para estabelecer preços, regulamentações e padrões, de modo a reformular o mercado energético e forçar as empresas de eletricidade e outros grandes participantes a inovar ou perecer.

"A bala que mata você nunca o atinge entre os olhos", diz Jeff Wacker, futurólogo da EDS. "Sempre o atinge na têmpora. Você nunca a vê, porque está olhando na direção errada." As empresas tradicionais de energia nunca tiveram de se preocupar com uma bala saindo do nada. Quando avistarmos algumas delas à beira da estrada, com balas nas têmporas, saberemos que, finalmente, criamos o mundo de "mude ou morra" no negócio de energia — e que alguém não mudou.

Em segundo lugar, saberemos que estamos fazendo a coisa certa quando recebermos a conta de eletricidade, no final do mês, e notarmos que o custo do quilowatt-hora subiu — para tornar nossa rede mais inteligente e para incentivar nossa empresa de eletricidade a usar energia mais limpa —, mas nossa conta total é a mesma ou menor. Isto será uma indicação de que a eficiência energética em sua casa e em sua vida atingiu um nível tão alto de otimização que *está nos fazendo economizar tanto energia quanto dinheiro.*

Como seria isso? Posso lhe mostrar, mas você teria de ir ao Japão. Vejamos o seguinte artigo, enviado de Tóquio por Martin Fackler e publicado no *New York Times* (6 de janeiro de 2007):

> Em muitos países, a elevação dos preços do petróleo esvaziou muitos bolsos e fez com que muita gente se preocupasse com uma desaceleração econômica. Mas aqui, no Japão, Kiminobu Kimura, um arquiteto, diz que não sentiu o golpe. De fato, sua conta de luz está mais baixa do que há um ano. (...) Aparelhos que poupam energia enchem todos os recantos de sua casa. Há a geladeira que toca quando deixam a porta aberta, e a lavadora de pratos compacta o bastante para ficar sobre a pia da cozinha. O sr. Kimura, de 48 anos, diz que há também as pequenas coisas que sua família de quatro pessoas faz para reduzir as contas de energia, tais como reutilizar a água da banheira para lavar roupa e ir à mercearia de bicicleta. (...) Em algumas casas, os cômodos possuem sensores que dirigem o aquecimento somente na direção dos ocupantes; há os "navegadores de energia" que monitoram o uso de energia da casa. O Japão é o país desenvolvido mais eficiente no aproveitamento de energia, segundo a maioria dos especialistas. Eles dizem que o país está muito mais bem preparado que os Estados Unidos para prosperar em uma época de preços mais elevados da energia. (...) Sua população e sua economia correspondem a 40% da população e da economia dos Estados Unidos; mas, em 2004, o Japão gastou o correspondente a menos de 1/4 da energia consumida pelos americanos, segundo a Agência Internacional de Energia, sediada em Paris.
>
> A obsessão do Japão com a conservação resulta de uma aguda sensação de insegurança, num país pobre em recursos, que importa a maior parte de sua energia do volátil Oriente Médio, um fato que se fez sentir aqui com os choques dos anos 1970. O governo também desempenhou seu papel e aumentou os custos de gasolina

> e de eletricidade bem acima dos patamares mundiais, o que forçou as residências e empresas a economizar energia. Taxas e controles de preços fazem com que o litro da gasolina no Japão custe, atualmente, o dobro do que custa nos Estados Unidos, onde os preços seguem o mercado. O governo, por sua vez, usou a receita proveniente das taxações para assumir a liderança mundial no setor de energia gerada por fontes renováveis como a energia solar e, mais recentemente, células a combustível instaladas em residências. (...) A elevação dos preços da energia também criou uma grande demanda doméstica por produtos que poupem energia, convencionais ou inovadores. Isto estimulou a criatividade e o desenvolvimento de aparelhos como as lavadoras e televisores de baixo consumo, carros com grande autonomia e veículos híbridos. As fábricas japonesas também aprenderam a economizar energia e estão entre as mais eficientes do mundo. A indústria de maquinaria pesada da Mitsubishi, por exemplo, colhe hoje os frutos de suas crescentes exportações de turbinas elétricas altamente eficientes, altos-fornos para a produção de aço e outros equipamentos industriais, especialmente para os Estados Unidos. O Ministério do Meio Ambiente do Japão prevê que as exportações contribuirão para que a conservação de energia se transforme em uma indústria de 7,9 bilhões de dólares por volta de 2020, cerca de dez vezes seu valor no ano 2000.

O Japão, segundo o artigo, também encorajou o desenvolvimento de aparelhos que economizam energia, com seu programa Top Runner (Modelo Top em Eficiência),

> que estabeleceu metas para a redução do uso de energia. Os produtos que atingem as metas recebem um adesivo verde; os que fracassam recebem um adesivo de cor laranja. O ministro da Indústria e Comércio do Japão diz que os consumidores prestam muita atenção aos adesivos, obrigando os fabricantes a aumentarem sua eficiência energética. O condicionador de ar médio utiliza hoje 2/3 da energia que utilizava em 1997, e a geladeira média, diz o ministro, usa 23% a menos. Essas economias surtem efeito. A residência média

> no Japão usou 4,177 quilowatts-hora de eletricidade em 2001, o dado mais recente, segundo o Instituto de Pesquisas Jyukankyo, em Tóquio. No mesmo ano, a residência americana média consumiu mais do que o dobro disso, ou 10.655 quilowatts-hora, informa o Departamento de Energia dos Estados Unidos.

O último e mais importante sinal de que estamos tendo sucesso será o abençoado desaparecimento do termo "verde". Não mais existirão coisas como um prédio "verde", um carro "verde", uma casa "verde", um aparelho "verde", uma janela "verde", ou mesmo uma energia "verde". Todas essas coisas serão a regra, pois o ecossistema de preços, as regulamentações e os padrões de desempenho irão exigir que sejam assim. Portanto, você não poderá, legalmente ou financeiramente, construir qualquer coisa que não seja verde — qualquer coisa que não possua os mais altos padrões de eficiência energética e que não utilize energia limpa desde sua concepção. Todos os carros novos serão verdes, todos os novos prédios de escritórios serão verdes, todas as novas residências serão verdes, todos os novos aparelhos serão verdes. O verde será o padrão. Será a nova regra — nenhuma outra opção estará disponível ou será possível.

"Acontecerá com o termo 'verde' o mesmo que aconteceu com a expressão 'direitos civis'", diz David Edwards, especialista em energia da VantagePoint Venture Partners. O movimento pelos direitos civis acabou sendo tão eficiente que praticamente já não se discutem os direitos civis. Falamos de direitos civis como de alguma coisa de nosso passado. O normal, hoje, é que as pessoas não sejam discriminadas pela cor de sua pele. Só lemos a respeito de direitos civis nos jornais quando acontecem casos isolados de flagrante discriminação. Discriminação agora é notícia, não a regra. O movimento verde terá alcançado êxito quando a ineficiência energética, as emissões excessivas de gás carbônico e a dependência aos combustíveis se transformarem em notícia, e deixarem de ser a regra — quando as pessoas que estiverem envolvidas nesses comportamentos forem olhadas como hoje se olha alguém que acende um cigarro em um avião.

Quando acordarmos um dia e as empresas de eletricidade estiverem competindo entre si para nos tornar mais eficientes no aproveitamento da energia, como as empresas telefônicas competem hoje pelas nossas contas; quando os edifícios-garagem estiverem nos pagando para estacionar em suas dependências, pois nos venderão energia solar de seus telhados ou comprarão energia de nosso carro; quando nossa eletricidade estiver mais cara, mas nossa conta de energia estiver mais barata; e quando o verde for a norma, não uma opção — então saberemos que estamos participando de uma revolução, não de uma festa de ambientalistas.

QUINZE

Um milhão de Noés, um milhão de arcas

A natureza é uma esfera infinita onde o centro está em toda parte e a circunferência, em lugar nenhum.

— Blaise Pascal, matemático e filósofo francês

Em dezembro de 2007, a ONU organizou, em Bali, uma grande conferência sobre mudanças climáticas. Decidi comparecer, não só para observar os debates a respeito do que o mundo deveria fazer para enfrentar o aquecimento global, como também para escrever sobre os desafios ambientais da Indonésia, em particular sobre a derrubada das florestas pluviais. Como eu estava no Golfo Pérsico, voei até Bali, com escala em Abu Dhabi, capital dos Emirados Árabes Unidos. Quando fui embarcar no voo da Etihad Airways, às 14h30, no lotado aeroporto daquela cidade, o funcionário no portão de acesso pediu que eu me sentasse, pois meu setor iria embarcar por último. Então, me acomodei próximo à janela e fiquei observando o movimento. Cerca de duas centenas de jovens mulheres indonésias estavam embarcando no avião, nenhuma delas com mais de 1,50 metro. Todas carregavam bolsas e mochilas repletas de roupas, sapatos e equipamentos eletrônicos. Estavam, obviamente, voltando para casa depois de uma longa estada, levando presentes e "coisas" em cada bolso e sacola.

"O que essas garotas fazem?", perguntei para o bem-vestido homem de negócios indiano que estava sentado ao meu lado. "Todas são empregadas domésticas", respondeu ele. Então, entabulamos uma conversa. Descobri que ele era um consultor de gestão, que estava no Golfo prestando serviços de consultoria aos governos locais, no sentido de aumentar a produtividade econômica dos respectivos países. Conversamos sobre o impacto da globalização na região. Não demorou, estávamos comparando a Índia com a Indonésia. Por fim, ele olhou para a longa fila de criadas indonésias que passava por nós em direção ao avião.

"A Indonésia exporta mão de obra sem qualificação, e não cérebros", ponderou ele. O que o país deveria fazer, acrescentou, é educar melhor seu povo, para que mais pessoas tenham melhores empregos em casa, e menos pessoas tenham que vender seu trabalho manual no exterior.

Anotei mentalmente nossa conversa, para usá-la em meu próximo livro sobre globalização. Mas, pouco depois de chegar a Jacarta, percebi que todas aquelas criadas tinham muito em comum com as árvores da Indonésia — e que exportar mão de obra sem qualificação e exportar troncos de árvores eram, no fundo, manifestações diferentes do mesmo problema.

Aprendi isso com Barnabas Suebu, governador da província indonésia de Papua, rica em florestas. Estávamos falando a respeito de árvores, mas poderíamos estar falando a respeito de empregadas domésticas. Muitos indonésios, em sua província, tinham uma renda e um nível de escolaridade tão baixos, explicou ele, que sempre se sentiam tentados a cortar uma árvore na floresta tropical, que vendiam para algum intermediário local por algumas centenas de dólares. Fabricantes de móveis na China ou no Vietnã transformariam a madeira em móveis e os venderiam por alguns milhares de dólares para lojas de mobiliário em Tóquio, Los Angeles ou Londres, que os revenderiam por mais alguns milhares de dólares. Se essas pessoas não recebessem instrução que lhes permitisse vender mais conhecimento e agregar mais valor a seu trabalho — fabricando produtos de 10 mil dólares com uma árvore, em vez de vender a árvore por 100 dólares —, o corte ilegal de madeira nas florestas pluviais da Indonésia iria continuar, por mais policiais que fossem destacados para vigiá-las. "Precisamos obter um valor maior por árvore que cortamos", disse Suebu.

Árvores, empregadas, educação, governo, desenvolvimento econômico: tudo isso está interligado. E é o assunto deste capítulo. Assim como temos de desenvolver um sistema para a *geração* de energia limpa — que sustente o crescimento econômico com energia abundante, limpa, confiável e barata —, também temos de desenvolver uma estratégia mundial para a *preservação* de nossas florestas, oceanos, rios e dos lugares onde a biodiversidade esteja ameaçada, para garantir que o crescimento inteligente não destrua o mundo natural. Essa estratégia de preservação precisa incluir componentes legais, financeiros e educativos, e é urgente, principalmente em lugares como a Indonésia. As estratégias para a *geração* e a *preservação* andam juntas — são ambas necessárias, se quisermos que o crescimento seja sustentável em um mundo quente, plano e lotado.

Embora a poluição na China tenha atraído muita atenção, deveríamos estar igualmente preocupados com a degradação ambiental na Indonésia — e não só por conta de sua imensa população (237 milhões de habitantes, e continua aumentando). A Indonésia é o país mais rico do mundo em biodiversidade marinha, e o segundo em biodiversidade terrestre, só ficando atrás do Brasil. Embora cubram apenas 1,3% da superfície terrestre, as florestas da Indonésia representam 10% de todas as florestas tropicais do mundo — e são o lar de 20% de todas as espécies de flora e fauna do mundo, 17% das espécies de aves e mais de 25% de todas as espécies de peixes. Em apenas 10 hectares, a ilha indonésia de Bornéu contém mais espécies de árvores diferentes do que toda a América do Norte — para não falar de um monte de plantas, insetos e animais que não existem em nenhum outro lugar da Terra. De fato, a pequena Bornéu, com menos de 1% da superfície terrestre do planeta, abriga 6% de todas as espécies de aves, mamíferos e plantas floríferas do mundo. Todo o Caribe tem apenas cerca de 0,1 da biodiversidade marinha da Indonésia, situada na confluência do oceano Índico, do sul do mar da China e do oceano Pacífico, e alimentada pelos três.

Mas muito dessa biodiversidade está sendo ameaçada. Logo depois que eu cheguei a Jacarta, meu amigo Alfred Nakatsuma — diretor, na Indonésia, dos programas de preservação da biodiversidade da Agência Americana para o Desenvolvimento Internacional (USAID, pela sigla em inglês) — comentou comigo que a Indonésia acabara de entrar para o livro *Guinness World Records* como detentora do maior índice de desflorestamento do mundo. A Indonésia está perdendo uma área de florestas equivalente à do estado de Maryland todos os anos. O gás carbônico liberado pelo desmatamento — na maior parte ilegal — transformou a Indonésia no terceiro maior emissor de gases-estufa do mundo, depois da China e dos Estados Unidos. O Brasil está em quarto lugar, pelo mesmo motivo. Somos propensos a pensar na questão do clima como um problema exclusivamente energético — como reduzir o número de carros movidos a gasolina que dirigimos, e a quantidade de carvão que queimamos? Mas, na Indonésia, o clima é um problema florestal. Nós pensamos no problema como excesso de carros. Eles pensam no problema como falta de árvores. Mais de 70% das emissões de CO_2 da Indonésia têm origem na derrubada das florestas. Segundo a Conservação Internacional, uma área de florestas do tamanho de trezentos campos de futebol é cortada na Indonésia *a cada hora*. O desflorestamento ilegal custa ao governo indonésio 3 bilhões de dólares todos os anos. Mas mesmo o desflorestamento legal é enorme, pois a Indonésia, compreensivelmente, tenta desenvolver sua economia vendendo produtos florestais.

Infelizmente, o problema não termina no litoral. As águas que cercam as 17 mil ilhas do arquipélago indonésio abrigam 14% de todos os recifes de coral da Terra, e mais de 2 mil espécies de peixes típicas dos corais. "Os corais também são pessoas", brinca Mark Erdmann, biólogo marinho e consultor sênior da Conservação Internacional da Indonésia. Muitas vezes nos esquecemos de que "os corais são tanto plantas quanto animais", acrescenta ele, "e oferecem abrigo, estrutura e substrato, assim como árvores em uma floresta. Se desaparecerem as florestas, desaparecem os leopardos e os orangotangos; se desaparecerem os corais, desaparecem os peixes". Mas o desenvolvimento descontrolado e a pesca predatória, com dinamite e cianeto, colocaram em perigo muitos dos recifes de coral da Indonésia, que proporcionam um hábitat essencial para os peixes e outros animais dos mares indonésios. Um diplomata ocidental em Jacarta, que acompanha os problemas da biodiversidade, me disse que uma empresa pesqueira indonésia o informara de que, no ano 2000, 8% dos peixes capturados nas águas da Indonésia eram filhotes e que, em 2004, este número passou para 34%. Como disse o diplomata: "Quando 1/3 das capturas é de filhotes, o fim está próximo."

Imagine um mundo sem florestas. Imagine um mundo sem corais. Imagine um mundo sem peixes. Imagine um mundo onde os rios só apareçam na estação chuvosa. Isto não só pode acontecer, em cada vez mais lugares, como também pode acontecer ainda durante nossas vidas — se não desenvolvermos um *sistema* para a preservação da biodiversidade e dos recursos naturais, um *sistema* que seja tão inteligente, abrangente e eficiente quanto o *sistema* que estamos tentando desenvolver para a geração de energia.

Muitas pessoas oferecem soluções rápidas para reverter a degradação da biodiversidade. Mas, em países como a Indonésia, os planos raramente são colocados em prática como deveriam ser. Enquanto eu aguardava a conferência sobre mudanças climáticas, em Bali, me deparei com um artigo no jornal *The Jakarta Post* (11 de dezembro de 2007), que relatava o que costuma acontecer. O autor, Andrio Adiwibowo, professor de manejo ambiental na Universidade da Indonésia, escreveu a respeito de um plano inteligente para proteger os manguezais em torno da costa de Jacarta:

> Mesmo entre muitos biólogos, os manguezais ainda são vistos como áreas inúteis. Mas a inundação do mês passado, em Jacarta, serviu para nos lembrar que, se não respeitarmos estas comunidades de plantas resistentes à água salgada, nossos quintais é que poderão ser transformados em áreas inúteis. Há aproximadamente 14 anos, uma equipe do laboratório de ecologia do Departamento de Biologia da Universidade da Indonésia efetuou avaliações ambientais das

> áreas costeiras de Jacarta, e alertou sobre a possibilidade de inundações provocadas pelas marés. A solução sugerida foi, em primeiro lugar, manter os manguezais como áreas de preservação ambiental; e, em segundo lugar, reservar uma faixa de terra para amortecer o ímpeto das marés. Com base nas regulamentações florestais e nas leis de conservação, 60% da vegetação nessa faixa seria constituído por mangues nativos; o restante, por plantas que poderiam ser usadas pela população das vizinhanças. (...) Se o plano fosse implementado, as recentes inundações poderiam ter sido evitadas. Mas o plano não foi implementado. Construções ocuparam a faixa de proteção e se estenderam até a área de preservação ambiental, que foi coberta de concreto.

Mas o plano não foi implementado. Este é um refrão muito comum, quando se trata de preservar espécies, recifes de coral, peixes, mangues e florestas tropicais. O governador Suebu, de Papua, parecia estar bastante consciente dessa tendência. Seu próprio lema, ele me disse, era: "Pense grande, comece pequeno, aja agora." Mas agir como? Agora que sabemos que a biodiversidade do mundo está mais ameaçada do que nunca, em um mundo quente, plano e lotado, qual seria a estratégia abrangente — não apenas um único plano — que poderia funcionar para a preservação?

A resposta é curta: precisamos de um milhão de Noés e de um milhão de arcas.

Durante toda a nossa existência como espécie, temos nos dado ao luxo de presumir que o legado de plantas e animais que recebemos da Terra é inexaurível. Mas, desde a Conferência das Nações Unidas sobre Meio Ambiente e Desenvolvimento, realizada no Rio de Janeiro em 1992 — que ficou conhecida como "Cúpula da Terra" (Earth Summit) —, tem havido um crescente consenso de que as mudanças climáticas, nossos padrões de consumo e a explosão populacional ameaçam destruir a teia de biodiversidade que sustenta todas as espécies; inclusive, e especialmente, a nossa. Precisamos, portanto, redefinir nosso relacionamento com o mundo natural.

Como argumentei nos capítulos anteriores, o uso da energia, o crescimento econômico, a perda da biodiversidade, o desflorestamento, a política do petróleo e o aquecimento global estão interligados. O rápido crescimento econômico e a explosão populacional — o plano se junta ao lotado — estão provocando a destruição das florestas e de outros ecossistemas em um nível sem precedente. A destruição das florestas e de ambientes ricos em biodiversidade, por sua vez, contribui para as mudanças climáticas — o plano e o lotado se juntam ao quente e o tornam mais quente —, liberando mais gás carbônico na atmosfera. Além disso, a destruição de florestas e de outros ambientes naturais, como os recifes de coral, nos torna mais vulneráveis como humanos, pois as árvores absorvem as águas das chuvas e as armazenam abaixo da superfície, em raízes e aquíferos, controlando seu escoamento nos rios. Os recifes de coral e os mangues protegem as áreas costeiras de tempestades tropicais. Em outras palavras, quanto mais avançamos na Era da Energia e do Clima, mais precisamos dos hábitats naturais — florestas que mantenham o solo no lugar e ofereçam abrigo a espécies ameaçadas; e recifes de coral saudáveis, que protejam as áreas costeiras de inundações e alimentem os cardumes de peixes, que alimentam as populações litorâneas.

A geração abundante de elétrons limpos, confiáveis e baratos, certamente, ajudará a aliviar a pressão sobre os ecossistemas mais ameaçados do mundo, mas não será suficiente. Precisamos também de uma estratégia abrangente para estimular a preservação em grande escala — para assegurar que mais plantas, animais e pessoas disponham dos recursos naturais necessários à sua sobrevivência. Essa estratégia terá de ser conduzida, prioritariamente, pelas pessoas que vivem nas áreas onde se encontram os recursos naturais mais valiosos, e em sua periferia. Serão necessários um ecossistema de políticas governamentais corretas, investimentos corretos e participantes corretos para salvar o ecossistema de plantas, animais e florestas.

Os ecossistemas de preservação poderão ser diferentes, dependendo do país e do lugar que necessite de proteção. Eu os chamo de "arcas". Noé teve uma arca para salvar a biodiversidade, em sua época; nós precisaremos de milhões delas para salvar a biodiversidade em nossa época.

Cada arca tem de incluir os seguintes componentes: (1) Uma política governamental que reserve certas áreas e as proteja da exploração ou urbanização, em função da importância de sua biodiversidade; e reserve outras áreas para servir ao desenvolvimento de forma cuidadosa, protegendo suas espécies ameaçadas, a qualidade da água e outros valores ecológicos. (2) Oportunidades econômicas para as comunidades locais, que lhes permitam prosperar sem prejuízo da biodiversidade da área. (3) Investidores, sejam hoteleiros, empresas de energia ou mineração, agronegócios, empresários do turismo e outros que tenham interesse em manter intacta a biodiversidade da área, e possam atrair investimentos globais para projetos que ofereçam lucros, respeitem o mundo natural e ajudem a elevar a qualidade de vida local — tudo ao mesmo tempo. (4) Um governo local que queira preservar as áreas protegidas e seja capaz disso, em vez de vendê-las pela melhor oferta ou aceitar suborno de madeireiras ou mineradoras. (5) Especialistas internacionais que saibam avaliar corretamente a biodiversidade, bem como a utilização que se planeja dar à terra, a fim de determinar com precisão quais áreas necessitam de proteção e quais podem ser desenvolvidas com salvaguardas ambientais adequadas. (6) Iniciativas para aprimorar a educação primária e secundária, para que os jovens tenham condições de aprender uma profissão que não os obrigue a devastar o mundo natural ao seu redor.

Embora os elementos de cada arca tenham de ser adaptados a cada ambiente, em todos os casos os governos, empresas, ONGs e cidadãos envolvidos no projeto precisam compreender que manter intacto o ecossistema é do interesse de todos. Têm de estar comprometidos com a preservação das áreas protegidas e com a biodiversidade da região; se algum deles falhar em suas atribuições, as probabilidades de sucesso serão muito menores.

Mas não existe arca sem um Noé. Em todos os casos, será necessário um Noé, alguém capaz de manter unida a coalizão, o ecossistema, fazendo com que todos percebam que sua preservação serve aos interesses particulares de cada um. Esses Noés podem ser funcionários do governo, ambientalistas, empresários ou organizações não governamentais; podem ser de qualquer tamanho, aparência ou personalidade

— tão diferentes entre si quanto os diferentes problemas ambientais e econômicos que terão de ser enfrentados e solucionados em cada ecossistema. É por isso que, se vamos preservar nosso mundo natural, na era do quente, plano e lotado, precisaremos de um milhão de Noés e de um milhão de arcas.

Existem hoje muitas discussões, no âmbito das Nações Unidas e do Banco Mundial, a respeito de como os países desenvolvidos podem transferir dinheiro aos países em desenvolvimento para, na realidade, remunerá-los a fim de que não derrubem suas florestas tropicais. Muitos têm esperanças de que um mecanismo como este faça parte do próximo tratado sobre mudanças climáticas, um tratado pós-Kyoto. Iniciativas assim, a meu ver, embora bem intencionadas, não funcionarão sem as arcas locais. Quem acha que funcionarão não conhece as complexidades da preservação da biodiversidade. Se há uma coisa que aprendi sobre ecologia, enquanto pesquisava para esse livro, é esta: *toda preservação é local.*

Ou seja: tratados globais e mecanismos financeiros são necessários, mas, por si só, não chegarão nem perto de resolver os problemas. Para preservar uma região ou floresta intocada, por exemplo, é necessário que se formem coalizões, unidas por uma teia de interesses próprios. Precisamos gastar tanto tempo e esforço ajudando os países em desenvolvimento a formar esses ecossistemas políticos quanto negociando o que os tratados devem estipular. Cada dólar gasto só será valioso e útil à preservação da biodiversidade, na medida em que a qualidade do Noé e a resistência da arca também forem.

Há quem diga que a chave para resolver o problema energético seria o surgimento de um novo Thomas Edison — um inventor que descobrisse uma fórmula mágica para gerar energia abundante, limpa, confiável e barata. Talvez. Mas a chave para solucionar o problema da biodiversidade, na verdade, é o surgimento de um milhão de Noés, com um milhão de arcas.

Como seria uma arca dessas? Visitei uma delas em março de 2008. Era uma desmantelada escola de madeira em uma aldeia remota no limiar de uma floresta tropical em Sumatra do Norte, uma província da Indonésia. A aldeia se chama Aek Nabara e fica ao lado da floresta de Batang Toru — 150 mil hectares de árvores e vida selvagem, grande parte dos quais o governo de Jacarta já transformou, pela melhor oferta, em concessão para a exploração de madeira. Os moradores da aldeia estavam preocupados com o que aconteceria à floresta, que constituía seu sustento, tanto espiritual quanto material, desde que podiam se lembrar. Eles não possuíam diplomas, mas sabiam onde estavam seus interesses, embora nem sempre soubessem como defendê-los. No dia em que visitei o local, juntamente com uma equipe da Conservação Internacional e com Cameron R. Hume, embaixador americano na Indonésia, todos os aldeões apareceram para contar suas histórias. Homens e meninos, mulheres de batique, com bebês amarrados ao quadril, jovens e velhos, todos se reuniram na praça da aldeia para um encontro de improviso.

Apenas os homens, entretanto, tiveram permissão para entrar na escola e participar da reunião organizada pelos quatro líderes da aldeia — três dos quais estavam usando o tradicional boné *peci*, que o presidente Suharto tornou famoso. Sentado ao lado desses dignitários estava um jovem barbudo, usando chapéu de mateiro australiano. Mas o que o tornava notável não era o chapéu. Era o fato de carregar sobre os ombros um pequeno orangotango de oito meses, cor de ferrugem, que alimentava com uma mamadeira. Não era o tipo de coisa que normalmente se vê em um encontro de autoridades...

Logo descobri que o bebê orangotango, um órfão que fora encontrado próximo à aldeia na semana anterior, era a chave de toda a história.

Isso porque o Noé de Batang Toru é o dr. Jatna Supriatna, um homem de 55 anos, de óculos, professor de bioantropologia na Universidade da Indonésia, que dirige os programas da Conservação Internacional para a Indonésia. Uma das especialidades de Supriatna é o orangotango — uma espécie de primata ameaçada de extinção, hoje só encontrada nas florestas tropicais de Sumatra e Bornéu. Distingue-se por sua grande inteligência, pelagem cor de ferrugem e longos braços pendentes. Esses braços longos são muito convenientes, pois o orangotango é o maior mamífero que vive em árvores, e usa tanto os braços quanto as pernas para se balançar de árvore em árvore na floresta, como Tarzã. Segundo os livros de zoologia, o termo "orangotango" é derivado das palavras indonésias e malaias para pessoa, "orang", e floresta "hutan" — significando, portanto, pessoa da floresta. Um século atrás, havia cerca de 300 mil orangotangos vivendo nas selvas da Indonésia e da Malásia. Desde então, mais de 90% da população foi dizimada, grande parte nos últimos 15 anos.

Em 2004, Supriatna persuadiu uma de suas alunas a escrever sua tese de mestrado a respeito da dúvida que havia sobre a existência de orangotangos na parte sul da província de Sumatra do Norte. Havia rumores de que um orangotango fora visto na floresta tropical de Batang Toru, adjacente a Aek Nabara, mas não haviam sido confirmados. A floresta abriga também os tigres de Sumatra e as serpentes píton. Para evitar esses animais, os orangotangos quase nunca andam no chão da floresta, o que os torna difíceis de serem avistados.

Supriatna explicou que sua aluna "passou seis meses em Batang Toru e concluiu que havia 12 orangotangos vivendo naquela floresta. Então comecei a pensar: 'Como podemos salvar esses animais?' Só restam entre 4 mil e 5 mil orangotangos em Sumatra". Os orangotangos são importantes para a saúde da floresta, pois comem vorazmente cupins e frutas, notadamente as da palmeira-do-açúcar, cujas sementes espalham pelo solo das florestas, contribuindo para o reflorestamento. Por coincidência, o senador Patrick Leahy, de Vermont, conseguira recentemente a aprovação de um aumento no orçamento da Agência Americana para o Desenvolvimento Internacional (USAID, na sigla em inglês), com o propósito específico de ajudar a salvar os orangotangos da Indonésia. Dessa forma, a USAID confiou um milhão de dólares à Conservação Internacional, solicitando a esta organização que contratasse cientistas para monitorar Batang Toru e determinar, exatamente, quantos orangotangos estavam vivendo naquela floresta. Os cientistas deveriam também conceber um programa para a salvação dos animais encontrados. Em 2005, eles começaram o trabalho de monitoração.

"Nós acabamos encontrando de 350 a 400 orangotangos — uma quantidade grande para Batang Toru", disse Supriatna. "Também usamos parte do dinheiro para iniciar entendimentos com os habitantes das comunidades às margens da floresta. Nós entrávamos com eles na floresta e lhes mostrávamos como os orangotangos estavam perto deles. Eles diziam: 'Puxa, não sabíamos que eles estavam aqui.' Os avós deles mencionavam os animais, mas eles nunca tinham visto nenhum."

Em seguida, Supriatna estudou como os aldeões usavam a floresta e realizou um levantamento de quanto dinheiro eles precisariam para desenvolver diferentes atividades, de modo que a floresta pudesse permanecer intacta. Entre elas, o cultivo e a venda de cocos, cravo, canela e borracha, às margens ou no solo da floresta. Ou — uma atividade mais lucrativa — a exploração da energia geotérmica que havia nas encostas das colinas, em uma área pertencente à aldeia.

"Basicamente, concluímos que, para os orangotangos sobreviverem, a floresta teria de sobreviver", explicou Supriatna. E o único meio de assegurar isto seria fazer com que os aldeões entendessem quanto poderiam se beneficiar da floresta — para não falar do restante de nós.

Apenas algumas palavras sobre as árvores imensas que nos sustentam a todos: ao longo de toda a linha do Equador, estendendo-se por faixas de terra ao norte e ao sul, existe um largo cinturão de florestas tropicais. Elas são de três tipos: florestas pluviais, onde chove durante todo o ano; florestas sazonais, onde chove bastante, mas apenas durante algumas estações; e florestas mais secas. "Embora as florestas tropicais ocupem apenas 7% da superfície terrestre, elas provavelmente abrigam metade de todas as espécies do planeta", informa o "Observatório da Terra", um relatório publicado pela Nasa sobre desflorestamento tropical, escrito por Rebecca Lindsey (30 de março de 2007). "As florestas tropicais são também o lar de milhões de pessoas que vivem da agricultura de subsistência, da caça e da extração de produtos florestais, como a borracha ou a castanha, uma atividade de baixo impacto."

Embora os oceanos ainda sejam os pulmões "primários" do mundo, armazenando e exalando CO_2, as florestas tropicais também desempenham papel decisivo no ciclo do carbono, além de amenizarem o aquecimento global. O carbono está presente na atmosfera terrestre sob a forma de dióxido de carbono. Embora constitua apenas uma pequena parcela da atmosfera total, o dióxido de carbono é fundamental para a manutenção da vida vegetal, animal e humana. As plantas vivem, crescem e prosperam recebendo a luz solar e, através da fotossíntese, convertem o dióxido de carbono em carboidratos, exalando oxigênio no processo.

Esse processo é mais intenso nas florestas jovens, onde as árvores ainda crescem de forma acelerada. Para crescer, as plantas incorporam átomos de carbono às moléculas de açúcar. "Em um processo chamado de respiração, as plantas consomem alguns desses açúcares para gerar energia e expelem os átomos de carbono para a atmosfera, sob a forma de CO_2", observa o website Safeclimate.net. Assim, florestas tropicais intactas tanto absorvem quanto exalam CO_2. Entretanto, grande parte do carbono absorvido permanece dentro da biomassa das plantas, até que por decomposição, corte ou fogo seja liberado novamente na atmosfera. Florestas antigas, em particular, armazenam vastas quantidades de carbono, enquanto continuam a absorver CO_2. Isto explica por que, para combater as mudanças climáticas, é tão importante a preservação dessas florestas. Apenas na Amazônia, os cientistas calculam que as árvores contenham uma quantidade de carbono superior à emitida por todas as indústrias e meios de transporte do mundo durante dez anos, segundo um estudo da Nasa, que acrescenta:

> Quando as pessoas destroem as florestas, geralmente através do fogo, o carbono estocado na madeira retorna à atmosfera, acentuando o efeito estufa e o aquecimento global. .(...) Em lugares como a Indonésia, os solos das florestas pantanosas das terras baixas são ricos em material orgânico parcialmente decomposto, conhecido como turfa. Durante secas prolongadas (...) as florestas e a turfa se tornam inflamáveis, principalmente se já tiverem sido degradadas por atividade madeireira ou por fogo acidental. Quando queimam, liberam enormes volumes de dióxido de carbono e outros gases-estufa.

Com o objetivo de preservar a floresta de Batang Toru, em benefício da biodiversidade em geral, dos aldeões, dos orangotangos e do clima, Supriatna decidiu conversar com todos os interessados naquela grande área coberta de árvores. Encontrou-se, então, separadamente, com a mineradora local, com os aldeões, com os madeireiros que tinham autorização para cortar as árvores e com um grande investidor do setor energético, que desejava canalizar a energia geotérmica.

Esse investidor era um dos homens mais ricos da Indonésia, Arifin Panigoro, fundador da Medco Energi Internasional, uma grande empresa de prospecção de petróleo e gás natural, e um candidato a "verde" bastante improvável. Em 2006, ele obtivera uma concessão do governo, sob a forma de leasing, para explorar uma área no meio da floresta de Batang Toru.

Quando Supriatna foi visitá-lo, Panigoro estava muito cauteloso, segundo ele mesmo me contou. "Eu nunca ouvira falar da Conservação Internacional. Pensei que era alguma coisa como o Greenpeace. E perguntei a mim mesmo: 'Quem é esse cara?'" Foram necessárias algumas conversas. Até que, finalmente, Supriatna convenceu Panigoro de que a preservação da floresta seria uma coisa tão lucrativa para ele quanto para os aldeões, se não mais. Panigoro precisava da floresta para manter a bacia hidrográfica — de modo que o nível do lençol freático que abastecia os poços geotérmicos não baixasse a ponto de impossibilitar que as pedras quentes gerassem vapor. É possível que Panigoro não fosse nenhum ambientalista quando se encontrou com Supriatna, mas era um homem de negócios astuto e amava seu país, cujos recursos naturais, percebeu ele, estavam sendo completamente dilapidados. "Há vinte anos, nós não tínhamos esses problemas", disse-me ele. "Tínhamos enormes florestas tropicais e todos cortavam árvores o tempo todo. Pensávamos que a floresta era autossustentável, mas não era."

Panigoro acabou concordando em integrar o conselho consultivo da Conservação Internacional, e em usar seus recursos para comprar da madeireira a concessão para explorar Batang Toru e transformar a floresta tropical em uma área protegida, livre de quaisquer atividades econômicas que não fossem a agrossilvicultura e seu projeto de energia geotérmica, já em andamento. Enquanto eu escrevia este livro, ele ainda estava em negociações — comprar a concessão lhe custaria cerca de 2 milhões de dólares. A madeireira parecia inclinada a vendê-la, já que a maior parte da floresta ocupa encostas íngremes, onde o corte e a remoção da madeira são difíceis.

Assim que tiver a floresta sob controle, Panigoro pretende prosseguir com seu projeto de energia geotérmica — espera produzir 330 megawatts — e se associar à população local em projetos de agricultura controlada no solo da floresta; e, talvez, em projetos de ecoturismo. A energia será transmitida para cidades vizinhas. A Conservação Internacional, orientada por Supriatna, ajudou na concretização de um negócio em que os aldeões receberão royalties da usina geotérmica, quando esta estiver em funcionamento. Estes royalties serão destinados à melhoria da infraestrutura da aldeia e da escola local. Enquanto isso, a GITI Pneus, sediada em Xangai — a maior fabricante de pneus da China —, decidiu compensar, de forma voluntária, suas emissões de gás carbônico. Com essa finalidade, concordou em plantar seringueiras ao redor da floresta, protegendo-a com um cinturão de agrossilvicultura sustentável que produzirá borracha para a fabricação de pneus e oferecerá novos meios de sustento aos aldeões — explica Enki Tan, diretor da empresa e também membro do conselho da Conservação Internacional. A GITI Pneus planeja divulgar a "borracha ecológica" em seus futuros anúncios.

A equipe de Supriatna trabalhou com os aldeões no sentido de reviver suas leis tradicionais, chamadas de Adat, que são transmitidas oralmente. Essas leis prometem grandes recompensas a quem protege as florestas, os rios e o ambiente natural que, nas gerações anteriores, sustentavam as pequenas comunidades. "Eles estão ressuscitando os valores de seus avós, que haviam perdido, embora vivam às margens da floresta — já que as novas gerações só querem saber de assistir à televisão", diz Supriatna, que também treinou uma equipe de 25 homens para formar a "Patrulha dos Orangotangos", pagando a eles um pequeno estipêndio mensal para cuidar dos animais e manter afastados os caçadores ilegais.

O cara com chapéu de mateiro, que alimentava o bebê orangotango (jogado do ninho pela mãe), estava usando a camisa oficial da Patrulha dos Orangotangos. No encontro com o embaixador americano, os aldeões pareciam cautelosamente otimistas acerca do funcionamento da "arca" local. Com orgulho, exibiam jarras cheias de produtos que já estavam cultivando no solo da floresta — inclusive canela, cravo e palmeira-do-açúcar. "Uma coisa que aprendemos com a Conservação Internacional", explicou um dos líderes em sua apresentação, "foi como descobrir quais as áreas que são boas para plantar e quais não são. Nós vivemos isolados — não sabíamos como melhorar de vida."

Em vez de fazer um sermão para os aldeões, falando sobre como e por que eles deveriam salvar os orangotangos — o que não iria causar grande impressão, pois aquelas pessoas eram tão pobres que mal podiam salvar a si mesmas —, Supriatna começou a trabalhar com elas no sentido de tornar a aldeia um lugar melhor para se viver e de lhes mostrar que a preservação da floresta era uma coisa do interesse de todos. A salvação dos orangotangos foi um subproduto dessa iniciativa.

"Sempre começamos o trabalho observando a estrutura local de poder", diz Supriatna, "procuramos entender as comunidades locais, sua cultura, suas características sociais e econômicas, e as influências do desenvolvimento econômico sobre elas — tentando descobrir uma forma de ajudar as pessoas, não apenas os orangotangos". Se o orangotango se beneficia e a comunidade não, "nós perdemos as bases que nos permitem proteger o todo".

Supriatna disse que, ultimamente, seus colegas professores começaram a lhe perguntar: "Você está se tornando um ativista da ecologia?" "Eles estão preocupados com a possibilidade de eu estar me afastando da biologia ortodoxa", explicou ele. "Mas eu acredito que a conservação não se limita a proteger os tigres, observando como eles se comportam e se alimentam, e quais são seus predadores. A conservação lida com pessoas. Somos nós que estamos perturbando a natureza. Temos de conhecer biologia, mas não podemos parar nisso e achar que tudo vai ficar bem."

Muitos funcionários do governo apenas olham uma mata, desenham uma área protegida, sem nenhuma relação com a realidade, e presumem que uma arca de preservação irá crescer ali, como se fosse capim. As coisas não acontecem assim. Sem as pessoas, diz Supriatna, não há conservação.

Supriatna usou uma fórmula similar, a partir de 2003, para construir uma arca muito diferente na floresta vizinha, a Batang Gadis, onde ele e sua equipe conseguiram que Megawati Sukarnoputri, então presidente da Indonésia, transformasse 110 mil hectares em parque nacional no ano seguinte. A estratégia de Supriatna foi patrocinar a escola islâmica local, a Madraçal de Mustaphawiya, que contava com 7.500 alunos. Ele começou o trabalho se aproximando do imã e líder espiritual da escola, explicando-lhe que o rio que corria próximo ao terreno da escola ficaria poluído se a mina de ouro que estava sendo instalada rio acima, dentro da floresta de Batang Gadis, começasse a operar; o rio também ficaria assoreado com sedimentos, se madeireiras entrassem em ação. A mina recebera autorização para fazer escavações na área de captação de água. Supriatna e sua equipe queriam que ela fosse deslocada. Mas precisavam de aliados locais. Assim, ele explicou ao imã que o rio que seus alunos usavam para se lavar antes das orações, cinco vezes ao dia, estava para se tornar sujo, muito sujo.

"Não basta dizer que a floresta é boa", diz Supriatna. "Eu disse a ele que não seria possível fazer a lavagem ritual com o rio poluído." O imã ficou cético no início, Supriatna lembra. "Ele me disse: 'É só você quem está dizendo isso... o rio não pode ser poluído. Já estamos aqui há mais de cinquenta anos.' Eu disse: 'Você sabe que uma mina vai começar a operar rio acima?' Então eu e minha equipe o levamos até a mina. Ele pôde ver com seus próprios olhos o impacto que aquilo teria. Ao voltar, ele foi logo falar com o *bupati* (o chefe do distrito), a quem pediu para proteger a floresta." Supriatna conclui: "Se você influencia o imã, ele vai influenciar os garotos e os garotos vão falar com seus pais."

Foi a primeira vez que Amru Daulay, o *bupati*, se deparou com um movimento ambiental. "Ele observou nosso movimento e disse: 'Isto é muito forte'", Supriatna lembra. Supriatna começou então a aliciá-lo para um projeto maior — ajudar a transformar Batang Gadis em um parque nacional, que ninguém pudesse tocar. "O *bupati* me perguntou: 'Como nós podemos transformar a floresta em um parque nacional? E como vamos compensar as pessoas que iriam se beneficiar com a instalação das madeireiras e das minas?'" Supriatna construiu sua argumentação em torno do rio, de como suas águas irrigavam 40 mil hectares de arrozais, que seriam arruinados se o rio fosse poluído pelo corte de madeira ou pela extração de ouro.

Por coincidência, na época, a Indonésia estava se movimentando no sentido de transferir o poder do governo central, em Jacarta, para as regiões de interior. O *bupati*, que originalmente fora designado pelo governo central para governar o distrito de Madina, teria de disputar uma eleição pela primeira vez. "Eu disse a ele: 'Você pode se tornar um herói'", lembra-se Supriatna. Amru Daulay fez os cálculos políticos e percebeu que, se enviasse uma carta ao ministro dos Recursos Florestais, pedindo-lhe que transformasse Batang Gadis em um parque nacional, isso poderia lhe ser útil, em sua primeira eleição de verdade. E foi exatamente o que ele fez.

Nem é preciso dizer que a negociação envolveu a pressão de muitos outros participantes, como a Conservação Internacional, a liderança islâmica local e outros ambientalistas indonésios, antes que o governo criasse o parque; isto não é coisa que um líder distrital possa obter com uma carta. Mas, no final, tudo correu bem. Daulay não hesitou em basear sua primeira campanha, em parte, no fato de ter ajudado a proteger a floresta e obrigado a empresa mineradora a sair da área de captação de água. A propósito, ele venceu a eleição.

Mas isso não é o que costuma acontecer — para dizer o mínimo. Na Indonésia, o movimento em direção à democracia e à descentralização tem tido efeitos desiguais sobre a preservação ambiental. Em algumas partes do país, governos provinciais, e mesmo distritais, têm apoiado a conservação — como fez o governador Suebu, em Papua. Mas, em outras regiões, governos recém-empossados, sem mais nenhuma supervisão de Jacarta, têm se refestelado com oportunidades para ganhar dinheiro rapidamente, vendendo autorizações para a extração de recursos naturais e legalizando extratores antes ilegais.

Supriatna me contou que as coalizões que ajudou a construir, em torno de Batang Toru e Batang Gadis, lembram a ele "um sanduíche com muitas camadas de recheio — queijo, tomate, carne, batata, o governo, as comunidades, os cientistas e o setor privado. Você tem de se adaptar aos diversos interesses... Quando você conversa com um chefe de governo, tem de falar de economia; quando conversa com as comunidades, tem de falar em bem-estar; quando conversa com empresários, tem de falar sobre lucros futuros; quando conversa com outras ONGs, tem de falar sobre meio ambiente". É preciso haver diferentes arcas e diferentes Noés para regiões e pessoas diferentes. Simplesmente não há outro modo de agir, se tivermos alguma esperança de obter sucesso.

Mas nenhum ecossistema destinado a melhorar a saúde das florestas irá sobreviver sem pessoas mais bem-educadas. Ambas as coisas andam de mãos dadas. Os patriarcas da aldeia, que vieram falar conosco em Aek Nabara, estão orgulhosos por terem, finalmente, inaugurado uma biblioteca. Fui conhecê-la: um monte de livros e revistas empoeirados, colocados sobre uma mesa. Era triste. A maneira mais sustentável de se salvar uma floresta é criando empregos que requerem conhecimento. Se quisermos salvar as florestas, temos de salvar as pessoas, em primeiro lugar. E, no mundo de hoje, o único modo de fazer isso é através da educação, para que as pessoas aprendam profissões que não envolvam a pilhagem das matas. O que queremos, no mínimo, é que as pessoas deixem as florestas em paz. No máximo, que as protejam ativamente, para que sejam aproveitadas para a prática de agricultura sustentável e ainda funcionem como polos turísticos e fontes de produtos medicinais.

Infelizmente, a Indonésia — um de meus países favoritos, com uma população excepcionalmente simpática e uma paisagem deslumbrante — nunca concedeu à educação a prioridade necessária, provavelmente porque o país sempre teve tantos recursos para explorar. Embora a Indonésia tenha 237 milhões de habitantes, apenas 6 mil possuem doutorados — um percentual extremamente baixo. O país hoje gasta mais dinheiro subsidiando a gasolina e o óleo de cozinha para seus cidadãos (30% do orçamento nacional) do que lhes proporcionando escolaridade (6% do orçamento). Não é um bom negócio.

Daqui a dez anos, se você visitar a Indonésia e vir aviões lotados de mulheres jovens embarcando para trabalhar como empregadas domésticas, pode ter certeza de que as árvores já terão desaparecido.

Embora as arcas tenham de ser definidas localmente, com investimentos locais, participantes locais e interesses locais, financiamentos oferecidos pela comunidade mundial são fundamentais — pois, com o poderio da economia global, a quantidade de investimentos destinados ao plantio de soja, dendê e árvores madeireiras é tão alta que em muitos lugares as florestas valem mais (a curto prazo) derrubadas do que em pé. Se considerarmos o preço que um aldeão ou uma madeireira conseguem obter hoje com o corte de uma árvore, em comparação com o que poderiam obter protegendo a árvore, é fácil entender por que a floresta sai perdendo. E quando pensamos em quanto uma grande indústria madeireira consegue obter com a derrubada de uma grande área florestal, a coisa fica assustadora. Eis por que as arcas não podem existir isoladamente, e por que não podemos abandonar os Noés à própria sorte; raramente há recursos suficientes, em termos locais, para gerar fontes de renda alternativas e investir na exploração sustentável da floresta. Noventa por cento das pessoas que vivem em extrema pobreza, no mundo de hoje, são totalmente dependentes das florestas para obter seus alimentos, combustível, abrigo, água potável e fibras têxteis, observa Michael Totten, especialista da Conservação Internacional em clima, água e ecossistemas. Muitas dessas pessoas são indígenas, cujas culturas não sobreviverão se as florestas não sobreviverem. É preciso que haja um sistema internacional de apoio às arcas construídas pelas comunidades locais — que podem ser programas de ajuda tradicionais, como os da USAID, ou quaisquer outros mecanismos capazes de ajudar essas arcas com recursos, assistência técnica e pressão política.

Não se trata apenas de caridade. Isso envolve a segurança nacional, observa Alfred Nakatsuma, da USAID:

> Muitos conflitos são criados pela destruição dos recursos naturais necessários à subsistência das pessoas que vivem nos ecossistemas

naturais. Um estudo recente realizado pela USAID indicou que na Indonésia, em um raio de 6 quilômetros de desflorestamento, 40% das comunidades estavam em conflito, em decorrência de disputas por recursos naturais. Conflitos pelo uso da água estão ocorrendo em escala cada vez maior, muitas vezes gerados pela má administração dos aquíferos, por descaso com os cursos de água da floresta e por problemas de poluição — de origem doméstica e industrial. Portanto, boas práticas ambientais ajudam a reduzir conflitos e problemas de segurança, tanto dentro do país quanto além-fronteiras.

É por isso que propostas como a REDD — que tenta estabelecer uma tabela de valores para as florestas tropicais, com base nos serviços ambientais que proporcionam, de modo a competir com os valores que lhes são atribuídos pelos mercados de commodities — são tão importantes. REDD significa *Reduced Emissions from Deforestation and Forest Degradation* (Redução das Emissões por Desmatamento e Degradação Florestal). Os ambientalistas pretendem que o conceito seja incluído no tratado da ONU que se seguirá ao de Kyoto. Pela proposta da REDD, os países ricos remunerarão os países em desenvolvimento para que mantenham suas florestas intactas. Em troca, os países desenvolvidos obterão créditos que poderão contrabalançar suas emissões de gases poluentes, cuja redução será exigida por qualquer novo tratado sobre condições climáticas. O cálculo desses créditos será difícil, mas ainda mais difícil será assegurar que isto não se transforme em uma transferência de dinheiro, de um banco central para outro, enquanto as florestas são derrubadas de qualquer forma. É preciso haver condições para que se faça um acompanhamento de cada dólar, desde o doador até o último Noé, e para garantir que os fundos não parem nos cofres dos governos, mas cheguem até arcas confiáveis, construídas uma a uma. Caso contrário, acabaremos com um monte de arcas esburacadas — e o desflorestamento e a crescente emissão de CO_2 irão continuar.

A conservação é local, mas todos os locais estão interligados. O óleo de soja que frita nossas batatas, hoje, pode ter vindo de uma floresta derrubada na Indonésia. Isto, por sua vez, contribuiu para as mudanças climáticas que estão intensificando a seca em nosso jardim. Eis por que o desflorestamento é um problema de todos e investir em sua redução, potencialmente, pode trazer benefícios para todos.

"A saúde do mundo, a longo prazo, depende de ecossistemas saudáveis", diz Glenn Prickett, da Conservação Internacional. "O futuro não será seguro se apenas produzirmos elétrons limpos e nos livrarmos das moléculas de CO_2. Precisamos também de florestas saudáveis, rios limpos e solos produtivos. Precisamos cuidar deles pelo que são, e investir neles diretamente."

No Sistema de Combustíveis Sujos, as pessoas simplesmente achavam que o crescimento econômico era uma troca entre a saúde do ecossistema e a saúde econômica de uma comunidade; e que a extinção de espécies como os orangotangos era um subproduto inevitável, mas necessário — "uma externalidade", na linguagem da economia. Em um Sistema de Energia Limpa, compreenderemos que ecossistemas saudáveis e economias saudáveis têm de andar juntos — caso contrário, o próprio crescimento será solapado por recursos naturais degradados ou insuficientes. "A sobrevivência do orangotango não é apenas um subproduto bonitinho; é o sinal de que nosso modelo foi bem-sucedido", diz Prickett.

Mas, em algum ponto, teremos de ir além dos argumentos econômicos, e mesmo práticos, e restabelecer o contato com a verdade mais profunda de todas: o verde é um valor que precisa ser preservado, não por tornar mais polpuda a nossa conta bancária, e sim, por tornar mais rica a nossa vida, como sempre fez. No final das contas, esta é a única "ética da preservação". A ética da preservação declara que a manutenção de nosso mundo natural é um valor impossível de ser quantificado, mas também impossível de ser ignorado — pela pura beleza, deslumbramento, alegria e magia que a natureza oferece às nossas vidas.

Elétrons limpos são necessários. Profundas melhorias na eficiência energética são necessárias. Mas não podemos exigir que a preservação da natureza possa competir com essas conquistas tecnológicas em termos puramente econômicos (embora possa, na verdade, quando somamos todos os serviços proporcionados pela natureza que não são levados em conta pelo mercado). A natureza deve ser apreciada, venerada e preservada como um valor à parte, acima dos valores práticos e econômicos. Se não incutirmos os valores verdes em nossos filhos, quanto mais limpas e energeticamente eficientes se tornarem nossas economias, com mais eficiência nosso mundo natural será estuprado. Não existirão muros para deter isso. As pessoas não preservam o que não respeitam ou veneram.

"Nós ainda não temos uma ética de respeito pela natureza", afirmou Carol Browner, coordenadora de política energética do presidente Obama e ex-chefe da Agência de Proteção Ambiental. "Ensinamos 'ambientalismo' como 'reciclagem'" — e não como a chave para apreciar todas as maravilhas, e serviços, da natureza.

É por esse motivo que acredito firmemente em programas como "Nenhuma Criança Deixada dentro de Casa",* patrocinado pela Sociedade Ecológica dos Estados Unidos, a principal organização de cientistas ecológicos do país. A ideia subjacente à semana "Nenhuma Criança Deixada dentro de Casa" — parte da Semana da Terra, realizada anualmente — é fazer com que as crianças em idade escolar e suas famílias tomem consciência da natureza e se tornem boas gerenciadoras de seu "lar" maior: o planeta Terra. O website da Sociedade Ecológica da América, esa.org, observa que "estatísticas demonstram que o número de visitantes dos parques nacionais e estaduais caiu cerca de 25% na última década", pois as crianças permanecem dentro de casa assistindo à TV ou entretidas com jogos de computador. "Um estudo científico recente", segundo o site, "descobriu que as crianças conhecem melhor os personagens do Pokemon (um jogo eletrônico) do que um carvalho ou uma lontra. Os Estados Unidos estão sendo superados por outros países no que se refere à educação científica — principalmente na área de ecologia e ciências que estudam a Terra. Dados biológicos e econômicos indicam que as crianças que entram em contato com a natureza têm melhor

* Nenhuma Criança Deixada dentro de Casa — em inglês, "No Child Left Indoors"; o nome carrega uma referência ao programa instituído pelo presidente George W. Bush em 2001 "No Child Left Behind" (Nenhuma Criança Deixada para Trás), para melhorar a qualidade das escolas públicas. (N. da E.)

desempenho na escola, apresentam menos desvios de comportamento e possuem maior capacidade de concentração".

Basta observar crianças pequenas explorando um jardim, ou as margens de um rio, para percebermos que estamos programados para amar e reverenciar a natureza. Mas, nos tempos modernos, esse instinto vai sendo soterrado quanto mais velhos vamos ficando. É provável que fosse isso o que Mahatma Gandhi tinha em mente quando observou: "Esquecer como cavar a terra e cuidar do solo é como nos esquecer de nós mesmos." Esse é o espírito que temos de despertar, se quisermos, e esperarmos, que as pessoas apoiem com seu dinheiro, suas vozes e seus votos a preservação do mundo natural. Como meu companheiro de aventuras Glenn Prickett costuma me dizer: "Você tem de ver para salvar." Quando você vê uma floresta tropical em Sumatra, emoldurada por exuberantes arrozais e enfeitada de flores — flores rosadas em forma de trombetas penduradas em todos os galhos de grandes arbustos —, você quer salvar esta floresta. Quando você vê o sol raiar na reserva de Masai Mara, no Quênia, onde girafas atravessam seu acampamento em fila indiana, enquanto você faz a barba, você quer salvar esta reserva. Quando você percorre as florestas pluviais da Amazônia peruana, onde se esquiva de porcos-do-mato e alimenta araras pousadas em seu ombro durante o café da manhã, você quer salvar estas florestas.

Certa vez, em um seminário do qual eu participava, Amory Lovins, pioneiro da ecologia, ouviu a seguinte pergunta de um membro do público: "Qual é a coisa mais importante que um ambientalista pode fazer hoje?" Ele respondeu com duas palavras: "Prestar atenção." Porque, quando realmente enxergamos, nós queremos salvar. Em 2006, quando nossa família estava fazendo uma excursão pela floresta peruana, fomos acompanhados por Gilbert, um notável guia indígena. Ele sempre caminhava à frente. Não carregava telefone. Nem binóculos. Nem iPod. Nem rádio. Ele não sofria dessa doença típica da era moderna, a "atenção parcial constante" — que faz as pessoas tentarem fazer dez coisas ao mesmo tempo. Ele ouvia cada trinado, assobio, uivo ou estalido na floresta. Então, fazia com que parássemos e, imediatamente, identificava qual era o pássaro, inseto ou animal. Possuía uma visão incrível e nunca deixava passar uma teia de aranha, uma borboleta, um tucano ou uma coluna de formigas. Estava totalmente desconectado da rede de computadores, mas totalmente em contato com a incrível rede de vida que o cercava.

Eu sempre senti que havia uma lição nisso. No fim das contas, nenhum investimento, nenhum elétron limpo, nenhuma eficiência energética salvará o mundo natural se não prestarmos atenção a ele — se não prestarmos atenção a todas as coisas que a natureza nos dá de graça: ar puro, água limpa, cenários de tirar o fôlego, montanhas para esquiar, rios para pescar, oceanos para velejar, crepúsculos para os poetas e paisagens para os pintores. De que servem luzes alimentadas por energia eólica, durante a noite, se não conseguimos enxergar a natureza durante o dia? Só porque não podemos vender ações da natureza, isto não significa que a natureza não tenha valor.

Sem uma ética de preservação, perderemos aquilo que nos é mais valioso, mas que não tem uma etiqueta com o preço.

DEZESSEIS

Sendo mais verdes que a Al Qaeda (ou, compre uma coisa e leve quatro)

Quando sairmos do Iraque, iremos promover a maior transferência de condicionadores de ar já vista na história.

— Dan Nolan, consultor de energia do Exército dos Estados Unidos

Quem já ouviu falar de um "falcão verde" — um oficial marine ambientalista, que advoga a energia solar como qualquer garoto de Berkeley, desses que usam sandálias, andam de bicicleta e comem iogurte? Falcões verdes, no entanto, são uma das novas forças emergentes da Era da Energia e do Clima, quando uma grande variedade de diferentes grupos está começando a entender que o verde não é apenas uma estratégia para a produção de energia limpa, eficiência energética e preservação, apesar da importância desses fatores. É também uma estratégia vencedora, em muitos contextos diferentes. Nos próximos anos, as pessoas irão descobrir que podem ser "mais verdes" do que os competidores no mercado, nos campos de batalha, nos estúdios de arquitetura e até mesmo na luta contra a pobreza. Não vai demorar para que a expressão "ser mais verde" seja definida nos dicionários.

Eu percebi que "ser mais verde" poderia ser uma estratégia militar depois que fui informado a respeito de um movimento de "falcões verdes" entre militares americanos. Esse grupo informal de oficiais com o mesmo pensamento emergiu em 2006, depois que o major-general Richard C. Zilmer, oficial dos fuzileiros navais que atuava na província iraquiana de Anbar, começou a reclamar com o Pentágono, dizendo que precisava de algumas alternativas ao diesel para seus postos avançados na fronteira com a Síria. Uma das tarefas mais perigosas dos fuzileiros navais que estavam na área era dirigir caminhões carregados com tanques de diesel até postos de observação isolados. O combustível servia para alimentar os geradores que alimentavam condicionadores de ar, rádios e outros equipamentos. Naquelas áreas remotas não havia rede elétrica, ou esta não funcionava. Os comboios de diesel haviam se tornado alvos atraentes para os insurgentes iraquianos, que instalavam bombas à beira das estradas. Na época, o Pentágono já estava trabalhando com Amory Lovins, do Rocky Mountain Institute, no sentido de encontrar meios de aumentar a eficiência energética, de modo geral. Mas as exigências dos campos de batalha, segundo Lovins, estavam pressionando os militares americanos a encontrar com urgência um meio de encurtar as linhas de abastecimento de energia, descobrindo fontes de energia renovável e bem-distribuídas.

"Tudo começou com um comandante em Anbar", explica Dan Nolan, que chefiava a Força-Tarefa de Segurança Energética para a Força de Equipamento Rápido do Exército dos Estados Unidos — que lida com a logística do abastecimento de energia — quando a requisição do general Zilmer chegou até ele pela cadeia de comando. "Quando começamos a analisar o pedido dele, verificamos que sua preocupação era com os soldados que estavam sendo atacados nas estradas, quando transportavam combustível e água." Portanto, teríamos de tentar atender às necessidades de postos situados em lugares remotos com energia renovável, que pudesse ser gerada localmente, e não com diesel trazido de longe.

Assim começou a primeira tentativa, realizada pelo Exército, daquilo que vou chamar de "ser mais verde que a Al Qaeda". Ou seja: tentar descontar a vantagem que a Al Qaeda vinha obtendo — por ser uma força guerrilheira bem-distribuída, com baixo consumo de energia, enfrentando um Exército convencional, com alto consumo de energia — mediante uma solução verde.

Nada — nada *mesmo* — pode transformar alguém mais rapidamente em partidário da energia solar do que ter a responsabilidade de transportar combustível através do Iraque. Encontrei-me com dois soldados na espaçosa base militar de Balad, 65 quilômetros ao norte de Bagdá, que tinham sofrido essa conversão. A unidade deles era responsável pelo transporte de diesel DF2 para abastecer pequenos postos avançados nos campos de batalha do norte, que precisavam manter seus geradores funcionando. No dia em que eu os visitei, 25 de agosto de 2007, a temperatura alcançou 50°C. Refrigerar uma tenda no deserto, quando faz 50°C do lado de fora, requer *um bocado* de energia. É por isto que, na época, cerca de 70% do orçamento do Comando Central estavam sendo empregados apenas na movimentação de combustível de uma base para outra. Mesmo nas melhores ocasiões e nas temperaturas mais moderadas, as guerras são enormes consumidoras de energia, e o equipamento militar raramente é projetado com a preocupação de poupar energia.

Antes de chegarem ao Iraque, a única coisa verde no sargento-major Mike Wevodau e no sargento-major Stacey Davis eram seus uniformes. Mas meses administrando comboios de combustível e alimentos, e promovendo "limpeza de estradas" — varredura das estradas para a localização de dispositivos explosivos improvisados, antes que estes explodissem algum comboio — transformaram ambos em partidários de qualquer tipo de energia que diminuísse o número de caminhões carregados de combustível que precisavam ser escoltados, e o número de estradas que precisavam ser limpas.

Como o sistema elétrico no Iraque é decrépito e vulnerável, explica o sargento-major Davis, "nós não confiamos na rede elétrica iraquiana de jeito nenhum. Tudo é movido por geradores. Você não consegue caminhar 30 metros aqui sem esbarrar em algum gerador, e eles trabalham 24 horas por dia, sete dias por semana, até acabar o combustível". Se o Exército tivesse implantado energia solar ou eólica, o sargento-major Wevodau me disse, "isso eliminaria a necessidade de colocar soldados nas estradas, o que é a coisa mais perigosa que fazemos. Manter as pessoas fora das estradas é a coisa mais importante que fazemos... Por que não podemos ter energia solar e turbinas de vento por aqui? Eu vejo isso sempre que dirijo pelas rodovias da Pensilvânia; por que não posso ver isso aqui?"

Depois que o general Zilmer levantou a questão, o Pentágono demorou algum tempo para perceber que a melhor maneira de vencer a guerra contra os explosivos não era, simplesmente, acrescentar mais proteção armada, mas tornar o Exército mais ecológico, segundo Linton Wells II, consultor de energia do Departamento de Defesa. "Se um par de morteiros de 155 mm, enterrados em uma estrada, podem fazer um tanque Abrams capotar, podemos aumentar a segurança acrescentando mais armamentos — mas isso não é o bastante", diz Wells. "Queremos uma guerra de baixas zero, e isso leva a veículos de 60 toneladas, que não cabem nos aviões. A única solução é a energia gerada no local." A melhor maneira de enfrentar um explosivo improvisado, acrescenta ele, "é não estar presente quando ele explodir".

A energia produzida localmente expõe menos as pessoas e os equipamentos do que os geradores a diesel. Também significaria menos vídeos de má qualidade, exibidos nos websites da Al Qaeda, de veículos militares americanos sendo explodidos dramaticamente. E menos custos para os militares, que poderiam comprar outros equipamentos, mais úteis no campo de batalha. "A independência energética não é uma questão econômica", diz Nolan, um coronel reformado que foi designado, juntamente com sua equipe, para apresentar soluções que levassem à economia de energia no *front* iraquiano. "Não é uma questão de recursos. É uma questão de segurança nacional. É o negócio certo para nós."

De fato é, quando se está envolvido em uma coisa tão complicada quanto ocupar outro país, como fizemos no Iraque. Segundo Nolan, os Estados Unidos "não querem dar a impressão errada à população local. Assim, procuramos erguer estruturas temporárias — para que o povo não pense que nossa ocupação é permanente", explica ele. Mas isto significa que o Exército tem de utilizar uma grande quantidade de tendas. "A tenda do Exército é nossa estrutura temporária padrão", diz Nolan. "Para que os soldados possam dormir e os aparelhos eletrônicos funcionem direito, as tendas têm de ter ar-condicionado. De modo geral, existem alguns lugares no Iraque onde nós poderíamos nos conectar à rede elétrica. Mas temos de perguntar a nós mesmos: 'Devemos tirar energia da comunidade local?'" Isso também aumentaria a vulnerabilidade, caso alguém cortasse uma linha de transmissão. O Exército inteiro poderia ficar no escuro. "Portanto, quase sempre, trazemos nossos próprios geradores táticos", acrescenta Nolan. Esses geradores, no entanto, são abastecidos a diesel, trazido de outros lugares, geralmente do Kuwait, mas também da Turquia e da Jordânia.

Nolan e sua equipe atacaram o problema, primeiramente, visitando as bases operacionais mais avançadas. "Nossa inspeção descobriu que, em apenas uma pequena base avançada, estávamos gastando cerca de 38 mil litros de diesel por dia — e isso em uma base pequena. Trinta e quatro mil litros eram usados nos geradores e o restante, em transportes. E 95% da energia dos geradores era utilizada para refrigerar as tendas."

Depois de analisar todos os dados dos campos de batalha, Nolan e sua equipe perguntaram a si mesmos: "Onde poderemos obter os melhores resultados, sem comprometer a capacidade militar? Era preciso ter uma visão holística do assunto, e pensar nele como um sistema energético", explica Nolan. "Se eu disser a um comandante 'vou lhe dar espelhos solares e moinhos de vento', a reação não vai ser positiva. Mas se eu lhe disser que tenho um projeto para complementar seu sistema de energia convencional com um sistema de energia renovável, isto lhe dará mais flexibilidade tática, e ele vai se sentir mais à vontade com a ideia."

O projeto de Nolan acabou sendo compatível com o trabalho que o Pentágono já estava desenvolvendo, baseado em um relatório publicado em fevereiro de 2008 pelo Conselho de Ciência da Defesa. O relatório, intitulado "Mais Luta — Menos Combustível", observa que a necessidade de transportar grandes volumes de combustível para as forças operacionais cria uma longa extensão logística, difícil de ser defendida e vulnerável a ataques das forças insurgentes. Assim, o combustível transportado dessa forma custa muito mais dinheiro do que custaria em um posto de gasolina comum. O Conselho de Ciência da Defesa reconheceu o problema pela primeira vez em 2001, quando cunhou o conceito de "custo integral do combustível". Como me explicou Tom Morehouse, ex-oficial da Aeronáutica e outro integrante da brigada dos falcões verdes no Pentágono, os militares americanos não estavam levando em conta, em suas decisões sobre sistemas de armamento, o custo integral do combustível — que é o preço do combustível enquanto commodity, acrescido do custo de entrega ao usuário final (incluídos nessa parcela o custo dos caminhões e de seus motoristas, a proteção do combustível durante o percurso e as baixas ocorridas durante o deslocamento). Quando o Exército começou a olhar para o caso holisticamente, descobriu que o custo integral de um litro de combustível entregue no teatro de operações do Iraque "era de 5,30 dólares, no mínimo. Em muitas missões terrestres, esse preço subia para várias dezenas de dólares por litro", informa Morehouse. Ou seja, custava mais do que o combustível repassado por aviões-tanque a outros aviões, cujo preço, para a força aérea, era de 11,10 dólares o litro. Isso atraiu a atenção das pessoas.

A primeira iniciativa de Nolan e sua equipe foi aumentar a eficiência energética. Eles trabalharam junto com os fornecedores, de modo a desenvolver uma técnica para o isolamento térmico das tendas. "Borrifamos sobre as tendas uma espuma de isolamento, já sendo comercializada, tornando-as capazes de barrar o ar quente do exterior, o que diminuiu as exigências de ar refrigerado de 40 a 75%", explica ele. "Na linha de frente, é preciso economizar o máximo possível de energia através da eficiência energética. Assim, a quantidade de energia renovável a ser gerada na retaguarda é a menor possível, e podemos ir mais longe. Se eu tenho uma base que gasta 2 megawatts de eletricidade por dia, é impossível gerar isso tudo com painéis solares, turbinas de vento ou outras fontes de energia alternativa. Mas, ao economizar energia, se eu conseguir reduzir a demanda para 500 quilowatts, as alternativas podem funcionar."

O Exército gostou dessa abordagem e comprou espuma suficiente para isolar milhares de tendas e barracões no Iraque. Alcançar essas reduções de 40 a 75% na refrigeração do ar resultou em uma diminuição de custos tão grande que Nolan e sua equipe foram encorajados a explorar uma versão mais avançada dessa tecnologia. Então, eles isolaram uma grande tenda em forma de domo com espuma, pelo lado de fora, e depois a revestiram por dentro com uma fina camada de concreto. Obtiveram uma estrutura que podia servir de dormitório para quarenta soldados (quatro vezes a tenda comum) e ainda oferecia alguma proteção contra projéteis, graças ao concreto. Além disso, segundo Nolan, duas turbinas de vento e dois painéis solares (mais um gerador de emergência alimentado a propano) produziam energia suficiente para refrigerar o ambiente interno e abastecê-lo de eletricidade — e ainda sobrava energia para ser doada ao vilarejo vizinho! O Exército americano está trabalhando para aperfeiçoar o sistema, para que seja implantado em grande escala no Iraque e no Afeganistão.

Isso é o que acontece quando resolvemos um problema sendo mais verdes que a concorrência — compramos uma coisa e levamos quatro de graça. No caso de Nolan, salvamos vidas tirando os comboios das estradas, poupamos dinheiro reduzindo os custos de combustível e ainda sobrou um pouco de energia para ser doada ao imã da mesquita local. Talvez assim sua comunidade um dia nos dê uma flor, em vez de nos atirar uma granada.

Existe outro benefício, menos visível, do ponto de vista de Nolan: os soldados veem esse tipo de solução aplicado às suas bases, no Iraque; quando voltam para os Estados Unidos, começam a exigir que suas comunidades e as indústrias locais adotem procedimentos semelhantes. Quando o Exército eliminou a segregação racial, o país, de fato, eliminou a segregação racial; se o Exército pode esverdear, o país pode, de fato, esverdear. Assim como o Exército mostrou a negros e brancos que eles poderiam trabalhar juntos, o Exército pode ser o laboratório que mostrará às pessoas como esverdear juntas. “Esse tipo de coisa começa a mudar toda a cultura do país”, diz Nolan. “Se conseguirmos avanços ecológicos no Iraque, os soldados vão retornar e dizer: ‘Por que não posso ter isso em casa?’” Nolan, um veterano de ombros largos, que se parece mais com o general da segunda guerra George S. Patton do que com um abraçador de árvores, conclui: "Quando pensamos em ser ecológicos, temos de pensar de forma diferente do que pensávamos no passado. E mudar nossa perspectiva. A ecologia tem grande importância tática para nós."

Eu não pude deixar de perguntar:

— Será que ninguém, no Exército, está dizendo: 'Ah, meu Deus, o coitado do Dan virou verde, será que ele agora vai desmunhecar?'

— Não tenho problemas a esse respeito — respondeu Dan, soltando uma grande gargalhada.

Eu também não, pois acredito que estamos no limiar de uma era em que ser mais verde se tornará uma estratégia para obter vantagem competitiva em uma variedade de áreas. A expressão "ser mais verde" foi cunhada por meus amigos Maria e Dov Seidman, em um café da manhã que tomamos juntos certo dia. A tese do livro que Dov escreveu, *Como*, é simples: no mundo interligado de hoje, o que nos destaca é "como" nos conduzimos. Todos estão mais transparentes e mais conectados do que nunca. Por conseguinte, um número maior de pessoas pode examinar o que fazemos, examinar as operações de nossas empresas e falar a esse respeito com muitas outras pessoas, pela internet — sem nenhuma edição e nenhum filtro.

Embora isso possa ser uma grande responsabilidade, pode também ser uma vantagem para um indivíduo ou um negócio. Hoje em dia, qualquer produto fabricado por você, ou qualquer serviço prestado por você, pode ser fácil e rapidamente copiado e vendido por qualquer um, em qualquer lugar. Mas, argumenta Dov, é muito mais difícil copiar "como" você gerencia seu negócio, "como" você mantém suas promessas e "como" você se relaciona com seus clientes, colegas, fornecedores e as comunidades onde opera — se você estiver lhes trazendo benefícios. Isso gera uma oportunidade para diferenciação. "No que diz respeito à conduta humana, há uma tremenda variação. E quando existe um grande espectro de variações, existe oportunidade", explica ele. A tapeçaria do comportamento humano é tão variada, tão rica e tão globalmente diversificada, acrescenta ele, que apresenta uma oportunidade rara: "a oportunidade de *se comportar melhor* que os concorrentes". Como você pode se comportar melhor que os concorrentes? No Michigan, observa Dov, um hospital ensinou seus médicos a pedirem desculpas quando cometem erros, reduzindo drasticamente os processos movidos por imperícia médica. Eis *como*.

Mas agora podemos *ser mais verdes* que a concorrência e *ser mais verdes* que nossos inimigos. Em um mundo de abundância aparentemente ilimitada — um mundo que não era quente, plano e lotado — a estratégia natural era produzir mais ou investir mais do que os rivais, diz Dov. Um país com muitas terras cultiváveis podia plantar mais que os rivais. Um país com muitas florestas podia cortar mais árvores que os rivais. Um país com muitas minas podia extrair mais minérios que os rivais. Um país com muitas jazidas petrolíferas podia bombear mais petróleo que os rivais. Um país com muita matéria-prima podia vender mais commodities que os rivais.

"Era um modo de pensar profundamente arraigado, em uma época em que os recursos eram abundantes — e quando você tinha capital ou recursos naturais que os concorrentes não tinham", acrescenta Dov. Essa maneira de pensar foi imortalizada na cena principal do filme *Sangue Negro*, quando o ingênuo pregador Eli Sunday tenta arrendar suas terras a Daniel Plainview, o ganancioso barão do petróleo. Plainview explica a Sunday que não precisa de suas terras: já as explorou. Simplesmente cavou um poço na diagonal até o subsolo da propriedade do pastor e sugou todo o petróleo que havia lá.

> PLAINVIEW: Essa terra já era. Você não pode fazer nada a respeito disso. Já era. Você perdeu.
> ELI SUNDAY: Se você pudesse assinar esse contrato, Daniel...
> PLAINVIEW: Drenagem! Drenagem, meu querido Eli. A terra foi drenada até secar. Sinto muito. Veja, se você estiver tomando um milk-shake e eu estiver tomando um milk-shake, e eu tiver um canudinho... Um canudinho, percebeu? Meu canudinho atravessa o espaço e começa a sugar o seu milk-shake... Eu... bebo... o seu milk-shake! *(imitando o som de sugar)* Eu bebo tudo!

No mundo de hoje, com os recursos escasseando, já não é tão fácil beber o milk-shake de alguém — e é por isso que ser mais verde irá se tornar cada vez mais importante. Como observei antes, em um mundo quente, plano e lotado, o mercado, a sociedade, a comunidade mundial ou a própria Mãe Natureza nos farão pagar ao planeta os custos integrais do que fizermos, do que possuirmos, do que fabricarmos, do que transportarmos ou do estilo de vida que adotarmos. Uma estratégia que dependa de extrair mais minério, bombear mais petróleo, consumir mais, explorar mais os recursos naturais — sem ter de pagar as externalidades — não irá mais oferecer alguma vantagem competitiva.

A sociedade, o mercado e a Mãe Natureza irão nos impor os verdadeiros custos do uso da energia e dos recursos naturais — mediante taxas sobre as emissões de dióxido de carbono, taxas sobre a gasolina, regulamentações e opinião pública. Ou simplesmente mediante mudanças climáticas que se tornarão perigosamente desestabilizadoras. Assim, os fabricantes, as instituições, os produtos, os países, as escolas, as comunidades e as famílias que se tornarem mais ecológicos poderão prosperar mais, e por mais tempo.

Ser mais verde, porém, exige uma mudança total de mentalidade. Já não se trata de tomar, fazer ou cavar mais. Em vez de cavar mais fundo na terra, teremos de cavar mais fundo dentro de nós mesmos, de nossas empresas ou de nossa comunidade. Em vez de esburacar o meio ambiente, teremos de criar um novo tipo de meio ambiente — um meio ambiente de colaboração, onde nós, nossas empresas e nossa comunidade pensemos o tempo todo em como gerar mais crescimento, mobilidade, habitações, conforto, segurança e diversão através do uso mais criativo de elétrons limpos, utilizando o mínimo possível de recursos naturais.

Quando começamos a procurar dentro de nós mesmos, de nossas empresas, de nossa comunidade, por meios mais sustentáveis de obter energia, todo tipo de coisas boas começam a acontecer — como descobriu o Exército dos Estados Unidos. Nossas contas de luz diminuem. Elevamos nossa capacidade de inovação, pois é impossível tornar um produto mais verde sem também torná-lo mais inteligente — com materiais mais inteligentes, projetos mais inteligentes e software mais inteligente. Desenvolvemos produtos de exportação que serão procurados no mundo inteiro. Obtemos água e ar mais limpos. E controlamos melhor nossos gastos.

A instalação dos equipamentos de energia solar e de energia eólica pode ser dispendiosa atualmente, mas os preços dos combustíveis — sol e vento — são fixos: gratuitos para sempre. A produção dos combustíveis fósseis pode ser mais barata atualmente, mas os preços desses combustíveis — carvão, petróleo e gás natural — flutuam constantemente. E com o aumento da demanda, nos Estados Unidos e em outros lugares, e as taxações das emissões de carbono, que estão com certeza na agenda do futuro, o preço desses combustíveis está em uma rota ascendente.

"Incerteza custa dinheiro", diz David Edwards, da VantagePoint Venture Partners. No momento atual, são os preços de combustíveis fósseis que estão incertos (e tendem a subir); os preços dos combustíveis renováveis são cada vez mais certos (e seus preços tendem a baixar). Eis um resumo do que acontece, segundo Edwards:

"Durante muitos anos, o mundo desenvolvido prosperou maximizando o que pareciam ser recursos inesgotáveis — combustíveis fósseis, commodities, terra e água. Hoje, com a expansão das economias do mundo em desenvolvimento, estamos descobrindo que os recursos que utilizamos por tanto tempo são finitos, ou deixaram de ser quase gratuitos." Assim, com a demanda aumentando e os preços subindo, se você estiver em uma economia dependente de combustíveis fósseis, pode ter certeza quase absoluta de que seus gastos com energia irão subir cada vez mais no futuro. Já não estamos nos anos 1970, quando a escassez de petróleo foi provocada por fatores geopolíticos. A escassez atual é provocada pela geologia e pela demografia. Se você está em uma economia baseada em combustíveis renováveis, diz Edwards, o futuro desta economia, a longo prazo, será bem diferente. "Quando instalamos turbinas de vento, painéis solares ou usinas geotérmicas hoje", explica ele, "sabemos quanto vai custar a energia produzida por essas fontes durante dez ou vinte anos. Também sabemos que o aperfeiçoamento das tecnologias para a geração de energia renovável está reduzindo, a cada ano, os custos de instalação dos painéis solares e das turbinas de vento. As economias com os maiores percentuais de fontes de energia limpa, portanto, saberão com mais certeza quanto irão gastar com energia no futuro — ao contrário das economias completamente dependentes de combustíveis fósseis. A longo prazo, ser mais barato significará ser mais verde", explica Edwards.

É por isso que "ser mais verde" será no futuro uma fonte de vantagens competitivas. E é por isso que os Estados Unidos precisam perceber que estão em meio a uma corrida mundial para construir uma infraestrutura de energia limpa. "E se a energia limpa vai ser a fonte mais barata de energia", acrescenta Edwards, "deveríamos estar correndo mais rápido do que qualquer outro país para desenvolver as tecnologias de produção de energia limpa. Se vencermos a corrida, desfrutaremos de uma situação privilegiada em relação aos países que ainda estão atrelados aos combustíveis fósseis". Principalmente no setor das indústrias com alto consumo de energia. Isso faria de nosso país um dos principais destinos do capital internacional, seduzido por nossa infraestrutura energética.

Além disso, quando somos mais verdes que nossos concorrentes, mais as pessoas desejam trabalhar para nós — pois o verde é um valor ao qual todos (especialmente os jovens) desejam se associar. Portanto, as empresas, países, escolas e cidades mais verdes irão atrair maior quantidade de talentos. Quando mudamos nossa mentalidade, no sentido de sermos mais verdes, diz Dov Seidman, "deixamos de pensar em acumular mais do que os outros, e começamos a pensar em inovação".

* * *

Eis por que fico louco quando ouço empresas ou instituições falando em "neutralidade carbônica". Isso é loucura. Em um mundo quente, plano e lotado, por que alguém desejaria aceitar ser neutro em termos carbônicos, quando se pode ganhar tanto ao criar uma "vantagem carbônica"? Sua empresa procura a "neutralidade informática"?

Metade de seus funcionários usa computadores e metade usa papel, lápis e ábacos?

Aprendi isso com David Douglas, vice-presidente de ecorresponsabilidade da Sun Microsystems. Foi ele quem primeiro levantou o assunto, em ensaio divulgado no website BusinessWeek.com (2 de janeiro de 2008): "A neutralidade carbônica não chega ao fundo da questão. Para que pagar a alguém para plantar árvores, como forma de compensar suas emissões? É bom investir nas boas ações dos outros, mas, neste momento, é absolutamente fundamental que as empresas invistam na criação de versões mais sustentáveis delas mesmas", diz Douglas. Empresas cuja estratégia ambiental é definida pela neutralidade carbônica geralmente implementam alguns projetos de eficiência energética aqui, compram um pouco de energia verde acolá, e para o restante fazem compensações.

"Isto é ruim?", pergunta Douglas. "Claro que não. Seus ganhos em eficiência as ajudam e ajudam a atmosfera; seus investimentos em energia verde contribuem para aumentar os investimentos em mais energia verde; e se as compensações tiverem sido em projetos de qualidade, isto irá estimular a redução das emissões de gases-estufa em algum lugar. São coisas boas — que nós também fazemos — mas não acredito que nos levem aonde queremos chegar. Precisamos de empresas que vejam as mudanças climáticas como uma oportunidade, não como uma ameaça. E que estão perseguindo essa oportunidade com entusiasmo. Precisamos de empresas que vão além de neutralidade carbônica, para chegar a algo que chamo de 'vantagem carbônica'."

Procurar vantagem carbônica é uma estratégia para ser mais verde.

"Uma empresa pode criar vantagem carbônica de duas formas", explica Douglas: "Em primeiro lugar, é possível usar a eficiência energética e a redução do consumo de recursos naturais para obter drásticas reduções de custos nos produtos e nas operações. Em segundo, é possível utilizar as inovações ecológicas introduzidas nos produtos e serviços como fator de diferenciação, obtendo com isso uma grande vantagem competitiva... Empresas que criaram produtos mais ecológicos — como a Toyota, fabricante de automóveis, e a Interface, fabricante de carpetes — estão aumentando sua fatia de mercado. Mas, acima de tudo, há indícios crescentes de que estamos no limiar de um novo e virtuoso ciclo de negócios: empresas que buscam sustentabilidade buscam produtos e serviços sustentáveis, o que, por sua vez, oferece maiores oportunidades para empresas sustentáveis. Por conseguinte, produtos e serviços que ajudam os consumidores a aumentar sua própria sustentabilidade serão cada vez mais procurados, o que acarretará grandes mudanças no mercado e uma considerável redução no impacto dos negócios sobre o meio ambiente.

"Se a Toyota dirigisse seus esforços em prol da ecologia somente para neutralizar suas emissões de CO_2, jamais teria construído o Prius", acrescenta Douglas. Seus executivos e engenheiros não teriam olhado para dentro de si mesmos e pensado: "Vamos criar um novo patamar de eficiência que possa nos dar uma vantagem sobre os concorrentes."

Uma coisa que tem me deixado impressionado é ver como as pessoas, de mil maneiras, já estão tentando se tornar mais verdes que os rivais. Vou dar alguns exemplos tirados do mundo real, começando pela cidade de Nova York.

Na era da globalização, as cidades competem mais do que nunca. Competem para atrair talentos e empresas, de modo a gerar mais receita. Competem por turistas. Competem para ser a sede das empresas. Competem por investimentos. Competem para impedir a saída dos jovens. Em 2005, David Yassky, membro da câmara municipal de Nova York, reuniu-se com um de seus eleitores, Jack Hidary, um empresário do setor tecnológico. Queriam descobrir um modo de transformar Nova York em uma cidade mais habitável, mais verde que as cidades rivais, tornando menos tóxica sua frota de táxis.

Yassky e Hidary iniciaram o trabalho entrando em contato com a Comissão de Táxis e Limusines, para verificar o que seria necessário para substituir os Ford Crown Victoria amarelos, carros beberrões de combustível, que rodavam apenas 4 quilômetros por litro de gasolina, por carros híbridos, de baixas emissões. Parecia uma grande ideia, mas acabou se revelando ilegal, graças a antigas regulamentações que determinavam o tamanho mínimo exigido para os táxis — regulamentações concebidas para favorecer os Crown Vics e seu fabricante, a Ford.

Hidary se recorda: "Quando fui informado do fato, eu disse: 'Você está falando sério? Ilegal?'" A resposta de Hidary foi formar uma organização sem fins lucrativos chamada SmartTransportation.org (Transporte Inteligente) para ajudar Yassky a persuadir outros membros da câmara municipal a mudar as leis, para que passassem a permitir a circulação de táxis híbridos. Com a finalidade de aumentar sua base de apoio, eles demonstraram que o ar poluído tinha se transformado em um problema de saúde para as crianças nova-iorquinas. Para isso, contaram com o apoio de Louise Vetter, diretora-presidente da American Lung Association of the City of New York (Associação Pulmonar Americana da Cidade de Nova York).

"A cidade de Nova York tem um dos piores ares dos Estados Unidos", explicou a srta. Vetter. "No que diz respeito a ozônio e partículas, os nova-iorquinos estão respirando um ar muito pouco saudável. A maior parte disto provém dos canos de escapamento dos veículos. E na cidade de Nova York, onde os níveis de asma estão entre os maiores do país, os altos níveis de ozônio criam sérias ameaças, principalmente para as crianças, que passam muito tempo ao ar livre. A conversão dos táxis amarelos em táxis verdes seria um grande presente para as crianças da cidade."

Matt Daus, diretor da comissão de táxis, se mostrou cético no início. Tinha o comportamento típico de muitos líderes — não estava hostil, simplesmente não sabia que o verde seria a melhor opção. Mas, depois que foi persuadido dos benefícios à saúde e outros benefícios que os veículos híbridos trariam, uniu forças com Yassky e Hidary. No dia 30 de junho de 2005, por cinquenta votos a zero, foi aprovada uma lei que permitia a substituição dos táxis. Hoje, mais de mil dos cerca de 13 mil táxis da cidade de Nova York são híbridos — a maioria Ford Escapes, mas também Toyota Highlanders e Priuses, entre outros.

No dia 22 de maio de 2007, o prefeito Michael Bloomberg, um dos prefeitos mais ecologicamente conscientes dos Estados Unidos, decidiu levar a medida ainda mais longe. Propôs então uma nova lei, finalmente aprovada pela comissão de táxis, que não só permitia a circulação de táxis híbridos, como também *exigia* que, no prazo de cinco anos, todos os táxis fossem híbridos, ou de outros tipos de veículos com baixa emissão de poluentes. E que rodassem, pelo menos, 13 quilômetros por litro de gasolina.

"No que diz respeito à saúde e a assuntos ambientais, o governo deve estabelecer padrões", diz o prefeito. "Precisamos de líderes que tenham vontade de lutar por padrões que, a longo prazo, atendam aos interesses da sociedade." Quando os cidadãos percebem os progressos, diz o sr. Bloomberg, "começam, eles mesmos, a liderar". E isso encoraja os líderes a tentar atingir padrões ainda mais altos.

No verão de 2007, perguntei a Evgeny Friedman, dono de uma grande frota de táxis de Nova York, o que ele achava dos híbridos. Ele respondeu: "Absolutamente fantásticos! Começamos com 18, agora temos mais de duzentos... Agora só usamos híbridos. Os motoristas pedem híbridos e os clientes também. Em termos econômicos, são ótimos. Com os preços atuais da gasolina (na época em torno de 80 centavos de dólar por litro), os motoristas estão economizando 30 dólares a cada turno." Segundo ele, os motoristas que rodavam de 3 a 4 quilômetros por litro de gasolina, em seus Crown Vics — pagando a gasolina com seus próprios recursos — rodavam agora entre 10,5 e 11,5 quilômetros por litro, em seus híbridos. O custo da mudança para os híbridos, acrescentou ele, não fora oneroso.

Depois de terem tornado ecológica a frota de táxis, Hidary, Bloomberg e Rohit Aggarwala, conselheiro do prefeito em questões de sustentabilidade, voltaram as atenções para um problema ainda pior: as cerca de 12 mil Lincoln Town Cars, e outras limusines negras, que são também grandes poluidoras — especialmente quando ficam paradas com o motor ligado em frente às grandes firmas de advocacia e bancos de investimento de Manhattan, esperando seus clientes saírem das reuniões. Este era um problema mais difícil de resolver, pois não havia nenhuma lei de obsolescência que incluísse as limusines, ao contrário dos táxis. Era possível manter uma daquelas grandes banheiras negras nas ruas por quanto tempo se desejasse. Hidary começou sua campanha tirando fotos das Town Cars negras enfileiradas em frente aos escritórios das firmas de advocacia e bancos de investimentos mais importantes da cidade de Nova York.

"Depois enviei uma carta para os presidentes de cada organização, com uma foto, assinalando que todas aquelas Town Cars com o motor ligado em frente aos seus escritórios eram um problema", diz Hidary, um homem que sabe como fazer as coisas. "Um carro parado com o motor ligado produz vinte vezes mais poluição do que um carro a 50 quilômetros por hora, pois um carro é feito para rodar, não para ficar parado com o motor funcionando." Um carro nessas condições, com o ar-condicionador ligado, porque o cliente deseja encontrar um ambiente perfeito, "produzia uma tremenda quantidade de poluição. E as grandes corporações e firmas de advocacia eram diretamente responsáveis".

Hidary disse que ficou surpreso com a rapidez com que executivos de todas as firmas entraram em contato com ele. "Eles não só estavam decididamente inclinados a fazer alguma coisa", disse ele, "como também levantaram a questão da retenção".

Questão de quê?

"Eles viam a ecologia como um modo de atrair e reter os talentos jovens", explicou Hidary. Os melhores advogados e banqueiros jovens preferiam os táxis híbridos aos Town Cars! "Há um limite para o que se pode oferecer em termos de salários ou de benefícios. Eles imediatamente perceberam aquilo como um diferencial." Ou seja: minha firma é mais verde do que a sua!

Quase todos os bancos e firmas de advocacia telefonaram para suas fornecedoras de limusine e lhes perguntaram quando pretendiam introduzir os carros híbridos. As frotas de limusine logo viram para onde o vento estava soprando e pediram que o prefeito aprovasse uma nova regulamentação, de modo que pudessem competir de igual para igual, e ninguém pudesse deixar de investir em veículos mais limpos. Bloomberg fez o que pediram. No dia 28 de fevereiro de 2008, anunciou que, a partir de 2009, todos os "carros negros" teriam de se tornar verdes.

Teriam também de rodar, no mínimo, 10,5 quilômetros por litro de combustível e, em 2010, 11,5 quilômetros por litro — padrões que só podem ser alcançados por veículos do tamanho da limusine Town Car se forem veículos híbridos.

Foi como o jornal *Christian Science Monitor* observou certa manhã, depois que a medida foi anunciada: "Adeus, Town Car (6 quilômetros por litro). Olá, Toyota Camry híbrido (14,5 quilômetros por litro)." Embora os híbridos custem de 7 mil a 10 mil dólares mais que o típico Town Car, Hidary disse que os proprietários das limusines esperavam economizar, por veículo, cerca de 5 mil dólares por ano em combustível, metade do que gastam hoje. E isto foi antes de a gasolina chegar a um dólar por litro. O Deutsche Bank Americas, o Merrill Lynch e o Lehman Brothers criaram mecanismos para que os motoristas de limusine Town Car — a maioria operadores independentes — pudessem financiar a compra de novos veículos. Esse processo também está estimulando inovações técnicas. No dia 20 de fevereiro de 2008, a cidade de Nova York anunciou que estava trabalhando com projetistas de automóveis, no sentido de estabelecer novos padrões de desempenho para os "táxis de amanhã".

Não pense que o motorista atrás do volante de um táxi ou limusine, só porque fala com sotaque estrangeiro, não "quer um estilo de vida mais saudável e sustentável para seus filhos", diz Hidary. "Por que você acha que ele veio para cá, para início de conversa? Foi para que sua família pudesse ter melhor qualidade de vida. Fale com qualquer motorista de táxi de Nova York, e ele lhe dirá que não vê a hora de ter um híbrido."

Quando a Grande Maçã se torna a Maçã Verde, quando Nova York tenta ser mais verde que Chicago, Pequim ou Detroit, tornando ecológica a sua frota de táxis, boas coisas acontecem — a começar pelos mais de 45 milhões de visitantes que chegam a Nova York todos os anos, viajam pelo menos uma vez em um táxi híbrido, voltam para suas cidades e perguntam: "Por que nós não temos carros híbridos?"

Compre uma coisa — ar mais limpo, por conta de limusines e táxis mais limpos — e leve quatro de graça: motoristas mais felizes, melhor imagem para sua cidade, veículos menores em suas ruas e mais inovação para veículos híbridos.

Abrace acionistas, não apenas as árvores

Para David Douglas, vice-presidente de ecorresponsabilidade da Sun Microsystems, ser mais verde é um meio de vida. Ele costuma dizer que as melhores ideias ecológicas muitas vezes vêm de baixo — dos que estão mais próximos da ação. "Certo dia recebi um e-mail de uma funcionária de nossa equipe de documentação", conta ele. "Ela teve uma ideia para reduzir a quantidade de papéis que acompanham os produtos que enviamos aos nossos clientes. O que nós estávamos fazendo era enviar um conjunto completo de instruções e manuais junto de cada servidor que vendíamos. Se uma empresa encomendava dez servidores, recebia dez manuais. Nossos grandes clientes costumavam encomendar centenas de servidores, e recebiam centenas de manuais! Seguindo a sugestão de nossa funcionária, transformamos os manuais em uma opção que os clientes poderiam solicitar em separado. Assim, reduzimos em 60% a quantidade de papel que usávamos e poupamos centenas de milhares de dólares, pois a maioria das empresas precisava apenas de um ou dois manuais para cada centro de processamento de dados... Recentemente, deixamos de imprimir nosso relatório anual aos acionistas. Colocamos o relatório na Web. Economizamos 99 milhões de folhas de papel, que seriam jogadas fora. Ou seja, aproximadamente 12 mil árvores, 34 milhões de litros de água doce — e a melhor parte: 600 mil dólares."

São impressionantes as mudanças de comportamento que podemos produzir quando começamos a prestar atenção na produtividade da energia e dos recursos que utilizamos. Marcy Lynn, gerente do programa de responsabilidade social da Sun, cujo escritório fica na sede da empresa, em Santa Clara, Califórnia, me contou a seguinte história: "Nós estávamos desenvolvendo um projeto-piloto junto a nossa equipe, para tentar descobrir quanta energia as pessoas consomem no trabalho, numa época em que as pessoas estavam trabalhando muito em casa. Eu trabalho em tempo integral num escritório. Assim, como parte do projeto-piloto, recebemos uns fios de extensão com aquela coisa na ponta, chamada de Kill A Watt,* que monitora como você está usando a eletricidade. Eu liguei os fios em todos os dispositivos elétricos do meu escritório, com exceção das lâmpadas. Depois, liguei as tomadas dos fios em um filtro de linha, liguei o filtro de linha no Kill A Watt, e liguei o Kill A Watt na tomada. Todos os dias recebíamos um e-mail de uma senhora, lembrando-nos que deveríamos informar o que estava sendo mostrado na leitura inicial do Kill A Watt, o que estava sendo mostrado na leitura final e quantas horas tinham decorrido entre uma e outra leitura. Era fascinante. Nós usamos estações de trabalho Sun Ray, não PCs, e é impressionante como eles consomem pouca energia.

"Mas havia um problema: meu escritório é realmente muito frio, porque fica ao lado de uma sala de servidores, e a sala de servidores tem de ser refrigerada o tempo todo. Eu me lembro de um dia em que eu estava com o aquecedor de ambiente ligado e fiquei chocada com a quantidade de energia que o aparelho consumia. Eu tive de informar esses números. Se é para informar, eu informo. Fiquei tão constrangida que mudei meu comportamento — passei a ligar o aquecedor só depois que meus dedos começavam a ficar azuis! Eu não queria que aquela senhora soubesse quanta energia eu estava consumindo, porque eu estava na equipe de ecologia. Agora, eu mantenho um cobertor no meu escritório!"

Marcy Lynn arranjou um cobertor porque esta era a única opção de que ela dispunha. Mas a Sun acabou adotando *um novo sistema*, pois o que estava acontecendo com Marcy Lynn acontecia, em maior escala, com todos os clientes da empresa: estava ficando caro demais refrigerar todos os servidores. Assim, a Sun descobriu que precisaria poupar energia para salvar seu negócio — e não poderia ficar distribuindo coberto-

---

* Kill A Watt — Literalmente, Mate um Watt; trocadilho com a palavra em inglês para quilowatt. (N. da E.)

res. Ser mais verde se tornou uma estratégia de sobrevivência. Se a Sun não pudesse ser mais verde que seus concorrentes — oferecendo uma capacidade de computação cada vez maior, utilizando cada vez menos energia — iria, literalmente, entrar numa fria.

Um pouco de informação: embora a World Wide Web pareça invisível, habitando algum lugar etéreo, na verdade habita uma rede interconectada de centros de processamento de dados, conhecidos como fazendas de servidores. Estes centros geralmente abrigam milhares de servidores empilhados em prateleiras, que armazenam e transmitem dados e páginas da Web disponíveis na internet. A Sun, entre outras coisas, fabrica esses servidores, que constituem uma grande parcela de seus negócios. Em conjunto, todos os servidores, de todos os centros de processamento de dados, são conhecidos como "a nuvem". Nos dias de hoje, um crescente número de coisas que você faz em seu computador não acontecem no pequeno *hard drive*, mas lá longe, na nuvem de servidores.

Todas as vezes que você digita uma mensagem no seu celular, ou dá um telefonema, isto é processado e encaminhado por servidores, que também registram a duração e o custo da ligação, e lhe enviam a conta. Se você paga a conta on-line, isto também é processado por servidores. Todas as vezes que você faz uma pesquisa no Google, ou envia um e-mail pelo Yahoo, ou usa um software da Microsoft para comunicação "ao vivo", ou armazena um documento na AOL, ou adiciona uma página da Wikipedia, ou remexe no sistema operacional do Linux — você não está, realmente, trabalhando no computador de sua casa, mas entrando em contato, através dele, com os centros de processamento de dados que compõem a nuvem. Um relatório divulgado pelo conselho de diretores da American Technology, intitulado "Um tom inteligente de verde" (fevereiro de 2008), observa que "o custo de alimentar e refrigerar um servidor, durante sua vida útil, pode ser mais elevado que seu custo inicial — e as instalações que abrigam as nuvens de servidores estão no limite de sua capacidade de alimentação e refrigeração". Todos os servidores dos Estados Unidos, hoje, precisariam de seis ou sete usinas nucleares de um gigawatt para funcionar 24 horas por dia, sete dias por semana, necessidade que aumenta a cada dia.

Este fato foi o início de uma nova onda de problemas para a Sun e para a indústria de computadores, de modo geral. A partir de 2006, diz Douglas, os clientes dos distritos financeiros de Nova York e Londres começaram a procurar a Sun, dizendo: "Eu não consigo obter mais eletricidade para refrigerar meu centro de processamento de dados, portanto não posso comprar mais nada de vocês, a não ser que desligue alguma outra coisa." Em Tóquio, o pesadelo se tornou realidade: o preço para alimentar e refrigerar um servidor, durante sua vida útil de três anos, passou a exceder o preço de um servidor industrial comum, cerca de 5 mil dólares.

"Se não conseguíssemos ser mais eficientes, em termos energéticos, não poderíamos mais vender servidores", diz Douglas. Por outro lado, os clientes também precisavam de uma capacidade de computação cada vez maior, de modo a conseguir processar todos os novos aplicativos e suportar o número crescente de pessoas que utilizavam a nuvem. A Sun então concluiu que precisaria de uma solução que oferecesse maior capacidade de processamento com menor utilização de energia.

Em um mundo onde a eficiência energética é cada vez mais importante, a Sun precisava se tornar mais verde do que seus concorrentes — e do que ela própria. A empresa logo entendeu, diz Douglas, que "se não nos tornássemos a empresa mais eficiente no aproveitamento da energia, sairíamos do mercado. Mas, se conseguíssemos fabricar servidores energeticamente mais eficientes do que nossos rivais, poderíamos aumentar nossa participação no mercado".

Assim, em 2002, a Sun começou a desenvolver um novo microprocessador, chamado de Niagara. Ao projetar o Niagara, a Sun considerou que, para muitos dos aplicativos atuais, era mais importante executar várias tarefas ao mesmo tempo do que executar algumas em altíssima velocidade. Isto significava uma ruptura com a tradição, vigente na indústria, de privilegiar a velocidade máxima, o que permitia aos chips trabalhar de forma muito rápida, mas efetuando apenas uma ou duas tarefas de cada vez. A Sun constatou que, embora os 400 km/h desenvolvidos por um Porsche pareçam impressionantes, se o trabalho que se pretende fazer é levar sessenta pessoas para vários lugares, um ônibus pode fazer isso mais depressa e com maior economia de energia. O processador Niagara permitiria que a Sun, por exemplo, processasse diversas compras efetuadas no eBay, ao mesmo tempo, em um único servidor, "o que nos permitiria realizar mais trabalhos com menos gastos totais de energia do que uma máquina construída somente para trabalhar em altíssima velocidade", explica Douglas.

A linha de servidores equipados com o Niagara constitui, atualmente, um dos setores que mais crescem dentro dos negócios da Sun — suas vendas cresceram de zero a um bilhão de dólares em apenas dois anos. A empresa está agora aplicando os mesmos princípios em todos os componentes de computadores que fabrica. (O Niagara, com certeza, teve uma participação bastante positiva no balanço da Sun, em uma época em que outras áreas de seus negócios apresentaram desempenho fraco.) A Sun acredita que uma taxação oficial sobre as emissões de carbono, se entrar em vigor, levará os consumidores a dar preferência a esse tipo de processamento — portanto, está tentando se adiantar. Além de fabricar computadores melhores, a empresa também está ajudando a melhorar a imagem de seus clientes —, que estão dizendo a seus próprios clientes que estão se tornando verdes. A Sun lhes oferece a justificativa para dizer isso.

"No que se refere à responsabilidade corporativa, as maiores preocupações das empresas são defensivas", diz Douglas. "Não queremos ser apanhados, por exemplo, empregando trabalhadores menores de idade na Birmânia. Nunca se pensa que é possível ganhar mais dinheiro aumentando a responsabilidade corporativa." Mas as coisas já começaram a mudar. A vanguarda energética pode se tornar uma fonte de vantagens competitivas. Douglas explica: "Estamos reduzindo nossos custos e vendendo produtos que economizam energia. Também distribuímos esses produtos internamente, para que nós mesmos nos tornemos poupadores de energia. Isto significa que estamos jogando no ataque, no que diz respeito à responsabilidade social da empresa, e jogar no ataque é sempre muito mais divertido."

Somente uma empresa, ou um país, cujo presidente seja também o chefe do departamento de energia — alguém que pense holisticamente sobre todos os custos e benefícios — será capaz de ser mais verde que os concorrentes. Por quê? Porque a maioria das empresas do mundo opera como os militares americanos operavam — nunca olhavam o custo total de uma aquisição, quando tomavam suas decisões sobre energia. Muitas vezes, as pessoas que projetam ou adquirem produtos, as pessoas que usam os produtos e as pessoas que pagam a conta de luz ou despesas com combustíveis, dentro de uma empresa, são pessoas diferentes. Assim, o vice-presidente de equipamentos compra a máquina mais barata que consegue encontrar, para fazer bonito no orçamento. Mas o vice-presidente financeiro, que paga as contas de eletricidade, está sempre reclamando com ele, pois aquela mesma máquina de baixo custo é a que mais tem consumido energia na empresa, e os preços da eletricidade dispararam. E aquela máquina barata, ao longo de sua vida útil, acaba custando muito mais do que um modelo caro, mas extremamente econômico, custaria. Como ninguém tem uma visão panorâmica dos custos e benefícios envolvidos nas decisões energéticas, a empresa está sempre desperdiçando dinheiro e recursos.

"Se você só olha para o seu quintal, vai achar que a ecologia só aumenta os custos", explica Jeff Wacker, futurólogo da EDS. "Você não percebe os benefícios, você não enxerga a redução de custos em outro lugar, porque o outro lugar não está no seu quintal." Portanto, é preciso um presidente que diga: "Vamos adotar um sistema de iluminação que tem um custo inicial mais alto, mas que produz pouco calor e gasta pouca energia, pois isto nos permitirá operar com menos condicionadores de ar." Somente quando olhamos as coisas de modo sistêmico "podemos medir tudo o que economizamos", diz Wacker. "Quando começamos a medir, reconhecemos os benefícios de todo o sistema."

Portanto, na Era da Energia e do Clima, se você não dirige sua empresa, ou país, como um diretor ou um ministro da Energia, você não será um presidente muito eficiente. Você nunca conseguirá otimizar todos os ativos sob seu controle. Se o seu modo de pensar é limitado ao seu quintal, você comprará uma coisa e levará menos do que uma. Se o seu modo de pensar alcança todo o sistema, você comprará uma coisa e levará quatro ou cinco de graça. É assim que você adquire supremacia sobre seus concorrentes.

A respeito de ser mais verde, Douglas conclui: "Eu não lembro quem disse a frase, mas ela está certa: 'É como se um monte de dinheiro estivesse caído no chão e nós, finalmente, tivéssemos decidido que nossos funcionários devem se abaixar para recolhê-lo.'"

Mas o Código Verde, para mim, nunca foi apenas uma estratégia empresarial ou geopolítica — por mais que esses fatores sejam importantes. Este livro tem um objetivo maior: demonstrar que a melhor forma de reenergizar os Estados Unidos, restaurar a autoconfiança e o moral do país, e trazer avanços para sua sociedade é, igualmente, através de uma agenda verde. Ser mais verde, portanto, não se resume apenas a uma estratégia para derrotar outras empresas, exércitos e cidades; é também uma estratégia para derrotar a pobreza. O Código Verde tem de provar que pode oferecer algo efetivo para os patamares mais baixos da escada econômica, e não somente para as classes médias e altas. Se todos os americanos não enxergarem o verde como uma estratégia para melhorar suas vidas, o Código Verde jamais terá o impulso nem alcançará a escala de que necessita para ter sucesso.

Isso pode parecer um conceito um tanto elástico. Mas não é. Pergunte a Van Jones. Ele entende de elasticidade. Quando o encontrei em uma conferência em Dalian, na China, ele estendeu a mão para me cumprimentar — enquanto subia por uma escada rolante e eu descia pela outra. Jones, uma peça rara, é um ativista social negro que vive em Oakland. E é tão verde quanto qualquer ambientalista. Ele se torna veemente, e divertido, quando fala a respeito de como é ser negro e verde.

"Tente fazer esta experiência", disse-me ele. "Tente bater na porta de alguém em West Oakland, Watts ou Newark* e dizer: 'Temos um problema bem grande!' O pessoal responde: 'É mesmo? É mesmo?' 'Sim, temos um problema bem grande!' 'É mesmo? É mesmo?' 'Sim, nós temos de salvar os ursos-polares! Talvez você não consiga sair vivo deste bairro, mas nós temos de salvar os ursos-polares!'"

---

* Bairros de população predominantemente negra e pobre, nos Estados Unidos. (N. da E.)

Jones, então, abana a cabeça. Se tentarmos essa abordagem com pessoas desempregadas, que vivem em bairros onde têm mais chances de morrer com uma bala perdida do que pelo derretimento de uma geleira, não iremos a lugar nenhum. E se não tentarmos trazer os pobres para o movimento verde, o potencial deste movimento nunca será plenamente realizado. "Precisamos de um acesso diferente" para as pessoas das comunidades menos favorecidas, diz Jones. "Os líderes do establishment climático entraram por uma porta, e agora querem empurrar as pessoas, para que todo mundo passe pela mesma porta. Isso não vai funcionar. Se quisermos ter um movimento ambiental de base ampla, precisamos de outros pontos de acesso."

A grande questão, Jones me disse em uma entrevista, é a seguinte: "Como poderemos usar a economia verde para proporcionar trabalho, riqueza e saúde para comunidades que têm muito pouco das três coisas? Como poderemos conectar as pessoas que mais precisam de trabalho com o trabalho que mais precisa ser feito? E, se conseguirmos fazer isto, como poderemos acabar com a poluição e com a pobreza ao mesmo tempo?"

Podemos realmente utilizar o verde para derrotar a pobreza e a poluição ao mesmo tempo? Jones argumenta, de modo firme e apaixonado, que podemos — e tem tentado provar isso em alguns dos bairros mais pobres dos Estados Unidos. Aos 39 anos, e com um diploma de direito na Yale Law School, ele tem energia suficiente para iluminar alguns prédios. Fundou o Ella Baker Center for Human Rights (Centro de Direitos Humanos Ella Baker), em Oakland, que ajuda garotos que saem da prisão a arranjar empregos. Em 2008, ele se transferiu para a Green for All (Verde para Todos), uma nova organização nacional que trabalha para construir uma economia verde includente, com foco específico em criar "empregos verdes" para jovens menos favorecidos. Como? Tudo começa, mais uma vez, com um mundo que está se tornando quente, plano e lotado. Quanto mais se intensificam estas tendências, mais os governos estaduais e municipais irão exigir que os prédios sejam eficientes, sob o ponto de vista energético. Assim, mais prédios terão de ser readaptados, em todo o país, para incorporar painéis solares e isolamento térmico, entre outras tecnologias e materiais climatizadores. Isto criará empregos que não poderão ser exportados.

"Você não pode pegar um prédio que deseja adaptar, colocá-lo em um navio para a China, pedir que os chineses façam o trabalho e tragam o prédio de volta", diz Jones. "Vamos ter de botar as pessoas para trabalhar neste país — climatizando milhões de prédios, adaptando painéis solares, construindo fazendas de vento. Esses empregos verdes podem tirar da pobreza pessoas que nunca frequentaram a universidade." Vamos dizer aos nossos jovens marginalizados, diz ele: "Você pode ganhar mais dinheiro se abaixar esse revólver e pegar uma rebitadeira." Lembre-se de uma coisa, diz Jones, "uma grande parcela da comunidade afroamericana está desempregada. Os empregos que não exigem qualificação nas fábricas, por exemplo, estão se tornando cada vez mais escassos. E não estão sendo substituídos, a não ser por trabalhos mais qualificados. Existe toda essa geração de jovens negros que está, basicamente, em queda livre". Empregos verdes podem ser um dos modos de salvar alguns deles.

Com essa finalidade, Jones colaborou na criação da Oakland Apollo Alliance, uma coalizão de sindicatos, organizações ambientais e grupos comunitários. Em 2007, essa coalizão ajudou a levantar 250 mil dólares, junto ao governo da cidade, para criar o Corpo de Empregos Verdes de Oakland, um programa de treinamento apoiado pelos sindicatos, destinado a ensinar aos jovens de Oakland as técnicas de instalação de painéis solares e de climatização de prédios. Este foi o início de uma campanha da Green for All (greenforall.org), liderada por Jones, apoiado por outros ativistas ambientais, como Majora Carter, da South Bronx Sustentável. A campanha tem como objetivo persuadir o Congresso a aprovar a Lei dos Empregos Verdes, de 2007, em que o governo federal contribuiria com uma verba de 125 milhões de dólares, por ano, para o "Programa de Treinamento Profissionalizante para Energia Renovável e Eficiência Energética" — destinado a preparar profissionais para uma série de atividades em indústrias verdes.

"O grande problema do ensino profissionalizante é que, frequentemente, os cursos se limitam a distribuir certificados de aprovação, e não se preocupam se as pessoas arranjam empregos ou não", diz Jones. "Muitas vezes, as pessoas entram em alguma escola, ou instituto, obtêm um certificado, e não há nenhum emprego do outro lado." A beleza de um programa de empregos verdes é que não há qualquer dúvida — à medida que mudam as normas de edificação e que as tecnologias verdes tornam o recondicionamento dos prédios uma coisa sem mistérios — de que haverá empregos verdes para qualquer um que esteja preparado para eles. E a beleza desta iniciativa é que, se funcionar, as pessoas comprarão uma coisa e levarão quatro de graça — como em qualquer outra iniciativa verde.

Quanto mais utilizamos incentivos fiscais para a readaptação de residências — encorajando seus proprietários a torná-las mais eficientes no uso de energia e a instalarem painéis solares —, mais aumentamos as probabilidades de que os pobres permaneçam em suas casas e melhorem a segurança de seus bairros. Vou deixar que Jones explique:

"Existe uma categoria muito vulnerável de pessoas pobres, proprietários de suas casas. Geralmente são idosas e de renda fixa", diz ele. "Essas pessoas são muito vulneráveis à disparada dos preços da energia." Segundo ele, o governo poderia criar um programa e dizer: "Vamos enviar uma equipe até sua casa, para descobrir onde estão os vazamentos de energia. Depois, a equipe vai instalar em sua casa um sistema de isolamento térmico, um sistema de climatização e alguns painéis solares." Se o governo fizesse isso, poderia criar empregos para jovens menos favorecidos e contas de luz mais baixas para famílias de baixa renda. E ainda iria valorizar as residências dos setores mais economicamente vulneráveis da população. Para muitas pessoas menos favorecidas, tornar verdes suas casas pode ser o único modo de manter as casas, já que os preços da energia continuam a disparar. Os proprietários de residências são os pilares mais estáveis de qualquer bairro.

"Torne as casas deles mais seguras, em termos energéticos, e arranje empregos seguros para seus filhos. Assim você estabiliza o bairro", diz Jones. "E, de quebra, ainda consegue ar mais limpo. É possível resolver os problemas sociais e os problemas ecológicos ao mesmo tempo. Ajude a vovó e o urso-polar a ficarem em casa."

A indústria verde está pronta para decolar. "Se conseguirmos agora colocar esses jovens no andar térreo da indústria solar, onde eles podem trabalhar como instaladores, eles poderão se tornar gerentes em cinco anos, e proprietários em dez — e acabarem como inventores", argumenta Jones. "O patamar de entrada é suficientemente baixo, mas a escada vai até o sol." Se, em primeiro lugar, você tornar verde os bairros de negros pobres, "e gastar 7 mil dólares para treinar um cara e lhe ensinar uma profissão, sairá mais barato do que trancar o cara em uma prisão por 500 mil dólares. Poupe um watt, poupe uma vida — tudo segue o mesmo princípio. Em uma economia verde, você não conta o que gasta, você conta o que poupa".

O que motivou Jones a entrar nesse projeto, segundo ele, foi o fato de que, em 2006, as grandes empresas petrolíferas publicaram anúncios em jornais das comunidades negras da Califórnia — assustando as pessoas, desonestamente, com a possibilidade de aumento dos preços da gasolina —, com o objetivo de aliciar os votos dos negros para derrotar a Proposição 87. A Proposição 87 sugeria que as empresas petrolíferas instaladas na Califórnia passassem a pagar uma taxa. O dinheiro arrecadado serviria para desenvolver programas de energia alternativa. "Os poluidores aliciaram os pobres", diz Jones. "Eu nunca mais quero ver nenhum líder do NAACP (sigla em inglês para a Associação Nacional para o Avanço das Pessoas de Cor) defendendo o lado errado de alguma questão ambiental."

Não é de se admirar que algumas das fábricas e usinas elétricas mais poluidoras estejam localizadas — como depósitos de lixo tóxico — em bairros pobres, onde as pessoas não têm como se defender.

O que acho mais atraente na argumentação de Jones é uma coisa que está na tese central deste livro: antigamente, quanto mais verde você era, mais distante estava dos americanos comuns. O verde tinha a ver com esteiras de ioga, flores no cabelo, tofu e outras características associadas aos hippies, que tornavam os verdes muito diferentes da média dos americanos. Quando redefinimos o verde do modo como

Jones faz, ficamos muito mais próximos das preocupações do americano comum.

"Em uma economia realmente verde", diz Jones, "não temos recursos descartáveis — nem espécies descartáveis, nem bairros descartáveis, nem garotos descartáveis... Eu nunca encontrei um branco que não apoiasse nossos objetivos, quando achavam que poderiam funcionar. Uma agenda verde nos une novamente, pois as esperanças que ela traz entusiasmam todo mundo".

A última vez que alguém disse "Eu tenho um sonho" nos Estados Unidos, estava se referindo a um sonho que envolvia pessoas, lembra Jones. "O sonho agora envolve as pessoas e o planeta. Temos de juntar as duas partes, porque a força moral desta união tornará *nosso* sonho realidade."

Por todas essas razões, eu espero que a expressão "ser mais verde" seja usada brevemente em todas as línguas — o que ainda não acontece. Afinal de contas, não estamos falando de um jogo de soma zero. Eu posso ser mais verde que sua empresa, seu país ou sua comunidade, em alguma área; você pode ser mais verde que eu, em outra. Eu posso ser mais verde que você hoje; você pode ser mais verde que eu amanhã — e todos poderemos estar em uma situação melhor. Mas quem for mais verde, e continuar sendo mais verde, estará em situação melhor por mais tempo, pois os profissionais mais qualificados dirão: "É nessa empresa que eu quero trabalhar." Os melhores alunos dirão: "É nessa escola que eu quero estudar." E a maioria dos cidadãos da Terra dirá: "É esse país que eu quero seguir."

A Índia e a China podem tirar alguns empregos americanos com trabalho mais barato, mas esta é uma vantagem transitória. Se algum desses países conseguir ser mais verde que os Estados Unidos, entretanto, obterá uma grande vantagem. Na Era da Energia e do Clima, não se pode liderar o mundo sem ser o líder na idealização, no planejamento, na fabricação, na mobilização e na inspiração de projetos de energia limpa. Ponto final.

Quarta Parte

China

DEZESSETE

A China Vermelha poderá se tornar a China Verde?

Tenho visitado a China regularmente desde 1990 e, em retrospectiva, eis o que mais me impressiona: a cada vez que vou lá, os chineses parecem ter menos dificuldade para falar e mais dificuldade para respirar.

Sim, agora podemos conversar com extrema franqueza com jornalistas e funcionários do governo da China. Mas quando saí de meu hotel para ir a uma entrevista, na última vez que visitei Xangai, em novembro de 2006, o ar estava tão enfumaçado — por conta da queima de campos de cultivo depois da colheita — que, por um momento, sinceramente pensei que o hotel estava pegando fogo. Há três décadas, a economia chinesa vem crescendo a uma taxa aproximada de 10% ao ano, baseada no baixo custo da mão de obra e no descaso com a poluição lançada nos rios e no ar. Durante muitos anos, quando alguém fazia perguntas sobre poluição, os funcionários do governo e os líderes empresariais da China respondiam que eles limpariam o país quando a China enriquecesse o bastante para se dar ao luxo de fazer a limpeza. Eu argumentaria que agora, quando estamos ingressando na Era da Energia e do Clima, a China só poderá enriquecer *se fizer a limpeza*. A menos que a China Vermelha se transforme na China Verde, as lideranças do Partido Comunista não serão capazes de proporcionar ao povo chinês o padrão de vida mais elevado que prometeu.

A China não pode se dar ao luxo de fazer o que fez o Ocidente: "cresça agora e limpe depois." Eu sei que isso pode parecer injusto aos chineses, o que explica por que o aquecimento global é visto por muitos chineses como uma "conspiração" engendrada pelo Ocidente para retardar o crescimento da China. E *é* injusto, se considerarmos a quantidade de CO_2 que as nações industrializadas do Ocidente lançaram alegremente na atmosfera, muito antes que o dragão industrial chinês começasse a soltar fumaça — e se considerarmos como o Ocidente embarcou para a China suas indústrias mais poluidoras. Mas a Mãe Natureza não é justa. Só conhece a ciência pura e a matemática pura: se a China tentasse crescer agora e fazer a limpeza depois, o ritmo e a escala sem precedentes de seu desenvolvimento provocariam um desastre ambiental.

Está tudo nos números: a China possui 1/5 da humanidade; é hoje o país que mais emite carbono; é o segundo maior importador de petróleo, depois dos Estados Unidos; e, de acordo com uma reportagem do *Times*, de Londres (28 de janeiro de 2008), já é o maior importador mundial de níquel, cobre, alumínio, aço, carvão e minério de ferro. As importações de madeira também são muito altas. Não é um exagero dizer: para onde for a China, vai o planeta Terra. Se a China puder fazer uma transição estável para uma economia baseada na energia limpa e na eficiência energética, o planeta tem chances de minorar as mudanças climáticas, a pobreza energética, a ditadura do petróleo e a perda da biodiversidade de modo significativo. Se a China não fizer isso, suas emissões e apetites irão anular tudo o que os demais países fizerem para salvar o planeta. E a Era da Energia e do Clima se tornará incontrolável. Portanto, para mim, as perguntas cruciais deste livro são as seguintes: "Os Estados Unidos podem liderar uma verdadeira revolução verde?" e "A China poderá seguir o exemplo?" Tudo o mais são apenas comentários... Para colocar as coisas na linguagem local, vou citar uma frase famosa dita por Deng Xiaoping a respeito da economia chinesa: "Não interessa se o gato é preto ou branco, o que interessa é que ele pegue o rato." Ou seja, esqueçam a ideologia comunista, tudo o que interessa é que a China cresça. Isso mudou. Agora, se o gato não for verde, nem ele, nem o rato, nem o resto de nós terá a menor chance de escapar.

Mas como está a China? A melhor resposta curta que já ouvi veio de Nayan Chanda, experiente observador da Ásia, ex-editor da *Far Eastern Economic Review* e agora editor da revista virtual do Centro Yale pelo Estudo de Globalização, *YaleGlobal On-line*. Quando perguntei a Chanda sua opinião sobre o desempenho chinês nos quesitos energia e meio ambiente, ele me respondeu imediatamente: "Alugue o filme *Velocidade Máxima*."

Trata-se de um filme de suspense, de 1994, estrelado por Keanu Reeves, Dennis Hopper e Sandra Bullock. Reeves faz o papel de Jack Traven, um policial da SWAT de Los Angeles, que é enviado para desarmar uma bomba que Howard Payne, um chantagista movido por vingança (Dennis Hopper), plantou em um ônibus. Mas aí é que está o problema: a bomba foi programada para explodir assim que a velocidade do ônibus cair para menos de 80 quilômetros por hora. Portanto, Jack e Annie Porter, uma passageira interpretada por Sandra Bullock, têm de manter o ônibus andando (e colidindo) a mais de 80 quilômetros por hora pelas ruas de Los Angeles — ou eles, a bomba e tudo o que estiver ao redor irão explodir em chamas.

"A China é esse ônibus", disse Chanda.

"A China tem de crescer, no mínimo, 8% ao ano, senão explode", acrescentou ele, "porque vai haver tanto desemprego e descontentamento que a população vai se revoltar". O acordo implícito e primordial que o Partido Comunista Chinês ofereceu implicitamente ao povo da China, no final da era de Mao, foi muito claro desde o início: "Estamos trocando o comunismo pelo PIBismo. O PIBismo diz que nós governamos; vocês, o povo, prosperam. Vocês aceitam nosso governo. Nós garantimos a prosperidade de vocês." Sem um PIB crescendo sem parar — se o ônibus chinês andar a menos de 80 quilômetros por hora — o contrato será rompido.

Mas em minhas visitas regulares à China, durante as duas últimas décadas, aprendi uma coisa: embora o contrato de governo ainda seja o mesmo, os líderes chineses, por sinal muito inteligentes, já entenderam que, em um mundo quente, plano e lotado, a China não poderá manter esse contrato por muito mais tempo sem adicionar uma observação em letras miúdas. E as letras miúdas dizem o seguinte: "Este contrato de governo está sujeito a limitações que a China brevemente terá de impor a si mesma. Se o crescimento baseado no carvão não for refreado, seus efeitos sobre o meio ambiente, a energia e a biodiversidade acabarão matando muitos chineses, poluindo de forma irremediável o meio ambiente do país, solapando sua economia e atraindo a hostilidade do resto do mundo. Se o resto do mundo, em particular os Estados Unidos, decidir impor taxações sobre as emissões de carbono, ou se a Mãe Natureza impuser suas próprias formas de punição, a China terá de abandonar os combustíveis fósseis, sujos e baratos. De outro modo, sofrerá um boicote em suas exportações. Assim, o Partido Comunista se reserva o direito de reduzir o crescimento, em nome da limpeza da economia."

Os líderes chineses podem não ter redigido essa nota para o seu povo, nem para si mesmos, mas a lógica lhes diz para onde devem se dirigir, e eles já começaram a se mover. Eis por que, fazendo todas as contas, não podemos deixar de concluir que a liderança chinesa está empenhada em uma das maiores façanhas de equilibrismo já tentadas no palco mundial. Como diz Chanda: "Os líderes chineses estão tentando trocar o motor do ônibus, beberrão de combustível, por um híbrido supereficiente, enquanto o ônibus ainda está a 80 quilômetros por hora."

Poderá ser o maior espetáculo da Terra.

O drama que se desenrola na China é tão fascinante porque o mesmo Partido Comunista, que há três décadas substituiu o comunismo pelo PIBismo, está tentando agora substituir o PIBismo por um "PIBismo verde". E a coisa mais interessante neste show é que a liderança chinesa, após uma série de tentativas e erros, decidiu mesmo fazer isso. O motorista do ônibus virou-se no banco, disse aos passageiros que o motor precisaria ser trocado — sem especificar exatamente como isso seria feito — e até permitiu que alguns passageiros abrissem o compartimento do motor e remexessem lá dentro. Os líderes chineses entenderam que não irão conseguir trocar o motor sozinhos.

No início, quando a crescente poluição se tornou um problema, nos anos 1990, os líderes chineses tentaram implantar o PIBismo verde da mesma forma que haviam implementado a Revolução Cultural e o

Grande Salto para a Frente: dando ordens de cima para baixo. Mas não funcionou. O velho PIBismo — crescimento a qualquer preço — já havia adquirido muito ímpeto. Portanto, agora, as autoridades estão tentando uma abordagem tanto de cima para baixo quanto de baixo para cima. Isso envolve permitir que a imprensa chinesa denuncie os poluidores do meio ambiente, aprovar leis que estimulem a eficiência energética, encorajar investimentos em pesquisa de energia limpa e oferecer à sociedade civil alguns instrumentos legais para levar os violadores à barra dos tribunais. Eu ainda não descreveria essas medidas como um sistema; frequentemente é um passo à frente e dois para trás. Às vezes, o mesmo líder local, ou empresário, age como um PIBista autêntico de manhã, e um PIBista verde à tarde. Na vida real, principalmente nas sociedades em transição, é comum as pessoas terem múltiplas personalidades. Mas o fato é que a mudança *está acontecendo*, e parece ser a estratégia da China para trocar o capitalismo sujo por um capitalismo *relativamente* limpo, sem ter de desacelerar muito o ônibus.

"Nós somos propensos a pensar em termos de grandes sistemas, mas, na verdade, se olharmos para trás, a liderança chinesa passou de um comunismo com planejamento centralizado para uma sociedade de mercado sem ter um grande plano", diz Edward S. Steinfeld, especialista em China do MIT e autor de *Forging Reform in China: The Fate of State-Owned Industry* (Forjando a reforma na China: o destino das indústrias estatais). "Tudo foi feito de modo gradual, assistemático, e a mesma coisa parece estar acontecendo com relação ao meio ambiente. Alguns líderes estão percebendo os terríveis custos do crescimento. Eles não vão sacudir uma varinha mágica para interrompê-lo, mas apoiam forças da sociedade e da imprensa que desejam fazer alguma coisa. Isto gera um turbilhão de exigências e impulsos contraditórios, mas está indo na direção certa."

Essa estratégia levanta diversas questões fundamentais, que são o foco deste capítulo. O que, exatamente, levou os líderes chineses a passar do PIBismo para o PIBismo verde? Estariam se deslocando depressa o bastante? Que papel os Estados Unidos podem desempenhar no apoio ao Grande Salto Verde para a Frente? E talvez o mais importante: ao conceder mais poder ao povo chinês para que este possa proteger sua *liberdade para respirar*, a liderança do Partido Comunista Chinês estaria desatrelando forças que, com o tempo, darão ao povo chinês mais *liberdade para falar*? Poderia isto se transformar no primeiro grande movimento democrático iniciado como um movimento ambiental?

"Poderia um movimento que começa com as pessoas sendo estimuladas a perseguir seu direito de respirar, seu direito de beber água limpa e seu direito de ver as estrelas no céu", pergunta Chanda, "terminar com as pessoas tentando assegurar seu direito de falar, pois uma coisa não pode ser feita sem a outra?" Poderia uma batalha "pelo direito de inalar", acrescenta Chanda, "terminar com mais direitos para exalar?"

Muitos dos especialistas em China dirão que a resposta é não, mas quando olhamos para a envergadura e a dimensão do que o país irá precisar para derrotar seus problemas de poluição, vemos que isto pode acabar estimulando mais mudanças políticas do que se pensa.

O que levou a liderança chinesa a se mover em direção ao PIBismo verde? Provavelmente, nada mais do que olhar pela janela. Não há como não perceber o problema, mesmo andando de limusine com vidros fumê. Um amigo americano em Pequim me contou que, todas as manhãs, ele acorda e faz seu próprio teste de qualidade do ar — como fazem muitos dos moradores de Pequim. Olha pela janela de seu apartamento no 24º andar e verifica até onde consegue enxergar. Em um dos raros dias claros, em que o vento limpa o ar de Pequim, ele consegue avistar a montanha Perfumada, que se ergue a noroeste. Em um dia de poluição "boa", ele consegue ver o edifício China World, a quatro quarteirões de distância. Em um dia "ruim", ele não consegue ver o prédio vizinho. Em dias como este, Pequim é envolvida por uma nuvem de poluição — proveniente dos canos de descarga dos mil carros novos que entram em circulação a cada dia, além dos 3 milhões já existentes —, misturada com a fumaça produzida pela queima de carvão em usinas elétricas e indústrias, e com a poeira dos canteiros de obra, dos desertos e das fábricas de cimento que trabalham a todo vapor. (É chato dizer isso, mas a China deveria ter aprendido com os erros americanos e evitado os carros, implantando diretamente o que seria o melhor sistema de transportes de massa do mundo, pois alimentar todos esses veículos para uma florescente classe média chinesa será um infindável desperdício econômico e um pesadelo ambiental.) O problema da poluição convencional ficou tão grave nos últimos anos que, além de se tornar impossível de ignorar, tornou as perspectivas futuras assustadoras para os líderes chineses, caso eles não tomem providências. Como diz Pan Yue, ministro-adjunto da Agência de Proteção Ambiental da China, em uma sincera e hoje famosa entrevista à revista alemã *Der Spiegel* (7 de março de 2005):

> Muitos fatores estão convergindo aqui: nossa matéria-prima é escassa, não temos terra suficiente e nossa população está sempre aumentando. Atualmente, há 1,3 bilhão de pessoas vivendo na China — o dobro do que havia há cinquenta anos. Em 2020 haverá 1,5 bilhão de pessoas na China. As cidades estão crescendo, mas as áreas de deserto também estão se expandindo; a terra habitável e utilizável diminuiu pela metade nos últimos cinquenta anos. (...) O meio ambiente já não consegue acompanhar esse ritmo. Chuva ácida cai em um terço do território chinês, metade da água em nossos sete maiores rios foi inutilizada, enquanto um quarto dos cidadãos não tem acesso à água potável. Um terço da população urbana está respirando ar poluído, e menos de 20% do lixo das cidades são tratados e processados de uma forma ambientalmente sustentável. Para finalizar, cinco entre as dez cidades mais poluídas do mundo estão na China. (...) O ar e a água poluídos nos fazem perder de 8 a 15% de nosso PIB. E isso não inclui os gastos com saúde. Além disso, temos o sofrimento humano: apenas em Pequim, entre 70 e 80% de todos os casos de câncer fatal estão relacionados com a poluição ambiental. O câncer de pulmão tornou-se a causa número um de todas as mortes.

Não, não são problemas que governo algum possa ignorar — para não falar do restante de nós. A Agência de Proteção Ambiental dos Estados Unidos relata que, em certos dias, quase 25% da poluição atmosférica sobre Los Angeles é proveniente da China.

Uma das fotos mais famosas já tiradas na China foi a do secretário-geral Mao nadando no rio Yangtze. Mas, como Andreas Lorenz observou em um ensaio publicado na *Der Spiegel* (28 de novembro de 2005), a respeito da poluição tóxica que tem envenenado tantos rios e lagos da China: "Nos dias de hoje... o lendário mergulho do secretário-geral Mao Zedong nas águas do rio Yangtze, em 1966, já não seria visto como uma demonstração de seu vigor, mas como uma tentativa de suicídio."

Além dessa tendência à degradação ambiental, a liderança chinesa ficou claramente alarmada com um súbito aumento no consumo de energia registrado em anos recentes. A equipe de peritos que faz o monitoramento do meio ambiente chinês, no Laboratório Nacional Lawrence Berkeley, explicou para mim que, entre 1980 e 2000, o PIB da China quadruplicou, mas seu consumo total de energia apenas dobrou — um sinal de eficiência no gerenciamento da energia e dos recursos, e de rígidos controles governamentais.

Depois de 2001, no entanto, sob um novo governo, a China ingressou na Organização Mundial do Comércio, o que aumentou enormemente os investimentos estrangeiros no país, principalmente no setor industrial, e fez disparar as exportações chinesas. Nesse processo, a China saiu dos trilhos, em termos de eficiência energética, alarmando seus líderes. Entre 2001 e 2005, o crescimento no consumo de energia do país superou o crescimento do PIB — em 2005 foi 40% mais rápido. Os chineses embarcaram de vez em um amplo projeto de desenvolvimento de sua infraestrutura, com uso intensivo de energia. Adotaram o modelo industrial sujo que já estava sendo descartado pelo Ocidente, e começaram a viver com mais conforto, em grandes apartamentos com ar-condicionado, TVs e computadores.

Finalmente, os líderes chineses começaram a responder às mudanças climáticas. Nos últimos dois anos, como muitos outros líderes, eles começaram a perceber que as mudanças climáticas não só são reais, como também parecem estar mudando o clima da China de maneira potencialmente desastrosa, e muito mais rapidamente do que qualquer um previra. "A temperatura média da China, em 2007, foi de 10,3°C, o que fez de 2007 o ano mais quente, desde que um sistema nacional de acompanhamento do clima foi instituído, em 1951", relatou a *Beijing Review* (4 de janeiro de 2008). "Esta temperatura recorde, que assinalou o 11º ano consecutivo em que a temperatura média nacional superou a de um ano normal, foi significativamente mais alta do que a segunda marca — de 9,9°C —, registrada em 2006."

Em dezembro de 2006, o governo chinês publicou seu primeiro relatório oficial sobre mudanças climáticas. Segundo o relatório, as geleiras do noroeste do país haviam diminuído 21% desde os anos 1950, e todos os maiores rios da China apresentaram redução no volume de água ao longo das cinco últimas décadas. "As mudanças globais de clima prejudicaram a capacidade do país para expandir seu desenvolvimento", informou o Ministério da Ciência e Tecnologia, uma das 12 instituições governamentais que prepararam o relatório.

Lu Xuedu, diretor-adjunto do Departamento de Assuntos Ambientais Globais do Ministério da Ciência e Tecnologia, declarou à Xinhua, uma agência de notícias chinesa (4 de outubro de 2007), que "as mudanças climáticas começaram a cobrar seu preço à China, nos últimos anos, e nós não podemos esperar para agir até que seja tarde demais". Em seu Programa Nacional de Prevenção das Mudanças Climáticas (publicado em 4 de junho de 2007), o governo se comprometeu a reestruturar a economia, desenvolver tecnologias para a produção de energia limpa e aumentar a eficiência energética. A China é o maior produtor e consumidor mundial de carvão, cuja energia supre 80% de suas enormes necessidades energéticas. A cada duas semanas, a China adiciona à sua economia cerca de um gigawatt de energia proveniente do carvão.

Lu disse à Xinhua que se as mudanças climáticas não forem controladas, a colheita de seus principais produtos agrícolas (inclusive o trigo, o arroz e o milho) cairá em até 37%, na segunda metade deste século. "O aquecimeno global também provocará mais secas e inundações e reduzirá o nível dos rios. Por volta de 2030, o abastecimento de água no oeste da China deverá ser menor que a demanda em cerca de 20 bilhões de metros cúbicos", afirmou ele. As mudanças climáticas também representam uma grande ameaça para áreas ecologicamente vulneráveis, como o planalto Qinghai-Tibete, que é a caixa-d'água da China, segundo o relatório da Xinhua. Menos água nos rios não é ruim somente para os fazendeiros. Também reduz significativamente a capacidade hidrelétrica, o que tornará a China ainda mais dependente do carvão.

Mas reconhecer o problema e sua urgência é apenas metade da batalha, para as lideranças chinesas. Fazer com que todo o sistema reaja — das cidades e províncias ao governo central, do setor público ao setor privado — é uma coisa diferente.

Em setembro de 2007, visitei Pequim em um verão fora de época. Todas as vezes que entrevistava um funcionário chinês em seu escritório, eu acabava afrouxando o nó da gravata e exclamando: "Puxa, está um pouco quente aqui dentro... ou será impressão minha?"

Não, as pessoas me diziam, não era impressão minha. Em junho de 2007, o Conselho de Estado chinês determinou — como só é possível na China — que todas as agências, associações e empresas governamentais, bem como proprietários de imóveis em prédios públicos, não esfriassem os ambientes abaixo de 26°C. Durante o verão, a refrigeração do ar consome 1/3 da demanda por eletricidade na China. E, definitivamente, era possível sentir a diferença nos prédios públicos.

Poucos dias depois, eu estava lendo alguns jornais chineses de língua inglesa, quando me deparei com uma reportagem no *Shanghai Daily*. Li que o governo municipal de Xangai havia enviado algumas equipes para verificar se o edital do governo, a respeito do ar-condicionado, estava sendo cumprido. As equipes descobriram que "mais da metade dos prédios estava com os termostatos abaixo de 26°C, deixando de obedecer às novas normas de economia energética".

Estas, em resumo, são as boas notícias, as más notícias e as notícias interessantes da China de hoje. A boa notícia é que o governo decidiu agir e controlar os termostatos nos prédios públicos, o que é uma indicação de seriedade. A má notícia é que funcionários de províncias e cidades afastadas de Pequim, e mesmo dentro de Pequim, não têm medo de ignorar os editais do Conselho de Estado. Como diz o velho ditado Chinês: "O céu é alto e o imperador mora longe."

Mas a notícia mais interessante é que alguém mandou que o *Shanghai Daily*, um jornal controlado pelo governo, denunciasse os prédios e funcionários que estavam ignorando as determinações sobre a refrigeração do ar. Não estou muito certo de que uma ordem dessas seria dada cinco anos atrás. (E a notícia realmente interessante é que talvez ninguém tenha ordenado ao *Shanghai Daily* que fizesse a matéria. Talvez jornalistas empreendedores, farejando um nicho importante, no qual poderiam atuar como jornalistas de verdade e promover mudanças sociais, e, ainda por cima, com apoio político tenham escrito a reportagem por conta própria. Essa é a nova China.)

Sob o ponto de vista energético e ambiental, competem três grandes protagonistas hoje na China: uma liderança que entende o problema e está tomando sérias providências; um sistema grande, difuso e com tanto ímpeto para o crescimento que controlá-lo é extremamente difícil (mesmo para um governo autoritário); uma sociedade e uma imprensa que dão seus primeiros passos em direção ao ambientalismo. Ainda não está claro qual protagonista irá vencer.

Os esforços iniciais da China para tornar verde seu PIB — impostos de cima para baixo — encontraram enorme resistência por parte do sistema capitalista, implantado no início dos anos 1970. Coalizões de funcionários do governo e gerentes de empresas estatais, que se beneficiavam com o capitalismo desenfreado, ignoravam os decretos de Pequim — às vezes mancomunados com altas autoridades locais.

A China é "uma irrefreável máquina de crescimento", escreveram Elizabeth C. Economy e Kenneth Lieberthal, especialistas em China, no ensaio que publicaram na *Harvard Business Review* (junho de 2007) a respeito dos problemas ambientais chineses, e cujo título é "Scorched Earth: Will Environmental Risks in China Overwhelm the Opportunities?" (Terra arrasada: os riscos ambientais da China destruirão as oportunidades?) O fato de que a legitimidade do Partido Comunista dependia da manutenção do crescimento econômico, observaram eles, significava que quaisquer regulamentações ambientais que pudessem estorvar o crescimento tendiam a ser ignoradas ou esvaziadas de alguma forma.

O sistema político chinês é organizado em cinco níveis: país, província, condado, município e distrito, explicam Economy e Lieberthal — com o Partido Comunista situado acima de todos os cinco. Para os funcionários que tentam fazer carreira dentro do sistema, "o sucesso é recompensado de duas formas", observam eles. "Antes, as avaliações de desempenho anual, em cada jurisdição, estavam atreladas principalmente ao crescimento do PIB. Informalmente, os funcionários se beneficiavam com o crescimento, investindo ou assumindo posições em empresas-chave, indicando parentes para funções gerenciais ou, simplesmente, mergulhando na corrupção." Tantos funcionários se tornaram empresários, dizem Economy e Lieberthal, que o Partido Comunista Chinês deveria se chamar "Partido dos Burocratas Capitalistas da China". Líderes do partido em todos os níveis, segundo eles, "são empresários agressivos, determinados a utilizar seu poder político — em conluio com empresas locais, públicas e privadas — para incrementar um rápido aumento do PIB em seus respectivos territórios".

Esse sistema permitia que "oficiais locais protegessem suas empresas da implementação significativa de leis e regulamentações ambientais", acrescentam Economy e Lieberthal. "Frequentemente, os funcionários exigiam que as empresas em suas jurisdições ignorassem tais leis e regulamentações, em benefício do crescimento do PIB. Então, em um esforço para evitar as multas que as empresas teriam de pagar por transgressões ambientais, os funcionários escondiam os problemas em seus relatórios aos superiores, interferiam nos tribunais locais para evitar decisões adversas, e cabalavam incentivos fiscais, empréstimos bancários e outros tipos de apoio financeiro para as empresas pelas quais se interessavam."

Foi por todas essas razões que as iniciativas tomadas pelo governo de Pequim em 2005 e 2006 — no sentido de avaliar os funcionários chineses com base na proteção que ofereciam ao meio ambiente, deduzindo pontos pela degradação ambiental — nunca tiveram nenhum impacto. Era uma coisa difícil de ser calculada e medida de modo uniforme, e os funcionários locais resistiam à implementação de um balizamento verde. Portanto, as iniciativas tiveram uma morte prematura. Assim como algumas metas iniciais. O décimo Plano Quinquenal da China, que começou em 2001, exigia uma redução de 10% na quantidade de dióxido de enxofre presente no ar da China. Quando o plano foi concluído, em 2005, a quantidade de dióxido de enxofre havia *aumentado* em 27%.

O que os líderes chineses aparentemente perceberam, neste Plano Quinquenal — a primeira incursão que fizeram na política verde —, foi que mudar a China do comunismo para o capitalismo foi, na verdade, mais fácil do que mudá-la do capitalismo poluidor para o capitalismo limpo. Isso porque a passagem do comunismo para um capitalismo controlado pelo Estado, embora nada fácil, envolvia cortar as amarras de pessoas que ansiavam por se tornar selvagens capitalistas. O processo envolvia a liberação de algo havia muito tempo reprimido na cultura chinesa — e os resultados dessa liberação são visíveis por toda parte.

Mas a mudança do PIBismo Poluidor para o PIBismo Verde implica restringir e redirecionar toda essa energia natural — e fazê-lo de modo eficaz requer um sistema com alguma independência judiciária, para que as cortes possam disciplinar as fábricas e usinas estatais. Requer leis e normas mais transparentes, para que os cidadãos ativistas conheçam seus direitos e se sintam livres para enfrentar os poluidores, por mais poder que tenham. E requer, acima de tudo, que a produtividade seja baseada em energia sustentável, não em energia suja.

Embora os líderes chineses tenham subestimado as dificuldades de mudar o motor do ônibus por um motor híbrido — com o ônibus a toda velocidade —, eis um fato interessante: eles não recuaram. Em 2007 e 2008, surgiram vários sinais de que eles realmente decidiram dobrar suas apostas no ambientalismo. E isto irá tornar muito interessante, politicamente, o início do século XXI na China.

É quase como se uma luz tivesse sido acesa no Politburo chinês. Os líderes perceberam que, se não atacassem os problemas ambientais, energéticos e climáticos, o ar sujo, tanto quanto um crescimento mais lento, acabaria solapando a estabilidade e a legitimidade do Partido Comunista. Portanto, encontrar um modo verde de crescimento se tornou um imperativo, não uma opção. Uma estratégia de sobrevivência. Nesse sentido, a liderança chinesa está se equiparando a diversos outros governos do mundo, nesta Era da Energia e do Clima, deslocando a base de sua legitimidade — da capacidade de defender as fronteiras, coisa dada como certa, para a capacidade de proporcionar um padrão de vida melhor e de proteger o país da degradação ambiental, da insegurança energética e dos distúrbios no clima.

Portanto, o que começamos a observar no 11ª Plano Quinquenal — de 2006 a 2010 — é que Pequim, com uma das mãos, está promulgando leis ambientais ainda mais abrangentes; com a outra mão, está promovendo uma pequena abertura política, de modo a possibilitar mais mudanças de baixo para cima. De modo intermitente, concede mais poder aos cidadãos e jornais para que exponham crimes ambientais — e para que exerçam pressão sobre funcionários, fábricas e usinas locais, no sentido de mudar o velho sistema baseado no carvão barato. E, com uma terceira mão, a liderança chinesa está incentivando os burocratas e o setor privado a aproveitarem as enormes oportunidades econômicas inerentes à energia limpa e à eficiência energética. Na verdade, chega a lhes dizer: "Ser verde é glorioso."*

O 11º Plano Quinquenal da China inclui, para 2010, uma meta de redução da intensidade energética — consumo de energia por unidade do PIB — da ordem de 20% abaixo dos níveis de 2005, para todo o sistema econômico. Calcula-se que isto resultaria em uma redução de cerca de 1,5 bilhão de toneladas nas emissões de CO_2. Essa meta é cinco vezes mais ambiciosa que o compromisso divulgado pelos países europeus, após firmarem o Protocolo de Kyoto. A Comissão de Reformas e Desenvolvimento Nacional da China, que supervisiona todos os programas econômicos, comunicou as metas de redução a todas as

* Referência a uma declaração atribuída a Deng Xiaoping na época das reformas econômicas que começaram em 1978 na China: "Enriquecer é glorioso." (N. da E.)

províncias e setores industriais. E desta vez, expressamente, as lideranças tornaram o cumprimento das metas parte da avaliação de cada funcionário do governo. Isto as torna eficazes. Os indivíduos podem agora ser cobrados pelo cumprimento das determinações do governo. Em 2006 e 2007, entretanto, a China ficou aquém da meta de 4% de redução da intensidade energética, necessária para que a meta de 20% seja alcançada em 2010. Até que eu veja o governador de alguma grande província ou um gerente de indústria ser destituído por falhar em atingir os objetivos ambientais, mesmo atingindo o PIB desejado, permanecerei cético. Mas, pelo menos no papel, essa é a abordagem mais séria do problema que a China já realizou.

Infelizmente, o desafio enfrentado pelos líderes chineses, hoje, é também muito mais sério. A dimensão e o escopo do problema são espantosos: por volta de 2020, a população urbana da China deverá aumentar de 42 a 60%, um número equivalente a dezenas de milhões de novos habitantes e centenas de novas cidades-satélite, observa Jiang Lin, vice-presidente sênior do Programa de Sustentabilidade Energética do país, em seu relatório publicado em maio de 2008. "O crescimento da população urbana tem acarretado uma demanda descomunal por materiais produzidos com a utilização intensiva de energia — usados na construção de prédios, usinas e fábricas." Segundo ele, "esta é a maior migração da história humana".

Para tornar o governo mais eficiente, o Politburo chinês, em março de 2008, elevou o status de sua Agência Governamental de Proteção Ambiental, famosa e inócua agência fiscalizadora, transformando-a em órgão ministerial, com mais funcionários e orçamento maior.

"A China adotou diversas políticas de nível mundial nos últimos dois anos, e está preparando mais. Em algumas áreas, os chineses estão à frente dos americanos", observa David Moskovitz, diretor e cofundador do Projeto de Assistência Reguladora, grupo de pesquisas sem fins lucrativos, que se dedica a assuntos relacionados com a preservação em diversos países, inclusive a China.

Em 1º de janeiro de 2006, a China promulgou um decreto nacional sobre energia renovável — do tipo que o Congresso dos Estados

Unidos rejeitou em 2007 — que exige dos governos provinciais do país a adoção de energia renovável em suas localidades. O objetivo da China é aumentar a participação da energia renovável — principalmente a eólica, a hidrelétrica e a biomassa — para 16% de sua produção total de energia por volta de 2020. Esta participação é de 7% atualmente. A China também adotou padrões internacionais para a quilometragem de seus carros.

Em outubro de 2007, informa Moskovitz, a China impôs também uma nova regulamentação para suas usinas elétricas, determinando que, em vez do combustível mais barato, como o carvão, passassem a priorizar o combustível mais limpo — gás natural, sol ou vento, o que estivesse disponível. "Isso impulsionou a demanda por combustíveis limpos e produziu um efeito imediato nas emissões poluentes", diz Moskovitz. "Se adotássemos tal medida nos Estados Unidos, isto faria uma grande diferença." Em um esforço para erradicar indústrias poluidoras e intensivas no uso de energia, a China instituiu ainda um sistema diferenciado de preços. As usinas de eletricidade estatais passaram a cobrar preços maiores para as indústrias menos eficientes, e preços menores, para as mais eficientes — em um esforço para recompensar as empresas mais produtivas, obrigando as outras a mudar, ou a fechar as portas.

"Assim, a usina de aço mais eficiente ganha de duas formas: consumindo menos energia e pagando menos por ela. As menos eficientes perdem de duas formas: usando mais energia e pagando mais por ela — tendo assim maiores custos de produção", observa Moskovitz. "Aqui, nós nem conseguimos fazer com que nossas empresas de eletricidade comecem a pensar nisso." Atualmente, a China está executando um programa de fechamento de usinas de pequeno porte pouco eficientes, que deverá acarretar, em 2010, a perda de 50 gigawatts (ou 8% da atual capacidade geradora da China). E o que é mais importante: em 2006, o governo começou a elaborar uma ampla legislação nacional, com o objetivo de proporcionar ao país uma estratégia de longo prazo no setor energético. Em vez de simplesmente promulgar a lei de cima para baixo, os líderes chineses estão distribuindo o rascunho do projeto a especialistas em energia. Enquanto isso, a capacidade geradora dos Estados Unidos é apenas a soma de todos os grupos de pressão, com muito pouca estratégia de longo prazo.

O grande teste será a respiração. A China ainda tem um longo caminho a percorrer para, pelo menos, chegar perto do perfil ambiental dos Estados Unidos, considerando que seu consumo de energia cresce cerca de 15% ao ano, enquanto este consumo, nos Estados Unidos, cresce 1% ou 2%. "Eles não têm sido eficientes", diz Moskovitz, "mas estão se aperfeiçoando rapidamente, porque, por conta do crescimento, o número de fábricas novas é cada vez maior. Assim, o nível médio de eficiência está aumentando".

Quanto mais a liderança chinesa se esforça para implantar o crescimento verde, mais atrela sua credibilidade a esta meta. Portanto, é de se perguntar se esta liderança pode se dar ao luxo de não delegar uma fatia do poder à sociedade civil, criando fiscais verdes na população, para que as novas regulamentações do governo central, desta vez, passem a vigorar realmente. Os cidadãos chineses são os únicos aliados do governo contra os PIBistas poluidores, tanto no setor burocrático quanto no empresarial. Esta é a dinâmica que tenho acompanhado com mais atenção.

Nas sociedades democráticas, historicamente, os movimentos verdes começam como movimentos populares — de baixo para cima. Em geral, surgem quando uma sociedade atinge determinado nível de crescimento econômico, propiciando o advento de uma classe média grande e estabilizada, que se preocupa com tais assuntos. Muitos países, entre eles a China e os Estados Unidos, dispõem de leis maravilhosas, no papel. Mas, sem grupos da sociedade civil que monitorem governos e empresas locais, movendo processos contra os que tentam burlar ou violar as normas estipuladas, as leis serão sempre vulneráveis.

Tive uma lição a respeito deste assunto logo após retornar da China, em setembro de 2007, no encontro anual do Sierra Club, em São Francisco, onde recebi um prêmio de jornalismo. Foi um dos 12 prêmios distribuídos pelo Sierra Club naquela noite. Enquanto observava a cerimônia de premiação, eu pensava na China. Todos os prêmios do

Sierra Club, naquela noite, foram entregues a cidadãos locais, a pequenas sucursais do próprio Sierra Club e a políticos que, por iniciativa própria, denunciaram ou tentaram impedir algum ataque flagrante ao meio ambiente.

O que me deixou impressionado, enquanto olhava aqueles ativistas recebendo seus certificados, foi perceber o quanto eles eram *comuns*, no melhor sentido do termo. Eram apenas cidadãos comuns, que se importavam profundamente com o meio ambiente, e haviam exercido seus direitos de se reunir, falar e peticionar livremente para enfrentar grandes empresas ou governos locais — e venceram!

Apenas um exemplo: o deputado federal Mike Thompson, representante do primeiro distrito congressional da Califórnia, ganhou o Prêmio Edgar Wayburn, do Sierra Club, por contribuir para a aprovação de uma legislação nacional, em 2006, que assegurava proteção para 1.116 quilômetros quadrados de florestas virgens no norte da Califórnia. Um Prêmio Especial por Realização foi destinado à sucursal de Illinois do Sierra Club, por ter liderado uma campanha estadual pela aprovação de novas regulamentações para a poluição provocada pelo mercúrio. O Prêmio Walter A. Starr foi entregue a Ted Snyder, de Walhalla, na Carolina do Sul, por ter passado mais de 35 anos lutando contra a abertura de uma estrada de 60 quilômetros no Parque Nacional das Smoky Mountains, que cortaria a maior área montanhosa do leste do país intocada por estradas. O Prêmio William O. Douglas foi recebido por Richard Duncan, de Minneapolis, por sua atuação decisiva na luta travada pelo Sierra Club para a preservação da área florestal de Boundary Waters.

Estou convencido de que os líderes chineses, lentamente, estão começando a perceber que terão de criar um modelo semelhante, agora que apostaram suas reputações na implementação de uma economia mais verde. Eles nunca dirão isso, mas não creio que eles possam promover a transição verde sem efetuar, pelo menos em parte, uma pequena transição laranja — como na Revolução Laranja, ocorrida na Ucrânia em 2004 —, soltando as rédeas da sociedade civil.

Tim Shriver, diretor das Paraolimpíadas, me fez algumas observações a respeito de como a China lida com as pessoas deficientes, que cabem perfeitamente em outro contexto. Podem ser aplicadas ao modo como o país terá de lidar com o meio ambiente: "Minha dúvida é se a China tem alguma compreensão do fenômeno que muitos consideram a mais singular e significativa contribuição americana para a vida social e política: o cidadão engajado", diz Shriver. "É nosso produto de exportação menos notado e, no entanto, na minha humilde opinião, o mais valioso. Os cidadãos engajados ajudam uns aos outros, se organizam em torno de causas em que acreditam e responsabilizam funcionários do governo pelos atos que praticam. Eles são o motor econômico da imprensa livre... Portanto, a pergunta levantada pela globalização e pela crescente integração econômica e política da China não é sobre quanta dissensão política os chefões irão permitir, ou quanto poderão lutar contra a corrupção interna, ou quanto irão conseguir controlar o *iuane*. É também sobre quanto irão entender e permitir um dos pré-requisitos de tudo isso: cidadãos que se organizem. Os melhores fiscais são os cidadãos engajados. Uma lei destinada a implementar mudanças sociais só entra em pleno vigor se, no final, os próprios cidadãos se encarregarem de promover as mudanças. O Estado, por si só, não consegue fazer isso. Os movimentos sociais dedicados à promoção de mudanças sociais têm algo em comum: todos dependem do real empenho dos cidadãos — caso contrário, o Estado promulga uma lei e todo mundo simplesmente vai para casa."

Na imprensa da China, evidentemente, há muitos sinais de que os "cidadãos comuns" do país querem ter autonomia e, na verdade, estão exigindo autonomia no front ambiental. Mas o Estado não consegue chegar a uma decisão. Porém, quanto mais os cidadãos chineses têm acesso às ferramentas do mundo plano — telefones celulares, internet, palmtops e assim por diante — mais suas vozes poderão ser e serão ouvidas. Eis algumas notícias provenientes da China, que chegaram a mim enquanto eu estava terminando este livro. Elas ilustram muito bem o que está acontecendo lá:

> Moradores tomaram as ruas de uma capital provincial, durante o fim de semana, para protestar contra uma indústria petroquímica,

financiada pela principal estatal petrolífera chinesa. Foi um dos mais recentes exemplos de descontentamento popular provocado por ameaça ambiental em uma grande cidade chinesa. O protesto — contra uma fábrica de etileno, no valor de 5,5 bilhões de dólares, que a PetroChina está construindo em Chengdu, capital da província de Sichuan — faz parte de uma onda de conscientização ambiental que está ocorrendo na classe média urbana chinesa, que está determinada a proteger sua saúde e o valor de suas propriedades. Um protesto semelhante, contra um empreendimento petroquímico de capital taiwanês, em Xiamen, no sudeste da China, fez com que este projeto fosse abortado. O protesto de Chengdu, que foi pacífico e organizado através de websites, blogs e mensagens de texto entre telefones celulares, demonstra como os chineses estão utilizando a tecnologia digital para iniciar movimentos cívicos, geralmente proibidos pela polícia. Os organizadores também usaram as mensagens de texto para divulgar sua causa em âmbito nacional. Os manifestantes caminharam calmamente pelo centro de Chengdu no domingo à tarde, durante várias horas, protestando contra a construção de uma refinaria de petróleo combinada a uma fábrica de etileno em Pengzhou, localidade situada a 30 quilômetros do centro da cidade. Alguns manifestantes usavam máscaras brancas sobre a boca, para lembrar os perigos da poluição. Entre 400 e 500 pessoas participaram da marcha, segundo testemunhas. Os organizadores da demonstração ludibriaram uma lei nacional que exige que os manifestantes obtenham autorização para participar de passeatas, declarando que estavam apenas "dando uma caminhada" (*New York Times*, 6 de maio de 2008).

Agentes poluidores instalados às margens de dois dos maiores rios da China desafiaram uma década de esforços de limpeza, e tornaram as águas de ambos impróprias para serem tocadas, muito menos bebidas, acarretando grandes riscos para a saúde de 1/6 da população do país, informou a imprensa estatal na segunda-feira. Metade dos postos de controle ao longo do rio Huai e seus afluentes, nas partes central e oriental da China, apresentaram "Grau 5" de poluição, ou pior — o máximo da escala, em termos de substâncias tóxicas, o que significa que a água é imprópria para o contato humano e pode não ser adequada nem mesmo para irrigação, segundo o que foi informado a membros da assembleia legislativa. Anos de medidas reguladoras e tratamento de despejos ajudaram a refrear alguns dos estragos maiores nos rios Huai e Liao — mas a poluição industrial permaneceu alta demais, declarou Mao Rubai, diretor do comitê de proteção do meio ambiente e dos recursos naturais do Conselho Nacional Popular, em um relatório publicado no domingo. Os rios ainda representam uma "ameaça à salubridade da água consumida por um sexto da população do país, cerca de 1,3 bilhão de pessoas", segundo o *China Daily* (Reuters, 27 de agosto de 2007).

A China ordenou aos governos provinciais, este ano, que substituíssem 50 milhões de lâmpadas incandescentes por lâmpadas de baixo consumo de energia — que são pesadamente subsidiadas. Isto é parte de uma campanha lançada pelo Ministério das Finanças e pelo Conselho de Defesa de Recursos Naturais em janeiro, com a finalidade de trocar 150 milhões de lâmpadas tradicionais por lâmpadas eficientes nos próximos cinco anos. Diversas províncias receberam metas específicas de 2 ou 3 milhões de lâmpadas. A meta para Pequim foi da ordem de 2 milhões. A China produziu um total de 2,4 bilhões de lâmpadas econômicas em 2006 — número que representa pelo menos 80% da produção mundial —, contra um total de apenas 200 milhões, em 1997. Se todas as suas lâmpadas incandescentes fossem substituídas por lâmpadas fluorescentes compactas, a China pouparia 60 bilhões de quilowatts-hora de energia por ano, o equivalente a 22 toneladas de carvão, e reduziria as emissões de dióxido de carbono em cerca de 60 milhões de toneladas (Agência de notícias Xinhua, 14 de maio de 2008).

Nos últimos 15 anos, mais de 80 mil jornalistas já participaram da Jornada de Proteção Ambiental da China, uma das maiores campanhas chinesas de proteção ambiental. Desde 1993, eles pu-

> blicaram mais de 200 mil reportagens com o intuito de aumentar a conscientização do público sobre a necessidade de se preservar a energia e o meio ambiente. Essas reportagens contribuíram também para a renovação da indústria de mineração do país, tradicionalmente poluidora, e para dar início a estudos minuciosos que visam proteger os rios Amarelo e Yangtze. O tema da campanha muda todos os anos. Em 2007, a ênfase foi na redução do consumo de energia e das emissões poluentes. "Uma pesquisa de opinião pública divulgada em Pequim descobriu que 60,7% dos pesquisados estavam preocupados com a salubridade dos alimentos. Descobriu também que 66,9% dos pesquisados achavam que os problemas ambientais eram muito sérios na China. Entretanto, apesar da crescente preocupação com a poluição, 49,7% das pessoas acreditavam que seu envolvimento em campanhas de proteção ambiental não faria diferença" (Agência de notícias Xinhua, 8 de janeiro de 2008).

"As questões de sustentabilidade estão provocando o que eu acredito que sejam mudanças sociopolíticas extraordinárias na China de hoje", diz Ed Steinfeld, do MIT. "Embora muitos de nós, inclusive eu mesmo, tenhamos propensão a ver estas mudanças em termos de pura oposição política — cidadão contra Estado —, as mudanças são obviamente mais complicadas. Envolvem o surgimento de grupos cívicos, a permeabilização dos limites entre Estado e cidadãos, o crescimento da consciência política entre a população, e o crescente ativismo político dentro do aparelho do Estado. Kevin O'Brien e Liangjiang Li, em seu livro *Rightful Resistance in Rural China* (Resistência legítima na China rural), que focaliza principalmente os protestos de agricultores contra os impostos, escrevem também sobre essas mudanças políticas. De um lado, observam eles, estão os ativistas políticos do governo central, concedendo aos cidadãos uma variedade de instrumentos, tais como medidas legais e relatórios publicados na imprensa sobre assuntos escolhidos, como impostos ou poluição; do mesmo lado, estão os cidadãos que, usando esses instrumentos, protestam contra funcionários locais desobedientes, tudo em nome das legítimas leis e políticas do governo central. De outro lado, estão os funcionários locais, que reagem. Há também os ativistas de elite — jovens tecnocratas do governo central, eminentes professores, jornalistas importantes — todos atrelados ao Estado e ao partido, ao establishment, de fato —, que muitas vezes exercem influência na aprovação de leis progressistas e, até mesmo, encorajam protestos em nível local."

Segundo Steinfeld, as pessoas comuns veem as novas leis aprovadas, obtêm informações pela imprensa estatal e são encorajadas pelos ativistas do establishment. Decidem então agir por conta própria — movendo uma ação contra o governo local, por exemplo, na próxima vez que este tentar construir uma usina petroquímica. "Às vezes, os cidadãos vencem, outras vezes, não. Às vezes, tragicamente, acabam sendo espancados por bandidos ou atirados na cadeia. Mas o que importa, agora, é que a dinâmica do protesto 'legítimo' já está em ação... Existem muitas razões para não se gostar do que está acontecendo na China. Mas é um erro acreditar que o país está preso ao passado, incapaz de promover mudanças, ou disposto a fazê-lo apenas em seus próprios termos. Na verdade, estou otimista."

E agora há um novo fator: o surgimento de uma indústria de energia limpa na China, que tem enorme interesse em apoiar leis de proteção ao meio ambiente, para que possa vender mais produtos, aumentar sua capacidade e cortar custos, usando o grande mercado doméstico para se alavancar e crescer mundialmente. A liderança chinesa está incentivando agressivamente as tecnologias de energia limpa, para tornar compatíveis o PIB e o PIB verde. Além de buscar meios de resolver seus problemas de poluição, a China pretende criar uma nova indústria de exportação.

Para entender a escala em que a China está promovendo as tecnologias de energia limpa, basta uma conversa com Xia Deren, prefeito de Dalian há bastante tempo. O prefeito Xia é famoso por ter se preocupado não só em preservar os parques, como também em aumentar o número de parques dessa cidade litorânea de 6 milhões de habitantes

— minha cidade favorita na China. Ele sabe que, sendo a capital nacional do software, Dalian tem de atrair trabalhadores especializados, que têm grande mobilidade e dão preferência a cidades saudáveis.

Quando o entrevistei, em setembro de 2007, a primeira coisa que o prefeito Xia me disse foi: "O maior desafio que temos hoje é equilibrar o crescimento econômico e suas necessidades de energia com o meio ambiente... Estamos cada vez mais conscientes de que os recursos naturais são limitados, tanto na China quanto no resto do mundo. Por exemplo, Dalian possui pouca água potável. Portanto, temos de desenvolver tecnologias para a economia de água. Em segundo lugar, Dalian possui poucas reservas de carvão. Isso significa que temos de desenvolver indústrias que economizem energia... Se quisermos alcançar equilíbrio entre o meio ambiente, a energia e o crescimento, temos de desenvolver indústrias que poupem energia e preservem o meio ambiente, como a indústria de software... Atualmente, na China, estamos desenvolvendo o conceito de reciclagem — a reutilização de tudo. Mas sabemos que é muito difícil transformar conceito em prática num curto período de tempo. Assim, precisamos andar passo a passo. Mas, de qualquer forma, temos de andar para a frente, e começar agora. Aqui, adotamos uma política rigorosa de proteção ambiental e de consumo de energia. Por exemplo, não temos coisas como usinas de aço, pois contribuem para a poluição do ar e consomem muita energia. Também já transferimos mais de cem indústrias para o parque industrial, onde a poluição receberá um tratamento centralizado. No ano passado, fechamos 31 grandes fábricas de cimento por causa da poluição que produziam. Este ano, planejamos fechar 19 fábricas de cimento pequenas... Estamos sempre preocupados, primeiro, com o percentual de consumo energético por unidade do PIB; e, segundo, em reduzir a poluição e o desperdício."

Depois, ele explicou que o enorme centro de convenções de Dalian, aberto recentemente, estava equipado com uma aparelhagem de última geração, que utiliza a energia térmica do mar para refrigerar e aquecer o prédio, de uma forma totalmente renovável. "Assim, economizamos 30% de nossos custos com energia", ele comentou com orgulho.

Quando perguntei ao prefeito como ele administrava seu tempo, ele disse: "Estou dedicando entre 1/4 e 1/3 do meu trabalho, na área econômica, a reduzir emissões poluentes e a tornar mais eficiente o uso de energia. Gosto de pensar que estou desenvolvendo uma cidade eficiente na utilização da energia... Equiparamos nossos padrões ambientais aos dos países desenvolvidos. Equiparamos as emissões de nossos carros aos padrões europeus. A qualidade de nosso ar poderá alcançar os padrões europeus."

Dalian, acrescentou ele, acabara de vencer uma concorrência nacional para sediar o mais importante laboratório de pesquisa energética da China. Eu havia entrevistado o prefeito Xia diversas vezes, a partir do ano 2000. Mas nunca tivera com ele uma conversa como esta.

E nunca fizera uma entrevista como a que fiz com Shi Zhengrong — que era considerado o sétimo homem mais rico da China pela revista *Forbes*, quando conversei com ele, em 2006. A fortuna dele: 2,2 bilhões de dólares. Adivinhe o que ele faz. Vende imóveis? Não. É banqueiro? Não. Fabrica produtos para a Wal-Mart? Não. É construtor? Não. Shi é o maior fabricante chinês de células fotovoltaicas de silicone — que convertem energia solar em eletricidade.

Sim, um dos homens mais ricos da China, hoje, é um empresário verde! Seria bom que uma coisa assim acontecesse nos Estados Unidos. Shi acha que a produção de energia limpa será a indústria de maior crescimento no século XXI. E quer se assegurar de que a China e a empresa que possui, a Suntech Power Holdings, sejam as líderes do setor. Com apenas 45 anos e cheio de energia, Shi me disse que gostaria de fazer pela energia solar o que a China fez pelos tênis: reduzir os custos, permitindo que milhões de pessoas possam adquirir painéis solares fotovoltaicos, hoje inacessíveis para elas. Eu o visitei em seu escritório, na cidade de Xangai, ocasião em que rimos muito, pois estávamos no alto de um arranha-céu e mal conseguíamos enxergar através da névoa de poluição — *enquanto conversávamos sobre energia solar.*

Shi fundou a Suntech na cidade chinesa de Wuxi, perto de Xangai, depois de obter um doutorado em engenharia na Austrália, em 1992. Como o *Wall Street Journal* escreveu, a Suntech combina "tecnologia de primeiro mundo e preços de mundo em desenvolvimento" — de forma tão eficiente que se tornou um dos quatro maiores fabricantes do mundo, ao lado da Sharp e da Kyocera, do Japão, e da British Petroleum, da Inglaterra. A chave do seu negócio, segundo Shi, é a utilização de mão de obra chinesa de baixo custo, em vez de máquinas de alta tecnologia, no processo de fabricação dos módulos solares e na manipulação das frágeis lâminas de silicone. Além disso, ele se aproveita dos subsídios oferecidos por diversas províncias chinesas, cujos funcionários estão ansiosos para que ele abra fábricas da Suntech em suas regiões. Cerca de 90% de suas vendas, atualmente, estão concentradas no exterior, explica ele. Mas, à medida que ele reduz o preço de suas células solares, o mercado chinês começa a se abrir. Shi espera usar essa combinação de preços e o tamanho do mercado para aumentar a produção e reduzir ainda mais o custo de suas células, o que lhe proporcionará uma vantagem real diante dos concorrentes mundiais.

"Se criarmos um mercado aqui na China, seremos um dos líderes em preços baixos", diz ele. Graças ao sucesso da Suntech, "hoje há uma série de empresários chineses ingressando no setor, apesar de ainda não termos um mercado aqui. Muitos funcionários do governo agora dizem: 'Isso é que é indústria!'"

E não é a única que lida com fontes renováveis de energia. A indústria de energia eólica da China também vem apresentando grande crescimento: a capacidade eólica instalada cresceu cerca de 100% entre 2005 e 2007. A China atingiu as metas de desenvolvimento eólico previstas para 2010 no final de 2007. Se prosseguir neste ritmo, a China se tornará, nos próximos cinco anos, um dos líderes mundiais na produção de energia eólica e na fabricação de seus equipamentos.

Justamente quando eu pensava que os chineses jamais conseguiriam trocar o motor a diesel de seu ônibus por um motor híbrido, com o veículo se locomovendo a 80 quilômetros por hora, recebi um e-mail de Jon Wellinghoff, membro da Comissão Federal de Regulamentação de Energia dos Estados Unidos, enviado depois que ele retornou de uma viagem à China, em abril de 2008: "A coisa mais interessante de toda a viagem foi descobrir que, em menos de dez anos, eles conseguiram transformar toda a sua frota de *scooters* e bicicletas motorizadas em veículos elétricos. Há agora 40 milhões de *scooters* e bicicletas elétricas na China. Fiquei chocado. Eles sobem as pequenas baterias para casa e as recarregam durante a noite; depois as reinstalam nas *scooters* e partem. Portanto, a eletrificação do setor de transportes é possível — e está sendo realizada na China hoje. Isso reduz drasticamente as emissões de CO_2 e a poluição urbana, mesmo considerando-se que a produção de eletricidade do país é baseada no carvão. Durante os dois dias em que estive em Pequim, o céu estava até azul."

Resumindo: no que se refere ao desenvolvimento de tecnologia para a geração de energia limpa, "a China está começando a se mover da imitação para a criação", diz Rob Watson, consultor de energia. "Na última vez que os chineses estiveram no ápice da capacidade criativa, eles inventaram o papel, a bússola e a pólvora."

Por todas essas razões, a China Verde é, definitivamente, uma história em andamento que merece cuidadoso escrutínio. Há tantas tendências e contratendências, sinais positivos e sinais de apocalipse ambiental, que eu, com certeza, não vou prever como as coisas terminarão. Entre todos os indicadores que acompanharei de perto, o que irá determinar se a China Vermelha vai se tornar a China Verde é, a meu ver, como os chineses lidarão com o desafio das edificações. A China deverá construir centenas de novas cidades, grandes e pequenas, nos próximos vinte anos. O país terá de erguer novas casas e escritórios para mais de 300 milhões de pessoas, que se mudarão das áreas rurais para as áreas urbanas; e terá de construir casas para mais 250 milhões de pessoas que pretende manter nas áreas rurais. O mundo nunca viu um projeto de construção como este, e muito do futuro da China depende de como este projeto evoluirá. Se os líderes chineses fizerem as coisas do "modo americano", com grandes estruturas consumidoras de energia, isto irá exaurir os recursos energéticos do país — que sofrerá com a falta de carvão, de petróleo e de gás natural nas próximas décadas. É bom lembrar que os prédios, geralmente, respondem por cerca de 40% do consumo nacional de energia; depois que começam a consumir energia e água, não param de fazer isso durante trinta ou quarenta anos. Mas se, em vez de seguirem procedimentos já obsoletos dos Estados Unidos, os chineses decidirem queimar etapas, passando a construir prédios autossuficientes em energia — prédios com iluminação passiva, painéis solares ou turbinas de vento, que possam gerar sua própria energia durante o dia, e retirar energia da rede somente durante a noite, praticamente zerando suas contas de luz —, eles terão grandes possibilidades de evitar o pior. Mas os atuais líderes têm de ser tão sérios a respeito do assunto quanto o foram seus predecessores com a política de "um filho por família". Assim como essa política provavelmente salvou a China de uma calamidade populacional, os prédios autossuficientes em energia podem salvar a China — e, portanto, o resto de nós — de uma calamidade energética e ambiental.

"Hoje, os Estados Unidos possuem quase 30 milhões de metros quadrados de área imobiliária — edifícios comerciais e residências — e em 2030 teremos quase 40 milhões", assinalou Marc Porat, presidente de Serious Materials. "Nos próximos vinte anos, a China vai construir 50 milhões. Arredonde para 60 e pode-se dizer que a China vai construir dois Estados Unidos nos próximos vinte anos. Se fizerem como nós, vão chegar a um limite. A China enfrenta uma recessão provocada pela energia, devido ao pico do carvão. Eles irão esgotá-lo. Isso significa que tentarão manter uma 'sociedade harmoniosa' em meio à recessão provocada pela energia." A única forma de sair disso é adotar edifícios com emissões zeradas, além da política de um filho por família — e isso é possível. Os líderes chineses têm um quadro muito mais limpo para trabalhar nos planos nacional, provincial e urbano. Na verdade, poderiam impor o conceito emissões zeradas a todo o sistema — se quisessem.

Fazer isso benfeito será um verdadeiro desafio para o Partido Comunista Chinês — assim como calcular em que medida as rédeas da sociedade civil poderão ser soltas, de modo a expor, reduzir e monitorar a poluição; assim como determinar em que medida e com que rapidez poderá refrear o desenvolvimento em áreas poluídas, e estimular o crescimento em áreas limpas; e como fazer tudo isso de um modo que continue a reduzir os desníveis de renda, mantendo a estabilidade social. Exatamente por ser muito difícil realizar todas essas coisas ao mesmo tempo, e por haver muita coisa em jogo, a liderança chinesa pode se sentir tentada a fazer experimentos — ficar em cima do muro, algumas vezes, acomodar-se ou executar malabarismos com os números. Mas a China não pode se dar a esse luxo. O mundo não pode se dar a esse luxo.

Ou seja, a China está tentando se tornar alguma coisa diferente do que é hoje, de forma deliberada, e todos temos de fazer o possível para garantir que a "Nova China" tenha um rosto ecológico. Como não é uma coisa certa, os Estados Unidos têm um papel decisivo a desempenhar. Isso poderá fazer a China seguir na direção certa, mas somente se formos os primeiros. Liderança não significa "você primeiro". Significa "siga-me". Nós contribuímos com a maior parte das emissões de CO_2, que estão lentamente aquecendo o planeta. Nós temos os recursos necessários para liderar os esforços que levarão à invenção de um sistema de energia limpa. A melhor coisa que os Estados Unidos poderiam fazer hoje, por si mesmos, pela China e pelo mundo, é se transformarem em um exemplo de país próspero, seguro, criativo e respeitado, tornando-se o país mais verde, mais energeticamente eficiente e mais energeticamente produtivo que existe.

Eu até iria mais longe: diria que a melhor coisa que os Estados Unidos podem fazer hoje por si mesmos, pela China e pelo mundo é declarar publicamente sua intenção de "serem mais verdes que a China" — mostrar aos chineses todos os dias e de todos os modos que irão superá-los na futura grande indústria mundial: a indústria da energia limpa. Assim como disputamos uma corrida espacial com os soviéticos, uma competição para ver quem faria um homem pisar na Lua em primeiro lugar — uma competição que fortaleceu muito nossa sociedade, da educação à infraestrutura — nós, a União Europeia e os chineses precisamos hoje de uma corrida desse tipo. Só que, em vez da chegada de um homem à Lua, o objetivo da disputa será a preservação da espécie humana — na Terra. Na Guerra Fria, houve um vencedor e um perdedor. Mas, na corrida pela Terra, ou todos venceremos ou todos perderemos, pois se o ônibus chinês em velocidade máxima chegar a explodir — econômica ou ecologicamente — será um desastre para todos nós.

Se os Estados Unidos decidissem realmente criar um Sistema de Energia Limpa, com as respectivas tecnologias, a China não teria outra opção, exceto se mover na mesma direção. Permanecer poluída não significaria somente permitir que um bilhão e meio de chineses continuassem a respirar ar poluído. Significaria ficar para trás na corrida pela próxima grande indústria mundial. Mas não podemos nem mesmo sugerir que os chineses façam o difícil trabalho de despoluir sua sociedade, até que façamos o mesmo. (Os chineses ficam muito irritados quando, depois de termos devorado o bufê da Mãe Natureza, nós os acusamos de gulodice por estarem começando a comer as migalhas.) "A pergunta mais frequente e difícil que ouvimos na China, quando sugerimos qualquer iniciativa", diz David Moskovitz, "é esta: 'Se é tão bom, por que vocês não estão fazendo isso?' É difícil responder — e às vezes embaraçoso. Assim, apontamos para alguns bons exemplos que empresas, cidades ou estados americanos estão implementando — mas não o governo federal. Não podemos citar os Estados Unidos como exemplo".

A razão de ser da sociedade chinesa "tem sido associada à ligação da China a um sistema global e à inserção do país em um 'caminho global'", diz Ed Steinfeld, do MIT. "Se as sociedades industriais avançadas 'esverdeam', a China não verá isso como uma oportunidade para quebrar as regras e vender mais barato que todo mundo. Pelo contrário — o país vai sentir uma intensa pressão social e política para esverdear também. Legitimidade política e identidade nacional, na China, estão profundamente vinculadas à missão de modernizar o país. A modernidade, para o melhor ou para o pior, é representada por nós. Isto explica em parte por que, mesmo a um custo alto, a China se esforçou para ingressar na OMC. E explica também, em parte, por que o establishment estatal chinês está interessado em implantar no país certos atributos das democracias modernas — estado de direito, sociedade civil, prestação de contas pelos órgãos públicos, eleições (ainda que limitadas) — ao mesmo tempo em que resiste a qualquer sugestão de sistema multipartidário... Se construirmos uma sociedade verde, os chineses nos acompanharão — como têm feito sistematicamente, nos últimos vinte anos, em todos os casos de mudança institucional mundial, embora de modo caprichoso e inesperado."

Ainda somos um espelho para muitos chineses, embora eles detestem muitas das coisas que fazemos. Se nós poluímos, esta é uma justificativa para que eles poluam. E se gostamos de tudo grande, eles querem tudo grande — casas grandes, arranha-céus grandes, carros grandes. "Se passarmos a viver de modo sustentável", acrescenta Steinfeld, "isto se traduzirá, na China, como sinal de modernidade e categoria internacional".

Se os Estados Unidos assumirem a liderança na questão da energia limpa, e a China se sentir compelida a nos seguir, os líderes chineses se sentirão encorajados a apoiar um número maior de cidadãos e jornalistas a denunciar abusos contra o meio ambiente e a vigiar governos e empresas locais. Portanto, quanto mais depressa nós, americanos, inspirarmos, envergonharmos, provocarmos, induzirmos e liderarmos a China para ingressar em um caminho verde, mais depressa transformaremos o mundo em um lugar mais limpo. E ainda ajudaremos a reforçar o estado de direito na China, bem como grupos de sua sociedade civil. É uma coisa que não vai acontecer da noite para o dia — e não estou sugerindo que, por si só, fará com que a China se torne uma democracia multipartidária a curto prazo. O que estou dizendo é que o Partido Comunista chinês não poderá garantir liberdade para respirar, como prometeu aos chineses, se não lhes conceder — de forma gradual, porém firme — liberdade para falar.

Um ano depois de escrever as linhas acima comecei a pensar: quem vai ganhar? Quem vai superar quem no verde? Quem vai constranger quem? Será que a China vai se adiantar aos Estados Unidos na corrida pela Terra e dominar a indústria de tecnologia energética?

Por que pergunto isso? Em parte, porque nos Estados Unidos esverdear continuar a ser questão de opção, e o Congresso e o governo Obama ainda não demonstraram estar prontos para instituir sinais de preços e os grandes investimentos necessários para desenvolver um Sistema de Energia Limpa no país. Bem, o atraso é por nossa conta e risco: creio que a China deve estar a só cinco anos da decisão de esverdear, independentemente do que os Estados Unidos façam, porque muitos cidadãos simplesmente não conseguem respirar aquele ar, demasiados rios estão tão poluídos que já não são potáveis, demasiados lagos estão poluídos e não se pode pescar nem nadar neles, demasiadas florestas foram destruídas e as mudanças climáticas já afetam o país na forma de secas prolongadas e tempestades de areia mais frequentes. Creio que a China pode esverdear logo, não porque milhões de chineses assistiram ao filme de Al Gore e foram persuadidos, mas porque a triste realidade da vida cotidiana está convencendo os líderes chineses de que não há alternativa. Eles entenderão que a China deve esverdear por necessidade. E há uma coisa que conhecemos sobre a necessidade: ela é a mãe das invenções. Uma China Verde inventará sistemas energéticos de captação de energia eólica, solar, nuclear e de captura e sequestro de carbono a um preço que pode levar à sua difusão no país. Depois que a China aperfeiçoar esses sistemas de energia limpa, ela os venderá a nós. Então você não comprará só brinquedos e processadores de alimentos chineses; você comprará da China o seu próximo carro, painéis solares, turbinas eólicas, refrigeradores, micro-ondas e sistemas de aquecimento e refrigeração domésticos. Eles vão ganhar de nós de goleada na próxima grande indústria global, a tecnologia energética.

Você acha que estou exagerando? Pense bem. No dia 4 de maio de 2009, o site de notícias chinês Caijing.com.cn traduziu uma matéria do *Shangai Securities News* citando Shi Dinghaun, membro do Conselho de Estado e chefe da Associação Chinesa de Energia Renovável. Shi disse: "O governo central da China em breve lançará um plano para apoiar a indústria nacional de energia renovável. Será um programa para impulsionar o desenvolvimento da nova indústria energética chinesa." O jornal afirmava que Shi fizera o comentário no lançamento do centro de pesquisas em tecnologia fotovoltaica da EI DuPont de Nemours & Cia., em Xangai. O jornal citou também Wang Mengjie, da Academia Chinesa de Ciências, que afirmou que a Comissão Nacional de Desenvolvimento e Reforma havia esboçado o plano após discussões ministeriais em abril. Segundo Wang, o novo plano elevaria as atuais metas de desenvolvimento de energia renovável a um nível muito mais alto. No plano de longo prazo da indústria, lançado em 2007, o governo prometera acelerar a construção de usinas de energia renovável e alcançar, em 2020, a capacidade de gerar 300 milhões de quilowatts a partir de biomassa e 1,8 milhões de quilowatts a partir de energia solar. O último plano da indústria elevará estas metas, anunciou o jornal de Xangai, que citou o especialista em energia eólica Shi Pengfei. A meta de 30 milhões de quilowatts para a energia eólica, por exemplo, será elevada para 100 ou 150 milhões de quilowatts, porque a meta original provavelmente será alcançada em 2011, afirmou Shi.

Algumas semanas depois (27 de maio de 2009), Keith Bradsher, chefe de redação do *New York Times* em Hong Kong, publicou a seguinte notícia: "Preocupados com a forte dependência do petróleo importado, os governantes chineses projetaram padrões de economia de combustível para os veículos ainda mais rigorosos do que os propostos pelo presidente Obama na semana passada, disseram, na quarta-feira, especialistas chineses que conhecem os planos em detalhe. Os novos padrões irão exigir dos fabricantes de veículos na China aumentar a economia de combustível em 18% até 2015, afirmou An Feng, um proeminente arquiteto das atuais regulamentações da economia de combustíveis, que agora preside o Innovation Center for Energy and Transportation (Centro de Inovação para a Energia e o Transporte), um grupo sem fins lucrativos em Pequim. O plano passa pelo processo de aprovação entre agências, foi analisado pelos fabricantes de veículos e deve ser lançado no começo do próximo ano, disse ele [...] O sr. An estimou que este ano os novos veículos médios, minivans e utilitários esportivos já fazem o equivalente a 15 quilômetros por litro, com base no sistema de medição americano de média corporativa, e se exigirá que cheguem a 18 quilômetros por litro em 2015. Em comparação, o presidente Obama anunciou na semana passada que cada fabricante de veículos terá de alcançar a média por empresa de 15 quilômetros por litro em 2016."

Um último ponto: em agosto de 2008, entrevistei em Copenhagen Ditlev Engel, presidente da Vestas — a maior empresa de turbinas da Dinamarca (e do mundo). Ele me contou que simplesmente não entende por que o Congresso americano não tenta estimular a indústria de tecnologia energética no país. Afinal, assinalou, nos últimos 18 meses "surgiram 35 novos competidores na China [...] e nenhum nos Estados Unidos".

Podemos liderar ou seguir. Só não pense que podemos ficar parados — ou que a China fará isso.

Quinta Parte

Estados Unidos

DEZOITO

A China por um dia (mas não por dois dias)

O candidato à presidência George W. Bush disse hoje que, se fosse presidente, reduziria os preços da gasolina através da pura força de sua personalidade, criando tanta boa vontade entre os países produtores de petróleo que eles aumentariam o fornecimento. "Eu trabalharia com nossos amigos da Opep, de modo a convencê-los a abrir as torneiras e a aumentar o fornecimento... Usaria o capital político que minha administração conquistará para convencer os kuwaitianos e sauditas a abrir as torneiras." Em seus comentários, estava implícita uma crítica ao governo Clinton, por ter falhado em aproveitar a boa vontade do Kuwait e da Arábia Saudita para com os Estados Unidos, conquistada durante a guerra do Golfo em 1991. Também implícita estava a ideia de que o sr. Bush, por ser filho do presidente que formara a coalizão que expulsara os iraquianos do Kuwait, teria capacidade para estabelecer laços pessoais com os dirigentes dos países produtores de petróleo, fazendo com que se sentissem obrigados a retribuir o favor aos Estados Unidos.

— *The New York Times*, 28 de junho de 2000. O barril de petróleo, nesse dia, estava custando 28 dólares.

Em janeiro de 2007, como parte das pesquisas para este livro, entrevistei o diretor-presidente da General Electric, Jeffrey Immelt, responsável por ter redirecionado a linha de produção da GE para as tecnologias de energia limpa, sob a marca "Ecomagination". Immelt e eu falamos sobre diversas formas de geração de energia e trocamos ideias sobre o que seria um conjunto ideal de normas, incentivos fiscais, impostos e infraestrutura que o governo poderia implementar de modo a estimular o mercado, possibilitando a massificação da eficiência energética e da produção de energia limpa. As respostas pareciam óbvias, tão óbvias que Immelt, finalmente, se queixou com um misto de exasperação e paixão: por que os Estados Unidos não têm um governo que simplesmente estabeleça as políticas adequadas para estruturar o mercado de energia?

"O que não existe hoje nos negócios relacionados à energia é a mão de Deus", diz Immelt. "Acho que, se você perguntasse às empresas de energia e aos grandes fabricantes envolvidos nesses negócios o que eles mais gostariam que acontecesse, seria que o presidente se levantasse e dissesse: 'Por volta de 2025, vamos produzir tanto de carvão, tanto de gás natural, tanto de energia eólica, tanto de energia solar e tanto de energia nuclear. E não há nada que possa impedir isso.' Bem, haveria uns trinta dias de choradeira e reclamações, mas depois as pessoas envolvidas na indústria de energia iriam se levantar e dizer: 'Obrigado, sr. presidente, agora vamos trabalhar.' E iríamos trabalhar."

Por que um conjunto de diretivas claras, vindas de cima, faria tanta diferença? Porque, segundo Immelt, quando a comunidade de negócios tiver uma sinalização de preços clara e duradoura para as emissões de carbono, uma noção exata de qual será o mercado nacional para fontes de energia limpa como a eólica e a solar, e um conjunto detalhado de normas e incentivos válidos para todo o país, de modo que as empresas de energia se sintam encorajadas a ajudar seus clientes a economizar energia, as oportunidades de mercado serão óbvias para todos. Os investidores finalmente terão segurança para fazer grandes apostas. Então, nossas universidades, laboratórios nacionais, inventores individuais, tomadores de risco, investidores de capital de risco, livres mercados e multinacionais como a GE e a DuPont, que fazem suas próprias pesquisas — todo o fantástico patrimônio dos Estados Unidos —, irão trabalhar a todo vapor, "apostando tudo" na energia renovável. E o ecossistema da energia limpa irá decolar.

Durante a noite, pensei muito em nossa conversa. Reprisei-a mentalmente várias vezes, até que me ocorreu um pensamento malicioso: e se... E se os Estados Unidos pudessem ser a China por um dia — apenas por um dia. *Só por um dia!*

Ao que me parece, o sistema de governo da China é inferior ao nosso sob todos os aspectos, com exceção de um: a capacidade que têm os líderes da geração atual — se assim o quiserem — de passar por cima de todos os interesses particulares, dos lobbies das indústrias, dos obstáculos burocráticos ou de preocupações com eleitores, e simplesmente determinar mudanças nos preços, nas regulamentações, na padronização, na educação e na infraestrutura — mudanças de interesse estratégico do país, mudanças que as democracias ocidentais, normalmente, levariam anos ou décadas de debates para implementar. Esta é uma vantagem muito grande quando alguém pretende realizar uma mudança tão ampla quanto a revolução verde — lutando contra interesses profundamente enraizados, endinheirados e bem entrincheirados, e tendo de motivar o público a aceitar alguns sacrifícios a curto prazo, inclusive preços mais elevados para a energia, para obter ganhos a longo prazo. Poder ordenar que sejam feitas as mudanças adequadas, de modo a criar condições ideais para o surgimento de inovações no mercado, e depois sair da frente, deixando agir a natural energia do sistema capitalista americano — isto seria um sonho para Washington.

Seria tão ruim ser a China? Apenas por um dia?

Vamos considerar o seguinte: certa manhã, no final de 2007, os lojistas da China acordaram e descobriram que o Conselho de Estado havia anunciado que todos os supermercados, lojas de departamentos e outros tipos de lojas tinham sido proibidos de oferecer sacolas plásticas gratuitamente, de modo a desencorajar a utilização desses produtos derivados do petróleo. Agora, teriam de cobrar pelas sacolas. "As lojas deverão exibir claramente o preço das sacolas plásticas e ficam proibidas de incluir em seus preços os custos do produto", informou a Associated Press (9 de janeiro de 2008). A China também baniu completamente a produção, a venda e o uso das sacolas plásticas ultrafinas — de espessura menor que 0,025 milímetro — para que os lojistas fossem obrigados a usar cestos recicláveis e sacolas de pano.

Bum! Assim, de uma hora para outra, 1,3 bilhão de pessoas, teoricamente, deixaram de usar as sacolas plásticas ultrafinas. Milhões de barris de petróleo serão economizados, e montanhas de lixo evitadas. Os Estados Unidos iniciaram o processo de remover o chumbo da gasolina em 1973, e somente em 1995 a gasolina vendida em nosso país deixou de conter chumbo. A China decidiu se livrar do chumbo em 1998; o novo padrão foi parcialmente implementado na capital, Pequim, em 1999. Em 2000, toda a gasolina do país deixou de conter chumbo. Para elevar os padrões de economia de combustível de seus automóveis, os Estados Unidos levaram cerca de 32 anos — entre o primeiro esforço sério, realizado em 1975, e o segundo esforço sério, em 2007. Enquanto isso, em 2003, a China elaborou um projeto para elevar os padrões de economia de combustível de seus carros e caminhões. Então, enviou o projeto ao Conselho de Estado, para aprovação. A nova padronização foi adotada em 2004 e posta em prática em 2005. Hoje, todos os carros novos têm de se adequar a ela.

Sei bem que a liderança chinesa, muitas vezes, estabelece diretrizes que são ignoradas, ou apenas implementadas parcialmente, pelos governos locais ou empresas estatais. É por isso que eu gostaria que pudéssemos ser a China por um dia — mas apenas por um dia. Nos Estados Unidos, ao contrário da China, uma vez que o governo decreta uma lei ou estabelece uma regulamentação, elas são implementadas. Pois, se forem ignoradas por empresas ou governos locais, uma dúzia de grupos de interesse, liderados pelo Sierra Club ou pelo Conselho de Defesa dos Recursos Naturais, moverão processos contra os violadores (inclusive o governo federal), indo até a Suprema Corte. Eis por que ser a China por um dia — impondo todos os impostos, regulamentações e padrões necessários para implantar um sistema de energia limpa no mesmo dia — seria muito mais valioso para Washington do que para Pequim. Pois, tão logo as diretrizes fossem determinadas pelo governo federal, já teríamos superado a pior parte de nossa democracia (a incapacidade de tomar grandes decisões em tempos de paz). No dia seguinte, estaríamos prontos para aproveitar a melhor parte de nossa democracia (o poder de nossa sociedade civil para fazer com que as leis sejam cumpridas e o poder de nossos mercados para tirar proveito delas).

Grande nas coisas grandes?

Em minha opinião, nunca é cedo demais para isso. A nossa economia depende mais da liderança tecnológica do que pensamos. Imagine, dizem os especialistas em energia, se a Microsoft fosse uma empresa japonesa, a Apple, inglesa, o Google, chinês, a IBM, alemã, a Intel, russa e a Oracle, francesa. Qual seria o nosso padrão de vida se não fossemos líderes em tecnologia da informação? Elimine todas estas exportações, todos os bons empregos e os impostos que estas empresas geram e você verá um país muito menos próspero. Bem, é exatamente para onde vamos na questão da tecnologia energética. Recorde a frase de Jeffrey Immelt: para ser grande, você precisa ser grande nas grandes coisas e, da maneira como vamos, não seremos grandes na próxima grande coisa: a tecnologia energética.

Pense neste parágrafo do informe de 2009 do Conselho de Recuperação Econômica do presidente Obama, baseado em um estudo do banco de investimentos Lazard Frères sobre as dez principais empresas mundiais da indústria eólica, solar e de baterias, avaliadas de acordo com a sua capitalização de mercado (patrimônio): "Se os Estados Unidos falharem em adotar um programa de redução de carbono para toda a economia, seguiremos entregando a liderança em tecnologia energética a outros países. Os Estados Unidos têm apenas dois dos maiores produtores de células fotovoltaicas no mundo, dois dos maiores produtores de turbinas eólicas e um dos dez mais avançados fabricantes de baterias. Isto é, só a sexta parte dos principais fabricantes de energia renovável tem sede nos Estados Unidos."

Estes números deveriam deixar os americanos preocupados. Perder vantagem nas tecnologias em que fomos pioneiros pode custar caro em termos do nosso padrão de vida se esta tendência não for revertida — e logo.

FABRICANTES DE CÉLULAS FOTOVOLTAICAS: OS DEZ MAIORES SEGUNDO A CAPITALIZAÇÃO NO MERCADO (EM MILHÕES DE DÓLARES)

Empresa	*Capit. Mercado*	*Domicílio*
Kyocera	12,224	Japão
First Solar	10,834	Estados Unidos
Sharp	8,853	Japão
Sanyo	2,738	Japão
Q-Cells	2,215	Alemanha
SunPower	2,045	Estados Unidos
Suntech	1,821	China
Yingli Green Energy	764	China
Motech	714	Taiwan
JA Solar	566	China

FABRICANTES DE TURBINAS EÓLICAS: OS DEZ MAIORES SEGUNDO A CAPITALIZAÇÃO NO MERCADO (EM MILHÕES DE DÓLARES)

Empresa	*Capit. Mercado*	*Domicílio*
GE	106,853	Estados Unidos
Siemens	49,568	Alemanha
Mitsubishi	22,024	Japão
Vestas	8,131	Dinamarca
Acciona	6,385	Espanha
Goldwind	5,875	China
Gamesa	3,088	Espanha
Suzlon	1,253	Índia
Nordex	862	Alemanha
Clipper	127	Reino Unido

FABRICANTES DE BATERIAS AVANÇADAS: OS DEZ MAIORES SEGUNDO A CAPITALIZAÇÃO NO MERCADO (EM MILHÕES DE DÓLARES)

Empresa	*Capit. Mercado*	*Domicílio*
Panasonic	22,372	Japão
Mitsubishi	22,024	Japão
Sumitomo	10,650	Japão
Hitachi	8,936	Japão
Toshiba	8,306	Japão
Johnson Controls	7,131	Estados Unidos
NGK	4,970	Japão
BYD	3,777	China
Sanyo	2,738	Japão
GS Yuasa	1,796	Japão

Fonte: Lazard Frères (Abril de 2009)

O informe acrescentou que as inovações em energia solar, eólica, nuclear e outros sistemas energéticos limpos e em veículos elétricos

impulsionarão a futura economia global, segundo muitos membros de nosso conselho. Podemos investir já em políticas para fomentar a liderança americana nestas novas indústrias e empregos, ou seguir na mesma linha e comprar moinhos de vento da Europa, baterias do Japão e painéis solares da Ásia. A nova economia verde seria transformadora para o país. Compare-a à internet. Há 15 anos não havia navegadores. Não havia a internet na ponta dos dedos, comércio eletrônico nem programas de busca. Agora, a internet transformou as nossas vidas: o modo como aprendemos e nos informamos, nos entretemos e nos comunicamos, como compramos e vendemos produtos. Hoje, a economia eletrônica é estimada em um trilhão de dólares, com 1,5 bilhões de usuários em todo o mundo — e está em crescimento. A nova economia verde tem um potencial ainda maior. A energia é um mercado de seis trilhões de dólares, com quatro bi-

> lhões de consumidores de eletricidade — e o consumo vai dobrar em 25 anos. É talvez a maior oportunidade econômica do século XXI. Com as políticas certas para impulsionar a inovação e os investimentos, os Estados Unidos podem retomar a liderança na tecnologia energética e criar milhões de novas indústrias e empregos verdes, preservar milhões de empregos indiretos e renovar a nossa economia.

Os Estados Unidos precisam ser o capitão do time nas indústrias emergentes de energia eólica, solar e de baterias, além de energia nuclear, que certamente serão as maiores fontes de emprego e renda na primeira metade deste século. Mas não somos nem seremos, a menos que haja uma mudança de curso imediata. O informe concluiu o seguinte:

> Os Estados Unidos sofrem com a dependência de petróleo estrangeiro e há muito tempo perderam a liderança automobilística mundial; *não podemos nos dar ao luxo de trocar a dependência do petróleo importado do Oriente Médio pela dependência das baterias asiáticas* [grifo meu]. Só com políticas corretas que impulsionem a inovação e o investimento os Estados Unidos poderão retomar a liderança na tecnologia energética e criar milhões de novas indústrias e empregos verdes, preservar milhões de empregos indiretos e renovar a economia. Este é um momento decisivo na história americana e nas nossas vidas como indivíduos e como líderes políticos e industriais.

E não está claro se os nossos políticos ou o nosso sistema político estão dispostos a isso. Ah, se pudéssemos ser a China só por um dia...

* * *

De onde poderia ter surgido essa ideia? Ser a China por um dia? Como poderia eu, velho defensor da democracia liberal, ter mesmo sonhado com as vantagens que os Estados Unidos teriam sendo a China por um dia?

A ideia veio de uma enorme frustração que senti, ao viajar de um lado a outro deste país nos últimos três anos, observando todas as formas possíveis e imagináveis de geração de energia, e encontrando todos os tipos de inovadores, empreendedores e investidores de risco do ramo energético — excêntricos, apaixonados e maravilhosos —, de mecânicos de oficinas a diretores de nossos maiores institutos de pesquisa. Isso me fez sentir que estamos realmente prontos para a implantação de uma sociedade verde e que temos todos os ingredientes necessários a uma Revolução Verde. Mas nosso governo não preparou o mercado para aproveitar o que, naturalmente, vem borbulhando de baixo.

Vou dar um exemplo. Certo dia, em dezembro de 2007, visitei o campus do MIT, para participar de um seminário que fazia parte do programa da universidade aberta. Antes que eu entrasse, dois diferentes clubes de estudantes, dedicados a pesquisas de energia, me convidaram a deixar de lado o programa e conhecer o que estavam fazendo. Um deles simplesmente me sequestrou. Era um grupo chamado Vehicle Design Summit ("Projeto Supremo para Design de Veículos") — uma iniciativa *open source* de âmbito mundial, administrada por estudantes do MIT, que reuniu 25 equipes universitárias de todo o mundo, inclusive a Índia e a China, para projetar e construir um veículo elétrico híbrido. Cada equipe contribuía com um conjunto de componentes, ou projetos diversos. E eu achava que escrever para o jornal da minha faculdade era grande coisa — aqueles garotos estavam construindo um automóvel hipereficiente! Seu objetivo era demonstrar que poderiam construir um carro com uma redução de 95% no custo dos materiais e na energia a ser usada no processo de fabricação, bem como na toxicidade — desde o berço até o túmulo. O veículo deverá percorrer o equivalente a 85 quilômetros por litro de gasolina. Isso mesmo: 85 quilômetros por litro. É o Linux dos carros! Seu outro objetivo, explicam eles em seu website — vds.mit.edu —, é "identificar as características-chave de eventos como a corrida à Lua, e motivar uma equipe mundial com a mesma energia, concentração e sentido de urgência" para a construção de um carro ecológico. O lema deles? "Nós somos as pessoas pelas quais estávamos esperando."

Saí desse encontro, uma vez mais, abanando a cabeça. Toda a energia e talento humanos estão aqui, prontos para decolar. Sim, é possível percorrer um longo caminho, como demonstram os estudantes do MIT. Mas nunca na escala em que necessitamos, enquanto nossa política energética nacional permanecer tão limitada, descoordenada, inconsistente e pouco sustentável — sem permitir que o mercado explore plenamente nossas vantagens naturais. Seremos sempre menos que a soma de nossas partes. Immelt nos compara a um time que chegou à final do campeonato, mas ainda está sentado no vestiário e não quer, ou não pode, entrar no gramado.

Uma imagem diferente me vem à cabeça quando visito lugares como o MIT: a imagem do ônibus espacial pronto para decolar. É como vejo os Estados Unidos. Ainda temos aquele tremendo impulso vindo de baixo, de uma sociedade ainda extremamente idealista, pioneira e cheia de energia. Mas o foguete lançador de nosso ônibus espacial (o sistema político que temos hoje) está vazando combustível e, na cabine (Washington, D.C.), os pilotos estão se desentendendo a respeito do plano de voo. Assim, não conseguimos gerar velocidade de escape — a direção e o foco necessários para alcançarmos a próxima fronteira, avaliarmos as oportunidades encontradas e enfrentarmos os desafios propostos pela Era da Energia e do Clima.

Qual é o nosso problema? Se as coisas que devem ser feitas são tão óbvias para os indivíduos que mais conhecem o setor energético, por que não conseguimos fazê-las?

Em primeiro lugar, e acima de tudo, estão as indústrias envolvidas no Sistema de Combustíveis Sujos, que desejam proteger seu quintal e preservar sua preponderância na infraestrutura energética americana. No melhor dos casos, são apenas executivos, funcionários e políticos que tentam proteger empregos e cidades, além de oferecer ao país a energia mais barata possível, capaz de sustentar o maior crescimento possível. No pior dos casos, são empresas gananciosas, procurando proteger seus filões principais, embora saibam que seus produtos são tão prejudiciais para a sociedade e para o planeta como o vício de fumar. Seja qual for o caso, ajudam a manipular o jogo no que se refere a políticas energéticas. Em muitos casos, distorcem fatos, colocam anúncios enganosos em jornais e na televisão, e compram políticos — tudo para preservar o Sistema de Energia Suja. O dinheiro desse "complexo industrial energético" — fabricantes de carro, produtores de carvão, empresas de petróleo e gás natural, e algumas empresas de eletricidade pouco esclarecidas — obscureceu nossa capacidade de dizer a verdade ecológica sobre a situação em que estamos, e solapou nossa capacidade de conceber as políticas inteligentes (em grande escala) de que precisamos para criar uma Internet Energética.

O impacto cumulativo disso tudo na formulação de nossas decisões é o seguinte: em vez de termos uma estratégia nacional, temos o que o especialista em energia Gal Luft chama de "a soma de todos os lobbies". O lobby que gerar mais dinheiro de campanha é o vencedor. Por outro lado, "temos energia baseada na política, e não uma política de energia", diz Nate Lewis, da Caltech. É como a política de gênero, ou racial ou regional. Ou seja, na determinação das ações governamentais, aquilo que determina as prioridades (os melhores interesses do país como um todo) é a política das questões (ou seja, quem especificamente irá se beneficiar). Torna-se muito difícil produzir uma estratégia coerente, viável e de longo prazo em um ambiente assim.

Em épocas de eleição, diz Lewis, ele gosta de perguntar às pessoas: "Digam o nome de cinco estados politicamente indefinidos. As pessoas respondem frequentemente: 'Flórida, Ohio, Pensilvânia, Tennessee e Virgínia Ocidental.' Então eu digo: eliminem a Flórida e digam de novo o nome dos estados: 'Ohio, Pensilvânia, Tennessee, Virgínia Ocidental', as pessoas respondem." O que estes estados têm em comum? Carvão, carvão, carvão, carvão. É simplesmente impossível falar alguma coisa ruim a respeito do carvão e se tornar presidente dos Estados Unidos. Então, some o Iowa, o Meio-Oeste e os biocombustíveis e acabou a discussão sobre energia renovável. O que você ouve é um monte de tagarelice sobre "carvão limpo" e um monte de dinheiro despejado em programas de etanol obtido do milho — fora de qualquer proporção que faça sentido em termos nacionais.

No calor das primárias da campanha presidencial de 2008, o *Washington Post* (18 de janeiro de 2008) relatou que "um grupo financiado pelas indústrias de carvão, aliadas a empresas de eletricidade, está empreendendo uma campanha nos estados onde haverá primárias e convenções. A intenção da campanha — no valor de 35 milhões de dólares — é angariar apoio público para a produção de eletricidade a partir do carvão e criar oposição às leis que visem refrear as mudanças climáticas, que estão sendo elaboradas pelo Congresso. O grupo, chamado Americans for Balanced Energy Choices (Americanos a Favor de Opções Energéticas Equilibradas), já gastou 1,3 milhão de dólares, daquele total, em outdoors e anúncios inseridos em jornais, canais de televisão e estações de rádio em Iowa, Nevada e Carolina do Sul" — estados-chave nas primárias. Um dos anúncios, observou o artigo, mostrava um "fio elétrico enfiado em um pedaço de carvão, que é descrito como 'recurso americano que contribui, de forma vital, para a nossa segurança energética' e 'o combustível que alimenta nosso estilo de vida'".

O carvão alimentou o crescimento dos Estados Unidos por quase dois séculos. E ainda teremos de queimar carvão durante algumas décadas, pelo menos, a não ser que ocorra uma revolucionária descoberta tecnológica. Precisamos fazer tudo o que pudermos para tornar mais limpo esse processo, com a implantação de tecnologias fundamentais, vitais, que resultem em um processo de queima mais eficiente e em emissões menos poluentes do que no processo tradicional. Mas não devemos confundir o que é necessário com o que é preferível, não vamos misturar alhos com bugalhos. O carvão jamais será um combustível limpo no que se refere a CO_2. É preferível que nos afastemos do carvão tanto quanto possível, à medida que as alternativas se tornem economicamente viáveis.

Jeff Biggers, autor de *The United States of Appalachia* (Os Estados Unidos da Appalachia),* escreveu um ensaio para o *Washington Post* (2 de março de 2008) que parece ser uma refutação direta ao anúncio da tomada no carvão:

---

* Appalachia — região rural do sudeste dos Estados Unidos dominada pelas montanhas Appalachia, conhecida pela pobreza e a dependência econômica do carvão. (N. da E.)

> "Carvão limpo": nunca houve um paradoxo mais insidioso, ou mais perigoso para a saúde pública. Evocado frequentemente por candidatos à presidência, tanto democratas quanto republicanos, esse slogan tem ofuscado qualquer progresso significativo na direção de uma política energética sustentável (...) Eis a dura realidade: não importa quantos esquemas *cap-and-trade* apareçam no futuro para compensar a poluição. As emissões das usinas a carvão, tanto quanto a mineração do próprio carvão, continuam a ser um dos meios mais destrutivos de se produzir energia. O carvão não é limpo. O carvão é mortal.

No dia 7 de novembro de 2006, a Califórnia colocou em votação a Proposta 87. Era uma iniciativa destinada a estabelecer um Programa de Energia Alternativa e Limpa para reduzir em 25% o consumo de petróleo e combustível da Califórnia, mediante incentivos fiscais para a energia alternativa, programas de educação e treinamento. O projeto, que deveria arrecadar cerca de 4 bilhões de dólares, seria financiado com uma pequena taxa por barril de petróleo extraído dos poços do estado — prática habitual em outros estados, que as empresas petrolíferas da Califórnia, com seu poder político, tinham conseguido evitar até aquela época. A Proposta 87 financiaria descontos na aquisição de veículos híbridos, menos poluentes e mais econômicos no aproveitamento de energia; financiaria também painéis solares e turbinas de vento, entre outras tecnologias para a produção de energia renovável. A iniciativa não foi aprovada na votação, pois as empresas petrolíferas se uniram e lançaram uma campanha publicitária que deliberadamente iludiu os eleitores. Estes foram levados a pensar que, se a proposta fosse aprovada, o preço da gasolina nos postos locais iria aumentar drasticamente — uma alegação absurda, considerando que, em qualquer dos estados, o preço da gasolina nada tem a ver com os custos da extração local; os preços são determinados pela oferta mundial, ou nacional, pela demanda e pela capacidade de refino. Por isso mesmo, o preço da gasolina nos postos da Califórnia tem subido sem parar, embora a Proposta 87 tenha sido abortada: os preços mundiais subiram. No total, as empresas petrolíferas e seus aliados gastaram perto de 100 milhões de dólares em anúncios e lobbies para vetar a aprovação da Proposta 87. Isto é quase tanto quanto Bill Clinton gastou para se tornar presidente em 1992.

Os incentivos fiscais criados para estimular a inovação e os investimentos de longo prazo em energia solar, eólica, das marés, geotérmica e de biomassa, que tinham por objetivo permitir a estas indústrias competir com os combustíveis sujos, não iam ser renovados pelo Congresso nem depois de terem sido programados para expirar ao final de 2008. Foi necessária a Grande Recessão de 2008, e o consequente estímulo de 700 bilhões de dólares para, finalmente, a Câmara e o Senado renovarem os créditos fiscais federais para as tecnologias renováveis — incluindo a energia eólica, geotérmica e solar, tanto das usinas de grande porte quanto das células fotovoltaicas e de aquecimento de água dos painéis — no final de 2008. A renovação destes incentivos fiscais era a coisa mais óbvia do mundo. Todos sabiam o quanto as indústrias de energia solar e eólica dependiam deles. Contudo, ao longo de 2007 a Câmara e o Senado titubearam em estendê-los — em parte devido ao lobby das indústrias de petróleo e gás. O incentivo fiscal à energia solar permite aos proprietários de residências e empresas uma economia de 30% nos custos de instalação do sistema de energia solar em residências e edifícios comerciais. O incentivo fiscal para a energia eólica é de 1,8 centavos de dólar por quilowatt-hora gerado. Eles são cruciais porque garantem que, mesmo que os preços do petróleo estejam baixos, investir em energia solar e eólica continua a ser lucrativo. É assim que se lança uma nova tecnologia energética e se ajuda a ampliá-la, para que depois possa competir sem subsídios. É uma loucura que tenha sido necessário algo próximo à quebra financeira para levar os legisladores favoráveis a incluí-los no estímulo. No dia 3 de outubro de 2008, o Congresso aprovou a Lei Emergencial de Estabilização Econômica de 2008, que estendeu o crédito federal de 30% para os sistemas de energia solar até 2016 e até 2010 para os projetos eólicos, geotérmicos, de biomassa, hidrelétricas, gás de aterro sanitário e concessionárias de combustão de lixo. Antes que a Grande Recessão forçasse o Congresso a fazer isto, os nossos representantes contavam centavos quando se tratava de construir novas indústrias limpas, como se o dinheiro para a energia eólica, solar, e da biomassa viesse de seus porquinhos particulares e, no entanto, jogavam dinheiro pela janela, como uma casa repleta de marinheiros bêbados, quando se tratava da velha indústria estabelecida e bem capitalizada de petróleo, carvão e gás, para não mencionar o lobby da agricultura.

Nos últimos cinquenta anos, dezenas de bilhões de dólares em subsídios (que nunca expiram) foram concedidos às indústrias nucleares e de combustíveis fósseis. Um implacável relatório publicado pela *National Review*, intitulado "Oil Subsidies in the Dock" — "Subsídios ao Petróleo em Julgamento" — (17 de janeiro de 2007), listou alguns dos maiores incentivos fiscais concedidos apenas à indústria do petróleo e do gás natural. Estes incluem tratamento preferencial para intangíveis despesas com perfuração de poços no país (principalmente custos de mão de obra e material associados à descoberta e exploração de jazidas), auxílio por esgotamento de poços, oferecido a pequenos produtores, deduções preferenciais de impostos para equipamentos utilizados no refino de combustíveis líquidos, depreciação acelerada incentivada para tubulações de distribuição de gás natural, depreciação acelerada incentivada para despesas com poços secos, e isenção de limitações por perdas passivas para proprietários de participações nos campos petrolíferos. Não entendeu essa algaravia? Nem eu. Mas pode apostar que os lobistas que inventaram essas deduções de impostos sabem exatamente — até o último centavo — quanto elas valem para a Exxon Mobil ou para a ConocoPhillips.

Michael Polsky, fundador da Invenergy, uma das maiores empresas de energia eólica dos Estados Unidos, diz que o Congresso não faz ideia dos estragos que provoca em uma firma como a dele, quando deixa de estender o prazo dos incentivos fiscais destinados à energia eólica. "É um desastre", diz Polsky. "A indústria eólica requer muito capital, e as instituições financeiras não estão preparadas para assumir 'riscos congressionais'. Elas dizem: 'Se você não conseguir incentivos fiscais, nós não vamos lhe emprestar dinheiro para comprar turbinas e desenvolver projetos.'"

Temos pagado um altíssimo preço pela mutabilidade do governo americano na utilização de isenções fiscais para apoiar a indústria de energia renovável. Como os investidores nestes sistemas de energia renovável podem confirmar, isenções de curto prazo podem prejudicar as indústrias emergentes, que tentam atrair capitais pacientes para aumentar a produção, o sistema de montagem e a distribuição de equipamentos e serviços. Estes são projetos amplos que exigem investimentos grandes e de longo prazo e, portanto, uma estrutura fiscal estável e de longo prazo — como a estrutura com que contam as indústrias de petróleo e gás, que ainda desfrutam dos incentivos fiscais estabelecidos há muitas décadas.

"É realmente triste", diz Rhone Resch, presidente da Associação das Indústrias de Energia Solar, "que em 1997 os Estados Unidos lideravam em tecnologia de energia solar, com 40% da produção mundial de energia solar. "No ano passado, tínhamos menos de 8%, e a maioria dos equipamentos que fabricávamos era destinada a mercados estrangeiros."

Quando estive com Resch, em abril de 2008, ele me falou sobre uma conversa que acabara de ter com um fabricante europeu de painéis solares, que estava pensando em fabricar seus produtos nos Estados Unidos. A parte de criação ficaria na Europa, disse ele, mas a montagem seria feita nos Estados Unidos, onde o dólar barato fazia tudo custar metade do preço para empresas com moeda estrangeira.

"Ele me disse: 'Vocês são a nova Índia'", conta Resch. "Eu senti um calafrio na espinha."

Apesar de todo o falatório das revistas e de políticos sobre a questão energética, se atentarmos ao que é feito, não ao que se fala, teremos de concluir que os Estados Unidos não têm nenhum sentimento de urgência no que se refere à pesquisa energética. É como se o Sputnik tivesse sido lançado* e o país fosse desafiado a se reinventar novamente, desta vez no setor energético. Mas, em vez de agir, estamos andando

* Sputnik — Em 1957, os soviéticos surpreenderam os Estados Unidos com o lançamento do primeiro satélite artificial. A resposta norte-americana foi um aumento maciço em gastos governamentais de educação e ciência, além do programa espacial. (N. da E.)

como sonâmbulos em direção ao futuro — esperando, tranquilamente, que tudo não passe de um pesadelo, do qual logo despertaremos, prontos para encher os tanques de nossos carros com gasolina barata.

Temos de retornar às origens. O trabalho do governo é incentivar pesquisas que produzirão avanços revolucionários na química, na ciência dos materiais, na biologia, na física e na nanotecnologia — que abrirão novos caminhos para os problemas energéticos, caminhos que serão desbravados pelos inovadores. As ideias mais promissoras poderão ser comercializadas por investidores de risco. Mas para que surja uma ideia realmente boa, uma espécie de "Google verde", são necessários milhares de cientistas e estudantes graduados fazendo experiências com diferentes opções.

"É para isso que existe o financiamento à pesquisa básica", explica Nate Lewis, da Caltech. "A ciência energética básica faz a seguinte pergunta: 'Como podemos criar coisas novas, com novos materiais e de maneiras novas?' O que tentamos definir em nossos laboratórios é a engenharia fundamental que diz: 'Eis um novo modo de fazer isso. Isso pode ser feito.'" É quando entram os capitalistas de risco, que investem dinheiro para que isso possa ser feito em grande escala e a baixo custo. Muitas vezes não é possível. "Mas é preciso existir a pesquisa prévia, não competitiva, para semear este jardim", diz Nate. "É preciso financiar cem ideias, pois sabemos que 99 não funcionarão, mas uma delas será o próximo Google. Quando alguém perguntou a Linus Pauling, duas vezes agraciado com o Prêmio Nobel, por que ele tinha tantas ideias boas, ele respondeu: 'Porque eu tenho muitas ideias.'"

Ninguém deve se iludir, achando que a comunidade de investidores de risco poderá substituir um maciço financiamento governamental no nível da pesquisa científica básica. A função do capitalista de risco é colher as flores que estão brotando, e tentar transformá-las em extensas lavouras. Mas, se ninguém plantar as sementes, não haverá nada para ser colhido.

O motivo para a escassez de investimentos de capital de risco no verde é a escassez de fundos do Departamento de Energia para pesquisas sobre energia renovável, explicou George P. Schultz, ex-secretário do Tesouro e ex-secretário de Estado. Desde que deixou o governo, Schultz se interessou vivamente pela tecnologia energética limpa, na qualidade de presidente da Força Tarefa sobre Energia da Instituição Hoover da Universidade Stanford. O mercado não apoia naturalmente a pesquisa básica, disse ele, porque as firmas de capital de risco não podem captar os benefícios da pesquisa básica de modo consistente — eles querem colher flores no solo da pesquisa básica. Portanto, acrescentou, "são necessárias fontes de apoio à pesquisa básica externas ao mercado. O governo e as fundações privadas precisam se responsabilizar pela pesquisa básica. Esta é provavelmente a tarefa mais importante de qualquer política energética futura e deve ser buscada de um modo generoso e contínuo. Ela será a fonte das inovações que realmente mudarão o jogo".

John Doerr, um dos capitalistas de risco mais bem-sucedidos do país, que, com seus sócios na lendária firma Kleiner Perkins Caulfield & Byers, contribuiu para o lançamento do Google, da Amazon, da Sun e da Netscape, concorda com Schultz: "Os capitalistas de risco não costumam financiar pesquisas básicas deliberadamente. Mas já fizemos isso de forma involuntária na Kleiner Perkins, em algumas ocasiões."

Mais um ou 2 bilhões de dólares de investimentos em pesquisa científica básica, efetuados pelo governo federal, podem fazer uma enorme diferença. "A quantidade de dinheiro destinada a essa área de pesquisas é apenas uma fração do que é necessário", diz Alivisatos. "Hoje em dia, quando você encontra estudantes de química, física ou biologia, e diz a eles que você quer que eles trabalhem em um projeto de energia solar, os olhos deles brilham. É na solução deste problema que milhares deles querem trabalhar, mas não existem bolsas de estudo para que eles possam desenvolver o trabalho."

Mas e aqueles que dizem que os cientistas estão sempre querendo mais financiamentos e sempre reclamando que o governo não está apoiando as pesquisas?

"Pode haver alguma verdade nessa declaração. Às vezes é difícil estabelecer prioridades — e nós sempre procuramos obter o máximo", diz Alivisatos. "Mas é bom lembrar o que aconteceu no último ciclo orçamentário: setecentas propostas de pesquisas na área de energia solar foram rejeitadas no ano fiscal de 2008. O Departamento de Energia anunciou que estudaria propostas para pesquisas e a resposta foi esmagadora. Cientistas de todas as partes do país apresentaram propostas, mas o dinheiro não se materializou. O Departamento tem realmente tentado. Achou que teria 35 milhões de dólares para gastar com pesquisas básicas de energia solar. Recebemos 5 milhões para o nosso projeto, e fomos um dos poucos candidatos a obter financiamento. Pense no potencial — pense em quantos cientistas e estudantes graduados estão prontos para trabalhar nessa área, e em como eles foram descartados. Milhares de cientistas que desejam trabalhar no problema energético não conseguem realizar seu objetivo nos dias de hoje."

Os números contam, pois precisamos pensar em inovações no setor energético de modo muito mais estratégico do que fizemos no passado, segundo Steve Chu, vencedor do Nobel, que dirige o Laboratório Nacional Lawrence Berkeley. Chu reformulou toda a pesquisa energética do laboratório, quebrando as tradicionais paredes divisórias entre a física, a biologia, a ciência dos materiais, a química e a nanotecnologia, e reunindo especialistas de todas essas áreas nas mesmas equipes, onde cada especialidade alimenta a outra. Ele acha que os verdadeiros avanços ocorrerão nas interseções dessas especialidades. Portanto, é preciso que muitas pessoas, de muitas disciplinas, trabalhem no problema.

"Precisamos apoiar a comunidade de pesquisa energética de modo mais amplo, mas também temos de nos concentrar em alguns grandes centros de pesquisa, que possuem massa crítica — onde há um grande número de diferentes cientistas, trabalhando em muitas possibilidades diferentes, com diferentes formas de colaboração", diz Chu. "Quando ingressei na Bell Labs, como jovem cientista, foi uma experiência que transformou minha vida. Entrei em um prédio com milhares de cientistas de categoria internacional — que formavam equipes para trabalhar no mesmo problema. Embora muitas das pesquisas inovadoras sejam feitas em nossas universidades, precisamos de alguns lugares que concentrem um grande poder de fogo intelectual, trabalhando no mesmo problema energético sob o mesmo teto... Este problema não tem uma solução simples. Nós ainda não encontramos as respostas."

E Chu acrescenta: "Mas o que me deixa realmente otimista é estar na companhia de meus próprios alunos, e conversar com estudantes de todo o país. Eles querem trabalhar nesse problema. Eles perceberam que o problema energético se transformou em uma crise nacional e internacional, e querem se juntar a nós para resolvê-lo. Infelizmente, com o financiamento à pesquisa energética básica quase estagnado, nossos estudantes estão fazendo fila para se alistar, mas os postos de recrutamento continuam fechados."

De fato, antes de o presidente Obama chegar ao poder e revigorar o compromisso do governo federal com a pesquisa energética, nós estávamos ficando para trás de uma maneira muito perigosa. Antes de 2009, a soma de todos os dólares federais que iam para a pesquisa energética — incluindo pesquisas com petróleo, gás e carvão, além da energia solar — chegava a cerca de 3 bilhões de dólares de dinheiro governamental e uns 5 bilhões do setor privado e de fundos de capital de risco, soma quase equivalente ao custo de "nove dias de combate no Iraque" no auge da guerra — afirmou Daniel M. Kammen, especialista em política energética da Universidade da Califórnia, em Berkeley. Nos Estados Unidos, a energia é uma indústria de um trilhão de dólares anuais, o que significa que reinvestir aproximadamente 8 bilhões de dólares em pesquisa e desenvolvimento representa 0,8% dos rendimentos. Mas mesmo esse irrisório 0,8% da receita tem enfrentado altos e baixos, como uma montanha-russa, desde o primeiro choque do petróleo nos anos 1970, acrescenta Kammen, e isto tem prejudicado o mundo da pesquisa energética. "Nenhum pesquisador pode construir um laboratório e contratar os melhores estudantes graduados quando o dinheiro sobe e desce todos os anos. Os estudantes realmente bons seriam tolos de trabalhar nessa área, em vez de nas áreas de biotecnologia ou tecnologia da informação, que dispõem de recursos para a conclusão de seus projetos, e lhes dão a garantia de um emprego depois de formados."

Compare isso com a área de saúde, diz Kammen. O orçamento nacional para a saúde aumentou de forma planejada. De 1982 a 1990, o orçamento dos Institutos Nacionais de Saúde praticamente dobrou, permanecendo alto desde então — portanto isto é possível. E não houve nenhuma crise específica no sistema de saúde. "Paralelamente ao crescimento do orçamento federal, os investimentos privados em pesquisa e desenvolvimento na área de saúde aumentaram em 14 ou 15 vezes", constata Kammen, "o que mudou todo o quadro. Os capitalistas perceberam que havia seriedade no setor e investiram. Agora, dizemos que a nossa revolução biotecnológica foi um grande sucesso".

Jeffrey Immelt, da GE, grande fabricante de equipamentos de saúde, calcula que a diferença de gastos em pesquisa e desenvolvimento, entre as indústrias da saúde e da energia, durante os últimos vinte anos, seja da ordem de 50 bilhões de dólares, a favor da saúde. Consideremos o problema historicamente: até 2003, a energia nuclear recebera 56% das verbas, destinadas desde 1948, pelo Departamento de Energia, à pesquisa de desenvolvimento do setor energético. Os combustíveis fósseis — carvão, petróleo e gás natural — tinham recebido 24%, a energia renovável, 11%, e a eficiência energética, 9%, segundo o estudo "Energia Renovável", publicado em 25 de maio de 2005 pelo Serviço de Pesquisas do Congresso.

Por sorte, esta abordagem displicente da pesquisa energética mudou ultimamente, graças ao governo Obama e à crise econômica. No primeiro ano o presidente Obama fez mais para impulsionar as tecnologias energéticas limpas e renováveis do que qualquer presidente na história do país. A sua Agência de Proteção Ambiental (EPA, na sigla em inglês) deu um passo ousado e histórico ao declarar que o dióxido de carbono e outros gases que acumulam calor são poluentes que ameaçam a saúde pública. Logo depois, a EPA fez outra jogada sem precedente — impôs os primeiros limites às emissões dos gases do efeito estufa de carros e caminhões, uma atitude que levará a outras melhorias na economia dos combustíveis. A Lei de Recuperação e Reinvestimento Econômico, o pacote inicial de estímulo para ajudar a economia a se recuperar da Grande Recessão, injetou mais de 60 bilhões de dólares nos investimentos em energia limpa. Isto incluiu 11 bilhões para uma rede elétrica maior, melhor e mais inteligente, que vai levar energia renovável das áreas rurais onde é produzida para as cidades famintas de energia, além de instalar 40 milhões de medidores inteligentes nas residências americanas; 5 bilhões serão empregados na climatização de residências em bairros de baixa renda, para capturar energia desperdiçada; 4,5 bilhões serão empregados nos edifícios federais para diminuir as contas de energia do país; 6,3 bilhões vão para energia renovável local e nos estados e para os esforços em prol da eficiência energética; 600 milhões irão para programas de treinamento em trabalhos verdes e 2 bilhões para financiamentos competitivos para desenvolver a próxima geração de baterias para armazenar energia.

"Agora é possível discutir os aumentos reais e sustentáveis dos gastos federais em energia segundo a realidade dos orçamentos de 2010 e 2011", afirmou Kammen. "Então, agora temos o momento de investimento que exigem a climatologia e a necessidade de reinventar. Podemos evoluir da animação de curto prazo para uma estratégia de longo prazo? A comunidade da saúde e da biotecnologia levou uma década discutindo e fazendo lobby para defender, e obter, a duplicação do orçamento federal para pesquisas médicas nos Institutos Nacionais de Saúde. O fator para conseguir este aumento — *e, muito mais importante, fazer relativamente bom uso dele* — foi o rápido crescimento dos investimentos do setor privado em pesquisa e desenvolvimento médico e em biotecnologia."

Não há dúvida de que os preços geralmente mais altos do petróleo cru nos últimos três anos estimularam mais investimentos dos gigantes tradicionais dos combustíveis fósseis e dos capitalistas de risco em energia solar e eólica e nos biocombustíveis. "Para que tenha importância a longo prazo, porém, esta tendência deve prosseguir e crescer com programas, departamentos e divisões de energia verde se tornando a norma nos empreendimentos comerciais, tanto pequenos como grandes", concluiu Kammen.

Para que isto aconteça — para que o setor privado alavanque investimentos do setor público em pesquisa e desenvolvimento de energia limpa e os leve ao mercado — deve haver um sinal de preço significativo, fixo e de longo prazo. Todo o investimento em pesquisa energética, que é tão importante, não terá impacto sem uma elevação constante dos preços do carbono e da gasolina. Não devemos nos iludir como fizemos por tantos anos: o preço é tudo, como argumentei antes. Sem um preço fixo, em elevação e de longo prazo sobre o carbono, nenhuma das iniciativas de tecnologia limpa de Obama alcançarão a escala necessária para afetar as mudanças climáticas e fazer dos Estados Unidos o líder em tecnologia energética que deveria ser. Ainda não está claro se o Congresso americano imporá este significativo sinal de preço, mesmo indiretamente, por meio da legislação do *cap-and-trade*. Não existe mercado sustentável de tecnologia energética sem sinais de preço que atraiam os consumidores para as opções que mais economizam energia e sem recompensas claras para os investidores que se engajarem no financiamento contínuo da inovação e produção de elétrons livres de emissões. Você pode conseguir muita inovação, mas não vai conseguir comercializá-la na escala e variedade necessárias e, no final das contas, o que importa é levar inovação ao mercado. Como afirmou David Hawkins, diretor dos programas de clima do Conselho de Defesa dos Recursos Naturais, num depoimento ao Congresso (7 de julho de 2009): "A principal barreira a uma economia de energia limpa não é a falta de criatividade dos americanos, nem a escassez de recursos financeiros; é a ausência de recompensas previsíveis de mercado poderosas e sustentadas, indispensáveis para motivar os inovadores do setor privado a investirem em opções de baixo carbono para colocar no mercado em substituição aos produtos e serviços que ignoram a pegada de carbono."

Só um sistema baseado no mercado nos permitirá colocar rapidamente a nossa massa de capital em funcionamento para substituir casas, veículos, fábricas, sistemas de energia e lâmpadas por outros que empregam muito menos energia e emitem muito menos CO_2. É a única maneira de os Estados Unidos crescerem de maneira sustentável. Ainda que procuremos uma saída fácil, não há outro modo: a falta de um preço sério no carbono significa que não há revolução verde séria. Porque os consumidores não exigirão estas novas tecnologias e, portanto, você não terá produtores com um conjunto consistente de incentivos para fornecê-las. Em vez disso, terá um monte de empresas concentradas no uso dos novos incentivos governamentais para ganhar dinheiro com a energia renovável. Eles não pensarão no consumidor, mas nos incentivos. Alguns farão dinheiro, novas tecnologias surgirão — mas elas não se ampliarão sem um sinal de preço significativo e de longo prazo. Politicamente, porém, isto ainda parece uma ideia impossível tanto para os democratas quanto para os republicanos. Agora você entende por que sonho sobre ser a China por um dia. Só por um dia...

O único consolo — quando se compara quanto estamos investindo em pesquisa na área de saúde, e quanto estamos investindo na área de pesquisa energética —, diz Joseph Romm, alto funcionário do Departamento de Energia durante o governo Clinton, é este: "Pelo menos, as pessoas vão viver o bastante para perceber como bagunçamos as coisas."

Na verdade, a última vez que a nossa liderança fez um investimento em energia, aumentando de 2,5 bilhões de dólares para 6 bilhões de dólares o orçamento destinado à pesquisa no setor, entre 1977 e 1980, alguns dos programas que receberam verbas não eram tão bons, segundo Kammen. "Nem sempre fizemos as melhores apostas, mas obtivemos alguns sucessos espetaculares. A ciência e a tecnologia da energia solar avançaram aos saltos, como resultado desse dinheiro. Grande parte da tecnologia aplicada na energia solar hoje, quando a indústria está se expandindo, foi desenvolvida naquele período." Mas o lado negativo de nossa falta de perseverança é que muitas das inovações ficaram em poder de empresas americanas que, por falta de mercado interno, foram compradas por firmas japonesas ou europeias. Portanto, os contribuintes americanos, na verdade, acabaram financiando pesquisa e desenvolvimento para outros países.

Como isso pôde acontecer? "Desde 1945, a economia dos Estados Unidos teve de se reinventar a cada dez ou 15 anos, para que a oferta de empregos continuasse a crescer", diz Kammen. "Um grande aumento na oferta de empregos surge no rastro de ondas de inovação tecnológica — como a TI e a biotecnologia. O próximo boom tecnológico será o da energia limpa, mas isto ainda não foi percebido por nossos analistas de política macroeconômica. Os países que mais crescem são os que inovam. Se não criarmos novas tecnologias para a produção de energia limpa, ficaremos para trás na próxima explosão econômica — não importa o que digamos. A Índia, a China e a Indonésia já estão instalando usinas de energia renovável." Temos de vender, para estes países, a próxima geração de tecnologia de ponta para a produção de energia solar fotovoltaica, solar térmica, eólica, geotérmica e outras renováveis — nas quais ainda temos a liderança, tanto na concepção quanto na fabricação.

Mas não estamos aproveitando a oportunidade. Não conseguiremos reformular uma indústria energética de um trilhão de dólares gastando menos de 1% de sua receita em pesquisa e desenvolvimento — quando a norma para outras indústrias é de 8 a 10%.

Caso você ache que uma atitude assim não tem consequências danosas, deixe-me contar a história da First Solar Inc., provavelmente a primeira empresa americana de energia solar. Aviso: esta história pode fazer você chorar...

A First Solar iniciou suas atividades em Toledo, Ohio. Ao contrário de outras empresas, que usam silicone para fabricar células solares, a First Solar gera eletricidade com finas lâminas de cádmio-telúrio (material semicondutor fabricado com cádmio e telúrio) revestidas em vidro. Estas células solares de cádmio-telúrio não são tão eficientes quanto as de silicone, mas são mais baratas, operam sob as mais variadas condições climáticas e quase não aparecem na fachada de um edifício. Mike Ahearn, diretor-presidente da empresa, continua a história:

"Começamos em 1992", diz ele, "quando um pequeno grupo de cientistas e engenheiros se reuniu e desenvolveu uma tecnologia para passar finas lâminas de material semicondutor em lâminas de vidro, mais ou menos como em uma tela plana de TV. Estas lâminas foram transformadas em painéis solares capazes de reduzir o custo da eletricidade solar, a tal ponto que poderiam ser usados para suprir a maior parte das necessidades diárias de energia do mundo industrializado; e fornecer energia acessível a milhões de pessoas do planeta que vivem hoje com pouca ou nenhuma eletricidade. Poderiam também começar a fornecer energia, a preços acessíveis, para milhões de pessoas em nosso planeta, que hoje vivem com pouca ou nenhuma eletricidade. Durante 12 anos, nossos associados lutaram para transformar uma tecnologia patenteada em um processo funcional de fabricação, enfrentando fracassos técnicos, crises de financiamento, atritos trabalhistas e uma série de outros problemas. Durante aquela época difícil, quando parecia que teríamos de fechar as portas por falta de recursos, John Walton — um dos investidores da First Solar e da família cuja fortuna se fez com a rede Wal-Mart — continuou a nos apoiar enquanto aperfeiçoávamos o processo. Só no final de 2004, após investimentos de mais de 150 milhões de dólares, a primeira linha de produção, ainda pequena, se tornou realmente operacional".

Essa linha de produção, que usa equipamentos criados e construídos pela própria First Solar, pode produzir grandes volumes de células solares e pode ser instalada em qualquer lugar do mundo — o que não é coisa fácil no negócio de energia solar.

"Durante os três anos seguintes, aumentamos nossa produção anual em cerca de 800%, e nos tornamos um dos maiores fabricantes de módulos solares do mundo", diz Ahearn. "Nossa receita anual cresceu de 6 milhões de dólares para mais de 500 milhões de dólares, no final de 2007, e conseguimos cortar o custo de módulos solares — de 3 dólares por watt, em 2004, para 1,12 dólar por watt no final de 2007 —, o que corroborou nossa expectativa inicial e demonstrou o poder da tecnologia de semicondutores combinada com a produção em escala. Em novembro de 2007, abrimos o capital. Hoje, temos uma capitalização de mercado em torno de 20 bilhões de dólares. Quando contei esta história a um amigo, ele comentou: 'Só mesmo nos Estados Unidos.' E é verdade que nossa história, à primeira vista, tem todas as características do sonho americano. Mas na verdade, em grande parte, a First Solar é uma história de sucesso alemã."

Como? "Em 2003", explica Ahearn, "entramos em operação e começamos a procurar mercados que nos garantissem a produção em massa de que precisávamos para nos tornar mais eficientes. Na época, o Japão era o país número um em incentivos à utilização de energia solar, principalmente em residências — situação que perdurava desde 1990. Era um esforço muito bem estruturado do Ministério da Economia,

Comércio e Indústria, que havia colocado a Sharp, a Kyocera, a Sanyo e a Mitsubishi na liderança mundial do mercado de energia solar. A Sharp tinha a maior fatia do mercado japonês. As empresas japonesas tinham canais de abastecimento, produção e distribuição organizados em um modelo eficiente, que lhes permitia massificar a produção. Isto as tornava capazes de oferecer os equipamentos de energia solar mais baratos do mercado. O mercado japonês, maior que todos os demais mercados somados, era vedado, de forma eficaz, a empresas não japonesas".

"Então dissemos: 'Vamos precisar do nosso Japão, se quisermos nos expandir e reduzir os custos. Mas onde iremos encontrar um patrocinador para nos alavancar?' Nós tínhamos inventado aqui uma incrível tecnologia, tudo indicava que iria funcionar, e nossos cientistas e engenheiros me diziam: 'Onde é que nós vamos encontrar mercado para 25 megawatts?', que era a meta de nossa produção anual. E eu dizia a eles: 'Vocês resolvem os problemas técnicos e nós vendemos o produto.' Mas então comecei a olhar em volta e perguntar a mim mesmo: 'Onde é que *nós* vamos vender isso?' Precisávamos encontrar um meio de colocar grandes volumes de nosso produto no mercado, para possibilitar a redução dos custos. Assim, poderíamos começar a reduzir nossos preços para o patamar do preço ao consumidor americano de 8 a 10 centavos de dólar o quilowatt-hora — o ideal para conquistar grandes mercados. Para isso, teríamos que vender nossos painéis solares a um preço entre um e 1,25 dólar por watt. Na época, em 2003, nossos custos de fabricação estavam acima de 3 dólares por watt; portanto, tínhamos um longo caminho pela frente. Realmente precisávamos encontrar um lugar onde pudéssemos vender em grande quantidade."

"Como é natural, essa empresa americana, sediada no Arizona, com sua principal fábrica em Ohio, pretendia explorar o mercado americano de energia solar. O problema era que não havia um mercado americano de energia solar. E ninguém, em Washington, ou em outro lugar, estava particularmente interessado em criar um, mesmo levando em consideração que os empregos na indústria solar são basicamente manufatureiros: não é preciso abrir minas, cavar buracos, perfurar poços — basta montar coisas."

"Fomos a Washington e, depois, a muitos estados no sudoeste", Ahearn lembra. "Dissemos a algumas empresas de eletricidade: 'Estamos dispostos a perder dinheiro só para iniciar.' Nós sabíamos que, à medida que nossa produção aumentasse, os custos cairiam. Mesmo assim, ninguém se interessou. Naquela época, tínhamos cem funcionários... Conversamos com congressistas do Arizona e de Ohio. Todos se opunham a usar o dinheiro dos contribuintes em subsídios. Não conseguíamos fincar pé. Com o apoio de John Walton, dissemos a todos: 'Nós assumiremos os riscos, só nos digam que irão comprar a energia.' Muitos funcionários subalternos aceitavam, mas quando a coisa chegava lá em cima, parava..."

"Foi quando decidimos ir até a Alemanha."

"Em 1990", continua Ahearn, "o ano da reunificação, o governo alemão promulgou a primeira lei *feed-in* para a energia solar. A lei *feed-in* é um programa de incentivo à demanda, muito utilizado fora dos Estados Unidos e tão disseminado na Alemanha, que esta se tornou o maior mercado mundial para equipamentos de energia solar. A lei teve um início tímido, mas, em 2004, os alemães disseram a si mesmos: 'Como vamos levar o setor privado a financiar e investir para valer em tecnologia e equipamentos?' Então decidiram perguntar aos usuários finais — residências ou empresas: 'Qual é o patamar de tarifas que faria você mudar para isto?' Assim, em 2004, eles alteraram suas taxas de *feed-in*. Disseram a todos os consumidores alemães: 'Se você instalar um sistema solar em sua casa ou escritório, fazenda ou terreno — se você instalar um sistema solar em qualquer lugar —, a empresa de eletricidade local tem que se conectar com o sistema e pagar a você pelos quilowatts-hora excedentes que seu sistema solar fornecer à rede elétrica — por um preço fixado por lei nacional e válido por vinte anos.' *Por vinte anos!* Não há nem o que pensar".

A cada ano — e isso foi muito inteligente — a tarifa *feed-in* dos novos projetos solares que entram em operação na Alemanha é 5% mais baixa que a tarifa do ano anterior, para estimular aumentos na eficiência. Pesquisas sobre as curvas de aprendizagem demonstram que, quando as vendas dobram, há uma redução de cerca de 20% no preço. Portanto, o volume conta. Quanto maior o volume, mais rapidamente se desce a curva de aprendizagem em direção ao patamar de preço que permitirá a massificação da produção em países como a China e a Índia.

"Depois que fizemos o teste de mercado inicial na Alemanha, percebemos que o programa *feed-in* vai criar um mercado que nos permitirá massificar. Percebemos também que o programa tinha criado um centro de excelência tecnológica, com um monte de inovadores surgindo", diz Ahearn. "Acabamos empregando ou nos associando a diversos cientistas e engenheiros alemães. A contribuição deles tem sido decisiva para o nosso sucesso. Hoje, mais da metade do equipamento usado em nossas linhas de produção é de fabricação alemã. Os fornecedores sediados no leste da Alemanha estão entre nossos parceiros comerciais mais importantes."

Enquanto isso, em casa: "O mercado americano estava totalmente fragmentado — é impossível imaginar a produção em massa aqui", diz Ahearn. "Além da Alemanha, que aumentou sua demanda em 2004 e nos lançou no mercado, Espanha, Itália, França, Grécia e Portugal criaram mercados muito semelhantes, com a adoção das tarifas *feed-in*. Isso resultou em um grande influxo de capital em todas as cadeias de valor da Europa. Ao contrário dos Estados Unidos, onde programas de incentivo do governo começam e terminam a cada dois anos, e ninguém sabe quando os subsídios serão criados ou extintos, o programa alemão não tem limites de tempo, e os incentivos para os projetos de geração de energia solar já existentes são garantidos por, pelo menos, vinte anos. Não havia nenhum suspense por lá. Começamos com uma linha de produção, instalada em Ohio, depois implantamos mais duas. Então tivemos de construir mais uma fábrica. Onde deveria ser instalada? Decidimos construir a fábrica no leste da Alemanha — na cidade de Frankfurt Oder — com 540 empregos bem-remunerados. Sabíamos que, se construíssemos na Alemanha uma fábrica que demorasse dois anos a entrar em operação, o mercado ainda estaria lá. Se construíssemos nos Estados Unidos, não poderíamos ter certeza. Então, procuramos nossos clientes alemães e assinamos contratos de longo prazo, com preços progressivos; assim, sabíamos que poderíamos recuperar o investimento. Podíamos planejar todo o nosso fluxo de caixa..."

Como o mercado da Alemanha era tão desenvolvido, graças à lei *feed-in*, "uma ampla rede de distribuidores e criadores de sistemas de energia solar se formou no país, com grande capacidade técnica, e nos ajudou a colocar o produto no mercado, de forma eficiente", diz Ahearn. "Criamos em Mainz uma subsidiária para vendas e marketing, apoiada por uma equipe de suporte técnico, que hoje forma nossa base mundial de vendas e marketing. Bem mais da metade de nossa receita continua a vir da Alemanha... Na verdade, aquele aumento de 800% que eu mencionei foi gerado principalmente em nossa fábrica de Frankfurt Oder. Essa é a maior fábrica de película solar do mundo e representa um dos maiores investimentos diretos na indústria de energia solar já feitos por um país estrangeiro."

Essa fábrica poderia e deveria ter sido construída em Ohio, mas "queríamos ficar perto de nossos clientes e demonstrar ao governo alemão que, com base em seus investimentos para criar um mercado, estávamos em condições de proporcionar retorno econômico para a região", diz Ahearn. "E o leste da Alemanha é um bom lugar para se instalar uma fábrica. Tem pessoas bem treinadas, uma boa infraestrutura fabril, economia estável e boa organização social e política. Também conseguimos obter incentivos fiscais oferecidos pela União Europeia e pelo governo alemão... O governo alemão nos deu uma chance e nós achamos que deveríamos retribuir. Eles deram o primeiro passo e nos pagaram para ver se nossa teoria iria dar certo. Então, nos transformamos em uma empresa alemã."

O mundo — a maior parte do mundo — acompanhou o desenrolar dos fatos. "Países do mundo inteiro estão entrando em contato conosco, para que a nossa próxima fábrica seja construída em um deles. Mas, até agora, ninguém telefonou dos Estados Unidos..."

Entre 2006 e 2008, a capitalização da First Solar no mercado passou de 1,5 bilhão de dólares para 20 bilhões de dólares. Seria de se esperar que isto atraísse a atenção dos congressistas de Ohio. Mas não atraiu. Durante a implementação da lei de energia de 2007, foi discutida a necessidade de se criar uma agenda nacional para a energia renovável — que realmente teria favorecido o mercado americano de energia solar — e de se estender em 30% o prazo dos incentivos fiscais para a instalação de energia solar. George Voinovich, senador republicano de Ohio, votou contra ambas as medidas. Nenhum congressista do Michigan ousaria votar contra a indústria automobilística, que há anos está no vermelho (e demitindo funcionários). Mas, quando se trata de promover uma indústria totalmente nova, que de fato gera empregos, grandes lucros e novas tecnologias, os senadores republicanos votam com seu partido e contra os interesses de empresas locais extremamente importantes.

"O que esses senadores disseram a você?", perguntei a Ahearn. "O que sempre ouvimos", respondeu ele, "é que a energia renovável tem muito apoio, mas é vítima de maquinações políticas. Se a politicagem pode impedir o desenvolvimento de uma indústria inteiramente nova, isto significa, no mínimo, que o país atravessa um vácuo de liderança".

Eu entendo de política. Não sou ingênuo. Mas também entendo que uma crise pode representar uma oportunidade. Como meu amigo Paul Romer, ex-economista da Universidade Stanford, gosta de dizer: "Uma crise é uma coisa terrível para se desperdiçar."* Mas estamos exatamente nesse caminho.

Você já está chorando?

Soprando no vento

Transformar o Sistema de Combustíveis Sujos em um Sistema de Energia Limpa é uma coisa realmente difícil, mesmo com a melhor das intenções, mesmo que não déssemos tiros em nossos próprios pés. E não é difícil apenas em termos científicos. Digamos que surja um avanço tecnológico revolucionário na produção de energia limpa. Ainda assim, seria absurdamente difícil instalar linhas de transmissão que possam ser integradas em uma rede inteligente. Pergunte ao pessoal da Southern California Edison, empresa de eletricidade que tem mais

* Referência ao lema do anúncio do United Negro College Fund (Fundo Unido de Estudo Superior para Negros), que passa na televisão americana há mais de três décadas: "Uma mente é uma coisa terrível de se desperdiçar." (N. da E.)

energia renovável em seu arsenal do que qualquer outra no mundo. Eu perguntei aos seus executivos: como é que se adiciona uma fazenda eólica ao sistema? Parece fácil, certo? Vamos acrescentar um pouco mais de vento. Uma fazendinha de vento. Sem problema.

Só se você tiver à disposição um período de 11 anos.

Eis a história: graças à lei de energia renovável da Califórnia, muitas pessoas investiram em energia eólica naquele estado. O único problema é que os lugares onde o vento sopra com mais força e por mais tempo, e onde se podem instalar turbinas de vento sem incomodar muito as pessoas, estão muito longe das grandes cidades. Como a SoCalEd desejava comprar energia eólica em grande quantidade, teve de instalar uma nova linha de transmissão de energia das grandes e novas fazendas eólicas no passo de Tehachapi, ao norte da Base Aérea de Edwards, até Los Angeles. Custo da instalação: 2 bilhões de dólares. Distância: 442 quilômetros. A primeira dificuldade foi planejar o sistema de transmissão, no que é conhecido como "estudo de processo de interconexão". Este processo inclui uma "descoberta de necessidade" para a nova linha, que rota deverá tomar e, mais importante, quem pagará por ela. No caso da SoCalEd, o processo desencadeou uma luta a respeito de quanto da nova linha serviria realmente para transportar energia eólica renovável, quanto serviria apenas para aumentar a confiabilidade da rede e quem deveria pagar por cada parte. Todo mundo teve vez neste processo — inclusive a Comissão Reguladora da Energia Federal e a Operadora de Sistemas Independentes da Califórnia, uma organização de utilidade pública, sem fins lucrativos, encarregada de operar a maior parte da rede elétrica de alta voltagem da Califórnia. Foi um processo aberto. Os proprietários das fazendas eólicas compareceram com mapas, sugerindo onde as linhas de transmissão deveriam ser localizadas e quanto eles deveriam pagar.

Depois de meses nessa luta, diz Ron Litzinger, vice-presidente de transmissão e distribuição da Southern California Edison, "nós finalmente dissemos: 'Olha, nós vamos pagar tudo, o apoio das políticas públicas deve assegurar o retorno do investimento. Vocês poderiam, por favor, largar os lápis para que a gente possa continuar?'"

Aí começa a parte divertida.

"São precisos dois anos para concluir o processo de estudos", diz Litzinger. "Depois, temos um ano para fazer uma avaliação ambiental ao longo da rota, para estudar o tipo de vegetação que cresce lá, e quais espécies ameaçadas poderemos encontrar. Então, gastamos mais um ano e meio com a Comissão de Empresas de Utilidade Pública. Eles reconfirmam a 'descoberta de necessidade', reexaminam nossa avaliação ambiental e contratam uma firma para fazer uma avaliação ambiental independente. Também temos que atravessar território federal, e isto é sempre um problema, porque temos de obter uma autorização separada de cada agência federal. As leis federal e estadual não estão sincronizadas nesses assuntos. O funcionário do Departamento de Florestas Nacionais diz: 'Eu não quero uma linha de transmissão passando pela minha floresta.' Temos que resolver isto também... Depois, temos de apresentar um plano de mitigação ambiental, explicando como pretendemos mitigar os danos ambientais que possam ocorrer ao longo da rota. Só depois desta aprovação, a coisa pode andar. Na melhor das hipóteses, uma linha de transmissão leva cinco anos para ser aprovada, do início do processo até você ter em mãos a autorização e a rota."

Todas essas avaliações são importantes — se somos ambientalistas, não podemos desdenhá-las. Mas não dá mais para ser ambientalista, sem querer achar um meio de encurtar essas avaliações, para que os bons projetos sejam construídos em um prazo razoável.

A construção, em si mesma, leva apenas dois anos — menos da metade do tempo gasto com as autorizações. "Nós podemos obter 4.500 megawatts em Tehachapi", diz Litzinger. "Iniciamos o projeto em 2002 e hoje (25 de fevereiro de 2008) temos autorizações para um terço dele. Começamos a instalação em 3 de janeiro de 2008. Esperamos começar a fornecer um pouco da energia, cerca de 700 megawatts, para a área de Los Angeles, por volta de 2009. A coisa toda estará autorizada, construída e operacional por volta de 2013 — 11 anos ao todo."

Onze anos para se conectar totalmente a uma fazenda eólica. Não creio que este cronograma seja recomendável em um mundo onde, a cada duas semanas, a China coloca em operação novas usinas a carvão grandes o bastante para abastecer todas as casas de Minneapolis, minha cidade natal. Sim, você pode dizer que é relativamente fácil construir usinas sujas, alimentadas a carvão — e você tem razão. É muito mais difícil construir usinas que sejam limpas e supereficientes. No presente momento, a China está construindo, principalmente, usinas sujas. Mas logo os chineses estarão instalando fazendas eólicas, instalações solares e usinas nucleares com a mesma eficiência implacável. Pode apostar nisso. Vai demorar, mas eles vão acabar tentando ser mais verdes do que nós. Terão de fazer isso, ou não vão poder respirar.

E nós? Iremos nos tornar mais eficientes? Não podemos ser a China por um dia, nem temos de ser, nem devemos querer ser. Mas essas fantasias que passam pela nossa cabeça demonstram como a política energética americana, no momento, é incoerente, improvisada e caótica. Se não conseguirmos encontrar um meio de superar todas as nossas fraquezas e conceber uma estratégia energética inteligente, nossa geração pode se preparar para uma aposentadoria desconfortável — e algumas perguntas realmente desagradáveis de nossos filhos. "Eu sempre acreditei", diz Jeffrey Immelt, "que cada geração olha para a geração anterior e faz uma pergunta importante sobre o que ela fez e o que ela não fez. Para a nossa geração, a pergunta importante era: 'Como boas pessoas podiam ter tantos preconceitos contra os negros e as mulheres?' Estou convencido de que, quando nossos filhos tiverem 50 anos e olharem para nós, vão nos perguntar: 'O que vocês estavam pensando? Vocês eram o país mais rico do mundo. Tinham tecnologia para enfrentar coisas como o aquecimento global. Por que vocês foram tão lentos para fazer as coisas certas?' Eles vão dizer: 'Meu Deus, vocês estavam fazendo o quê?'"

DEZENOVE

Uma China democrática ou uma república das bananas?

Há uma história sobre o conselho de um jardineiro chinês ao seu patrão. Quando o proprietário perguntou: "Qual é a melhor época para plantar o carvalho?", o jardineiro respondeu: "Cem anos atrás, mas a segunda melhor época é hoje." Para a proteção climática, talvez a melhor época para implementar um programa abrangente de combate ao aquecimento global seja trinta anos atrás, mas a segunda melhor época é este ano.

— David Hawkins, diretor de programas climáticos do Conselho de Defesa dos Recursos Naturais

O que nós estávamos fazendo para mudar o mundo, durante os anos em que éramos a única superpotência do planeta? Na verdade, esta é uma pergunta que nossos filhos já estão fazendo há algum tempo. Em julho de 2007, participei de uma conferência sobre tecnologia verde, no Colorado, que reuniu alguns dos principais inovadores e cientistas do mundo no setor energético, sob os auspícios da Kleiner Perkins Caulfield & Byers, a firma de investimentos de risco. Foi uma discussão estimulante, às vezes profundamente técnica, conduzida por especialistas em clima e energia. No final da conferência, nossos anfitriões disseram que queriam nos mostrar uma velha reportagem de TV. Na tela surgiu um vídeo, ligeiramente granulado, mostrando a Conferência das Nações Unidas sobre Meio Ambiente e Desenvolvimento realizada em 1992 no Rio de Janeiro. Uma menina de 12 anos com o nome de Severn Suzuki, do Canadá, falava à sessão plenária da cúpula no Rio. Algumas vezes a câmera mostrava ministros de Meio Ambiente de todo o mundo, que ouviam cada palavra com enlevada atenção — assim como nós. O discurso de Suzuki foi um dos manifestos mais eloquentes que já ouvi — de qualquer pessoa, de qualquer idade — sobre o propósito estratégico e moral de uma revolução verde, no limiar da Era da Energia e do Clima. Pode ser lido tão bem quanto foi proferido. Eis um trecho:

> Olá, meu nome é Severn Suzuki, e falo em nome da ECO, a Environmetal Children's Organization (Organização das Crianças em Defesa do Meio Ambiente). Somos um grupo de crianças de 12 e 13 anos tentando fazer alguma coisa: Vanessa Suttie, Morgan Geisler, Michelle Quigg e eu. Levantamos o dinheiro para viajar 8 mil quilômetros e vir até aqui, para dizer a vocês, adultos, que vocês devem mudar seus costumes. Ao vir aqui hoje, não tenho nenhuma intenção oculta. Estou lutando pelo meu futuro. Perder meu futuro não é como perder uma eleição ou alguns pontos no mercado de ações. Estou aqui para falar por todas as gerações que virão. Estou aqui para falar em nome das crianças que passam fome no mundo, e cujo choro ninguém escuta. Estou aqui para falar em nome do número incontável de animais que estão morrendo em todo o planeta, porque não têm mais nenhum lugar para ir. Eu agora tenho medo de apanhar sol, por causa dos buracos na camada de ozônio. Tenho medo de respirar, porque não conheço as substâncias químicas que podem estar no ar. Eu costumava pescar com meu pai em Vancouver, minha cidade, até que, poucos anos atrás, encontramos um peixe cheio de feridas cancerosas. E agora ouvimos falar de animais e plantas que são extintos todos os dias — desaparecem para sempre. Eu sempre sonhei em ver as grandes manadas de animais selvagens, bosques e florestas pluviais cheias de pássaros e borboletas; mas agora me pergunto se essas formas de vida sobreviverão para que meus filhos as vejam. Vocês precisavam se preocupar com essas coisas quando tinham a minha idade? Tudo isso está acontecendo diante de nossos olhos e nós agimos como se

tivéssemos todo o tempo que quisermos, e todas as soluções. E sou apenas uma criança e não tenho todas as soluções. Mas, quero que vocês compreendam, vocês também não têm. (...) Vocês não sabem como fazer um salmão subir um rio seco. Vocês não sabem como trazer de volta um animal que está extinto. E vocês não podem trazer de volta as florestas que antes cresciam onde agora é deserto. Se vocês não sabem como consertar, por favor, parem de quebrar!...

Na escola, até no jardim de infância, vocês nos ensinam como devemos nos comportar no mundo. Vocês nos ensinam: a não brigar com os outros, a resolver as coisas, a respeitar os outros, a limpar o que sujamos, a não ferir outras criaturas, a partilhar — a não sermos gananciosos. Por que, então, vocês fazem as coisas que nos dizem para não fazer? Não esqueçam por que vocês estão participando destas conferências, por quem vocês estão fazendo isso — nós somos os seus filhos. Vocês estão decidindo o tipo de mundo em que vamos crescer. Os pais deveriam poder consolar seus filhos, dizendo "tudo vai ficar bem", "isso não é o fim do mundo" e "nós estamos fazendo o melhor que podemos". Mas eu não creio que vocês ainda possam nos dizer isso. Será que nós, pelo menos, estamos na lista de prioridades de vocês?

Meu pai sempre diz: "Você é o que faz, não o que diz." Bem, o que vocês fazem me faz chorar à noite. Vocês, adultos, dizem que nos amam, mas eu duvido de vocês. Por favor, façam suas ações refletirem suas palavras. Obrigada.

Todas as vezes que ouço esse discurso, sinto um pequeno calafrio — principalmente com a frase *"Você é o que faz, não o que diz"*. Para mim, a beleza, o poder e a virtude das palavras de Suzuki estão em sua nítida evocação do significado de uma verdadeira revolução verde. A revolução verde não são concertos realizados no Dia da Terra. Não são tiragens especiais de revistas dedicadas ao meio ambiente. Não são 205 ensaios ensinando como esverdear. Também não é um novo website ou a coqueluche do dia. É uma estratégia de sobrevivência. É o que fazemos para enfrentar o desafio realmente esmagador de preservar o mundo natural que nos foi legado. Em algum lugar, ao longo do caminho, esse propósito maior foi perdido. Muitas vezes, e de muitas formas diferentes, o "verde" se tornou uma licença para nos sentirmos bem sem fazer o bem, para despertar nossa atenção sem, na verdade, mudar nosso comportamento.

Frequentemente, as pessoas perguntam: quero ser verde — como posso mudar alguma coisa? Minha resposta tem sempre duas partes. Em primeiro lugar, prestar atenção e levar uma vida tão ambientalmente sustentável quanto possível. Ninguém é perfeito; tenho certeza disso. Mas apenas faça com que sua consciência e seu comportamento, em relação ao meio ambiente, sejam sempre um trabalho em andamento. Isto tem uma importância vital, mas não é suficiente.

Quaisquer que sejam os compromissos pessoais feitos por você, seus filhos e seus vizinhos, nós — como sociedade — temos de traduzi-los em compromissos nacionais e internacionais. Temos de institucionalizá-los em leis, regulamentações e tratados. E isso conduz à segunda parte da minha resposta: é muito mais importante trocar nossos líderes do que nossas lâmpadas. Contudo, os compromissos pessoais não resolverão problemas em escala como os que enfrentamos na questão da energia limpa e do clima.

Por quê? Porque os líderes nacionais, estaduais e locais eleitos — os legisladores e os reguladores que trabalham para eles — elaboram as regras e regulamentos e estabelecem os sinais de preço que moldam os mercados e mudam o comportamento de milhões de pessoas. Eles criam incentivos para milhares de investidores e regulamentam o funcionamento de bilhões de máquinas, aparelhos e veículos — tudo ao mesmo tempo. Os líderes elaboram leis sobre o grau de eficiência das lâmpadas, quer você deixe as luzes acesas ou se lembre de apagá-las; elaboram leis sobre quantos quilômetros o seu carro deve fazer por litro de gasolina, quer você compre um Prius ou um Hummer; criam leis sobre quanta energia limpa a empresa de eletricidade deve comprar, quer o presidente da empresa seja progressista ou um Neandertal; elaboram leis sobre a eficiência dos aparelhos de ar-condicionado, quer você tenha condições de ligá-los ou não; criam leis que determinam se uma linha de transmissão de energia limpa pode atravessar a sua propriedade, ou pode ser protelada durante uma década por batalhas judiciais; elaboram leis que determinam os incentivos fiscais que o Congresso irá conceder — ou não — aos empresários que produzem energia com biomassa, turbinas de vento ou painéis solares; elaboram leis que determinam o tipo de imposto sobre emissões de carbono a ser criado para moldar o mercado; elaboram leis que determinam o preço das emissões de carbono em qualquer sistema de *cap-and-trade*; regulamentam a proibição das sacolas plásticas nos supermercados, reduzem os limites de velocidade, restringem as áreas de cultivo destinadas à produção de biocombustíveis, determinam se as empresas de eletricidade devem ser compensadas por encorajar você a consumir eletricidade ou a poupá-la e exigem que empresas e consumidores paguem por todos os serviços da natureza que utilizam.

Mas como nós, enquanto sociedade, podemos levar ao poder os líderes que irão escrever as regras certas? De onde eles vêm e como podemos exigir que realmente façam as coisas certas? São estas as perguntas fundamentais. Vou tentar respondê-las neste último capítulo. Em primeiro lugar, a revolução verde deve olhar para dois precedentes: o movimento pelos direitos civis e a mobilização dos Estados Unidos durante a Segunda Guerra Mundial.

O movimento dos direitos civis forçou os americanos brancos a tratarem os americanos negros do modo como eles mesmos gostariam de ser tratados. Mas não se tratava apenas de ser gentil com o vizinho afro-americano, ou de permitir que negros se associassem ao clube de natação local. Em última análise, era uma questão de mudar as leis, para que ninguém tivesse a opção de discriminar. E foram estas leis que acabaram modificando o comportamento e a consciência de dezenas de milhões de pessoas. Mas o movimento dos direitos civis começou com o ativismo político dos cidadãos — ativistas negros, dispostos a sentar no balcão da lanchonete exclusiva para brancos, que se recusavam a viajar na traseira do ônibus ou a ceder seus lugares aos brancos, que desafiavam os racistas e cruzavam os portões da Universidade do Mississipi ou da Universidade da Geórgia. Seus exemplos e sua coragem inspiraram outras pessoas. O movimento acabou tomando impulso em 28 de agosto de 1963, quando um milhão de pessoas ocuparam o National Mall para ouvir Martin Luther King, Jr., das escadarias do Memorial de Lincoln, proferir o discurso "Eu Tenho um Sonho". Esta combinação de ativismo e inspiração motivou mais pessoas. Lentamente, o país foi se conscientizando de que algo deveria ser feito — de que o status quo já não era tolerável porque já não seria tolerado.

Os protestos e o grande número de manifestantes acabaram atraindo a atenção dos congressistas em nível local, estadual e federal. Muitos deles, embora cientes da segregação e do fato de que esta não era aprovada pela maioria da população, assumiram a postura de que mudar as coisas daria mais trabalho do que manter o status quo. Mas aquele movimento de massas, visivelmente clamando por mudanças no National Mall, entre muitos outros protestos, em muitos outros lugares, alterou o panorama político. Mudar as leis raciais, embora fosse uma tarefa difícil, se tornou mais fácil do que não fazer nada. Mesmo assim, foi um processo turbulento — muito turbulento — que se prolongou por duas décadas. Mas ninguém hoje diria que não foi a coisa certa a ser feita por nosso país. Como o senador John F. Kerry escreveu em um ensaio publicado pela *Newsweek* (28 de abril de 2008): "As verdadeiras mudanças só ocorrem quando as pessoas formam um movimento tão amplo que Washington não tem outra escolha a não ser escutar... Esta é a única forma de se mudar o país."

Amém. Este é o próximo passo que a revolução verde deve dar. Apesar de todo o espaço que consegue na imprensa, o movimento verde nos Estados Unidos ainda não conseguiu tornar a sua agenda incontornável para um número suficiente de políticos. Só assim será possível produzir o tipo de mudanças nas regras e preços que iriam afetar o clima na escala necessária. O verde ainda é mais uma opção do que uma necessidade. O movimento pelos direitos civis dos afro-americanos é a causa rara que conseguiu se tornar um imperativo tanto moral quanto político. É aonde a agenda verde precisa chegar. É fácil dizer que esverdear o planeta é um imperativo moral, um imperativo econômico, um imperativo da inovação e um imperativo estratégico, mas o presidente Barack Obama ainda não fez disto um imperativo político. Em minha opinião, ele só terá chegado nisso quando tiver lutado por um sinal de preço significativo sobre o carbono, apesar do custo político.

O que isso significa é que se o movimento verde atuasse como o movimento pelos direitos civis, realmente tentando estimular, e até forçar os políticos a fazer a coisa certa, veríamos um milhão de pessoas em Washington exigindo um sinal de preço – um alto imposto sobre o carbono, um severo regime de *cap-and-trade* ou um imposto sobre a gasolina e um crível mandato nacional sobre as energias renováveis. Larry Diamond, especialista em democracia da Universidade Stanford, me disse uma vez: "Um sinal de preço está para o movimento verde como a lei de direito ao voto está para o movimento pelos direitos civis. É o ponto de partida para mudar a realidade." Uma vez que a lei de direito ao voto foi aprovada e milhões de afro-americanos tiveram o direito ao voto garantido, e o governo federal estava preparado para enviar tropas e advogados para garantir que isto ocorresse, tudo mudou. O mesmo ocorreria com um preço real para o carbono. Você não pode se unir a respeito de princípios gerais; é preciso se unir em torno de iniciativas políticas específicas, e um verdadeiro preço para o carbono é sem dúvida o mais importante.

Infelizmente, é muito mais fácil reunir um milhão de pessoas em Washington reivindicando direitos iguais, principalmente quando se trata de regiões do país onde não residem, do que reuni-las para reivindicar a implementação de uma taxa sobre emissões de carbono, que, concretamente, poderia beneficiar seus próprios filhos. Mas se os políticos não acreditarem que a população está disposta a aceitar as mudanças de preço e as regulamentações necessárias para deslanchar uma revolução na produção de energia limpa, eles continuarão a achar que manter o status quo, ou minimizar o sinal de preço, é mais fácil que lutar contra as empresas de petróleo, carvão e gás natural — e correr o risco de perder suas contribuições de campanha. Enquanto a população sinalizar para os políticos que só está interessada nos 205 métodos fáceis de esverdear, ninguém vai propor um ou dois métodos difíceis que podem, realmente, fazer diferença.

Juntar um milhão de pessoas em Washington para exigir um preço real para o carbono é muito difícil sem um Pearl Harbor. Os nossos pais e avós só enfrentaram o desafio da liberdade da época deles — a Segunda Guerra Mundial — quando ele se tornou uma ameaça visível, imediata e inescapável ao seu modo de vida. Empregamos nossos recursos econômicos e esforços humanos para solucionar o problema, e não paramos até vencer — porque sabíamos que o nosso modo de vida estava em risco. Todos tiveram de fazer sacrifícios e participar — das mulheres que foram para as linhas de montagem aos nossos avôs que cultivavam hortas para enfrentar a escassez de alimentos e à General Motors que ouviu de Franklin Roosevelt que devia fabricar tanques em vez de carros. Precisamos de uma mobilização semelhante para lançar um verdadeiro Sistema de Energia Limpa — mas devemos fazer isso para *prevenir* um Pearl Harbor que pode vir a acontecer, em vez de reagir ao fato existente. Porque, quando ocorrer um Pearl Harbor climático, e a ameaça se tornar inegavelmente óbvia, será impossível escapar.

O grande desafio que enfrentamos hoje no fortalecimento de uma revolução realmente verde é que, provavelmente, não seremos "nós" as pessoas mais afetadas pelas mudanças climáticas. As pessoas que deverão ser mais afetadas pela oferta e demanda de energia, pelo esgotamento dos recursos naturais, pelas ditaduras do petróleo, pelas mudanças climáticas e pela perda da biodiversidade não votam — pois ainda não nasceram. Historicamente, os movimentos de reforma política em um sistema democrático ocorrem quando as pessoas mais prejudicadas por alguma conjuntura se tornam numerosas o bastante para pesar na balança. Mas a questão verde, sobretudo no que se refere a mudanças climáticas, "não opõe os que têm contra os que não têm", diz Michael Mandelbaum, professor da Johns Hopkins. Opõe "o presente contra o futuro — a geração de hoje contra seus filhos e seus netos ainda não nascidos. O problema é que o futuro não pode se organizar. Os trabalhadores se organizam para lutar pelos direitos dos trabalhadores. Os idosos se organizam para obter assistência médica. Mas como pode o futuro se organizar? Não pode fazer lobby. Não pode protestar". Em nosso modelo de democracia, a política é o produto do choque de grupos de interesse. Mas o grupo de interesse verde ainda não se formou. Quando o fizer — se mais alguns furacões Katrinas atingirem mais algumas cidades — "será o maior grupo de interesse da história, mas já poderá ser tarde demais", acrescenta Mandelbaum.

Uma situação incomum como essa pede uma ética de administração: o que os pais fazem por seus filhos — olhar para além do horizonte e pensar a longo prazo para que eles tenham um futuro melhor. Claro, é muito mais fácil convencer as famílias a cuidar dos seus descendentes do que as sociedades. Mas este é o nosso desafio — um desafio para os líderes políticos, empresariais e para a Regeração. Os três têm um pé num novo caminho. Vejo sinais positivos nas três áreas.

Na área da liderança, o presidente Obama entendeu que a revolução verde não pode ser apresentada como uma necessidade, sem a qual todos morreremos em consequência de mudança climática. Ela também deve ser encarada como uma oportunidade e, no nosso caso, como a mais importante oportunidade para uma renovação americana. É muito difícil dizer às pessoas que um gás do efeito estufa invisível e inodoro vai destruir o mundo daqui a cem anos e assim conseguir que ajam. Isto vai contra a natureza humana. Esta é uma das razões pela qual tentei neste livro ressaltar que o enfrentamento da crise da Era da Energia e do Clima não significa apenas encarar um novo conjunto de perigos, mas alcançar *um novo conjunto de oportunidades* que tornarão os Estados Unidos mais prósperos, saudáveis, inspiradores e seguros. A Segunda Guerra Mundial não foi uma "oportunidade". Foi uma obrigação. A Era da Energia e do Clima é ambas as coisas: a obrigação de assegurar a existência de um planeta estável para todas as espécies — e a oportunidade para os Estados Unidos se renovarem e se regenerarem.

Mas não podemos negar que a transição para uma verdadeira revolução verde implica sacrifícios, como ocorreu na Segunda Guerra e na Guerra Fria, e o presidente terá de explicar isso muito bem ao povo americano — inclusive com um sinal de preço do carbono —, porque ele produzirá um país mais forte e preservará o planeta. Não há como escapar disto. Se o presidente não estiver pronto, isto não ocorrerá. Ou só ocorrerá depois de outros cinco furacões Katrinas.

Quando você enfrenta um grande desafio, como acabar com a segregação racial ou lutar numa guerra mundial, a qualidade da liderança às vezes é decisiva. No caso da Era do Clima e da Energia, precisamos de líderes capazes de apresentar as questões de forma que o povo entenda que ignorá-las é uma ameaça, e enfrentá-las é uma oportunidade. Precisamos também de líderes que não só entendam a importância de lidar com esta questão de modo sistemático, mas que gerem a visão e a autoridade para colocar este sistema em andamento.

Contudo, para alcançar este tipo de liderança sem um 11 de Setembro é preciso que a indústria e o público exijam atitudes num nível que nunca vimos antes. Líderes não crescem em árvores. Temos de ajudá-los a nascer.

No que concerne à indústria, bem, todos sabemos que nada move mais os políticos hoje em dia do que a perspectiva de contribuições de campanha. O que é interessante nos titãs da indústria americana é o grau da divisão que está surgindo entre os que desejam fazer nada — e argumentam que o sinal do preço do carbono provocará perda de empregos e diminuição dos lucros — e aquelas empresas que compreendem que a revolução verde é realmente uma oportunidade econômica para inventar novos produtos, construir novos mercados e criar valor para os acionistas.

Em outras palavras: a boa notícia é que muitas indústrias podem ser convencidas da questão verde, porque já começaram a se mover por si mesmas e entenderam que ser mais verde representa uma oportunidade competitiva, e não um fardo. Estas companhias são cada vez mais numerosas e participativas. Elas ainda não conseguem superar a Câmara de Comércio, o lobby do hidrocarbono nem a Associação Nacional de Fabricantes, que querem frear qualquer revolução verde, mas podem e estão atuando cada vez mais por conta própria e jogando para ganhar. Veja o impacto que a Walmart criou ao promover as lâmpadas energeticamente eficientes. "No ano passado, a Walmart anunciou uma meta ambiciosa — queria vender 100 milhões de lâmpadas compactas fluorescentes em um ano", escreveu o site TreeHugger.com (23 de outubro de 2007). "Agora, a companhia anunciou que já alcançou aquela meta. A

Walmart estima que as lâmpadas que economizam energia criarão efeito equivalente ao de retirar de circulação 700 mil carros ou de economizar a energia que abastece 450 mil residências." A empresa também está quase cumprindo sua meta, declarada em 2005, de tornar a sua frota de 7.200 caminhões 25% mais eficiente no uso de combustíveis até o final de 2008 — e 100% mais eficiente até 2015. Obviamente, cada nova filial da Walmart suga uma enorme quantidade de energia, mas, na falta de um congelamento da expansão, é importante que o crescimento seja o mais verde possível — entre outros motivos, porque trará aperfeiçoamentos tecnológicos para todos.

Dan Becker, antigo lobista do Sierra Club em Washington e trabalhando atualmente como consultor ambiental no setor privado, me contou uma história que demonstra a divisão que começa a surgir entre as empresas verdes e as não verdes. Em 2007, enquanto a Câmara e o Senado discutiam se deveriam elevar os padrões de quilometragem por litro para os carros vendidos nos Estados Unidos, e em que medida, houve um racha entre as montadoras. Algumas estavam preparadas para um novo padrão de quilometragem de 15km/l de gasolina por volta de 2020. Mas as Três Grandes de Detroit — GM, Ford e Chrysler — se opuseram a qualquer mudança significativa no padrão de quilometragem. Apenas quando perceberam em que direção soprava o vento, propuseram um padrão de quase 14km/l, em 2022. A Nissan USA, sabendo que poderia facilmente se ajustar aos padrões mais altos, estava no grupo que defendia os 15km/l em 2020. As fábricas americanas da Nissan estão principalmente no Sul, em estados como Mississipi. Os representantes da empresa disseram aos senadores daqueles estados — inclusive o peso pesado republicano Trent Lott, do Mississipi — como esperavam que eles votassem.

"Eu trabalhava com assuntos ambientais no Congresso havia muitos anos, mas nunca tinha me encontrado com Trent Lott", diz Becker. "Seu histórico de votação em assuntos ambientais era, provavelmente, o pior do Congresso. Mas agora há uma fábrica da Nissan no Mississipi... Eu estava trabalhando duro para ajudar na aprovação de padrões mais rígidos de quilometragem. A Nissan era nossa aliada. Certo dia, eu estava no Senado assistindo ao debate, quando Trent Lott chegou. Fui até ele e me apresentei, pronto para expor meus argumentos. Eu estava usando um terno comum, meio surrado. E ele: 'Dan, vocês não foram avisados? Hoje é dia de anarruga, tecido de sulista.' Depois, entrou no elevador e disse: 'Eu estou do lado de vocês todos.' A porta do elevador se fechou e ele foi embora."

Em outras palavras, os padrões mais rígidos de quilometragem não foram aprovados pelo poder da lógica, mas pelo balanço de poder nos corredores. "O Sierra Club não conseguiria o apoio de Trent Lott. A Nissan teve de nos presentear com Trent Lott e Ted Stevens (senador do Alasca, que costuma votar com a indústria petrolífera). Nós nunca teríamos vencido sem eles", diz Becker. "Eles trouxeram todos aqueles senadores extremamente conservadores, que tinham fábricas da Nissan em seus estados... Existem ambientalistas no Mississipi, mas Trent Lott sabe que eles não votaram nele."

Foi a Nissan que tornou Trent Lott um pouco mais verde — ao menos por um dia —, mas foram os clientes da Nissan que tornaram a Nissan mais verde. O que fazemos é sempre mais importante que o que dizemos.

A Regeração, de novo

E isso me leva a falar de por que não gosto do Dia da Terra. Não precisamos mais ser conscientizados por bandas de rock cuja utilização de energia elétrica tem que ser neutralizada por uma contribuição ao meio ambiente. Fui convidado para fazer uma palestra no concerto/comício do Dia da Terra, realizado em 20 de abril de 2008. Quando aceitei o convite, me perguntei se algum político iria aparecer para liderar um movimento de massas, como fez Martin Luther King em 1963. Era um dia chuvoso. Quando fui chamado para falar à multidão, uma banda de rock ainda estava tocando atrás de mim. Eu tinha pensado em evitar o clima de oba-oba e falar sobre alguma coisa prática — sobre como aquela multidão poderia usar sua influência para que o projeto de incentivos fiscais à energia solar e à energia eólica, paralisado havia quase um ano no Congresso, fosse finalmente transformado em lei. Mas logo percebi que muitas pessoas estavam ali apenas para ouvir a banda, e não uma palestra sobre estratégia política.

Aconteceu que um relâmpago forçou os organizadores a cancelar o comício abruptamente, e não cheguei a terminar minhas observações. Caminhei sob a chuva e tomei o metrô para casa. Muitos outros participantes estavam no mesmo vagão em que entrei. Um deles veio conversar comigo. Tinha uns vinte e tantos anos. Disse que trabalhava para a Development Alternatives Inc. (Alternativos de Desenvolvimento Ltda.), uma firma que presta serviços para a USAID. "Eu gostei do que você estava tentando dizer", começou ele. "Lamento muito que você não tenha conseguido terminar. Muitas daquelas pessoas só estavam lá por causa da música." Concordei; talvez não fosse a ocasião adequada para uma palestra séria a respeito de como pressionar o Congresso.

Mas qual seria? Se a Regeração realmente quer ter um impacto, terá que juntar aquele milhão de pessoas em Washington — ou achar um equivalente moral e político — não para ouvir bandas de rock, mas para comunicar aos políticos que estão prontos para um sinal de preço sério. E precisam fazer isso sem um Pearl Harbor ou um 11 de Setembro. Para começar, isso requer uma compreensão de como o jogo funciona, para focar a pressão nos principais agentes. Isso quer dizer aprender como funciona o Congresso, como se fazem contribuições de campanha, como as empresas de energia conseguem aumentos de taxas ao consumidor, e como as maiores empresas fazem lobby com o governo. A Exxon Mobil, a Peabody Energy e a General Motors conhecem a diferença entre um grupo de Facebook e uma coalizão obstrucionista no Congresso. Eles não estão no Facebook, mas sabem se relacionar com os legisladores que estão bloqueando o caminho deles. Quando seus interesses sofrem uma ameaça, não estão numa sala de chat fazendo um blog sobre isso; estão nas antessalas torcendo braços e comprando votos. Se a Regeração quer fazer parte desse jogo, terá que sair do Facebook e se posicionar na cara de alguém. Terá que sair da sala de chat e entrar nas antessalas, onde as regras se elaboram. As pessoas que administram e se beneficiam do Sistema de Combustíveis Sujos não comparecem aos concertos do Dia da Terra.

Além disso, o papel da Regeração é trabalhar estudante por estudante, escola por escola, professor por professor, bairro por bairro, para mudar a cultura associada ao verde, tornando-o não só uma cor "da moda", como também algo fundamental na regeração do país. A revolução verde tem muito chão pela frente. Para um número grande demais de políticos, o Código Verde ainda é mais um assunto entre muitos, não uma filosofia dominante.

Os políticos, hoje em dia, gostam de dizer que precisamos de um "Projeto Manhattan" para inventar a energia limpa, um paralelo ao Projeto Manhattan das bombas atômicas que levaram a Segunda Guerra Mundial ao fim. Mas espero ter demonstrado que isto é apenas uma desculpa para não pensar no problema de forma séria e sistêmica. "Sim, precisávamos de uma bomba para acabar com a guerra", diz Michael Mandelbaum, "mas não teríamos chegado àquele ponto, no limiar da vitória, sem um Exército enorme, recrutamento em massa, o dia D e todas as pessoas que permaneceram no país fazendo sacrifício". Vencemos a guerra graças aos esforços combinados de nossas Forças Armadas (e não vamos esquecer os nossos aliados). Mas esses esforços em conjunto se tornaram possíveis graças aos esforços em conjunto do povo americano.

Esta é a verdadeira escassez de energia que assola os Estados Unidos atualmente: escassez de energia que nos permita desenvolver um esforço sério no sentido de alcançar uma grande meta — como um Sistema de Energia Limpa —, tanto como cidadãos quanto como políticos. Michael Maniates, professor de ciências políticas e ambientais no Allegheny College, em seu ensaio publicado no *Washington Post* (22 de novembro de 2007), mais uma vez explica isso muito bem:

> Desafios espinhosos e exasperantes fazem parte de nossa história. Os líderes que falam francamente sobre eles despertam nossa imaginação, criatividade e solidariedade, tanto como indivíduos quanto como comunidades. Paul Revere não cavalgou pelas ruas de Middlesex County

> vendendo um livro sobre "O Revolucionário Preguiçoso". Franklin Roosevelt não mobilizou as energias do país listando dez maneiras fáceis de enfrentar o fascismo. E é pouco provável que os rascunhos que Martin Luther King, Jr. escreveu para o seu discurso "Eu Tenho um Sonho" ou para sua "Carta da Prisão de Birmingham" mencionassem mudanças políticas baseadas em ações individualistas, focadas no consumo. [...] O maior problema ambiental com que nos defrontamos não é o derretimento do gelo, as chuvas irregulares, a redução das reservas petrolíferas ou a elevação dos preços da gasolina. O maior problema é que quando os americanos perguntam "O que posso fazer para ajudar a mudar as coisas?" somos tratados como se fôssemos crianças por elites ambientais e líderes políticos — tímidos demais para despertar o melhor de nós, ou cegos demais para o que nos tornou um grande país.

No entanto, com todo o dinheiro que vai para a política, toda a redistribuição para fins políticos de distritos eleitorais, o ciclo de notícias a cabo 24 horas, a blogosfera e as campanhas de reeleição quase permanentes — é de se perguntar se podemos produzir líderes capazes de resolver um problema desta magnitude: um problema entre várias gerações, multifacetado, que envolve muitos trilhões de dólares. Eu sempre tenho em mente uma história contada por Stephen Schneider, climatologista da Universidade Stanford. "A democracia pode sobreviver à complexidade?", pergunta ele. "Esta é a pergunta evocada pelo problema da energia e do ambiente. É um problema muito difícil. Comporta várias dimensões e envolve muitas disciplinas, com muitas certezas em algumas áreas, e poucas certezas em outras. É irreversível e reversível, e não podemos saber como nos saímos até tudo terminar. Só saberemos quarenta anos mais tarde. Eis por que a complexidade do clima representa um desafio para a democracia. A democracia se concentra no curto prazo. Em 1974, eu estava no Antigo Prédio do Executivo.* Tinha 29 anos e trabalhava para o NCAR, o National Cen-

* O Antigo Prédio do Executivo (*Old Executive Office Building*, em inglês) é uma construção anexa à Casa Branca que abriga diversos órgãos do governo. (N. do T.)

ter for Atmospheric Research (Centro Nacional de Pesquisas Atmosféricas), organização com sede em Boulder, no Colorado. Era o governo Nixon e eu estava conversando com representantes de algumas agências da Casa Branca interessadas em clima e segurança. O encontro fora arranjado pela CIA. Eu não sabia disso, na época. Então estávamos lá, eu e um cara mais velho. Eu estava falando sobre 'irreversibilidade' — e sobre ciclos de seca de 11 e de 22 anos. Então um cara no fundo da sala, usando um paletó amarrotado e uma gravata fininha, gritou: 'Garotão, você não está entendendo. Por aqui, os únicos ciclos que interessam são os de dois, quatro e seis anos.' Eu me encontrei com ele depois. Ele era da CIA. Ele enxergou as coisas da maneira certa."

E nós precisamos fazer igual. Seremos uma China democrática ou uma república das bananas. Ou vamos gerar, através de nosso sistema democrático e de seus líderes eleitos, a determinação, a concentração e a autoridade para enxergar além das últimas notícias, e fazer o que for preciso para conceber e massificar um Sistema de Energia Limpa, levando nosso país até o próximo patamar — que é o que a China está tentando fazer, com métodos mais autoritários — ou vamos terminar como uma república das bananas.

Não, não — não esse tipo de banana. Quando digo "república das bananas", não estou me referindo àquelas ditaduras latino-americanas dos anos 1960, mas ao gesto de "dar uma banana". Por exemplo: achamos que a energia eólica pode proporcionar um grande impulso à nossa rede elétrica. Mas quando alguém fala em instalar turbinas de vento em Hyannis Port, Massachusetts, onde elas podem atrapalhar nossa visão do oceano, "damos uma banana" para o mal-intencionado.

Enquanto democracia, nós, americanos, estamos nos transformando cada vez mais nesse tipo de república das bananas. Precisamos de mais energia nuclear, mas ninguém quer o lixo nuclear armazenado perto de casa. Achamos que a energia solar pode ser a solução; mas nem pense em instalar uma linha de transmissão de alta voltagem entre os desertos do Arizona, onde a energia pode ser produzida, até a cidade de Los Angeles, onde a energia é mais necessária. Talvez o gás natural seja superior ao carvão, na geração de energia, mas não ouse construir um terminal de gás natural liquefeito (que nos permitiria importar mais gás natural) em nenhuma cidade costeira americana. O.k., vamos confiar no carvão com sequestro de carbono, mas se você armazenar o dióxido de carbono em cavernas subterrâneas, e o gás vazar e começar a sair pelo meu vaso sanitário, quero lhe dizer uma coisa: vou mover um processo contra você e arrancar o seu couro — portanto, não estoque esse negócio perto de mim. Quanto à energia maremotora — sim, é ótima, contanto que você não instale um desses grandes geradores maremotores perto da minha praia favorita.

Por todas essas razões, se vamos reunir a determinação, a concentração e a autoridade para implementar uma verdadeira revolução verde, precisaremos de um presidente que não tenha medo de fazer o que for necessário para liderar o processo. Para vencer a guerra civil, Abraham Lincoln teve de cancelar a autoridade dos governos estaduais, de forma democrática, e delegá-la ao governo federal, que ele tornou maior e mais forte do que nunca desde a fundação dos Estados Unidos. Ele chegou a suspender o direito de habeas corpus. Franklin Roosevelt teve de transformar um governo federal fraco e reduzido na instituição enorme que é hoje, de modo a superar a Grande Depressão e vencer a Segunda Guerra Mundial.

Qualquer presidente que queira instituir um novo sistema de energia limpa e conservação dos recursos naturais terá de fazer a mesma coisa: reivindicar, democraticamente, a autoridade para substituir a colcha de retalhos que temos hoje no país por um sistema energético integrado. Não foi por acaso que o presidente Teddy Roosevelt declarou uma vez: "Ah, se eu pudesse ser presidente e Congresso por apenas dez minutos." Quase todos os presidentes diriam a mesma coisa, após serem informados da monstruosa hidra de muitas cabeças que é hoje o "sistema" de energia americano.

Chamar o sistema de hidra não chega perto da realidade. Eis um panorama: empresas de utilidade pública, locais e regionais, fornecem eletricidade e gás natural para a maioria dos americanos, mas são reguladas pelos estados, que determinam os preços que elas poderão cobrar pela energia que geram e pelas linhas de transmissão que instalam. A Agência de Proteção Ambiental supervisiona a qualidade do ar e da água, e os padrões de qualidade do combustível. O Departamento de Transportes, no entanto, é responsável pela determinação dos padrões de quilometragem dos automóveis e caminhões. O Gabinete de Ciências do Departamento de Energia fornece a maior parte das verbas para a pesquisa energética. E cabe a esse departamento a tarefa de formular padrões de eficiência para os aparelhos e para o código de edificações nacional. O Departamento de Agricultura tem grande influência na produção de etanol. O Corpo de Engenharia do Exército americano supervisiona a construção e a manutenção de muitas de nossas represas hidrelétricas, enquanto a Comissão Federal de Regulamentação da Energia supervisiona as linhas interestaduais de transmissão de eletricidade, e a Comissão de Regulamentação Nuclear controla a construção e a operação de usinas nucleares. É o Conselho de Consultores de Economia, da presidência, que determina a viabilidade econômica de qualquer iniciativa no setor energético. Enquanto isso, senadores, membros da Câmara de Representantes e governadores fazem lobby em cada um desses órgãos, para proteger o método de geração de energia praticado em seus estados, às vezes com o auxílio de investidores do setor privado, às vezes em oposição a eles. Quando os lobistas não gostam de como uma agência está se conduzindo em determinado assunto, tentam bloquear sua atuação dirigindo-se a outra agência — é assim que se faz um governo trabalhar contra si mesmo.

Este "sistema" foi estabelecido, na maior parte, depois da Segunda Guerra Mundial, sob a presunção de que o preço de dois dólares por milhão de BTUs do gás natural seria sempre o mesmo, assim como o preço do barril de petróleo, que variava entre 10 e 24 dólares — exceto durante guerras ou crises políticas ocasionais. Portanto, nenhuma agência do governo americano foi encarregada de conceber e implementar uma revolução de energia limpa. Nunca pensamos que precisaríamos de uma. Todo o sistema foi "projetado para tornar a inércia fácil, e uma ação transformadora quase impossível", diz Dan Becker, o consultor ambiental. Assim, não havia e não há nenhuma estratégia geral, nem pessoa ou departamento com uma visão ampla da situação, que esteja tentando reunir todas as partes. “É como se estivéssemos lutando na Segunda Guerra Mundial somente com capitães e coronéis — e nenhum general”, diz Glenn Prickett, da Conservação Internacional. “Cada qual está andando em uma direção.”

O presidente Obama está mudando isto. Ele criou um gabinete verde, composto por importantes funcionários do governo das áreas de energia e ambiente. O mais importante é que está tentando se tornar um executivo que emprega meios democráticos para estabelecer a sua autoridade sobre a besta energética americana que urra e salta para todo lado, e pôr o foco na prioridade de inovar e gerar energia limpa, eficiência energética e conservação mediante um sistema inteligente.

O presidente Obama conseguiu muito no seu primeiro ano e demonstrou o desejo genuíno de ser não só o primeiro presidente americano negro, mas o primeiro presidente americano verde, e de estabelecer as bases reais de uma revolução verde mediante pacotes de estímulo e regulamentações. Mas para essa revolução acontecer ele precisará ter vontade e habilidade para convencer os americanos a fazerem algo difícil e que vai doer por um tempo, mas que fará muita diferença e nos transformará num país melhor, com um planeta mais habitável — um preço significativamente mais alto para o carbono que realmente mude o que os consumidores esperam dos produtos que usam energia. Espero que ele consiga. Temo que a confusão econômica que herdou o impeça de fazê-lo e que, por isso, seja necessário um Pearl Harbor ambiental ou um 11 de Setembro climático para que isto seja possível. Esperemos que não seja assim.

No verão de 2007, em Basalt, no Colorado, participei das comemorações do 25º aniversário do Rocky Mountain Institute, um dos mais importantes centros de inovações tecnológicas do país. Antes que o jantar começasse — em uma grande arena de rodeios particular, magicamente convertida em um salão de baile —, comecei a conversar sobre ambientalismo no Colorado com meu amigo Auden Schendler, encarregado de assuntos ambientais e comunitários da Aspen Skiing Company. Ao terminarmos a conversa, pedi a Schendler seu cartão de visita, para que pudéssemos manter contato.

"Acabei de modificar meu cartão", ele me disse. "Ah, você se mudou?", perguntei. Não, explicou Schendler, ele não tinha se mudado, nem trocado de emprego. Ele mandara reimprimir seus cartões porque queria trocar a citação que colocara nos cartões.

"Meu antigo cartão tinha uma citação do (biólogo e ambientalista) René Dubos, que dizia: 'Tendência não é destino.' Então, certo dia, eu disse a mim mesmo: 'Sabe de uma coisa? Tendência pode ser destino no que se refere ao clima. Não há nada que vá nos impedir de dobrar o nível de CO_2 na atmosfera.' Então modifiquei o cartão. Agora está com uma citação do falecido escritor Charles Bukowski, que era beberrão e arruaceiro. É o título de seu livro de poesia: 'O que importa é a sua habilidade em atravessar o fogo.' Nós não começamos a atacar essa questão. Vou fazer isso, mesmo sabendo que as probabilidades não são favoráveis. Quero viver para ver nossa vitória. Quero ver como isso vai ficar. Eu costumava dizer que o problema era de nossos filhos. Mas o fato é que temos cerca de dez anos para mudar as coisas — portanto, o problema é realmente *nosso.*"

Schendler tem razão. O problema é realmente nosso. Estamos vivendo um ponto crítico da história, que vai determinar o rumo a ser tomado pela Era da Energia e do Clima. Se quisermos controlar o que já é inevitável e evitar o que é de fato incontrolável, precisamos nos assegurar de que tudo o que for feito a partir de agora contribuirá para uma solução verdadeira, sustentável e global. Os caminhos abertos e fáceis estão fechados. Tudo o que importa agora é nossa habilidade em atravessar o fogo.

Considerando a enormidade da tarefa, como poderemos evitar as armadilhas do otimismo fácil e do pessimismo fácil? Teremos de nos equilibrar na linha que divide os dois cartões de visita de Auden Schendler: a linha entre a suposição de que podemos resolver tudo e a clara percepção de que já estamos atrasados e que a dimensão dos problemas é esmagadora.

As pessoas precisam de esperança para enfrentar um desafio tão grande, tão prolongado e tão amedrontador. Sem ela, não podemos estimular e sustentar um amplo movimento político. Se dissermos às pessoas: "Escute, já estamos assando. Se você somar os números — a quantidade de CO_2 que já está na atmosfera e as toneladas que ainda vão ser despejadas —, a verdade é que os únicos ursos-polares que seus filhos conhecerão vão estar nas páginas de alguma velha revista *National Geographic*", a reação natural delas será responder: "Bem, se não há nada, realmente, que se possa fazer, então vamos relaxar e aproveitar."

Mas se dissermos às pessoas que as soluções estão à mão, ou que com 205 métodos fáceis de esverdear, publicados na última revista de jardinagem, podemos criar um novo sistema energético e evitar o aquecimento global, a atitude de muita gente seria: "Bem, se é assim tão fácil, vamos relaxar e aproveitar." Eu gosto do modo como George Monbiot coloca o assunto em seu livro *Heat: How to Stop the Planet Burning* (Calor: como impedir a queima do planeta). "Sucumbir à esperança", diz ele, "é tão perigoso quanto sucumbir ao desespero".

O que eu sou? Acho que chamaria a mim mesmo de um otimista cauteloso — prefiro ficar com ambos os cartões de Auden Schendler. Se subestimarmos a dimensão do desafio, é porque não estamos atentos. Mas se não formos otimistas, não teremos chances de gerar o movimento de massas necessário para enfrentar o problema.

Um discurso fúnebre não é a melhor maneira de se terminar um livro. Mas as palavras de Amory Lovins, durante os funerais de Donella H. "Dana" Meadows, expressam tantas de minhas próprias esperanças que não consigo deixar de mencioná-las. Meadows, especialista em meio ambiente e escritora, inspirou muitos de meus amigos do movimento verde. Ela morreu em 21 de fevereiro de 2001. As palavras de Amory, durante seu sepultamento, foram as seguintes:

> Um biólogo, creio que foi E.O. Wilson, observou que as abelhas, formigas e cupins, embora não muito sagazes individualmente, demonstram uma grande inteligência coletiva. E acrescentou: "As pessoas parecem ser exatamente o oposto." Dana era uma exceção. Ela era um desses espécimes promissores que estão aparecendo sempre com mais frequência na busca para a vida inteligente na

Terra — um desses primatas muito superiores cujo amor, lógica, obstinação radical, coragem e paixão despertam o restante de nós para nossa capacidade e responsabilidade de salvar o mundo (...) Há três anos, ela escreveu: "Por natureza, sou otimista; para mim todos os copos estão meio cheios." Mas ela não se esquivava a dar más notícias, sempre temperadas com palavras de incentivo. Ela tratava o futuro como uma escolha, não um destino, e definia com luminosa clareza como se pode (e, às vezes, como se deve) fazer o que é necessário. Ela partilhava com René Dubos a opinião de que o desespero é um pecado. Assim, quando lhe perguntavam se temos tempo suficiente para evitar uma catástrofe, ela sempre respondia que temos exatamente o tempo necessário — a partir de agora. Dois anos atrás, ao enviar um artigo inusitadamente sombrio sobre acontecimentos que a fizeram chorar, ela anexou a seguinte observação, para contrabalançar: "O presidente de uma empresa teve de tomar conta de sua filha pequena. Ele estava tentando ler o jornal, mas a filha o interrompia a toda hora. Então, se deparou com uma foto de página inteira da Terra vista do espaço, distribuída pela Nasa, e teve uma ideia brilhante. Rasgou a foto em pequenos pedaços e disse à filha para montar a foto novamente. Preparou-se então para meia hora de paz e tranquilidade. Mas, depois de alguns minutos, a garotinha apareceu ao seu lado com um grande sorriso no rosto. 'Já acabou?', perguntou ele. 'Sim', respondeu ela. 'Como você fez isso?' 'Bem, eu vi que no outro lado tinha a foto de uma pessoa. Então, quando eu montei essa foto, montei a foto da Terra também.'"

Há tanta coisa para se admirar nesse discurso fúnebre: a convicção de que o futuro é uma escolha nossa, não nosso destino; de que, quando juntamos as pessoas, formamos o planeta; de que não há nada tão poderoso, no universo, quanto 6 bilhões de mentes trabalhando em um problema. E, acima de tudo, a melhor expressão de otimismo moderado que eu já ouvi: *Temos exatamente o tempo necessário — a partir de agora.* Então, permita que eu termine este livro por onde o comecei — conosco, com os Estados Unidos. John Dembach, especialista em direito ambiental, certa vez comentou comigo que, em última instância, "as decisões que os americanos tomam a respeito do desenvolvimento sustentável não são decisões técnicas sobre assuntos secundários; e não são, simplesmente, decisões sobre o meio ambiente. São decisões a respeito de quem somos, do que prezamos, de que tipo de mundo queremos e de como gostaríamos de ser lembrados".

Somos a primeira geração de americanos a viver a Era da Energia e do Clima. O que fizermos diante dos desafios da energia e do clima, da conservação e da preservação dirá aos nossos filhos quem realmente somos. Por fim, continuo otimista e penso que conseguiremos enfrentar este desafio. Tenho certeza de que meus filhos e netos viverão em um mundo mais limpo, seguro e sustentável. Por quê? Porque hoje a tecnologia nos permite conectar e influenciar cada vez mais cérebros. Contingentes inteiros no mundo que não podiam colaborar na solução dos problemas estão sendo chamados para discuti-los. Isto é extremamente importante e me faz acreditar que vamos resolver isto — *aprenderemos como nações e indivíduos que não podemos cultivar os velhos hábitos de destruir os bens mundiais e pensar que o universo gira à nossa volta, e não o contrário.* A questão é quando — se será antes ou depois de um Pearl Harbor climático. Em último caso, dependemos de lideranças — dos políticos, cientistas e de Nós o Povo — Nós o Povo Americano.

O mundo espera a nossa liderança, o mundo precisa que sejamos líderes, e a nossa habilidade para prosperar no futuro vai exigir que lideremos. Precisamos redefinir o verde e redescobrir os Estados Unidos e, ao fazê-lo, renovar, refrescar e replanejar o nosso país e o que significa ser americano. É uma tarefa de enormes proporções, mas é uma tarefa essencialmente americana. Já fizemos isso antes, e é hora de fazê-lo novamente. Somos todos peregrinos novamente. Velejamos no *Mayflower* mais uma vez. Chegamos a um litoral desconhecido. Se não percebermos isto, acabaremos nos tornando apenas mais uma espécie ameaçada de extinção. Mas se enfrentarmos o desafio, e realmente nos tornarmos a Regeração — redefinindo o verde e redescobrindo, revivendo e regenerando os Estados Unidos —, nós, e o mundo, não apenas iremos sobreviver, mas iremos prosperar em um mundo quente, plano e lotado.

Agradecimentos

Quando penso no que esperava realizar ao escrever este livro, me lembro de algo dito por Larry Summers, antigo tesoureiro e reitor da Universidade de Harvard, sobre sua carreira pós-Harvard — em que está tentando estimular novas discussões sobre a globalização e seu impacto na classe média: "Creio que temos de estar preparados para aceitar longas cadeias de causa e efeito", disse ele em seu perfil na revista do *New York Times* (10 de junho de 2007). "Ou seja, se você pensar em um problema e propuser uma solução, esta não irá se concretizar da noite para o dia. Mas afetará opiniões — e as coisas que eram inconcebíveis passam a ser inevitáveis." Se este livro contribuir de alguma forma para que uma verdadeira revolução verde, liderada pelos Estados Unidos, passe de inconcebível a inevitável, eu o considerarei um sucesso.

É impossível escrever um livro cobrindo tantos assuntos variados e uma área geográfica tão grande sem uma enorme quantidade de boas sugestões. Eu me beneficiei dos conselhos de muitos instrutores, professores e guias.

Este é o quinto livro que escrevo como membro da equipe do *New York Times*. E, como nos quatro anteriores, sua realização não teria sido possível sem o apoio do jornal e das pessoas incríveis que lá trabalham. Em particular, quero agradecer ao editor Arthur Sulzberger Jr. por ter me confiado uma coluna no jornal — o que me possibilitou ver tantas coisas deste munto quente, plano e lotado — e por ter aprovado a licença que me possibilitou escrever este livro. Quero agradecer a Andrew Rosenthal, editor da página editorial do jornal, por ter apoiado entusiasticamente este projeto e por ter organizado meu período de licença.

Quanto a instrutores e colaboradores, a lista começa sempre com Michael Mandelbaum, especialista em política externa da Universidade Johns Hopkins. Nossas intermináveis conversas sobre energia, política doméstica e política externa serviram para afiar meus argumentos.

Meu professor primário, no tocante à biodiversidade, tem sido Glenn Pricket. Glenn e eu viajamos desde as florestas pluviais do Brasil até Shangri-La, no Tibete chinês; desde as regiões selvagens do sul da Venezuela até a extremidade sul da Indonésia. Vice-presidente graduado da Conservação Internacional, onde minha esposa Ann faz parte do conselho diretor, Glenn conhece infinitamente mais do que eu as questões relacionadas ao meio ambiente e à biodiversidade — e, no decurso do trabalho, me ensinou mais que qualquer pessoa a respeito desses assuntos. Sua paixão pela preservação do mundo natural é contagiante. Russell Mittermeier e Peter Seligmann, líderes da CI, também apoiaram entusiasticamente meu trabalho. Dois dos especialistas em biodiversidade da CI, T.M. Brooks e Michael Totten, encontraram tempo para ler trechos importantes deste livro, sobre os quais me deram conselhos valiosos. Jatna Supriatna e Mark Erdmann, da CI Indonésia, foram eficientes guias de viagem e me ofereceram excelentes informações sobre a biodiversidade terrestre e marítima do arquipélago indonésio — assim como Alfred Nakatsuma, que dirige os programas ambientais da USAID em Jacarta.

Entre as muitas pessoas que me foram apresentadas por Glenn Pricket, nenhuma tem sido mais importante que Rob Watson, que inspirou o sistema de classificação da LEED para a construção de prédios, quando estava no Conselho de Defesa dos Recursos Naturais. Ele agora dirige a EcoTech International. Embora apaixonado, Rob é um professor paciente, e suas análises profundas estão disseminadas por todo este livro. Frances Beinecke, presidente do Conselho, me convidou para apresentar algumas de minhas ideias durante um retiro do conselho da organização, quando muitos dos seus membros enriqueceram diversas seções deste livro, particularmente Rick Duke, Roland Huang e acima de todos Ralph Cavanagh, o famoso especialista do conselho em empresas de utilidade pública. Ralph me educou nos assuntos relacionados ao universo dessas empresas e leu várias vezes as partes do livro que a eles se referem, favor pelo qual agradeço profundamente.

Sobre as questões complexas relacionadas às mudanças climáticas, tive a colaboração de dois grandes instrutores: professor Nate Lewis, da Caltech, e professor John Holdren, de Harvard e do Centro de Pesquisas Woods Hole, em Massachusetts. Quando fiz uma palestra na Caltech, dois anos atrás, Nate foi designado para ser meu anfitrião. Foi sorte minha. Sua capacidade para explicar questões científicas difíceis em linguagem que leigos podem entender é incomparável. Nossos longos almoços no clube da Caltech, que me ajudaram a ligar muitos pontos no livro, estão entre as mais caras lembranças que tenho deste projeto. Conheci John Holdren por intermédio de Rob Watson. Ele também foi um tutor paciente no que se refere aos mecanismos de funcionamento das mudanças climáticas e se deu o trabalho de revisar cuidadosamente minha argumentação. Foi um enorme prazer discutir ideias com esses dois renomados cientistas!

Amory Lovins foi uma das primeiras pessoas a me abrir os olhos para a importância geoeconômica e geoestratégica da energia limpa, e estou grato por sua amizade e orientação.

Conheci Joseph Romm, alto funcionário do Departamento de Energia durante o governo Clinton, nos últimos estágios deste livro. Mas estou feliz por tê-lo conhecido, pois me beneficiei amplamente de suas duras críticas a algumas opiniões científicas mal fundamentadas acerca das mudanças climáticas. Joe também se deu ao trabalho de revisar muitas passagens do livro. Quaisquer erros que ainda permaneçam são de minha única responsabilidade.

Minhas avaliações sobre as questões climáticas foram enormente aprimoradas por Heidi Cullen, climatóloga do Weather Channel, que encheu meu caderno com suas observações perspicazes. Stephen Pacala, de Princeton, e Stephen Schneider, de Stanford, foram também generosos com seu tempo.

A equipe especializada em energia da Google.org, liderada por Larry Brilliant e Dan Reicher, foi gentil o bastante para me acolher no campus da Google, certa tarde, quando partilharam comigo suas avaliações das perspectivas da energia limpa. Felix Kramer, que fez dos carros elétricos não apenas sua paixão, mas também uma iminente realidade americana, esteve sempre pronto a responder a todas as minhas perguntas.

Minha compreensão do desafio energético chinês foi bastante aprimorada por David Moskovitz, diretor do Projeto de Assistência Reguladora, e por Edward S. Steinfeld, professor associado de ciência política no MIT. O professor Daniel M. Kammen, da Universidade da Califórnia, Berkeley, gentilmente me conduziu pelo emaranhado de informações e desinformações que envolvem a questão dos financiamentos à pesquisa energética. Ninguém me ensinou mais a respeito de petróleo do que Philip K. Verleger Jr., a quem sou profundamente grato.

Realizei dois documentários sobre energia para o Discovery Channel, juntamente com Ken Levis e Ann Derry. O trabalho de Ken, descobrindo as vozes mais abalizadas para retratar o desafio energético que os Estados Unidos enfrentam atualmente, enriqueceu minha compreensão do assunto. Agradeço a Jonathan Rose, por me instruir a respeito de sistemas. Agradeço também, e sempre, a Yaron Ezrahi — meu professor e amigo.

Nenhum livro meu estaria completo sem o discernimento de meu sábio amigo Michael Sandel, filósofo político em Harvard, que me ajudou a pensar sobre as relações entre a energia limpa e uma ética de zelo e conservação. O grande biólogo Edward O. Wilson, colega de Michael em Harvard, generosamente partilhou comigo suas opiniões a respeito das atuais ameaças à biodiversidade. Passar algum tempo com ele em seu laboratório foi um privilégio. Steven Chu, diretor do Laboratório Nacional Lawrence Berkeley, exibiu para mim, durante dois dias, os extraordinários talentos que reuniu no laboratório; saí de lá com um enorme acervo de ideias. Mike Davis, Robert Pratt e Carl Imhoff fizeram o mesmo no Laboratório Nacional do Noroeste do Pacífico, enriquecendo as demonstrações com numerosas conversas. Ambas as instituições são tesouros nacionais.

Fora da esfera ambiental, Curtis Carlson, presidente e diretor da SRI International, foi um agradabilíssimo correspondente, divulgador e conselheiro em todos os aspectos deste livro. Riley Bechtel gentilmente me apresentou a Amos Avidan, seu gerente para assuntos de energia renovável, que se tornou tanto um amigo quanto um instrutor nos meandros dos negócios relacionados à energia. Jeffrey Immelt, diretor-presidente da General Electric, e toda a sua equipe — Gary Sheffer, John Krenicki, John Dineen e Lorraine Bolsinger — me educaram a respeito das complexidades dos negócios de geração de energia. Jim Rogers, diretor-presidente da Duke Energy, e John Bryson, diretor-presidente da Southern California Edison, deram-se ao trabalho de me explicar, generosamente, os fundamentos econômicos das empresas de utilidade pública, além de revisar partes do livro. Para dois caras que trabalham em atividades tediosas, eles são realmente interessantes. Ron Litzinger, vice-presidente sênior da Southern California Edison, também me instruiu sobre a questão das linhas de transmissão. Peter Corsell e Louis Szabya, da Grid-Point, e Larry Kellerman, da Goldman Sachs, me conduziram pacientemente através das complexidades da rede inteligente, e revisaram meu texto sobre o assunto. Minhas conversas com os três abriram minha mente para aspectos que eu desconhecia sobre os negócios das empresas energéticas. Andrew Shapiro, estrategista da energia verde, fez ótimas observações para este livro, como parte de uma longa conversa. Andrew também ofereceu sugestões valiosas para o texto. Dov e Maria Seidman geraram o conceito de "ser mais verde" durante uma longa discussão num café da manhã em sua casa — uma das muitas com as quais nos divertimos. Aprecio muito a amizade deles. David Edwards, especialista em energia da VantagePoint Venture Partners, teve a gentileza de me visitar regularmente para conversar sobre o livro e oferecer sugestões, assim como Alan Waxman, especialista em energia da Goldman Sachs. David Douglas, que supervisiona programas de sustentabilidade para a Sun Microsystems, me ofereceu todo tipo de ideias, assim como sugestões específicas acerca das implicações ambientais dos negócios de computação. Brian Silverstein, vice-presidente da Administração de Energia de Bonneville, me conduziu através das complexidades da rede elétrica. Andy Karsner, secretário-assistente de eficiência energética e energia renovável do Departamento de Energia, cuja quantidade de conhecimentos sobre o financiamento de projetos energéticos é incomparável, me ofereceu valiosas sugestões a cada estágio da redação do livro. Jim Connaughton, conselheiro-chefe para questões de meio ambiente do presidente Bush, viu-se sentado ao meu lado em um voo de Tóquio a Washington, e demonstrou ter espírito esportivo ao se submeter a uma entrevista de treze horas. Dan Nolan e Tom Morehouse foram tutores importantíssimos no tocante ao movimento dos falcões verdes dentro das Forças Armadas americanas. Kenneth Oye, do MIT, Mamoun Fandy, do Instituto Internacional de Estudos Estratégicos, Larry Diamond, de Stanford, o investidor Jack Hidary, o cientista Peter Gleick, o especialista em energia eólica Michael Polsky, o ativista social Van Jones, o perito em assuntos militares Linton Wells, e a equipe de futurólogos da Shell em Haia, assim como John Ashton e Tom Burke, de Londres — todos me ofereceram sugestões ao longo do caminho. O mesmo fez Joe Kahn, ex-chefe do escritório do *New York Times* em Pequim. Diana Farrell, do McKinsey Global Institute, e eu temos uma conversa sobre globalização que já dura vinte anos, e que prosseguiu, para meu proveito, durante a redação deste livro.

Bill Gates e Craig Mundie, da Microsoft, tiveram comigo uma longa discussão sobre todos os aspectos relacionados à energia e ao livro em geral. Ninguém jamais testou verdadeiramente suas ideias se não as testou com esses dois! Foi uma coisa exaustiva, mas, assim como em *O Mundo É Plano*, tremendamente útil para afiar minha argumentação — e estimulou o capítulo "Pobreza Energética". Mas esse capítulo jamais teria visto a luz do dia se Ramalinga Raju, diretor-presidente da firma de terceirização Satya, não tivesse me convidado para visitá-lo em Hiderabade, mostrando-me o impressionante trabalho que a fundação criada por sua família vem realizando nos vilarejos de Andhra Pradesh. Robert Freling, diretor-executivo do Solar Electric Energy Fund, foi também fundamental na formação de minhas concepções sobre a pobreza energética. Nayan Chanda, que dirige o website da YaleGlobal Online, me ajudou a compreender os desafios energéticos da China e suas implicações ambientais. Nandan Nilekani, diretor da Infosys, que tanto me ajudou em meu livro precedente, teve a generosidade de oferecer sugestões para este também.

John Doerr foi um agradabilíssimo companheiro de viagem, desde florestas pluviais do Peru até os canaviais do Brasil. O empenho pessoal de John para mitigar as mudanças climáticas é uma inspiração, e sua generosidade ao me apresentar à rede de empresários de energia limpa que sua firma tem apoiado foi inestimável. Das muitas pessoas a quem ele me apresentou, nenhuma foi mais útil que K. R. Sridhar, fundador da Bloom Energy. Não existe ninguém mais gentil e solícito para explicar os problemas relacionados à energia e ao meio ambiente.

Também agradeço as sugestões de Carl Pope, diretor-executivo do Sierra Club, do consultor Dan Becker e de Jon Wellinghof, integrante da Comissão Federal de Regulamentação de Energia. Agradeço também a Volkert Doeksen, Margo Oge, Cherie e Enki Tan, Lois Quam, Jacqueline Novogratz, Rhone Resh; e ao pessoal da IBM, que acolheu meu primeiro seminário sobre este livro: Joel Cawley, Martin Fleming e Ron Ambrosio. Tenho uma dívida de gratidão com Chad Holliday e sua equipe da DuPont, pelo auxílio generoso. Gostaria de agradecer também ao meu amigo George Shultz por seu sábio aconselhamento, assim como a Jeff Wacker e Bill Ritz, da Electronic Data Systems, por todas as sugestões.

Algumas importantes menções honrosas: Barbara Gross, gerente geral do hotel Garden Court, onde sempre me hospedo em Palo Alto, que fez um grande sacrifício e me emprestou seu laptop — que usei durante três dias e no voo de volta a Washington — depois que o meu quebrou. Isto é que é serviço completo. Meus parceiros de golfe, Joel Finkelstein, Alan Kotz e George Stephens Jr., ouviram tudo a respeito deste livro muito antes do meu editor. Estou muito grato por sua camaradagem.

A pequena equipe responsável pela publicação deste livro — a agente literária Esther Newberg, o presidente da Farrar, Straus and Giroux, Jonathan Galassi, o diretor de marketing Jeff Seroy, a diretora publicitária Sarita Varma, a diretora de arte Susan Mitchell, o diretor de vendas Spencer Lee, a diretora editorial Debra Helfand, o copidesque

Don McConnell, a pesquisadora Jill Priluck e meu editor, Paul Elie — tem estado comigo desde os tempos da Criação. Pelo menos, é como me sinto. Tenho sorte de contar com o apoio e a amizade dessas pessoas. Paul melhorou cada palavra deste livro; feliz é o escritor que encontra um editor tão inteligente e devotado. Gwen Gorman, minha assistente no *New York Times*, organizou de forma eficiente todas as minhas atividades — viagens, publicação da coluna e de livros. Por isto, e pelo seu modo dedicado de trabalhar, fico muito grato.

Minha querida mãezinha, Margaret Friedman, morreu enquanto eu escrevia este livro. Contei-lhe que estava trabalhando nele, mas não tenho certeza se a informação conseguiu atravessar seu torpor. Vou sentir falta de poder presenteá-la com a primeira edição. A vida de minha mãe abrangeu um período incrível. Ela nasceu em 1918, na reta final da Primeira Guerra Mundial; cresceu durante a Depressão, se alistou na Marinha depois de Pearl Harbor, serviu a seu país durante a Segunda Guerra Mundial, e viveu tempo bastante para jogar bridge pela internet com uma pessoa na Sibéria. Deixou-nos quando o mundo começou a ficar quente, plano e lotado. Minhas filhas Orly e Natalie, assim como toda a geração delas, herdarão esse desafio. Espero que meu livro possa ser um guia útil para elas, que tanta luz trouxeram à minha vida.

Se você escreve um livro sobre energia e meio ambiente, as pessoas, com razão, desejam saber como você vive sua própria vida. Como muitas pessoas, segundo creio, eu descreveria minha família como uma família cuja preocupação com as questões ambientais é um trabalho em andamento. Antes de 2001, eu não pensava muito em nossas emissões de carbono; agora penso um bocado nisso. Cinco anos atrás, minha esposa Ann e eu compramos um dos últimos grandes terrenos de nosso bairro em Maryland, para impedir que fosse dividido em 12 ou mais casas. Tivemos de vencer a concorrência com imobiliárias. Finalmente, construímos uma casa grande em um canto do terreno e transformamos o restante em um parque verde. Preservamos todas as árvores significativas que já existiam na área, plantamos cerca de duzentas novas árvores e milhares de plantas floríferas. O lugar se tornou um refúgio para veados, coelhos, pássaros, borboletas e uma ou duas raposas. Para reduzir em nossa casa o consumo de energia produzida por usinas poluentes, instalamos um sistema de condicionamento de ar movido a energia geotérmica e dois conjuntos de painéis solares, que proporcionam cerca de 7% de nossa eletricidade. Cobrimos o restante de nossas necessidades energéticas com créditos de energia eólica da Juice Energy. Ann e eu dirigimos um carro híbrido. Na qualidade de integrante do conselho diretor da Conservação Internacional, Ann contribuiu para fundar o Centro de Liderança Ambiental para Empresas, cujo objetivo é colaborar com firmas que desejam se tornar mais verdes; ajudou também a fundar o centro de operações da CI no Peru, que trabalha para impedir o desmatamento provocado por estradas que estão sendo abertas em áreas sensíveis da floresta pluvial. Esses são nossos trabalhos em andamento. Não os concluiremos até reduzirmos a zero nosso consumo de energia produzida por usinas poluentes.

Ann, como sempre, participou intimamente da produção deste livro. Editou e aprimorou o primeiro rascunho, viajou comigo a alguns recantos exóticos da Indonésia (entre outros lugares), para colaborar nas pesquisas, e acompanhou a evolução das minhas ideias a cada passo do caminho. Seu compromisso com a preservação ambiental, para não falar da preservação de nosso próprio jardim, é uma inspiração. Por isso, e por muitas outras coisas ao longo de todos esses anos, este livro é dedicado a ela.

Thomas L. Friedman
Bethesda, Maryland
Setembro de 2009

Índice Remissivo

Números de páginas em itálico se referem a gráficos; a letra "n" após o número da página significa que a referência foi feita em uma nota de rodapé.

Este livro foi impresso na
LIS GRÁFICA E EDITORA LTDA.
Rua Felício Antônio Alves, 370 – Bonsucesso
CEP 07175-450 – Guarulhos – SP
Fone: (11) 3382-0777 – Fax: (11) 3382-0778
lisgrafica@lisgrafica.com.br – www.lisgrafica.com.br